Mab y Pregethwr

I Llinos a'r plant: Arthur, Rolant a Gwenllian

Mab y Pregethwr
CYNOG DAFIS

Hunangofiant

Argraffiad cyntaf: 2005

Llun y clawr: Marian Delyth
Lluniau: y teulu a Marian Delyth

Rhif Llyfr Rhyngwladol: 0 86243 791 1

Cyhoeddwyd, argraffwyd a rhwymwyd yng Nghymru
gan Y Lolfa Cyf., Talybont, Ceredigion SY24 5AP
e-bost ylolfa@ylolfa.com
gwefan www.ylolfa.com
ffôn (01970) 832 304
ffacs 832 782

CYNNWYS

Rhagair

Rwy'n hyderu y bydd yna rywbeth at ddant y rhan fwyaf ohonoch chi yn y llyfr yma. Go brin, serch hynny, y bydd pob rhan ohono yn siwtio pawb. A chwedyn rwy'n gobeithio y teimlwch chi'n rhydd i bori yma a thraw yn ôl eich tast a'ch diddordebau'ch hunan. Byddai'n dda gen i feddwl, serch hynny, y llwyddith ambell un ohonoch chi i balu drwy'r gyfrol o glawr i glawr. O wneud hynny fe welwch chi i fi ymdrechu i gyfuno peth deunydd tra phersonol, ac elfen o gyffes, ag ymdrech i gofnodi a deall y digwyddiadau y bues i'n dyst ohonyn nhw ac yn gyfrannydd iddyn nhw. Yr ail elfen yna, wrth gwrs, sy'n cyfiawnhau cyhoeddi'r llyfr.

Fe ysgrifennwyd y bennod olaf, gan fod y dedlein yn mynnu hynny, yn Ebrill 2005. Roedd y cyhoeddwr caredig yn ddigon parod i fi ailwampio tipyn ar y bennod, ond mi benderfynais ei gadael fel yr oedd hi, yn gofnod o'r ffordd y gwelwn i bethau ar y pryd.

Mae'n bosibl y sylwch chi ar beth odrwydd yn yr arddull. Mae'r cyfiawnhad am hynny fel a ganlyn. Roeddwn i am gyfleu ymgais i siarad yn lled uniongyrchol â chi, a rhythmau, cystrawennau a ffurfiau iaith lafar (ond nid tafodiaith) oedd piau hi felly. Go anfynych, os o gwbl, y dewch chi ar draws ffurfiau gramadegol nad oes posibl dychmygu eu clywed nhw ar lafar. Mae hyn yn cymryd, wrth gwrs, bod Cymraeg ysgrifenedig, fel pob iaith lenyddol arall am a wn i, yn frith o lythrennau 'distaw', megis yr 'f' yn 'eithaf' a'r 'r' yn ffenestr', ac mai camgymeriad, i roi dim ond un enghraifft, fyddai ynganu 'eich' yn ôl y sbelian.

Fe fyddwch yn sylwi'n go fuan ar y defnydd o ''y' neu ''yn' yn lle 'fy'. Byddai i fi ddweud "fy" yn weithred boenus o artiffisial, rhywbeth yn debyg i gribo 'ngwallt â fforc, a mae'r un peth yn wir am bob un o siaradwyr naturiol yr iaith drwy'r Deheudir o leiaf. Nid yn unig hynny, ond yn ôl Proff Tom yn y darlithiau Cymraeg ers lawer dydd, mae'r ffurf "'yn" mor hen a pharchus â'r iaith Gymraeg a'i threigliadau. Pam nad ei defnyddio hi felly, ac onid yw hi'n hen, hen bryd ei chydnabod yn ffurf hollol ddilys a derbyniol?

Wedi dweud hynny, rwy'n gwerthfawrogi'r ffaith i'r cyhoeddwyr a'r Cyngor Llyfrau oddef 'nghrwydriadau oddi wrth normau'r iaith safonol. Rwy'n gwerthfawrogi'n fwy fyth wahoddiad y Lolfa i fi lunio hunangofiant (er bod y syniad yn 'y nghrombil i eisoes), a hynawsedd amyneddgar Lefi yn enwedig ar hyd y daith.

CYNHYSGAETH

Nac ofna braidd bychan: canys rhyngodd bodd i'ch Tad roddi i chwi y Deyrnas. Luc 12:32

PE BAECH CHI'N TEITHIO rhyw bedair milltir o dref Aberhonddu ar hyd dyffryn Ysgir Fawr i gyfeiriad yr Epynt, mi ddaethech i sgwâr pentref cryno-dlws Pont-faen. Ar y dde i chi, wele ddwy restr o fythynnod yn rhedeg lan tua Tŷ'r Felin. Ar y chwith, dyma bont fach gul yn croesi'r afon, a'r heol yn fforchio wedyn: un gainc yn troi 'nôl i gyfeiriad Aberysgir, afon Wysg a'r A40, y llall yn dringo'n go serth tuag at ffermydd Fan Ganol a Fan Fawr. Rhwng y ddwy gainc, dyco gapel Bryn Bont, y Methodistiaid Calfinaidd. Ymlaen yn syth o'r sgwâr, mae'r heol yn dilyn y cwm cyn dringo tua'r dde i Ferthyr Cynog a'r Capel Uchaf; ymlaen wedyn heibio maes tanio Byddin Prydain ac i Lanfair-ym-Muallt.

I'r sgwâr yma, ryw brynhawn Sadwrn yn 1920–21, daeth gŵr ifanc oddeutu'r 23 oed i gadw cyhoeddiad drannoeth yng nghapel Bryn-bont. Wedi trafaelu roedd e o Goleg Trefeca lle roedd e'n treulio blwyddyn baratoawl ei gwrs addysg ar gyfer gweinidogaeth yn Eglwys Bresbyteraidd Cymru.

Yn y fan'ny roedd merch ryw flwyddyn yn ifancach nag e wedi dod i'w hebrwng e idd ei lety dros y Sul. A dyco nhw nawr yn cydgerdded heibio i'r capel, i'r dde lan y rhiw ac ymlaen am sbel cyn troi i'r dde 'lweth er mwyn cyrraedd ei chartref hi, ffarm y Fan Isaf, ar y llethr uwchlaw afon Ysgir.

Mae'n sicr y byddai hi wedi sylwi ar ei gloffni amlwg e. Tybed a wnaeth hi'r cysylltiad rhwng y cloffni hwnnw a'r ffaith ei fod e'n fyw ac yn iach, yn hytrach na bod ei weddillion e'n pydru, gyda nifer o'u cydnabod, yn ffosydd y Rhyfel Mawr yr oedd ei slachdar enbyd wedi dod i ben gwta dair blynedd ynghynt? Roedd gyda hi lawn digon o ddeall a dychymyg i'r peth fod wedi croesi'i meddwl, a hithau wedi cael aros ymlaen yn biwpil-titsiar yn ysgol y pentref, a dod yn athrawes (ddi-dystysgrif mae'n wir) yn ysgolion elfennol Tal-y-bont-ar-Wysg a Mount Street Aberhonddu.

Yn Saesneg y buodd yr ymddiddan rhyngddyn ar y wâc ddwy filltir i'r Fan Isaf. Er bod ei rhieni hi eu dau yn siaradwyr Cymraeg rhugl, ei thad yn flaenor ac yn mwynhau nofelau Daniel Owen, Saesneg oedd prif iaith yr aelwyd, a doedd gyda hi fawr ddim Cymraeg. Yn wir, mi ysgrifennodd flynyddau lawer yn ddiweddarach mai'r "unig adeg y clywid ymgom Gymraeg yn ein cartref ni fyddai pan drafodai'n rhieni ni fusnes preifat neu pan ddôi un o'r mynych gyfeillion o bregethwyr neu weinidogion heibio". A chwedyn yn Saesneg y cynhelid y dosbarthiadau Beiblaidd a'r Ysgol Sul i blant a phobl ifainc ym Mryn-bont, serch mai Cymraeg oedd unig iaith gwasanaethau a busnes y capel ei hunan; ac yn Gymraeg, wrth gwrs, y byddai ei chydnabod newydd hi y noson honno yn traethu'i genadwri o'r pulpud drannoeth.

Ta beth am hynny, roedd "yr argraff barhaol" yr oedd y sgwrs wedi'i gadael ar ei feddwl e'n aros yn glir yn y cof pan ysgrifennodd e ati flwyddyn neu ddwy wedyn i dderbyn ei gwahoddiad i ymweld ag Ynys Mynach (ffarm arall ei thad), ond nid i berwyl pregethu y tro yma. Wrth ymadael fore Llun, mi fenthyciodd iddi gyfrol o weddïau a'i gwahodd i ddanfon ei sylwadau ato fe.

Mae cynnwys y llythyr yn awgrymu peth o'r rheswm dros i'r ddau yma ymserchu yn ei gilydd. Mae e'n cyfeirio at ei theimlad hi o fod "ar ei phen ei hunan" ac o ffaelu cyd-deimlo ag eraill, ac yn cyffesu iddo yntau brofi'r un "tramgwydd". Dros bedwar ugain mlynedd yn ddiweddarach dyma fab uniad y ddau yn mentro wrth ddyfalu esboniad. Mam, Annie, yr ifancaf o naw, a'r unig un i gael mynd ymlaen â'i hysgol a dianc o rigolau'r bywyd amaethyddol. Nhad, George, wedi'i ynysu i raddau gan ei gloffni oddi wrth fywyd llancaidd ei bedwar brawd ifancach a gweddill ei gyfoedion, yn troi at fywyd y meddwl a'r ysbryd drwy lyfrau a gweithgareddau'r capel, a'u cael nhw'n gyfoeth dihysbydd; a'r drws, drwy hynny, yn agor i ddianc o slafdod y godro pump-o'r-gloch, y rownd laeth a gorchwylion diddiwedd y meysydd a'r clôs, heb orfod mynd dan ddaear.

Ond mae mwy yn y peth na hynny. Rhyw, yr holl-bresennol ryw, wrth reswm. Flynyddau lawer yn ddiweddarach y des i i ddeall jest pa mor bwysig i Nhad yr oedd hwnnw, pan oedd Gwilym O Roberts yn cyhoeddi yn ei golofn *mind-boggling* yn *Y Cymro* ei bod hi nid yn unig yn ocê ond yn bwysig i fwynhau rhyw hyd yr eithaf.

Ond y peth arall yr oeddwn i ar fin cyfeirio ato fe, a oedd yn trydanu perthynas Nhad a Mam o'r cychwyn cyntaf, ac yn hydreiddio'u hymddiddan nhw, oedd Iesu Grist. Rywfodd dwyf i'n cael dim byd *gauche* yn y math yma o ddisgwrs (cyfeirio y mae George fan hyn at brofiad Annie o unigrwydd): "'Y nheimlad i rywsut yw mai'r hyn roedd Iesu Grist eisiau mewn gwirionedd oedd chwalu'r tramgwydd yma. Rwy'n siŵr bod Iesu am i ni fod yn gartrefol yn y byd yma: 'Ystyriwch lili'r maes, pa fodd y maent yn tyfu; nid ydynt yn llafurio nac yn nyddu', gystal â dweud wrthon ni (neu felly rwyf i'n teimlo), 'Ystyriwch mor ddibryder y maen nhw'. Pam na allwn ni gyrraedd at y llonyddwch meddwl yna?"

Yr hyn a'u tynnodd nhw ynghyd, a'r hyn a'u cynhaliodd nhw drwy bob profedigaeth, ac a gyfoethogodd bob llawenydd, tan eu gwahanu gan angau yn 1962, a thros bron ugain mlynedd pellach yn achos Annie, oedd y ffaith eu bod nhw wedi'u trochi, ac wedi ymdrochi, dros eu pen a'u clustiau, yn yr hyn a fuodd iddyn nhw'u dau yn Newyddion Da mewn gwirionedd.

Cyfrwng y trochi oedd Methodistiaeth Galfinaidd Cymru, y gwelwyd ei chenhedlu lai na dau can mlynedd cyn eu cyfarfyddiad, yn yr ardaloedd o amgylch man y cyfarfyddiad hwnnw. Mae'r lleoliad yn arwyddocaol.

Rhyw un ar ddeg milltir fel yr hed y frân, rhyw bymtheg efallai ar gefn ceffyl, sydd o Bont-faen i Bantycelyn, a dyna chi ar drothwy gwlad Dafydd Jones o Gaeo, Morgan Rhys, Thomas Charles a'r ddau Ddavid Charles, a Thomas Lewis, gof Talyllychau. Ond cyn troi tua'r gorllewin, gadewch i ni am ychydig edrych tua'r dwyrain, a'r naw milltir y byddai rhaid i'r frân eu hedfan cyn cyrraedd Trefeca, a mynwent Talgarth, lle clywodd Pantycelyn lais y nef yn sŵn dychrynllyd Howell Harris.

Yn ôl Mam, buodd Job Thomas, ewythr ei thad ac un o sefydlwyr yr achos ym Mryn-bont, yn gyd-weithiwr i Harris. Welaf i ddim yn ôl y dyddiadau fod hynny'n bosibl. Ond y peth arwyddocaol yw i'r honiad gael ei wneud. Erbyn 1920, roedd anterth y symudiad yr esgorodd y Diwygiad Mawr arno wedi hen fynd heibio, a'r tueddiadau a arweiniodd at y marw tawel terfynol yn ein dyddiau ni eisoes wedi cerdded ymhell. Ond roedd y marwor eto'n dwym, a'r ymdeimlad o wres aruthrol y tân a ysodd, a burodd ac a wefreiddiodd fywyd y Cymry, yn unigolion ac yn gymdeithas (eu swcïo a dargyfeirio'u hegnïon nhw, a'u gormesu hefyd debyg iawn), yn fyw iawn i'r sawl a oedd yn yr olyniaeth. A mae hi'n werth dwyn ar gof sut y mae modd olrhain cysylltiadau personol o ddyddiau ieuenctid Nhad a Mam i bobl y Diwygiad Mawr.

Cymrwch yn enghraifft yr ail Ddavid Charles (1803–80) a oedd yn 51 oed pan gadd tad Mam (David Morgan – Gampa y dysgais i ei alw e) ei eni yn 1853. Buodd hwnnw am gyfnod yn gyd-ysgrifennydd Coleg Trefeca, a chwedyn nid hollol ffansïol yw ei ddychmygu e'n pregethu ym Mryn-bont, a Gampa yn ei glywed, ysgwyd llaw ag e hyd yn oed. Roedd tad David Charles, David Charles I, yn hen gyfarwydd debyg iawn â Williams Pantycelyn. Un o brofiadau mwyaf brawd David Charles I, Thomas Charles o'r Bala, fuodd clywed, yn Llangeitho, bregeth gan Daniel Rowland, a oedd, fel y cawn ni grybwyll yn nes ymlaen, yn un o gyndadau Nhad.

Gyda llaw, ar yr ochr arall, ewythr i fam Mam (Gama) oedd yr hynod Roger Price y cenhadwr, 'Llew Mawr Bechuanaland', mab-yng-nghyfraith y Robert Moffatt y dyfynnwyd ei gyfieithiad newydd o'r Beibl i'r Saesneg ddegau o weithiau o bulpudau 'mhlentyndod i, a chyd-frawd-yng-nghyfraith David Livingstone. Wedi'r anturiaethau rhyfeddaf llwyddodd 'Yncl Roger' (ys dywedai Mam), a oedd wedi mynd o lethrau'r Epynt i'r coleg yn Plymouth yn ddi-Saesneg, i gwpla cyfieithiad o'r Hen Destament i'r iaith Tswana.

Ond 'nôl nawr at Gampa. Erbyn ei ddyddiau fe roedd ceidwadaeth honedig y tadau Methodistaidd yn ildio i gydwybod gymdeithasol Lewis Edwards a'i debyg, heb sôn am radicaliaeth danbaid Thomas Gee. Mi fyddai'n dda gen i gredu bod dylanwad y radicaliaeth honno wedi effeithio ar ei agwedd at gwestiwn y tir a landlordiaeth, ac yntau'n denant yn y Fan Isaf i ystâd Castell Madog ac yn Ynys Mynach i ystâd Penoua. Cyfranogodd ei frawd Ebeneser o ffrwyth y radicaliaeth yna drwy fynd o siop ddillad yn Abertawe i'r Wladfa i fod yn fanijar y Co-op yn Nhrelew – wedi llofruddiaeth Llwyd ap Iwan mae'n debyg. At Yncl Eben yn Nhrelew yr aeth un o chwiorydd Mam, Katie, am gyfnod, a gorfod dysgu Cymraeg mewn difrif. Yr hyn sy'n ffaith yw mai i'r Rhyddfrydwyr y pleidleisiodd Gampa gydol ei oes, er i'r Ceidwadwyr ddisodli'r blaid honno fel y dewis amgen i Lafur ym Mrycheiniog o 1924 ymlaen. Y peth arall y ces i wybod amdano oedd bod Rhyddfrydiaeth Gampa yn gryn embaras idd ei feibion oherwydd perygl niweidio'u rhagolygon nhw gyda'u landlordiaid. Yn Dorïaid diedifar y gwelais i'n ewythrod a 'modrabedd, a'u plant nhwythau, ar ffermydd Brycheiniog. Llithriad efallai o radicaliaeth i geidwadaeth yn cyd-ddigwydd â disodliad y Gymraeg gan y Saesneg? Synnwn i ddim. Mam a rannodd y gyfrinach deuluaidd yma gyda fi. Gyda'i thad yr oedd ei chydymdeimlad hi. A dyna ffactor arall efallai yn y cydnawsedd amlwg o'r cychwyn cyntaf rhyngddi hi a Nhad.

Mae'r dystiolaeth yn awgrymu mai â Lewis Edwards ac nid Emrys ap Iwan y buasai Gampa wedi ochri yn y ddadl fawr ar yr 'achosion Saesneg'. Wn i ddim p'un ai canlyniad penderfyniad bwriadus, neu ynteu wneud y peth hawdd, oedd magu naw o blant yn Saesneg, nac ychwaith beth fuodd dylanwad Gama ar hynny. Mae'n ffaith, fodd bynnag, i rai o'r cymdogion gadw'r Gymraeg yn iaith deuluol yn yr un cyfnod, a bod brodyr a chwiorydd hynaf Mam wedi gorfod arfer Cymraeg wrth ymwneud â nhw. A phan aeth Tom, brawd hynaf Mam, i garu, ddwy filltir dros y mynydd i gyffiniau Llanfihangel Nant Brân, gwrthrych ei serch e oedd Mary Ann, nad oedd gyda hi ar y pryd fawr iawn o Saesneg. Mae 'nghefnder Austin (mab Tom a Mary Ann) yn mynnu mai profiadau diflas iddo fe a'r plant eraill fyddai ymweliadau plentyndod ag Ynys Mynach gan na ddeallen nhw ddim o'r sgwrs yr oedd yn rhaid iddyn nhw eistedd yn dawel a gwrando arni hi. Presenoldeb Mary Ann yn gosod y cywair mae'n debyg, a'r Gymraeg, dros dro, yn adennill yr oruchafiaeth.

Gawn ni droi nawr tua'r Gorllewin, ac at yr ochr arall.

Mynydd-y-Garreg, gerllaw Cydweli, oedd ardal gwreiddiau a pherthnasau Nhad, ac ym mynwent capel Horeb y mae Nhad-cu a Mam-gu wedi'u claddu, yn erbyn y wal. Ond yn Red Roses, am y ffin â Sir Benfro Saesneg (bedair milltir o Landdowror, lle bu Gruffydd Jones yn gosod tanwydd y Diwygiad Mawr), y'i ganwyd e a threulio naw mlynedd gynta'i fywyd.

Ysgwn i ai'r rheswm dros i'r teulu fynd i fan'ny i ffarmio oedd bod hen gysylltiadau teuluol yna? Oherwydd i Henllan Amgoed y daeth Nathaniel, mab Daniel Rowland, yn 1776 i briodi Margaret, merch Howel Davies, "apostol Sir Benfro", a setlo i lawr i fyw ym Mhlas y Parciau. Roedd Nhad yn falch iawn o allu hawlio'i le (ymysg llu o rai eraill wrth gwrs) yn ddisgynnydd uniongyrchol i Daniel Rowland (ni chofiaf i fawr iawn o sôn am Howel Davies, un arall o'r mawrion), ond fyddai dim byd yn fwy gwrthun gydag e na rhai o'r nodweddion sy'n cael eu cysylltu â'i fab Nathaniel, trwy'r hwn ysywaeth y trosglwyddwyd yr olyniaeth. Fe,

mwya'r cywilydd iddo fe, a arweiniodd yr ymosodiad ar y cymwynaswr aruthrol
ac arwrol hwnnw, Peter Williams, a'i ddiarddel o'r seiat (a David Charles I yn
arwain y gwrthwynebiad). Mae yna hanes i Daniel geryddu'i fab â'r geiriau ingol,
"Nat, Nat, ti a gondemniaist dy well". Mi gadd Nat yntau ei gomopad yn 1807,
pan ddiarddelwyd e yn ei dro am feddwdod yn Sasiwn Castellnewydd Emlyn. Ond
ei fai pennaf, yn ôl Gomer Roberts, "oedd balchder, a'i duedd [i] awdurdodi ar ei
frodyr". Am y pegwn â phopeth a welais i yn Nhad.

Mudodd Nhad-cu a Mam-gu tua 1905, a Nhad yn naw oed, o Red Roses
i Ben-hydd Fawr, ffarm fynydd ddiogel o faint, ar y cefn rhwng y Bryn a Phont-
rhyd-y-fen, er mwyn, gallwn i feddwl, fachu ar y cyfle i werthu llaeth i gymuned
lofaol oedd yn cyrraedd ei hanterth ar y pryd. Gyrru'r stoc ar droed bob cam o'r
daith, gan droi mewn i aros un noswaith gyda rhyw berthnasau yng nghyffiniau
Casllwchwr. Dros y blynyddau wedyn fe dyfodd pum mab Pen-hydd i batrwm
archetypaidd y Deheudir. Aeth Nhad i'r weinidogaeth. Aros ar y ffarm wnaeth
Donald tan iddo fe, rai blynyddau cyn ymddeol, gael swydd go ddi-sgîl yng
ngwaith dur Margam. Aeth y tri arall dan ddaear, a diodde'r canlyniadau: Dai yn
marw o niwmoconiosis sbel cyn cyrraedd ei drigain; Rowland (noder yr enw) yn
ddigon ffodus i anafu'i gefn yn ddrwg mewn damwain, a chael gadael y gwaith
yn ffaeledig cyn i'r dwst wneud ei ddifrod yn llawn; a Trefor, yr ifancaf, yn marw
oddeutu'r trigain a phump o emphysema.

Daeth Nhad i oed yng nghyfnod radicaleiddio'r cymoedd i sosialaeth, ac fe
arddelodd fersiwn Gristnogol o'r ideoleg honno gydol ei oes. Mae'n sicr y buasai
fe'n ymwybodol o derfysgoedd Tonypandy (1911) a Llanelli (1912). Buasai'r hanes
am ladd 432 o ddynion yn nhanchwa Senghennydd (1913) yn ennyn ynddo fe
gymaint o ddicter ag o dorcalon. A phan gyrhaeddodd e Aberystwyth o Drefeca,
fe'i cadd ei hunan ymysg llawer a oedd wedi profi lladdfa annynad y Rhyfel
Mawr neu ynteu wedi cyrraedd godre ysgol addysg uwch o bwll glo a chwarel.
Daeth yn gyfaill oes i Gwyn Evans, mab ffarm Gelli Lenor, Maesteg, un o hoelion
wyth y pulpud a gweinidog capel Charing Cross Llundain wedi hynny, yr oedd
nwy'r ffosydd wedi gadael ei ôl ar ei ysgyfaint. Doedd gan y dawelyddiaeth y
cyhuddir sêt fawr capeli'r cymoedd ohono ddim hygrededd ymhlith y to yma o
ddarpar weinidogion. Cadd Nhad, ac yntau'n stiwdent-bregethwr, ei rybuddio'n
gyhoeddus gan flaenor yng nghapel Llangadog unwaith rhag dod â gwleidyddiaeth
cyfiawnder-cymdeithasol i'r pulpud, a'i annog fore drannoeth gan aelod o'r

gynulleidfa o signal-bocs y rheilffordd i ddal ati.

Byddai Nhad a'i gyfoedion yn y Coleg yn bownd o fod yn ymwybodol o'r ffaith fod cylchgrawn *Y Wawr* wedi'i wahardd yn 1917 am i DJ Williams feirniadu'r Rhyfel. A phan wahoddwyd Edward, Tywysog Cymru (hwnnw ddywedodd ymhen rhai blynyddau bod "rhaid gwneud rhywbeth"), i agor adeilad newydd Undeb Myfyrwyr Aberystwyth yn Hydref 1923 doedd dim disgwyl i'r myfyrwyr gwrthryfelgar yma ddioddef dim o'i smoneth e. Chadd e ddim ond yngan ei ffrâs agoriadol, "Foneddigion, mae'n dda gen i fod gyda chi ar yr achlysur hwn", cyn i'r heclan di-dor roi taw arno fe. Byddai Nhad yn adrodd yr hanes gyda blas – wedi'i amodi ryw gymaint â thosturi dros y Prins druan y buodd rhaid iddo fe gilio o'r maes y diwrnod hwnnw'n go ddiseremoni.

Cyn bo hir fe ddôi cyffro delfrydgar, cyni a dadrithiad Streic Gyffredinol 1926, gyda glowyr y De ar flaen y gad ym mis Mai ac yn gyndyn o ildio hyd y diwedd chwerw ym mis Tachwedd. Mewn llythyr caru tra rhamantus at Mam, dyddiedig Tachwedd 2, rhaid oedd gwneud lle i ddweud i'r "casglu dillad er cymorth i'r glowyr fod yn llwyddiant enfawr. Mi ges ran ddoe yn y gwaith caled o helpu i bacio'r dillad yn fyrnau". *Hands-on* felly, nid damcaniaethol yn unig. Mae'n dra thebyg y byddai ei gred yn y dull di-drais yn peri iddo fe anghymeradwyo'r ymladd difrifol fuodd rhwng y glowyr a'r heddlu wrth i'r streic ddirwyn i ben, ond does gen i fawr o amheuaeth chwaith ymhle y byddai'i gydymdeimlad e, nac ymhle, mewn dadl boeth, y rhoddai fe'r bai am y gwrthdaro. Arhosodd llawer o'r dicter a enynnodd y cyfnod lled-chwyldroadol yma yn hanes Cymru ynddo fe am flynyddau. Mi achosodd gryn embaras i fi yn blentyn o'i weld e rai troeon bron yn colli'i hunanreolaeth mewn dadl ar sosialaeth. Fel yn achos mwy nag un fe'i dallwyd e gan ddrwgdybiaeth o 'bropaganda' i rai o erchyllterau real yr Undeb Sofietau.

Cadd ei sêl e dros gyfiawnder cymdeithasol ei dwysáu gan brofiadau un ar ddeg mlynedd cynta'i weinidogaeth yng nghapel Moreia Tre-boeth, Abertawe, a ddechreuodd yn Hydref 1927. John Morgan Jones Merthyr (1861–1935), a oedd wedi bod yn athro arno fe yn y Bala, a bregethodd yn y cyrddau sefydlu. Dewis arwyddocaol oedd hwnnw, gan ei fod e, yn ôl y *Bywgraffiadur*, yn "ŵr o argyhoeddiadau cryfion … a gymerai ddiddordeb ymarferol yng nghyflwr cymdeithasol ac economaidd pobl ei ardal" ac "yn bleidiwr digymrodedd i'r Mudiad Heddwch".

Erbyn hynny roedd y glowyr, yr oedd cryn nifer ohonyn nhw yn ei gynulleidfa, wedi gorfod diodde dirywiad yn eu telerau gwaith yn dilyn y Streic Fawr. O ddrwg i waeth yr aeth pethau wedyn wrth i'r Dirwasgiad arwain at ddiweithdra torfol, tlodi ac allfudiad. Soniodd Mam wrtha i am y gostyngiad cyson yng nghyfraniadau'r aelodau at y capel gydol y tridegau, gan bwysleisio mai ar eu gwaethaf y digwyddodd hynny.

Nid dyna'r darlun cyfan, serch hynny. Ym mis Awst 1935, ailagorwyd y capel ar ôl atgyweiriadau go helaeth a chlywodd yr aelodau saith pregeth mewn cynifer â hynny o oedfaon dros bum diwrnod. Cawd dathliadau clirio'r ddyled yn 1942; erbyn hynny roedd yr Ail Ryfel Byd wedi dod â chyflogaeth lawn yn ei sgil. Sôn am eironi.

Ddwy flynedd ar ôl i Nhad a Mam briodi a chychwyn ar eu rhawd bugeiliol ar-y-cyd, a deufis wedi dyfodiad y cyntaf-anedig, David, fe gawson Feibl yn rhodd gan Gampa. Gyferbyn â'r wyneb-ddalen, dyma gyfarchiad (Saesneg) yn cynnwys y geiriau: "Gan ddymuno y bydd y gwirionedd a geir ynddo o gymorth mawr i chi ar daith bywyd, a'r addewid sydd ynddo yn orffwysfan esmwyth i'ch pennau yn awr salwch ac angau". Go brin ei fod yn rhag-weld i gymaint graddau y câi'i ddymuniad e ei brofi yn hanes y pâr ifanc.

Yn Awst 1935 buodd Tydfil, eu pedwerydd plentyn, farw yn naw mis oed o ganlyniad i haint a gododd hi tra oedd yng ngofal cymydog, a Mam yn ymgeleddu Dyfnallt, yr ail blentyn, a oedd mewn salwch difrifol. Buodd Dyfnallt farw yn bedair oed yn Ionawr 1936. Gadawyd David yr hynaf a Jean yr ail ac, erbyn Ebrill 1938, rai misoedd cyn i ni symud i Aberaeron, dyma finnau'n cyrraedd.

Ym mis Gorffennaf 1942, fe hebryngwyd David gan fintai fach o'i gyd-ddisgyblion yn Ysgol Sir Aberaeron i gwrdd â'r trên i fynd i'r ysbyty. Roedd e'n dioddef o bennau tost enbyd – effaith tiwmor ar yr ymennydd. Fe gadd driniaeth yn Abertawe a Rhydychen ond doedd dim yn tycio, a buodd e farw ar y trydydd o Dachwedd.

Gadawyd dau allan o'r pump.

Dyw Nhad a Mam ddim yn unigryw yn eu profedigaethau wrth gwrs, yn enwedig yn eu cyfnod nhw. Dioddefodd myrdd yn debyg, a digon yn waeth, a gorfod dygymod. Yr hyn sy'n teilyngu sylw, serch hynny, yw na welais i erioed arwydd o chwerwedd na hunandosturi, na chlywed erioed y cwestiwn "Pam?"

nac unrhyw ddannod i Ragluniaeth na'r Duwdod am y trallodion a ddaeth idd eu rhan.

Chlywais i ddim ychwaith, na neb arall am a wn i, ddim cwyn am anghyfiawnder tynged, ddeunaw mlynedd yn ddiweddarach, pan gollodd Mam ei golwg (roedd hi wedi bod yn drwm iawn ei chlyw er pan oedd yn ifanc) oherwydd methiant os nad esgeulustra meddygol. Pan fuodd raid wynebu llawdriniaeth i dynnu un llygad o'i phen er mwyn treial achub y llall, fe gadd gysur o'r adnod, "Os dy lygad a'th rwystra, tyn ef allan a thafl oddi wrthyt".

Ymroi ati hyd eitha'i allu gyda'i ddyletswyddau bugeiliol wnaeth Nhad ar ôl idd ei iechyd yntau dorri yn 1960, ac wrth i gyfres o drawiadau ar ei galon ei lethu tan iddo fe golli'r frwydr yn 67 oed ym mis bach 1963, ddyfnder y gaeaf mileinig hwnnw.

Daeth Mam i fyw yn y fflat yn Aberaeron a oedd wedi'i threfnu ar gyfer eu hymddeoliad gyda'i gilydd. Fe dreuliodd weddill ei hoes yn hynod o annibynnol, er ei bod yn gwbl ddall, gan dynnu'n helaeth, serch hynny, ar gymwynasgarwch hael cyfeillion, yn enwedig bobl y capel.

Mi ges i'r fraint felly o weld rhin yr efengyl Gristnogol yn cynysgaeddu bywyd 'yn rhieni, gan roi iddyn nhw gysur, doethineb, cyfoeth ysbrydol ac ymroddiad i wasanaethu eraill. Mi welais i e hefyd yn y mawr garedigrwydd a dderbynion nhw'u dau gan eu cyd-Gristnogion yn nyddiau adfyd.

Y Sul cyntaf wedi marw David, fe dreiodd Mam berswadio Nhad i ymatal rhag cymryd y gwasanaeth yn y Tabernacl. Ei ateb e oedd, "Mae rhaid i fi brofi bod yr efengyl rwy'n ei phregethu yn wir". Beth yn union oedd ystyr hyn iddo fe? Ai y byddai yna lawenydd a dihangfa rhag profedigaeth dros byth yn y nefoedd? Yn angladd David fe ganwyd yr emyn 'Sychu'r Dagrau':

> *Bydd canu yn y nefoedd*
> *Pan ddêl y plant ynghyd.*
> *Y rhai fu oddi cartref*
> *O dŷ eu tad cyhyd …*
>
> *Mae Iesu yn darparu*
> *Trigfannau yn y nef*
> *I wneuthur croesaw helaeth*
> *I'w holl ddilynwyr Ef.*

Dechreuant fod yn llawen,
Ac ni bydd gofid mwy,
Ond Duw a sych bob deigryn
Oddi ar eu llygaid hwy.

Ond chlywais i erioed gan 'yn rhieni bwyslais ar hynny fel ffynhonnell gobaith na chyfiawnhad dros fyw bywyd o wasanaeth yn y byd hwn. Mi glywais fwy nag unwaith ddyfynnu geiriau Dafydd Jones o Gaeo, 'Nid rhag ofn y gosb a ddêl, Nac am y wobr chwaith', fel egwyddor arweiniol.

Cofleidiodd Nhad y feirniadaeth newydd a drawsnewidiodd ddealltwriaeth o'r Beibl yn ystod yr ugeinfed ganrif. Roedd e'n gwbl ddiamynedd wrth lythrenoliaeth, ac yn barod weithiau i fod yn *serious* o anuniongred. Ces i sioc rywbryd pan ddywedodd e wrtha i mai ystyr bod Iesu Grist yn Feseia oedd ei fod E wedi gwneud penderfyniad ymwybodol i fyw yn ôl templad Eseia o'r gwas dioddefus. Roedd e'n gwbl ddiofn ynghylch derbyn darganfyddiadau gwyddoniaeth, a theori esblygiad yn benodol. Fe fuodd yn rhan felly o'r ymdrech broblematig yna gan ryddfrydwyr diwinyddol i gysoni Cristnogaeth theïstaidd a Darwiniaeth â'r meddwl gwyddonol yn gyffredinol. Gofyn gormod efallai fuasai disgwyl i'r genhedlaeth yna o Gristnogion goleuedig gyfaddef fod yna wrth-ddweud hanfodol yn eu hymgais nhw, ac mai pen draw eu rhesymeg fuasai cydnabod mai mewn termau trosiadol, mewn oes wyddonol, y mae deall yr holl stori, nid jest rhannau ohoni. Ond ymgais ddewr a chwbl ddiffuant a gawd ganddyn nhw. Hebddi, buasai'r capeli wedi gwacáu o leiaf genhedlaeth ynghynt nag a ddigwyddodd. Pan glywaf i rai o ffwndamentalwyr heddiw yn eu cyhuddo nhw o gyflymu'r dirywiad drwy fradychu hanfodion y ffydd, dwyf i byth yn siŵr p'un ai cynddaredd neu ynteu ddirmyg ddylwn i deimlo gryfaf. "Mae rhaid i ti'u caru nhw" fuasai cyngor Nhad, er ei fod yntau hefyd ar dro yn gwylltu wrth orfod gwrando ar lol.

Fodd bynnag, doedd ei ymlyniad e wrth 'foderniaeth' yn lleihau dim iot ar ei ffydd yn nilysrwydd a gwerth anhraethol yr efengyl y buodd e yn llwyr dan ei chyfaredd er yn gynnar yn ei hanes, a hyd y diwedd. Yn ystod blynyddau ei salwch, fe wnaeth arfer o recordio rhannau o wasanaethau'r capel er mwyn llaesu'r straen ar ei galon, a thrwy hynny mae gen i ynghadw ddwy bregeth a chyfres o weddïau sydd yn rhyw ddistyllu peth o'r hyn y mynnodd e, a Mam hithau, gredu ynddo. Dyma gynnig ar grynhoi.

Priod gyflwr dyn yw byw mewn perthynas arbennig o gytgord â'i Greawdwr. Dymuniad y Goruchaf yw i ddyn, bod hunanewyllysiol, ddewis parhau yn y berthynas yma yn gwbl wirfoddol. Dyma ystyr myth y creu a'r cwymp yn Genesis, sy'n dangos hefyd sut y peidiodd dyn â dilyn y llwybr oedd wedi'i fapio allan ar ei gyfer e, gan ddewis yn hytrach lwybr hunanganolrwydd, hunan-les, hunanfantais. Ymateb Duw i hyn fuodd, nid mynnu rhyw Iawn gyfreithiol am anufudd-dod pechadurus ei greadur, ond dewis llwybr hunanaberth er mwyn arwain dyn i edifeirwch, a'i ennill e wedyn i'w garu Fe. Trwy hynny yn unig yr oedd modd helpu dyn i gael y llaw uchaf arno fe'i hunan, ei gael e i roi cariad yn lle hunan yn sylfaen ysgogol ei fywyd. Dyna beth yw ystyr y Groes, a'r iachawdwriaeth a geir drwy syllu arni.

Ymateb i'r alwad i fod yn was y mae'r Cristion, a'r gweinidog yn arbennig. Mae hunanymffrost yn gwbl anghydnaws â'r rôl y gofynnir iddo fe ei chyflawni. Nid rhefru, collfarnu a bygwth yw ei waith, ond ennill a denu, fel y gwnaeth y gwas pennaf ar y Groes. Rhaid i'r gwas beidio â disgwyl cymeradwyaeth idd ei genadwri. Adwaith dynion yn fynych fydd casáu ac erlid eu cymwynaswyr gorau. Ond yr hyn y mae Duw yn ei addo yw Ei gynhaliaeth i'w nerthu e yn ei flaen. Serch gwrthodiad cychwynnol dynion, gall y gwas fod yn hyderus o allu'i genadwri i drawsnewid eu cymeriadau nhw'n sylfaenol. Bydd y sawl a gadd y mesur lleiaf o'r profiad hwn yn "blasu rhyw waredigaeth fawr".

Serch y dyfnderoedd o gasineb a chreulondeb y gall dyn fod yn euog ohonyn nhw, mae ynddo fe hefyd ddichonoldeb di-ben-draw i garu a gwasanaethu. Mae'n rhaid credu bod y gwirionedd yma'n berthnasol, nid i ryw etholedig rai yn unig, ond i bob un o blant dynion, pa mor druenus neu wyrdroëdig bynnag ei gyflwr neu'i weithredoedd. Gwaith dynion yn cyflawni gweithred gwbl giaidd a barodd i Iesu Grist ddweud, "O Dad, maddau iddynt, canys ni wyddant pa beth y maent yn ei wneuthur." Yn yr un modd rhaid credu ym mhotensial cymdeithas i ymgyrraedd at gyflwr uwch, os nad perffeithrwydd. Wrth gyhoeddi ambell i emyn Saesneg ar nos Sul, byddai Nhad yn fynych yn dewis:

These things shall be: a loftier race
Than e'er the world hath known shall rise,
With flame of freedom in their souls,
And light of knowledge in their eyes.

Roedd ymlyniad wrth heddychiaeth yn ddiddwythiad naturiol o ddiwinyddiaeth felly, ond cryfach dylanwad fyth mae'n debyg oedd yr ymdeimlad dwys ag arswyd lladdfa anfad y Rhyfel Byd Cyntaf. Roedd hi'n naturiol i genhedlaeth Nhad adweithio'n ffyrnig yn erbyn gwaith llawer o arweinwyr anghydffurfiaeth – John Williams Brynsiencyn yw'r ffigwr cynrychioliadol – yn ymuno'n frwd yn yr ymgyrch ricriwtio. Erbyn y tridegau roedd y mudiad gwrth-ryfel yn ennill tir ymysg gweinidogion os nad aelodau'r capeli. Roedd Nhad yn eilunaddoli T Gwynn Jones, ei hen athro Cymraeg, awdur un o bamffledi Cymdeithas Heddychwyr Cymru a sefydlwyd yn Awst 1938. Fis yn ddiweddarach wele'r Deml Heddwch, gwrthrych dirmyg Saunders Lewis, yn cael ei hagor ym Mharc Cathays. Rwy'n cymryd bod Nhad wedi dal at ei heddychiaeth drwy'r Ail Ryfel Byd, fel llawer eraill o weinidogion. A yw hi'n rhy *facile* felly i bwyntio at yr eironi rhyfedd bod Anghydffurfiaeth Cymru wedi bod yn rong ar gwestiwn rhyfel ddwywaith o fewn yr un hanner canrif?

Serch ei gred mewn sosialaeth, roedd Nhad yn gefnogol i genedlaetholdeb Cymru. Does gen i ddim cof am lawer o draethu ar y pwnc ond roedd e'n rhan hollol naturiol o *ambience* y cartref. Er mai cartref dwyieithog oedd e, a iaith y fam yn dod yn naturiol yn iaith y plant, i'r Gymraeg yr oedd parch yn perthyn, ac roedd y diraddio ar Gymreictod a oedd yn gyffredin yn Aberaeron 'y mhlentyndod i yn destun cryn ddirmyg.

Dyna ni felly – y cyfuniad o werthoedd sydd gystal â bod yn otomatig-ddisgwyliedig mewn gweinidogion anghydffurfiol yn awr machlud eu dylanwad nhw: Cristnogaeth, cyfiawnder cymdeithasol, heddychiaeth a chenedlaetholdeb Cymreig. Fodd bynnag, go brin y derbyniai Nhad y syniad eu bod nhw rywsut yn perthyn yn anochel i'w gilydd, gan ffurfio rhyw fath o ideoleg integredig y dylai pob Cymro gwerth ei halen danysgrifio iddi. Fe fyddai'n anghysurus iawn â dogmatiaeth a hunangyfiawnder parod y math yna o feddylfryd.

Iesu Grist a'i efengyl oedd y *bottom-line*, ac am hynny y traethodd e gyda dwys-angerdd cynyddol wrth dynnu at ddiwedd ei oes. Doedd e ddim yn meddu ar allu ymenyddol mawr. Chyrhaeddodd e ddim yn agos at uchelfannau bywyd ei enwad na llanw unrhyw swydd gyhoeddus o bwys. Y peth agosaf at weithred arwrol a gyflawnodd e, hyd y gwn i, oedd trosglwyddo £250, gwerth yn agos idd ei gyflog blynyddol ar y pryd, yr oedd wedi eu derbyn drwy ewyllys hen wraig grintachlyd, i nith y wraig honno, a oedd wedi'i hymgeleddu hi dros gyfnod hir a chael ei gadael heb gymaint â diolch-yn-fawr yn dâl am hynny. Ond fe fuodd yn driw idd ei gydwybod ac i'r weledigaeth a'i hysbrydolodd e yn nyddiau ei ieuenctid, ac fe gyfoethogodd fywydau'r cynulleidfaoedd y buodd e'n eu bugeilio nhw, ac eraill lawer a elwodd ar ei diriondeb a'i empathi hynod e.

Cynigiodd ei gyd-weinidog a'i gyfaill o ddyddiau coleg, Ieuan Jones, yn ei farwgofiant hyfryd i Nhad yn *Y Goleuad* ryw fath o grynhoad o'i nodweddion e. Mae hi'n werth cyfeirio atyn nhw, nid yn unig am eu bod mor dreiddgar-gywir, ond am eu bod nhw'n cyfleu ffordd mor waraidd o feddwl a theimlo ac ymagweddu, ffordd sydd mor gyfan gwbl ddieithr i feddylfryd ffasiynol ein cyfnod ôl-fodernaidd ni. Mae'n sôn am dri o briodoleddau'n neilltuol: ei deimladau angerddol a'i ysbryd addolgar; ei gydwybod dyner; a'i "feddwl ymchwilgar, wrth ei fodd yn ymgolli ym meddyliau'r mawrion, ac yn eu troi a'u trin a'u trafod nes dyfod o'r weledigaeth yn bersonol iddo". Mae'n pwysleisio fel y "mawrhâi ei 'arswydus swydd'". Ac mae e'n cyfeirio at brofiad a gawson nhw gyda'i gilydd yn dilyn ymgom gyda'u hathrawon yn y Bala fel hyn: "Addefasom y naill wrth y llall i ni gael dadrithiad ysgydwol, nes newid ein syniad o'r Weinidogaeth Gristnogol; i ni freuddwydio am 'ei thiwnio hi' ... yn y cyrddau mawr a'r Sasiwn ... ond fod pwyslais Phillips a Halliday wedi ein hargyhoeddi mai adeiladu eglwys, ac ymddiddori yn ein pobl ac ennill y plant, a dangos Efengyl fel y peth mwyaf perthnasol i bob adran o fywyd, a'i dehongli, nid fel un peth ymhlith llawer o weithgareddau, eithr yn ysbryd llywodraethol pob peth, oedd ein galwad fawr."

Dau beth, gan ufuddhau i ddymuniad Nhad a Mam, a rowd yn ychwanegol i'r enwau a'r dyddiadau ar garreg fedd y teulu, sy bellach o'r golwg dan y drysi ym mynwent Moreia Treboeth y tu ôl i'r bloc o fflatiau a godwyd ar safle'r capel wedi i hwnnw gael ei ddymchwel: 'Gweinidog gydag Eglwys Bresbyteraidd Cymru' a 'Gogoniant i Dduw'.

Sut beth oedd hi felly i ddyn gael ei fagu mewn Mans ym mhedwardegau'r ugeinfed ganrif, ac yn y Mans yma'n arbennig? Bydd llawer yn ddealledig o'r hyn a ddywedwyd eisoes, ond mae'n werth manylu rywfaint.

I raddau roedd dyn yn byw mewn math o deim-capsiwl. Ymylol oedd bywyd y capel i 'nghyfoedion, er bod y mwyafrif yn blant yr Ysgol Sul ac yn mynychu o leiaf un gwasanaeth y Sul. Ond i ni blant y Mans, roedd popeth, gan gynnwys ystyr bywyd, yn troi o amgylch y capel. Tri gwasanaeth y Sul, plỳs Ysgol Gân dros rai misoedd; cyfarfodydd yr wythnos yn ogystal. Meddai Jean 'yn chwaer rywbryd pan soniais i am un o'n athrawon i'n cyfeirio at ddiwygiad 1904–05, "O ie, dyna'r pryd roedd ein hochr ni'n ennill". Fel'ny'n gywir, a doedd fawr iawn o'n cyfoedion ni, a dim ond lleiafrif o'r oedolion, wedi ymrestru'n ddiamwys ar ein hochr ni.

Mi glywais rai'n mynnu bod cael bod yn un o blant y Mans yn rhoi i ddyn statws arbennig yn y gymdeithas. Nid dyna 'mhrofiad i. Chlywais i ddim awgrym o sawr pŵer yn cyniwair o'n cwmpas ni. Parch personol at Nhad, ie, llawer o hynny. Caredigrwydd a hoffter hefyd, er nad yn ddigymysg. Ond yn islais dieiriau dan y cwbl roedd rhyw awgrym o nawddogrwydd os nad difyrrwch ein bod ni fel teulu mor o-ddifrif am fywyd y capel ac am grefydd. Disgwyliadau uchel o ran ymddygiad, serch hynny, a pharodrwydd i ddannod. Doedd plant i bregethwyr ddim i fod i regi, heb sôn am wneud pethau gwaeth.

Roedd byw yn y Mans yn golygu tlodi cymharol (ond nid yr hyn sydd erbyn hyn yn cael ei alw'n 'amddifadedd'). Isafswm yr enwad, £300, oedd cyflog Nhad yn 1952, o'i gymharu â £260 i was ffarm, ym mhen gwaelod y farchnad lafur. Pan ddanodwn i hynny weithiau i blentyn un o'r aelodau, neu'i riant e hyd yn oed, fe ddywedid dau beth yn ateb: bod y gweinidog yn cael ei dŷ yn ddi-rent (ond roedd y gwas ffarm yn cael ei lety a'i gadw); ac mai nid er mwyn y gyflog yr oedd dyn yn dewis mynd yn bregethwr. Un ffordd oedd yna o ymdopi, ac nid chwilio am ffynhonnell incwm ychwanegol oedd honno. Yn hytrach, byw'n fain a gwneud y gorau o gynnyrch yr ardd – byddai Nhad yn cael llwyth o ddom yn flynyddol o ffarm Pengarreg yn gyfnewid am rai dyddiau o waith wrth y gwair.

Roedd e hefyd yn golygu byw ynghanol sefyllfa a oedd yn ei hanfod yn boliticaidd. Am bolitics yr enwad, ond yn bwysicach bolitics y capel, yr wy'n sôn. Roedd yna wastad ddewisiadau i'w gwneud, ffacsiynau i dafoli rhyngddyn nhw, blaenoriaid i'w helpu i gyrraedd consensws, problemau cyllidebol i'w datrys. Mi glywon ni blant ein siâr am garfannu a chynllwynio, ac am anfodlonrwydd hwn-a-hwn (hon-a-hon yn llai aml o lawer) â'r gweinidog. Ac mi ddysgon, yn chwarddiad iachus Nhad, fod angen dogn go lew o hiwmor i ddygymod â ffolinebau dynion. Mi ddysgon hefyd mai gweld y gorau ym mhawb, pa mor dan-din a negyddol bynnag eu hysbryd, oedd orau, er lles eich iechyd meddwl eich hunan ac er mwyn rhyddhau'r potensial am greadigedd a daioni.

Byd Cymreig ac i raddau helaeth Cymraeg oedd byd y Methodistiaid.

Cenedlaethol oedd y fframwaith sefydliadol, gyda'r Gymanfa Gyffredinol ar y brig. Terminoleg Cymraeg y byddai Mam hyd yn oed yn ei defnyddio: "*When's the next* Cwrdd Misol/ Sasiwn/ Gym Gyff?" O fewn marchnad lafur genedlaethol y byddai dyn yn dilyn gyrfa yng ngweinidogaeth yr Hen Gorff, er bod yna *outposts* trefedigaethol yn ninasoedd Lloegr, ac yn enwedig Llundain.

Estyniad o hynny wedyn oedd yr ymwybyddiaeth gydwladol yr oedd y genhadaeth dramor ym Mryniau Casia yr India yn ei hyrwyddo. Buasai unrhyw awgrym bod y gweithgarwch yna'n cyfrannu at oruchafiaeth yr Ymerodraeth Brydeinig yn cael ei ffieiddio. Sut arall allai hi fod mewn cartref lle'r ystyrid Churchill yn 'flagard'. Roedd brawdoliaeth dyn yn *given*, a phwy yn ei synhwyrau fyddai'n arddel uchafiaeth unrhyw hil neu genedl ragor un arall, neu'n waeth byth, yn camwahaniaethu ar sail lliw croen?

Byddai hynny'n anfoesol, ac onid moesoldeb a ddylai yrru pob penderfyniad? Rhoi hunan-les o flaen egwyddor? Chi'n jocan! 'Pa lesâd i ddyn os ennill yr holl fyd' ac yn y blaen. (Ond petai unrhyw un yn treial manteisio'n annheg ar uniondeb felly – wel, fe allai anghofio hynny.) Fe fyddai hefyd yn groes i reswm, a pharch i reswm a thystiolaeth fyddai sail pob trafodaeth yn 'tŷ ni. Parodrwydd i newid yng ngoleuni rheswm hefyd, nid glynu'n ddogmatig at eich safbwynt. Roedd 'na fawrygu ar ddatblygiadau newydd, ffrwyth y meddwl gwyddonol, ac wfftio at hen goelion gwrach megis y toili a'r gannwyll gorff.

A'r Mans yn gweld mynd-a-dod parhaus gan bobl feddylgar o bob math, llawer ohonyn nhw wrth reswm yn weinidogion, roedden ni blant yn byw yn sŵn trafod a dadlau. Crefydd wrth gwrs a helyntion yr enwad, gwleidyddiaeth, datblygiadau gwyddonol a chymdeithasol, materion cyfoes, hynt y maes cenhadol – dyna'r pynciau. A phan fyddai'r teulu bach ar ben ei hunan, mi fyddai'r disgwrs yn parhau.

Byd llyfrau hefyd debyg iawn. Nid gormodiaith dweud ein bod ni wedi cael ein magu mewn parchedig-ofn o'r gair ysgrifenedig. Pan welais i eiriau Milton y tu fewn i glawr un o gyfres Everyman, "*A good book is the precious life-blood of a master spirit*", roedd hynny'n gwbl ddealladwy i fi. (Hynny ymhell cyn i fi ddod i wybod am y cyd-destun!) Roedd llyfrau'n llanw'r tŷ. Bob hyn-a-hyn, fe fyddai hen racsyn o fwc-ces ail-law yn cyrraedd i wneud lle ar eu cyfer nhw, ond yn stydi Nhad roedd yna dri chwpwrdd â drysau gwydr i ddal y llyfrau ysgolheigaidd a'r esboniadau yn barchus. Nid ar chwarae bach yr oedd paratoi pregeth ar fater o bwys tragwyddol: amarch â'ch cynulleidfa fyddai cyrraedd â rhyw fras nodiadau, neu dri phen yn y meddwl, a chynnig eu porthi nhw â mân syniadau neu sentiment.

Ond y peth mwyaf nodedig-arhosol am fod yn blentyn y Mans oedd bod sylwedd, sain a rhythmau barddoniaeth wefreiddiol yr emynwyr mawr, yn ogystal â'r Ysgrythurau, yn golchi dros eich pen chi'n wastadol.

Pam y caiff bwystfilod rheibus dorri'r egin mân i lawr? Tyred â'r cawodydd hyfryd sy'n cynyddu'r egin grawn. Mi wn fod fy Mhrynwr yn fyw a'm prynodd â thaliad mor ddrud fe saif ar y ddaear gwir yw yn niwedd holl oesau y byd. Cyn llunio'r byd, cyn lledu'r nefoedd wen, cyn gosod haul na lloer na sêr uwch ben. Iesu difyrrwch f'enaid drud yw edrych ar dy wedd. 'D a'i mofyn haeddiant byth na nerth na ffafor neb na'i hedd ond hwnnw'n unig gwyd fel llwch i fyny i'r lan o'r bedd. Ffydd dacw'r fan a dacw'r pren yr hoeliwyd arno dywysog nen yn wirion yn fy lle. Diolch byth a chanmil diolch, diolch tra bod ynwy' chwyth am fod gwrthrych i'w addoli a thestun cân i bara byth.

Maen nhw'n diasbedain yn 'y mhen bob dydd o 'mywyd.

I grynhoi 'te. Mi ddysgais fod bywyd yn rhywbeth-i'w-gymryd-yn-gyfan-gwbl-o-ddifrif. Nid pentyrru meddiannau materol nac ymroi i wagblesera oedd yr allwedd, ond meithrin y bywyd mewnol ac iawn berthynas pobl â'i gilydd. Hynny, a sicrhau cysondeb rhwng credo a gweithred. Flynyddau wedyn mi glywais i Wittgenstein gydnabod na wyddai fe ddim beth oedd ystyr bywyd, ond ei fod e'n siŵr nad dim ond cael amser da oedd e.

Sylwer ar y 'dim ond'. Mi gawson ni'n magu i gael blas ar fywyd – ar fwyd, byd natur, cwmnïaeth ac enterteinio, addoliad, celfyddyd, adloniant a difyrrwch. Dwy'n amau dim na fuasai rhyw yn gynwysedig pe bai'r fath beth yn cael ei grybwyll yn y dyddiau pell-yn-ôl hynny. Ond ddim y ddiod feddwol. Pwy ddaioni a allai ddod o rywbeth oedd yn pylu'r meddwl, yn gwneud ffŵl o ddyn call, yn peri iddo gerdded igam-ogam ar hyd y stryd neu gam-drin a thlodi ei wraig a'i blant? Un peth oedd i'w wneud â honno: llwyrymwrthod â hi. A phwy heddiw a ddywedai nad oedd mesur go helaeth o rym yn y ddadl – yr unig faes (ac eithrio pallu prynu papur dydd Sul) lle y teimlais i fod Nhad a Mam yn euog o fod yn ddogmatig?

PRIFIO: 1938–54

ABERAERON, A RHYWFAINT AM FRYCHEINIOG A MORGANNWG

I Cyrraedd, a Phrofiadau Cynnar

MI GLYWAIS AWGRYM mai Gwyn Evans, Charing Cross, Llundain (Yncl Gwyn), un o bregethwyr mwyaf llwyddiannus yr enwad, a hwylusodd y ffordd i Nhad, un o'i ffrindiau gorau, gael galwad i Tabernacl Aberaeron, eglwys o ryw 250 o aelodau yr oedd gan lawer ohonyn nhw gysylltiadau teuluol cryf â Llundain. Diau bod y symudiad o Moreia Treboeth, a'i aelodaeth o ryw 150 yn dal i ddioddef effeithiau'r dirwasgiad, yn gam i fyny, ond nid heb ryw gymaint o hocan y cytunwyd ar y telerau. Wrth ateb llythyr agoriadol y trafodaethau oddi wrth ysgrifennydd y Pwyllgor Bugeiliol, Sarjant Davies, mynegodd Nhad ei werthfawrogiad o gael ei ystyried yn deilwng i fod yn weinidog y Tabernacl, a'i deimlad "bod yr erfyniad gweddigar ar ddiwedd y llythyr yn ddangoseg teg o'r ysbryd sydd yn … ysgogi ['r eglwys] wrth ymwneud â'r gwaith pwysig hwn". Serch hynny roedd y cynnig o £160 y flwyddyn, y tŷ yn ddi-rent a'r gweinidog i dalu'r trethi ("nid ydynt drymion") yn golygu na fyddai'r teulu "y nesaf peth i ddim ar ein mantais". Diwedd y gân fuodd i'r eglwys gynnig codi'r gyflog i £180 a thalu hanner y trethi, ac i Nhad dderbyn, "gan gredu fod y telerau hyn nid yn delerau yn ystyr gaethaf y gair ond yn arwydd allanol o barodrwydd ysbryd mewnol i wneud y gorau dros ein gilydd". A chwedyn mi gyrhaeddon ni Aberaeron ym mis Awst 1938, a finnau'n fabi pum mis, David yn naw a Jean yn bump.

Ychydig dros bedair blynedd wedyn roedd David wedi marw. Rwy'n ei gofio fe'n dda. Cofio mynd yn ei law e i hela dail dant-y-llew i'r cwningod yr oedd e'n eu cadw mewn cwb yng ngwaelod yr ardd. (Pan ddaeth rhai bach ryw dro, mi fwytodd y bwchyn nhw bob un.) Ei gofio fe wedyn ar ben lôn Pengarreg Fach yn cael sbri o roi hadau falau'r bwci lawr cefn 'y nghrys i a finnau'n cwyno am y cosi. Ei gofio fe yng nghegin y Mans adeg cwrdd nos Sul yn gwisgo mwstás Hitler, saliwtio a dweud *ach-tung!* Dwyf i ddim yn cofio am gychwyn ei salwch, na'i ymadawiad i'r ysbyty â'i ges bach yn ei law, ar y trên.

Ond rwyf yn cofio'n dda iawn am gyfnod y salwch, a'r cyfnod wedi'i farw e. A rwy'n cofio'n glir gymaint roeddwn i'n ei garu a'i eilunaddoli e, a'r hiraeth mawr ar ei ôl. Mae gen i ddrychfeddwl clir nawr o freuddwyd y byddwn i'n ei chael, naill ai ynghwsg neu'n effro, o David yn brasgamu'n llawen, mewn trywser hir gwlanen-lwyd, dros bont Aberaeron, wedi dod 'nôl ar y bws, wedi atgyfodi.

Mae dau fersiwn go wahanol i gael o'i gymeriad e. Y cyntaf yw'r bachgen angerddol, tirion, caredig, a rhyw foesoldeb mawr yn ei gymell i weithredoedd da. Yr ail yw'r rebel, a'r crwt amharchus-ddrygionus a fyddai'n gwneud defnydd creadigol o'r bocs-ffonio er mwyn cael y sbri o weld oedolion parchus yn mynd ar siwrnai seithug i rywle – yr hybarch-ddifrifol JR Evans, er enghraifft, yn brasgamu'n wyllt i gyfeiriad Tabernacl ar ôl cael gwybod bod rhywun wedi meiddio cynnal cyfarfod pwysig yn y festri heb roi gwybod iddo fe o bawb. Mae'r ddau fersiwn yn gywir wrth gwrs, ac yn gyson â'r fagwraeth gadd e yn y Mans.

Dwyf i ddim yn credu i fi gael 'yn sbwylio yn sgil marw David, ond mae'n bosibl i fi gael 'y magu'n eithriadol o dyner a charcus, yn faldodus hyd yn oed. Tebyg i'r mynych salwch a fyddai'n dod ar 'y nhraws i ddwysáu hynny. Yn ogystal â'r frech goch, brech yr ieir a'r doben y byddai'r rhelyw o blant yn ei gael, roedd yndda i duedd barod iawn i fynd i afael y tonsileitis. Mae'r cof yn fyw o hyd am y mwydro, a'r chwysu nes bod y gwely'n sopen wlyb; hyfrydwch y teimlo'n well wedi i'r dwymyn gilio; y cyfnodau o ympryd yn dilyn salwch ac yna'r darnau amheuthun cyntaf o dost; y codi sigledig o'r gwely; y mentro lawr staer i ochr y tân cyn croesi trothwy drws y ffrynt am wâc yn 'y nghot fawr, a chwrdd ag ambell i oedolyn a fyddai eisiau gwybod pam nad oeddwn i yn yr ysgol. Ond dim ond yn ddiweddar rwyf i wedi dechrau amgyffred y pryder y mae'n rhaid bod Mam a Nhad yn ei deimlo ar yr achlysuron hyn, cyn dyfodiad y tabledi *M-and-B* ac yna'r penisilin.

Mae'n bosibl mai effaith marw David hefyd oedd 'mod i wedi magu agwedd morbid braidd at farwolaeth. Rwy'n cael yr argraff i'n rhieni 'y nghadw i'n glir o angladdau a defodau marwolaeth gydol 'y mhlentyndod. Drwy gyfnod oedoliaeth gynnar hyd yn oed, roedd gweld arch, ac yn arbennig ei gweld yn disgyn i'r bedd, yn codi ychrys arnaf i, a nid tan 'y nhridegau cynnar y llwyddais i ymwroli i edrych ar gorff marw (un Yncl Trefor), ei gael e'n gwbl anarswydol a theimlo rhyddhad mawr 'mod i o'r diwedd wedi torri'r garw. Roeddwn wedi ffaelu magu'r nerth hyd yn oed i fynd i olwg corff Nhad yn ei arch, a finnau'n 24 oed.

Nid yn unig hynny, ond rhywbryd ar ôl yr 11 oed yma, mi gydiodd rhyw gred ofergoelus ynof i (na ellais i ei rhannu â neb arall) y byddwn i, fel David, farw'n 14 oed, ac o'r un clefyd. Byddai awgrym o benysgafnder neu ben tost yn codi ton o ofn drwof i. Pan ges i ergyd yn 'y nhalcen â phêl griced o ffwl-tòs Michael Cox, roeddwn i'n argyhoeddedig mai dyma fyddai'n trigro'r tyfiant yn yr ymennydd. Pan ysgrifennodd Mr Fox yr athro Lladin yn 'yn adroddiad pentymor i bod angen i fi wella 'mherfformiad ond na ddylen i ddim *gor-wneud pethau* (yr hyn nad oedd berygl o fath yn y byd i fi wneud!) roeddwn i wedi cael cadarnhad bod sylwedd i 'nychrynfeydd mewnol i.

Gymaint y paranoia mewnddrychol yn y diwedd nes i fi ddehongli geiriau Nhad ar ei weddi un bore Sul ein bod ni'n "cofio'n arbennig iawn ar yr adeg yma am fam a'i mab", fel cyfeiriad ataf i. Mi ges wybod ar ôl y cwrdd mai cyfeirio roedd e at drychineb cwbl real, sef bod John Rees, yr oedd ei frawd Dafydd yn gyfoed gwengar-lawen i fi, ar goll wedi brwydr am gopa rhyw fryn yn Corea. Am wythnosau os nad misoedd buodd yna obeithio ei fod e wedi'i gymryd yn garcharor, a'i fam yn mynnu credu hynny'n fwy na neb, ond yn y diwedd buodd raid wynebu'r caswir ei fod e wedi'i ladd, a'i gorff wedi'i golli.

Ymhen rhyw flwyddyn, roeddwn i wedi pasio 'mhedair ar ddeg yn ddianaf.

II Siencyn Ifan, a'r Llongau

Os oedd anterth ffyniant y cymunedau glofaol wedi pasio pan symudon ni o Dre-boeth, mi ddaethon i Aberaeron pan oedd holl *raison d'être* y dref honno wedi hen fynd heibio. Yr hyn a 'ngwnaeth i'n arbennig o ymwybodol o hyn oedd yr oriau lawer a dreuliais i yng nghwmni Jenkin Evan Davies (Siencyn Ifan), pen-blaenor y Tabernacl a pherchen un o siopau dillad ogofaidd y dref. Roedd e'n ŵr talsyth urddasol, rhimyn o wallt gwyn o amgylch ei gopa moel, a phâr o lygaid pefriog a oedd yn adlewyrchu hiwmor eironig ond caredig, craffter a syberwyd. I Nhad, craig o gefnogaeth a sgiliau diplomyddol ymysg y blaenoriaid. I fi'n blentyn, ymgorfforiad o ddoethineb a dyneiddiwch ond, yn bwysicach, *raconteur* di-ail yn byrlymu o storïau. O na allwn i nawr alw un rhan o ddeg ohonyn nhw i gof!

Wedi iddo fe golli'i wraig yn ddi-blant (y sôn oedd ei bod hi'n infalîd), fe ddaeth yn arfer iddo fe ddod i'r Mans bob Sul i ginio, a chyn bo hir iawn i de hefyd. Gan y byddai Nhad oddi cartre'n pregethu hanner Suliau'r flwyddyn, Mam yn fisi yn y gegin, a Jean yn y Coleg, fi fyddai'n cadw cwmni i Siencyn Ifan cyn, ac ar ôl, y prydau bwyd, a chael profi diddanwch digyffelyb yn wobr.

Siencyn Ifan a agorodd y drws i fi ar ramant a chyffro anturiaethus gorffennol byr y dref fach ddiddigwydd yr oeddwn i'n cael 'y magu ynddi. Ces glywed am y sgwner *Adroit* yn cael ei sgubo mas i'r môr oddi ar y blociau gan lif nerthol yn afon Arth; amdani hi wedyn yn cael ei thowio i Aberaeron; ac i hynny fod yn achlysur symud busnes yr adeiladydd Evan Jones o Aber-arth i Aberaeron yn 1845, cam allweddol yn natblygiad bildio llongau yn y dref newydd honno.

Mi ddysgais nad oedd Aberaeron i bob pwrpas yn bod cyn i ddeddf seneddol 1807 roi caniatâd i'r Parch. Alban Gwynne godi'r harbwr. Mi glywais am wrhydri adeiladu'r pier deheuol yn arbennig – gwaith a lywiwyd gan William Green a symudodd o Aberystwyth a dod yn gyfrifol wedyn am arwain datblygiad y dref a chychwyn yr achos yn y Tabernacl; ei fab Abel a ddaeth yn weinidog cynta'r capel hwnnw. Agorwyd 'yn llygaid i i bensaernïaeth unigryw'r strydoedd golygus a chlywais i'r stori mai'r pensaer Nash oedd wedi gosod y patrwm ar gais Alban Gwynne.

Roedd Siencyn Ifan yn or-ŵyr i'r rhyfeddol Evan Jones, adeiladydd yr *Adroit*. Wedi'r symud i Aberaeron, filltir a hanner gyflawn i ffwrdd, fe fildiodd hwnnw o leiaf ddeuddeg o longau eraill. Sgwneri'n amrywio yn eu pwysau rhwng 43 tunnell (yr *Aeronian)* a 107 tunnell (yr *Urania)* oedd y mwyafrif, ond fe fentrodd ei law un tro ar frìg 225 tunnell i hwylio'r cefnforoedd, y *Xanthippe*, a lansiwyd yn 1858.

Ym mhen isaf Wellington Street (ein stryd ni) mae yna ddarn o dir glas lle bydden ni blant yn chwarae. Ddywedodd neb wrthon ni mai dyma hen iard longau John Harries a'i fab (Sion Harri a Sion Harri Bach) a adeiladodd, rhwng 1843 a 1864, ddeuddeg o longau yn amrywio o'r slŵp 29 tunnell *Andes* (1843) i'r brìg 239 tunnell *William and Mary* a lansiwyd yn 1855 ar hyd y slipwe i'r

Doc Bach ac a suddodd yn y Môr Du bedair blynedd yn ddiweddarach. Byddai Siencyn Ifan yn sôn am gampau arbennig y ddau Sion Harri, gan gynnwys y tro y llifion nhw ryw long ar draws ei chanol a rhoi darn newydd i mewn er mwyn ei hymestyn hi. Tebyg mai'r *Andes*, y mae'r anthropolegydd J Geraint Jenkins yn nodi iddi gael ei hymestyn yn 1849, oedd honno.

Yn ôl pob hanes roedd gan Sion Harri Bach, adeiladydd y *William and Mary*, ddoniau arbennig o ddisglair. Fe fyddai'n ymweld â Cowes yn nhymor y rasys llongau, a fan'ny yr adeiladodd e iot rasio i un o Grawshays Merthyr. Yn Bute Dock Caerdydd y cadd e ei ddiwedd, yn 48 oed, drwy foddi ar ôl cwympo oddi ar y planc wrth gyweirio llong yn nhywyllwch y nos. Mae yna ryw sôn mai'r ddiod oedd ei aflwydd mawr e.

'Yn ffrind agosaf i yng nghyfnod cynhara 'mhlentyndod oedd Eryl Jones, mab i Trefor Jones, capten tancer a gafodd OBE yn ystod y rhyfel am ddod â'i long dylledig i borthladd yn ddiogel. Ŵyr oedd yntau i adeiladydd llongau hynod arall, Dafydd Jones y Builder. Gerllaw'r traeth, nid nepell o iard Sion Harri, yr oedd ei iard longau fe, a byddai Eryl a finnau'n treulio oriau yn chwarae ffwtbol yna. Fe fildiodd yntau ddeuddeg o longau rhwng 1858 a 1883. Y fwyaf oedd y brig *Star of Wales* (184 tunnell, 1866). Ond yr enwocaf o ddigon, yn rhinwedd y ffaith mai hi oedd y llong olaf i gael ei hadeiladu yn Aberaeron, oedd y *Cadwgan*, cetsh 120 tunnell a gadd yrfa brysur neilltuol tan iddi fynd lawr yn aber afon Tafwys ym mlwyddyn ola'r Rhyfel Mawr.

Mae a wnelo'r *Cadwgan* ag un o'r storïau mwyaf arwyddocaol a glywais i gan Siencyn Ifan, ac sy'n cael ei hadrodd yn fwy manwl yn llyfr Haydn Lewis, *Penodau yn Hanes Aberaeron*.

Nos Fercher Chwefror 1, 1888, hwyliodd y *Cadwgan* mas o harbwr Aberaeron dan gomand ei chapten Siencyn y Goetre ac ar ei bwrdd nifer o Ryddfrydwyr radicalaidd lleol, yn eu mysg yr enwog JM Howell, un o fasnachwyr pwysica'r dref. Roedd eu hynt nhw am Iwerddon, a'u perwyl: cefnogi gwrthryfelwyr y tir yn y wlad honno. Cadd y llong ei harafu gan wyntoedd anffafriol ac roedd hi'n ganol dydd ddydd Sul arni'n cyrraedd harbwr Wiclo. Ymlaen wedyn ar y trên i Ddulyn ac o fan'ny i Loughrea i gyfarfod mawr yr oedd Tom Ellis, ymysg eraill, yn ei annerch. 'Nôl i Wiclo erbyn dydd Sadwrn, gadael fan'ny ganol dydd, a chyda gwynt teg, cyrraedd 'nôl i Aberaeron mewn pryd i JM Howell fod yn yr oedfa chwech nos Sul yn y Tabernacl.

Osododd Siencyn Ifan mo'r fordaith hynod yma yn ei chyd-destun, ond mae e i'w gael gan Haydn Lewis. Roedd cyffro Rhyfel y Degwm ar gychwyn yng nghylch Aberaeron, a chyn bo hir fe fyddai yn ei anterth. Ddiwedd 1888 ac i mewn i 1889 fe gynhaliwyd nifer fawr o ocsiynau degwm yn dilyn gwrthodiad y ffermwyr, capelwyr bob un rwy'n cymryd, i dalu. Yn ffarm y Lôn roedd dros ugain o blismyn yn bresennol, ond lwyddon nhw ddim i rwystro Hannah Richards, 75 oed, rhag taflu bwcedaid o biswail dros wyneb y gwerthwr, un F Bruickshaw. Pan ddatganodd Mrs Richards yr aethai hi i garchar cyn y talai hi'r ddirwy, fe gasglwyd ati gan JM Howell, John Hugh Jones, dau o flaenoriaid y Tabernacl, ac eraill. Yn ôl Haydn Lewis fe gymerodd y ddau yna ac eraill "ran fawr iawn yn y sgarmes". Prynwyd stoc pob un o'r ffermydd yn ôl idd'eu perchnogion drwy gyfuniad o gasgliad cyhoeddus a chyfraniad gan un o fasnachwyr Aberaeron. Y cynnwrf yma, siŵr o fod, a barodd i radicaliaid cylch Aberaeron fwrw'u taith un tro ar y *Cadwgan* i Iwerddon i gefnogi'u cyd-Geltiaid mwy-radical-o'r-hanner.

Ond mae'n rhaid crybwyll un episod arall cyn bod y stori'n gyflawn. Buodd etholiadau cynta'r cynghorau sir newydd yn Nhachwedd 1888 a Ionawr 1889. Etholwyd JM Howell (Rhyddfrydwr) yn Aberaeron gyda 204 pleidlais yn erbyn 103 y Ceidwadwr, a chadd y Rhyddfrydwr John Hugh Jones 163 pleidlais yn Aber-arth yn erbyn 60 y Ceidwadwyr. Roedd Plaid Rhyddid ar ei ffordd i dra-arglwyddiaeth ar wleidyddiaeth Ceredigion a barodd am dros ganrif – tan 1992 a bod yn fanwl gywir.

Drwy gyfaill arall, Thomas Richards, roedd gen i gysylltiad diarwybod ag un arall o fentergarwyr lliwgar Aberaeron. Yn ôl Haydn Lewis, buodd tad-cu Thomas, Baldwin Richards, y mae gen i gof byw amdano, yn was i'r Capten John Evans, Milford House. Yn ne Ceredigion, mae'r gair 'ffêc' yn golygu dyfais, ac mae'i hanes e'n dangos sut yr haeddodd John Evans y llysenw Capten Ffêcs.

Ar ôl dioddef pwl o'r maleria yn y *Gold Coast* y cadd John Evans ei berswadio yn ŵr ifanc i ddychwelyd i fyd masnach yn Aberaeron. Un o'i weithredoedd cyntaf oedd comisiynu Dafydd Jones i fildio'r *Cadwgan* iddo. Yn blant, mi fydden ni'n chwarae mewn twll mawr diddorol-ei-siâp ar y traeth deheuol heb sylweddoli mai olion melin lifio Capten Ffêcs, oedd yn cael ei yrru gan beiriant ager mawr, oedd yna. Ac ar wal yr harbwr mi dreuliais oriau'n chwarae gyda rhyw adeiladwaith dirgel o goed a chogiau heb wybod mai gweddillion Carej Bach Capten Ffêcs oedd hwn, ei fod e wedi'i ddyfeisio i gludo pobl ar draws yr harbwr pan ddinistriwyd y bont gan lifogydd, ond ei fod wedi para mewn defnydd am flynyddau lawer. Dyma'r dyn oedd wedi bod yn gyfrifol am godi'r festri lle y byddwn i'n mynd i'r Ysgol Sul, am osod yr organ bibau yn ei lle (roedd honno wedi'i chludo o Lerpwl mewn llong), ac am weithio ffêc arbennig iawn a oedd yn galluogi'r organydd i newid rhif yr emyn uwchben trwy droi bwlyn cyfleus wrth ei ochr. Fe fuodd wrthi'n adeiladu cychod hyd at ddiwedd y bedwaredd ganrif ar bymtheg.

Rwy'n cofio Siencyn Ifan yn codi'r cwestiwn ryw brynhawn Sul: bywyd p'un oedd beryclaf, y glöwr neu ynteu'r morwr? Ei gasgliad oedd mai'r glöwr bioedd y llawryf arswydus yna: a'r llong yn ildio i rym y tonnau neu'r creigiau roedd bod ar wyneb y dŵr rywfaint yn well na chael eich claddu'n fyw. Ac yntau'n gwybod hanes morwyr Aberaeron gystal, roedd datgan felly'n dangos naill ai gryn eangfrydedd, neu ynteu barch i deimladau'r teulu roedd e'n cael ei ginio dydd Sul gyda nhw. Mae'r rhestr yn *Maritime Heritage of Southern Ceredigion* Geraint Jenkins yn dangos i 23 o'r 117 o longau a adeiladwyd yn Aberaeron ac Aber-arth gael eu colli ar y môr. A doedd hynny'n ddim ond dechrau gofidiau. Roedd gwŷr Aberaeron yn berchen ar longau niferus eraill wedi'u hadeiladu yn y Cei Newydd a'r Cei Bach, Llangrannog, Aberteifi ac Aberystwyth, a chriwiau Aberaeron a'r cylch fyddai i'r rheini. Roedd y teuluoedd yn byw'n barhaus yng nghysgod trychineb.

Y gwaethaf efallai oedd suddo'r *Madras,* llong 668 tunnell o eiddo Dafydd Jones, ond heb ei hadeiladu ganddo fe, ym Mawrth 1891. Aeth honno i lawr, does neb a ŵyr ble, mewn storm ddifrifol iawn ar fordaith rhwng Pen-arth a Tseina a llwyth 1,000 o dunelli o lo (gormod lawer mae'n debyg). Gwŷr o Aberaeron ac Aber-arth oedd 15 o'r 16 yn y criw, gan gynnwys dau o feibion Dafydd Jones, y capten a'r *first mate.* Buwyd yn gobeithio am fisoedd y gallai rhai fod wedi'u hachub, ond ofer fuodd y gobeithio, ac fe gynhaliwyd y gwasanaethau coffa yn Peniel, capel yr Annibynwyr, flwyddyn yn ddiweddarach.

Mae hanes y *Madras* yn arwyddocaol am reswm ychwanegol. Ddaeth mo traddodiad masnachol Aberaeron i ben pan aeth adeiladu llongau yn iardiau llongau'r dref yn anhyfyw yn sgil datblygiad technoleg. Prynwyd llongau gan wŷr busnes Aberaeron o lefydd megis Prince Edward Island a Sunderland. Yn eisteddfod Aberaeron 1864 cawd englyn hyderus i'r agerlong *Prince Cadwgan:*

Bri euraidd Aberaeron – o'i herwydd
Ddaw'n fawr ei manteision;
Trwy agerdd, rhad yr eigion,
Uwch o hyd fydd masnach hon.

Parodd yr *Aberaeron Steam Packet Company,* perchnogion y *Prince Cadwgan* a llongau eraill, yn weithgar tan 1917. Ac mae'n werth cofio mai menter gwŷr busnes lleol a ddatblygodd y rheilffordd o Aberaeron (1911), yr hyn a roddodd y farwol i brysurdeb yr harbwr.

Erbyn 'y mhlentyndod i, a chyn i dwristiaeth a'r Iot Clyb ddod â math newydd o ddiwydrwydd, doedd yn yr harbwr ddim ond dau gwch y pysgotwr Twm Crescent, y *La Belle* yn y Doc Bach, a than iddi gael ei chwalu gan ryw lif dychrynllyd, yr *Allan* yn Pwll Cam, ynghyd â rhai mân gychod rhwyfo. (Wedi colli'r *Allan* fe brynodd Twm Crescent leiffbot, llong o Sir Benfro, a'i chonfyrtio, gyda chymorth saer, tad Thomas Richards, yn gwch pysgota o'r enw *Blodwen*.)

Y rheswm rwyf wedi rhoi cryn le i'r hanesion cefndirol hyn yw, nid yn unig 'mod i'n eu cael nhw'n gyfareddol, ond am eu bod nhw, yn gynnar iawn, wedi effeithio ar 'y nhipyn dadansoddiad i o gyflwr a rhagolygon Aberaeron, Ceredigion a thrwy estyniad, Gymru. Fan hyn y dechreuodd yr obsesiwn, sydd wedi aros gyda fi hyd y dydd heddiw, gydag allfudiad a'i effeithiau difaol ar hoen, hyder a hunanieth Cymru.

O achos erbyn 'y mhlentyndod i, doedd dim ond gweddillion ar ôl o'r berw economaidd-gymdeithasol oedd wedi creu Aberaeron, ac o'r dosbarth masnachol anghydffurfiol hyderus, mentrus, dyfeisgar, Cymraeg a oedd wedi gyrru'r datblygiad ac elwa arno, ac wedi ffurfio'r diwylliant crefyddol, gwleidyddol a diwylliannol. Meddai Haydn Lewis am un o'r teuluoedd pwysicaf: "Aeth pob un o'r plant, ac eithrio JR Evans … i Lundain, a llwyddo'n fawr yno fel masnachwyr amrywiol". Roedd yna ambell i wreichionyn yn aros. Disgynnydd i Tomos Dafis, partner busnes John Evans Milford House, oedd DC Lloyd Birmingham House, a ddechreuodd y 'pictiwrs', a'u dangos ddwy noson yr wythnos yr un yn Aberaeron, Llanbed a'r Cei. Ac roedd pobl debyg i Siencyn Ifan, Davies Llanon House a Jones Compton a Ieuan Lewis (oll ymysg pymtheg blaenor Tabernacl) yn dod i ben â gwneud bywoliaeth yn siopau'r dref. Martha Roberts hefyd, un o'r organyddion, a nith i LJ Roberts, arolygydd ysgolion a cherddor a fuodd yn cydweithio â JM Howell i gyfansoddi carol newydd bob Nadolig. Ond cysglyd braidd, hyd y gwelwn i, oedd masnach y siopau hynny, heb hyd yn oed fart anifeiliaid na marchnad o unrhyw fath i dynnu pobl y wlad i'r strydoedd, yn wahanol i Lanbed neu Landysul neu Gastellnewydd Emlyn. Arwydd o'r hyn oedd i ddod oedd y buodd rhaid cael rial Sais, Mr Moulton (a oedd, serch hynny, yn briod â Chymraes o Lan-non) i drawsnewid siop geidwadol Siencyn Ifan ddiwedd y pedwardegau i fod yn dynfa amryliw i frodorion ac ymwelwyr fel ei gilydd. Arhosodd pob un o blant y Moultons a sefydlu busnesau llwyddiannus yn y dref.

Cadwodd y traddodiad morwrol nifer o deuluoedd yn y dref am genhedlaeth neu ddwy, ond morwyr oedd y rhain, nid entrepreneuriaid. Daeth plant y rheini, 'y nghenhedlaeth i, o hyd i rwyddach a diogelach galwedigaethau, yn bennaf drwy helpu i gyflenwi'r galw diderfyn am athrawon yn yr helaethu ar addysg uwchradd a ddaeth yn sgil Deddf Addysg 1944. Mi welais fwyafrif aruthrol 'y nghyd-ddisgyblion oedd wedi gwneud rhywbeth â hi yn yr ysgol yn gadael Aberaeron, Ceredigion a Chymru, a lleiafrif bach iawn a ffeindiodd eu ffordd 'nôl.

Yn ffodus i Geredigion, doedd hyn ddim yn golygu bod y dalent i gyd yn mynd – doedd y rhwyd addysgol ddim mor ddi-nam â hynny. Ond fe fuodd y golled, o'i hailadrodd dros y cenedlaethau dilynol hyd yn awr, yn anfesuradwy o wanychol. Peiriant i hwyluso'r union broses yma wrth gwrs oedd y gyfundrefn ysgolion a hyrwyddwyd mor frwd – a chyda'r cymhellion gorau dwy'n amau dim – gan siort JM Howell, yn enwedig yn sgil Deddf Addysg Ganolradd Cymru 1889. Roedd Siencyn Ifan ymysg disgyblion cyntaf Ysgol Sir Aberaeron pan agorodd honno ei drysau yn 1897.

III Cymdeithas a Chapel

Serch gwendid sylfaenol economi'r dref gydol 'y mhlentyndod i, fe gadd hwb o ddau gyfeiriad.

Fe olygodd y rhyfel 'y mod i wedi deffro i fod yn ymwybodol o gymdeithas a oedd fwy neu lai'n ddi-gar, a'r bysys yn anfynych. Mae'n rhaid bod hynny'n gaethiwus, ond 'y mod i'n rhy ifanc i sylweddoli hynny. Ond daeth y rhyfel hefyd â'r Camp i'r caeau uwchlaw'r môr yr ochr yma i Hen Fynyw, lle cadd Dewi Sant ei addysgu yn ôl y chwedl, a llanwyd strydoedd y dref â ffigyrau milwrol. Cadd y Camp aml ddefnydd. Mae gen i gof am fynd mas i'r stryd ac yn ysbryd y *war effort* wahodd milwr o Sais i'r tŷ i gael te. Fe ddaeth ar amrantiad. Daeth milwyr Americanaidd rywbryd. Yr argraff sy gen i yw na fyddai'r gri *"Any gum, chum"* yn gweithio'n ddi-ffael ond ei bod hi wastad yn werth treial. Rwy'n cofio'n glir sefyll wrth fraich y gadair esmwyth a gofyn i Americanwr du a oedd gorfod arno yntau, fel y byddai arnaf i, gwaetha'r modd, olchi'i wyneb ddwywaith y dydd. Rwy'n cofio'r carcharor Almaenig melynwallt Gerard fyddai'n ymweld â'n tŷ ni yn gyson. Pan ofynnais iddo roi llinyn wrth 'y mwa saeth newydd i, ei dorri'n ddau bisyn fuodd canlyniad ei ymdrechion.

Ar un adeg fe fuodd yna wrthwynebwyr cydwybodol, a daeth Tomi Owen yn ymwelydd cyson y cadwyd mewn cysylltiad ag e wedi iddo fe ymadael. Gwarter canrif yn ddiweddarach fe ddaeth i weld Mam ar ôl iddo orfod gadael Nigeria – lle'r oedd e'n genhadwr – o achos gwrthryfel Biaffra, nad oedd gydag e fawr o gydymdeimlad ag e.

Yn nes ymlaen fe ddaeth llu o filwyr Pwylaidd yn eu hunwisg impresif. Buodd Mam yn mynd i'r Camp i roi gwersi Saesneg. Un tro mi gerddais mor bell â thro'r Clogfryn a chwrdd â hi yn y cyfnos yn cael ei hebrwng lawr y rhiw gan swyddog tal yn ei unwisg. Ias bach o anesmwythyd. Rhoddodd y Pwyliaid barti Nadolig yn y Camp i blant yr ysgol gynradd. Buodd rhaid i ni eistedd ar y llawr a gwrando ar Santa Clôs yn annerch yn hirfaith mewn Pwyleg a chael ei gyfieithu lawn cyn feithed wedyn. Ond mi gawson bresant yr un: tarian o waith llaw ac arni'r eryr Pwylaidd – un metel i'r bechgyn ac un lliain *padded* i'r merched. Arhosodd rhai o'r Pwyliaid ymlaen a buodd rhai o fenywod dibriod y dref yn lwcus o'r herwydd.

I adeilad pri-ffab ym mhen arall y dref y daeth y *displaced persons* o'r Wcraen. Mi gawson ni wledd o gyngerdd gyda'r rheini yn y Neuadd Goffa, a'u canu soniarus a'r dawnsio gymnastaidd yn y dillad traddodiadol yn ein cyffroi ni i gyd.

Daeth yr ail ysgogiad i fywiogrwydd y dref o gyfeiriad y prif ddiwydiant allforio, sef yr ysgol uwchradd. Daeth to newydd o athrawon, llawer yn gyn-filwyr, i roi proc i fywyd diwylliannol a marchnad dai Aberaeron, ac fe gynyddwyd eu nifer nhw ymhellach ddechrau'r pumdegau gyda'r pwl o jeri-bilding arswydus a ddyblodd faint yr Ysgol Sir a'i gwneud hi, yn ôl jargon y cyfnod, yn ysgol ddwyochrog. "Y modyrns" oedd y disgrifiad diraddiol gadd ei roi ar y garfan honno o ddisgyblion nad oedd wedi pasio'r sgolarship ond a fyddai'n cael o hyn allan holl freintiau addysg uwchradd a chael eu bwydo i'r peiriant nithio i ystyried eu haddasrwydd nhwythau i'r farchnad allforio.

Serch y trallwysiad parhaol yma, a fuodd hefyd wrth gwrs yn achos gwaedlif, go brin y gellid honni bod Aberaeron yn bair o ddiwydrwydd diwylliannol. Rwy'n cofio canu mewn opereta a chystadlu (yn fethiannus bron yn ddieithriad) yn eisteddfod yr Urdd. Ond fuodd gan Aberaeron ddim eisteddfod flynyddol fel y byddai gyda nifer o bentrefi gwledig y dalgylch, er i Dest Consert digon cofiadwy gael ei gynnal unwaith. Dim côr ychwaith, na band pres, na pharti noson lawen tebyg i Adar Tregaron neu Gôr y Geulan (o'r Cei). Buodd Nhad yn actio unwaith yn y gomedi *Arian Sychion*, ac mae gen i gof am Vic Hubbard yn actio'r prif gymeriad yn *The Corn is Green* (arwyddocaol dros ben). Ond yr unig brofiadau dramatig eraill a gofiaf i tu fas i furiau'r ysgol a'r capel oedd ymweliad gan gwmni drama Cymraeg o Lundain (rwy'n cofio'n dda am arswyd y marw'n codi o'r bedd yn y cyfieithiad o'r *Monkey's Paw)*, a pherfformiadau Saesneg yr Arts Cownsil o *Noah* (gwych) a'r *Merchant of Venice* (ddim hanner cystal).

Mwy dylanwadol o lawer oedd y pictiwrs, yr oeddwn i'n cael eu mynychu un o'r ddwy noson yr wythnos am dâl o naw ceiniog. Pictiwr bach a pictiwr mawr a *Pathe News* bob tro. Roedd hudoliaeth seliwloid y *love stories* yn rymus ymysg y merched, ond testun dirmyg diamynedd oedden nhw i'r bechgyn, a oedd yn sychedu am ryfel, cowbois neu fwrdwr, a slapstic George Formby, Laurel an' Hardy a'r *Three Stooges*. Naill ffordd neu'r llall, fe fyddai rhaid i berchen y pictiwrs, DC Lloyd, stopio'r ffilm o dro i dro a dod a sefyll yn y ffrynt i ddwrdio'r plant am gadw sŵn. Gwelodd bois Llyseinion gyfle masnachol a dod â byseidi o ieuenctid y wlad i'r Neuadd Goffa ddwywaith yr wythnos yn unig swydd i'r pictiwrs.

Mae'n arwyddocaol mai capel y Tabernacl a drefnodd y gyngerdd a wnaeth yr argraff fwyaf o ddigon arnaf i. Llanwyd y capel hyd y twret (800 a mwy) i wrando ar David Lloyd ac Esme Lewis, ynghyd â mân eitemau eraill. Roedd y gynulleidfa wedi'u cyfareddu, ac rwy'n cofio'n dda am y tynnu-anadl torfol wrth i David Lloyd gyhoeddi bod "arnaf i awydd canu emyn ar y dôn 'Hyder'". Ym mhen ucha'r galeri, roeddwn i'n prysur gwympo mewn cariad ag Esme Lewis. Rywbryd yn 1953 daeth un o arwyr Everest, ac ymhell wedi hynny *bête noire* caredigion y Gymraeg ym Mangor, Charles Evans, i roi darlith am gyrraedd y copa, a llanw capel Peniel. Fe gysgodd e'r nos honno – dychmygwch yr ecseitment – yn y Mans.

Y capeli hefyd fyddai'n trefnu, drwy fisoedd y gaeaf, y Gymdeithas Lenyddol (Tabernacl) a'r Gymdeithas Ddiwylliadol (Peniel) am yn ail nos Wener. Byddai darlithiau, wrth gwrs, ac amryw gystadlaethau. Ymysg yr atgofion y mae Gareth Bronfa yn meimio Robert Wynne yn siafio, a Mair Meganwy yn darllen y disgrifiad o *Gwen Tomos*; a Nhad ac Ifans y barbwr yn canu *Larboard Watch* ac *Excelsior*.

> *The shades of night were falling fast*
> *When through an Alpine village passed*
> *A man who bore midst snow and ice*
> *A banner with a strange device:*
> *Excelsior!*

Sosial ar y cyd rhwng y ddau gapel fyddai'r ffefryn. Llond bola o frechdanau a chacs, mas i chwarae tra bod yr oedolion yn bwyta, ac wedyn yr eitemau: sgetsys, wrth gwrs, a Siencyn Ifan yn dweud jôcs, a ninnau'r plant yn y ffrynt a'n pennau rhwng ein pengliniau mewn gwewyr o chwerthin aflywodraethus wrth i ryw gantor fynd trwy'i gampau histrionig.

Ond rhywbeth ar y cyrion, wrth gwrs, oedd gweithgareddau 'diwylliadol' y capel. Yn yr oedfaon y ces i'r ymborth cyfoethocaf o ddigon a brofais i erioed. Dair gwaith y Sul fe fyddai'r teulu'n codi mas o'r Mans a cherdded lawr heibio'r eglwys a thros y bont, troi i'r chwith i Market Street ac i'r Tabernacl. Wrth fynd i wasanaeth y nos fe fydden yn aml yn cwrdd â Blodwen Jenkins, ei gwallt du wedi'i godi'n uchel dros ei thalcen, ei llyfr tonau dan ei chesail, yn ei bwrw hi fel llong yn llawn hwyl am Peniel. Ar gornel Tabernacl Strît dyma i ni dwr o fechgyn ac yn eu mysg un o blant Blodwen, Ifor, na cherddodd ei addfwynach strydoedd unrhyw dref erioed. Yn gwbl ddiffuant, mynegodd Ifor i fi ryw dro gymaint roedd e'n teimlo dròsta i 'mod i'n gorfod mynd i'r cwrdd dair gwaith y Sul yn gwbl ddieithriad. Roeddwn i'n gwerthfawrogi'i gonsýrn e, ond doedd dim tamaid o'i angen e. Un bach swci oeddwn i a doedd y ddefod yn ddim aberth o gwbl. Roedd yn rhan o rythm cysurlon y Sul, diwrnod a oedd yn sefyll yn gyfan gwbl ar wahân i bob diwrnod arall, nid er mwyn hamddena ond i ymdrochi yn swyn yr hanesion cyfarwydd, llawn ystyr a dyfnder; yn y canu a sain yr organ; yn y llonyddwch; yn ymresymiad a grym rhethreg y pregethwr. Difyrrwch hefyd weithiau o weld gwallt Curry Hughes, wrth iddo fe fynd i hwyl, yn ymryddhau o'r saim ac yn stico mas fodfeddi o ochr ei ben.

Nid unwaith na dwywaith y clywais y pregethwr yn gresynu bod ein capeli'n ymdebygu fwyfwy i eglwys Laodicea, nad oedd "yn oer nac yn frwd", ac mi fyddwn i'n meddwl bod hynny'n taro i'r dim yn achos y Tabernacl. Digon hawdd gweld bod crefydd ar drai, yr un peth â phopeth arall yn Aberaeron, serch yr argraff dros-dro o gryfder a màs critigol a grëwyd pan fuodd hi'n ôl-hans-on-dec i groesawu'r Gymanfa Gyffredinol i'r dref yn gynnar wedi'r rhyfel. O barch i ddigwyddiad o'r fath fri y cuddiwyd y pafinau cerrig-lan-môr bron i gyd dan gadarn goncrit. Buodd rhaid lletya cannoedd am wn i o gynrychiolyddion yr enwad, ac o blith sêt fawr dywyll llawn o bregethwyr y codais innau'n llef, yn egwan ddigon, yn nrama Samuel: "Llefara, Arglwydd, canys y mae dy was yn clywed."

Yn wahanol i'r cyrddau wythnosol, byddai'r Cyrddau Mawr blynyddol yn denu cynulleidfa go luosog. Gwnaeth pregeth Lodwig Jones ar y testun, "Pwy yw hwn sydd yn dyfod o Edom, yn goch ei ddillad o Bosra?" gymaint o argraff arnaf i nes i fi gyhoeddi wrth Nhad bod chwant arnaf innau i fynd yn bregethwr. "O dyna ni 'te," meddai yntau, yn syndod o glaear, a finnau'n disgwyl cymeradwyaeth frwd.

Nhad wrth gwrs fyddai'n cynnal y Cymun. Rwy'n clywed ei lais ysgafn e nawr, yn ddwys, ddiorchest: "Hwn yw fy nghorff a dorrir trosoch ... a'r un modd y cwpan hefyd, wedi swperu..." Ddyfned yr ust. Ddwysed yr ymdeimlad o greulondeb a brad, ac o burdeb anchwiliadwy y Cyfiawn drylliedig. Ac yna'r emynau mawreddog. Cof am y cyfiawn Iesu, y person mwyaf hardd. A cherddoriaeth Bach. Handel hefyd wrth gwrs a Mendelssohn, pan ddôi gwledd flynyddol y Gymanfa.

Ryw noson dyma fi yn grwt bach yn eistedd ar ris waelod y staer pan oeddwn i fod yn y gwely, yn clywed rhyw gerddoriaeth lesmeiriol o'r radio yn y stydi, lle'r oedd Nhad a Jean yn gwrando. Dyma Mam o'r gegin yn 'y ngweld i fan'ny ac yn mynnu 'mod innau hefyd yn cael mynediad i'r wledd. Y Meseia oedd y miwsig, ac roedd y Nadolig yn y drws.

Ysgol Sul wedyn, yn y festri tan i'r diwrnod pwysfawr hwnnw ddod pan fydden ni'n dringo'r staer bach yn y cefn a chael mynd i ehangder y capel er mwyn ymuno â dosbarth y bobl ifainc. Yn nosbarth y plant bach, Miss Jones 'Bluejacket' (enw tŷ, enw llong) oedd yr athrawes. Mi fyddwn yn 'y ngwahodd 'yn hunan i de i Bluejacket ar ôl yr Ysgol Sul a chael *peaches* o dun neu, ar ddiwrnod llwm, afalau wedi'u stiwio. Byddai Miss Jones yn dweud "Cyyynog baach" mewn llais tebyg i gath yn canu grwndi. Roedd hi'n byw gyda'i chwaer, ond 'Miss Jones Arall' oedd 'yn enw i ar honno.

Byddai yna baratoi gofalus bob mis ar gyfer y cwrdd plant. Y plant i gyd yn eu dillad parch yn y corau blaen ac yn codi yn eu tro i wneud eu rhan yn raenus. Byddai dalen fach ddwbl ac arni hi lun lliw a stori ysgrythurol bob tro i ychwanegu i'r llyfryn yr oedden ni'n ei gadw mor falch. A phob tro byddai Huw Williams, y codwr canu, yn adrodd y stori o'i gof, air am air. Byddai Nhad yn rhoi pregeth fer hefyd. Un tro, wrth sôn am y cwmwl tystion, fe'i traddododd hi'n go angerddol, a fi oedd i gyflwyno'r eitem ddilynol. Aeth emosiwn yn drech na fi; crynodd y gwefusau a daeth y dagrau. Aeth sawl blwyddyn heibio wedyn cyn i fi fagu'r nerth i godi ar 'y nhraed i wneud dim yn gyhoeddus.

IV Y Strydoedd a'r Meysydd

Y tu hwnt i ddrws y Mans a'r capel a'r ystafell ddosbarth, roedd yna fyd garwach o lawer, byd y plant yn y strydoedd a'r meysydd, lle na chlywid sôn am Iesu Grist na'i werthoedd, a lle nad oedd ond un ystyr i'r gair 'dienaid', sef parodrwydd canmoladwy bron i wthio gorchest a pherygl idd eu ffin eithaf. Cryfder y cyhyrau, medr mewn chwaraeon ac, yn y pen draw, barodrwydd a gallu i warchod anrhydedd drwy ymladd – dyna beth oedd yn rhoi statws i ddyn yn y byd cyfochrog yma. Dim ond iddo fe ymostwng i'r drefn a derbyn ei le yn yr hierarchiaethau, fe gâi e lonydd. Dyna y buodd rhaid i fi ddysgu gwneud, a go agos i'r gwaelod oedd 'yn safle i yn yr hierarchiaethau. Rwy'n barnu erbyn hyn mai ar 'y nghoesau brain i, sy wedi bod yn destun embaras ar hyd 'yn oes, yr oedd y bai yn bennaf, er nad oeddwn i'n sieino yn ôl unrhyw un o'r dangosyddion corfforol eraill ychwaith – taldra, pwysau, cyhyrau'r fraich a'r stumog, dyfnder y tsiest ac yn y blaen.

Roedd bechgyn Aberaeron yn ffwtbolyrs diarbed, ac er mai fi oedd yr olaf yn y ciw adeg pigo tîms mi fyddwn i'n bwrw iddi'n selog ddigon ac yn balchïo gymaint â neb pan ddaeth dydd gallu fforddio esgidiau ffwtbol, a hyd yn oed grys arbennig at y gwaith. Chadd tîm y dref ddim cefnogydd mwy eithafol chwaith, nac un mwy trallodus pan gollodd Aberaeron 3–1 yn erbyn Castellnewydd Emlyn ar y diwrnod bythgofiadwy hwnnw pan gawson ni fynd yn y bỳs bob cam i

Landysul i ffeinal Cwpan Ceredigion. 'Yn arwr mawr i oedd Gordon Griffiths drws nesaf a gadd chwarae *centre forward* i Gymru (amatur), a'i frawd Stuart. Mi ges weld ei fam yn smwddio crys rhyngwladol Gordon yng nghegin Gilvin!

Daeth tro diflas ar fyd pan fynnodd selotiaid ymysg staff yr Ysgol Sir gyflwyno rygbi yn lle ffwtbol. Ar yr asgell oedd 'yn lle i wedyn, er mwyn gallu camu dros y llinell i osgoi trwbwl. Doeddwn i ddim yn hollol anobeithiol mewn criced, ond pan ddaeth racedi tennis rhesymol-eu-pris ddechrau'r pumdegau, dyma ryddfreiniad – gêm nad oedd ynddi unrhyw berygl cael dolur. Cyrhaeddais i binacl 'y ngyrfa chwaraeon wrth dderbyn cwpan dros Tyglyn yn niwrnod gwobrwyo'r ysgol am 'mod i wedi chwarae yn y *boys' doubles,* a chapten y tîm, Jo Porth House, yn absennol o'r seremoni.

Ddywedwn i ddim 'y mod i wedi dioddef bwlian corfforol, er i Colin Williams, ifancach na fi ond caled fel dur, 'y mwrw yn 'y ngherrig â'i ddwrn unwaith ac i fi redeg adref yn 'y nagrau at Mam wrth y sinc. Ches i fawr o gysur fan'ny, dim ond cyngor i fwrw e 'nôl. Yr hyn a wydden i yn well na hi oedd mai gwaethygu pethau wnaethai hynny. Iach yw'r cachgi drannoeth wedi'r cyfan. Ond eithriad oedd i bethau fynd yn wrthdaro corfforol felly. Yr hyn oedd yn gwbl arferol oedd dominyddiaeth, y sylwadau gwatwarus-ddiraddiol, a'r diflastod llethol o wybod nad oedd dim byd y gallwn i wneud yn ei gylch e heblaw ar adegau golli'n natur yn lân, cicio a strancio a mynd yn fwy fyth o destun difyrrwch.

Dyn a oedd yn amlwg wedi'i deall hi oedd Charles Atlas yr oedd ei hysbysebion e i weld yn unrhyw gomic gwerth ei ddarllen. Roedd hwnnw wedi bod yn *seven-stone weakling* ac wedi diodde'r un math o watwar â fi, tan iddo ddarganfod *dynamic tension* a magu cyhyrau fel na weloch chi erioed sut beth. Er bod rhai o 'nghyfoedion yn rhybuddio y gallai manteisio ar addewid Charles Atlas, "*You too could have a body like mine*", beri i ddyn fynd maes o law yn *muscle-bound,* roedd hynny'n 'y nharo i fel risg gwerth ei gymryd. Fodd bynnag, doedd cyllideb y Mans ddim yn gallu ymestyn at y math o ffioedd yr oedd Mr Atlas yn eu codi, a buodd rhaid i fi fodloni ar yr hyn a ges i gan yr Hollalluog.

Un ffordd o sefydlu hygrededd oedd trwy regi. Serch bod canu "Dywaid cornant fechan Lifa tua'r pant: Na foed geiriau aflan Ar wefusau plant" gydag arddeliad yn y cwrdd plant yn achosi ambell i bwl o gydwybod, rhaid oedd cydymffurfio. Mi allwn fynd â chi i'r union fan lle graddiais i yn y ffycin-el, a theimlo 'mod i wedi croesi trothwy tyngedfennol. Ond roedd dweud "Iesu Grist" yn gam rhy bell yn y dyddiau hynny, a phan glywais i rywun yn poeri'r geiriau enbyd, "Yr Iesu a wylodd", fe droiodd 'yn stumog i drosodd.

Byd bach caeëdig, di-gar ar y cyfan, dideledu wrth gwrs, oedd Aberaeron, a chanlyniad hynny oedd y byddai'r plant o oedran cynnar yn cael crwydro'n rhydd, yn wyllt hyd yn oed, ar hyd y strydoedd, yng ngallt y Banc Bach a thros y traethau a'r clogwyni heb ddim ymyrraeth werth sôn amdani gan oedolion.

Nosweithiau'r gaeaf bydden ni mas, ymhell wedi iddi dywyllu, yn chwarae tsiasys nes bod y coesau trywser-byr yn llosgi'n annioddefol o'r tarugo. *Glycerine and rose water* fyddai'r driniaeth, arteithiol ond digon effeithiol, i'r cyflwr hwnnw. Roedd yn well gen i *kiss-chase* na tsiasys, yn rhannol am fod mwy o obaith i fi ddal merch nag un o 'nghyd-fechgyn, ond yn bennaf o achos y wobr, melysber ond byr-ei-pharhad. Un gêm lle nad oedd y coesau brain a gweddill 'yn ffaeleddau i'n dramgwydd o gwbl oedd Pwff-Bang (dynwarediad o sŵn dryll), na fyddai'n cael ei chwarae yn unman ond ar y Banc Bach, a dim ond yn yr haf. Dau dîm, un yn amddiffyn a'r llall yn ymosod, a'r gamp oedd canfod eich gwrthwynebydd a'i gael e mas o'r gêm drwy alw "pwff-bang" a'i enwi e. Hyn nes bod neb ar ôl gan un o'r ddau dîm.

Gwyn ein byd ni yn ein rhyddid awyr-agored dilyffethair. Ond roedd yna elfen ddidoriad weithiau yn y chwarae. Un tro fe arweiniodd Henry 'Byns', athro parchus wedi hynny, haid ohonon ni dros y wal i berllan y Ficerdy, lle roedd y cnwd rhyfeddaf o afalau a ffrwythau eraill hollol amheuthun. Dyma fynd ati i'w profi nhw, ond buan yr aeth y pleser yn afreolus a mi ddaethon yn go agos at flingo'r cyfan. Rywbryd ar ôl y rhyfel aethpwyd ati i gael golau stryd. Fuodd y lampau golygus ddim yn eu lle'n hir cyn i dowlu cerrig chwalu'r mwyafrif, a buodd rhaid i'r awdurdodau roi fframyn weiar digon diolwg i ddiogelu'r bylbs. Ar y noson pan aeth nifer ohonon ni ati i danio'r eithin ar dir *Rope and Anchor* gyda ffaglau wedi'u trochi mewn paraffîn, roedd yr awyr yn goch a'r gwreichion yn codi i'r entrych. Mi gawson ni siom o'r ochr orau drannoeth pan ddiolchodd Mrs Evans i ni am y gwaith: "Llosgwch chi'r eithin 'na bois, mae eisiau'i wared e".

Elfen fwy llechwraidd hefyd. Cyrchfan poblogaidd fyddai'r toilets ar gornel Mason's Row. Fan'ny am wn i y tynnais i fwgyn gyntaf. Pan es i adref roedd 'yn anadl i'n clapian a mi ges slap gan Mam ar 'y nghlun y gallaf i ei theimlo hi nawr.

Ond gwaeth na'r slap oedd y bygythiad y dywedai hi wrth Nhad a fyddai, meddai hi, yn siŵr o dorri'i galon pe bai e'n gwybod. Ond roedd yna bleserau uwch na smocio yn y toilets. Negesau llawn addewid ar y walydd, ac un darlun cwbl feistrolgar, mewn persbectif, o fenyw borcen yn eistedd a'i choesau ar led. Mi fyddwn yn syllu a syllu, ac yn cario'r ddelwedd adref yn 'y nychymyg i borthi'n ffantasïau rhwng dillad y gwely. Beth pe bai Nhad yn gwybod am hynny 'te?

Wn i ddim p'un ai'r angen i gael y plant a'r bobl ifainc oddi ar y strydoedd, neu ynteu sêl dros les milwrol Prydain, neu ryw gymhelliad mwy materol, a barodd i Thomas y Cemist gychwyn cangen o'r *Air Training Corps* (yr ATC) yn Aberaeron. Ta beth am hynny, wele sièd helaeth o styllod llwydlas yn codi rhwng yr heol a'r harbwr gerllaw'r bont, ac estyniad o frics yn safati tu cefn. Mi fues i wrthi gyda Thomas y Cemist yn bwrw'r morter caled oddi ar y brics ail-law â morthwyl, nes cael pothelli ar 'y nwylo. Ond pan ddechreuodd yr ATC, ches i ddim ymuno, er cryn bledio. Mam, os wy'n cofio'n iawn, a esboniodd fod gan Nhad wrthwynebiad cydwybodol. Wnaeth 'yn absenoldeb o gyfarfodydd wythnosol yr ATC ddim lles i'n strît crèd i, er i fi gael 'yn sbario rhag y propaganda Prydeinllyd yr oedd ei ddylanwad i'w weld mor gryf yn siarad 'y nghyfoedion. Mawr fyddai'r genfigen o glywed am y gweithgareddau amrywiol – datgymalu ac ailgysylltu drylliau, drilio ac ati – heb sôn am yr iwnifform glas golau a'r cap ar ochr y pen. A chawn i ddim mynd i'r camp a'i holl ryfeddodau bant yn Lloegr rhywle, gwlad nad oeddwn i erioed wedi'i gweld, a'r costau i gyd wedi'u talu.

Ond fe gawd dial o ryw fath. Roedd hi'n dymor Gei Ffôcs a bangyr neu ddau neu dri o siop Dici Watsh ym mhoced pob crwt gwerth ei halen. Dyma sleifio, gyda rhyw adyn arall nad oedd a wnelo'i anaelodaeth o'r ATC ddim byd ag egwyddor, i lawr at ddrws y sièd, noson cyfarfod yr ATC, a rhoi bangyr wedi'i gynnau ym mocs y llythyron. Cwrs lan am yr hewl, a chwtsho tu ôl i'r wal tan i'r ergyd odidog, gystal ag unrhyw *Thunder Flash*, hollti'r awyr. Diflannu wedyn i dywyllwch diogel y strydoedd cefn. Mi glywais wedyn i'r powns achosi cryn gythrwfl y tu fewn, ond ches i byth mo 'nala, mwy na thebyg am y buasai hynny'n fwy o ffwdan na'i werth e.

Tebyg mai'r amddifadiad yma'n gwasgu ar gydwybod Nhad a barodd iddo fe ymateb mor frwd i Johnny Ellis o Aberystwyth pan ddaeth hwnnw i'r Mans ryw brynhawn i ofyn am gefnogaeth i ddechrau trŵp o'r Sgowts. Mi ges yn 'yn llaw gopi o *Sgowtio i Fechgyn* yn Gymraeg, yn llawn lluniau o glymau a dulliau cynnau tân a llochesi goroesi o frigau a phridd a signals semaffor. Cyn hir roedd y Sgowts yn cwrdd yn sièd yr ATC o bobman tan i ni gonfyrtio â'n dwylo'n hunain hen bri-ffab yr Wcraniaid yn gartref. Fe sefydlwyd y 2nd Aberaeron ac mi ddringais i gan bwyll i fod yn *batrol-leader* yr *Eagle Patrol*. A dweud y gwir, digon didoreth oedd y gweithgareddau wythnosol, ond mi gawson sbri, a sgiliau gwerth eu dysgu, wrth wersylla.

Digwyddiad ffurfiannol, nid llai, oedd y gwersylla gerllaw Wexford ddwy flynedd yn olynol, tua dechrau'r pumdegau, y tro cyntaf gyda sgowtiaid Borth ac Aberystwyth, a'r ail ar ben ein hunain. Rywfodd fe grafodd Nhad a Mam ddigon o arian at ei gilydd i dalu i fi fynd. Dyma ddod i gysylltiad â sgowtiaid Iwerddon, a allai fartsio fel milwyr, ac a oedd yn cadw'u hwinifform fel pìn mewn papur, a'u canu herfeiddiol, *"God bless the Catlic Scouts of Ireland, God bless the emblems that they wear. Keep them safe by night and day, Oh Oh Catlic Scouts of Ireland Be Prepared."* Wedi osgoi propaganda Prydeinig yr ATC, fe gawd chwistrelliad gwrth-Brydeinig gan y bechgyn hyn gyda'u sôn am ysgelerderau'r *Black and Tans*. A chan nad oedd dim dogni yn Iwerddon, yn wahanol i gartref, a'r nwyddau defnyddio yn y siopau yn rhesymol eu pris, mi ddaethon oddi yno'n credu bod Iwerddon rydd yn wlad fach dra llewyrchus. Byddwn innau a'n ffrindiau Rheinallt a Geraint Evans, plant â'u gwreiddiau yn y cefn gwlad, a'u tad, Evans y Rejistrâr, yn Gymro cadarn, yn rhannu'n syniadau chwyldroadol am ddyfodol Cymru â'n gilydd wrth gario dŵr neu wneud heic nos ac yn y pebyll gyda'r hwyr.

Doedd cael 'y ngweld fel siaradwr Saesneg yn ddim help i'n statws i ymysg y bechgyn. Nid 'y newis i oedd hyn; yn hytrach mater o ddiffiniad gan eraill oherwydd iaith Mam. Gwir bod rhai plant Saesneg eraill yn y dref, ond Cymraeg oedd iaith y mwyafrif llethol. Yn eu mysg nhw, Cymraeg oedd yr iaith fatsio; mursennaidd oedd y Saesneg, ar lafar o leiaf. Roedd y patrymau ieithyddol yn gywrain-arwyddocaol. Saesneg a siaradwn i â chyfoedion o fechgyn, ond Cymraeg gyda bechgyn hŷn, a phlant iau na fi; a Chymraeg, wrth gwrs, gydag oedolion, ac eithrio'r garfan o rai ymgyrhaeddgar, Llundain-gysylltiedig, a oedd yn ffafrio'r Saesneg. Roedd tuedd gref ymysg y merched i siarad Saesneg, a Saesneg a siaradai'r bechgyn â'r merched. Wn i ddim i ba raddau yr oedd presenoldeb Cymry Llundain oedd wedi dychwelyd i Aberaeron dros gyfnod y rhyfel yn ffactor yn hyn oll, ond yr hyn roeddwn i'n ei weld wrth gwrs oedd cam cynnar yn y broses y dysgais i gan y cymdeithasegwyr, flynyddau wedyn, ei alw'n 'shifft iaith'. Y cam hwnnw oedd yr anallu, yr amharodrwydd yn wir, i amsugno dyfodiaid i'r patrwm ieithyddol lleol. Bron na ddywedwn i fod y Gymraeg yn cael ei defnyddio yn offeryn allgau, ac i raddau roeddwn i'n hunan wedi'n allgau.

Lai na dwy filltir tu fas i'r dref, roedd y stori'n gwbl wahanol. Yn 'y wlad', uniaith-i-bob-pwrpas, doedd gan y Saesneg ddim troedle na hygrededd. Byddai unrhyw ddyfodiaid, ifaciwîs a Phwyliaid ac Eidalwyr, yn cael eu llwyr-gymhathu ar fyr o dro. A phan fyddai'r wlad a'r dref yn cwrdd, yn yr Ysgol Sir yn arbennig, doedd dim amheuaeth p'un iaith fyddai drechaf. Roedd y ffin yn cael ei chydnabod yn swyddogol yn yr Ysgol Sir cyn dyddiau'r 'Modyrns' drwy system ffrydiau: plant Aberaeron a'r Cei yn *Form 2F* a'r wlad yn *2W*, er bod y corlannu ar sail *French* a *Welsh* wedi peidio â bod. Pe bai Nhad wedi dod yn weinidog i Bennant, neu Ffosyffin a Llanarth, heb sôn am lefydd mor anghysbell â Chilcennin neu Fydroilyn neu Dalgarreg, mae'n sicr y buasai hanes ieithyddol ein teulu ni'n wahanol iawn. Tebyg mai Cymraeg y byddai Jean a fi yn siarad â'n gilydd heddiw. Sut y byddai hynny wedi effeithio ar natur ein disgwrs ni sy'n fater arall.

Beth wnewch chi, yng ngoleuni hyn oll, o'r ffaith mai fi a Wyn Phillips, dyfodiad o Sir Benfro ond o gartref Cymraeg, y siaradai bawb Saesneg ag e, oedd yr unig rai yn ein dosbarth ni i gymryd papur iaith y sgolarship yn Gymraeg? 'Language B' oedd teitl y papurau sampl gwyrdd y bydden ni'n ymarfer arnyn nhw yn lle'r rhai gwyn Saesneg 'Language A', ond y flwyddyn honno, 1949, teitl y papur Cymraeg, un gwyn, oedd 'Iaith Cymru'.

V Addysg, a Gwladgarwch

Mi basiais y sgolarship yn rhwydd, ond nid heb i Mam orfod dyrnu arni i gael rhyw siâp ar y syms, maes y gwendid mawr a ddaeth fwyfwy i'r amlwg wrth i fi ddringo'r Ysgol Sir.

A finnau wedi cael 'y magu mewn byd o lyfrau a phregethau a llenyddiaeth sut allwn i beidio â gwneud yn fwy na boddhaol yn y lesyns *History, Geography, English* a *Welsh*? Roeddwn i'n ddarllenwr tragwyddol sychedig: comics, Enid Blyton yn ifanc, wedyn llyfrau Hornblower, *The Ascent of Everest* o'r Companion Book Club, ac ambell i beth mwy heriol fel *The Last of the Mohicans*. Llyfrau

Cymraeg hefyd, o argyhoeddiad yn gymaint ag awydd: *Anturiaethau* Meuryn, *Dirgelwch Gallt y Ffrwd* a *Tranc y Rheolwr*, ac roedd Nhad yn gofalu bod *Cymru'r Plant* yn dod i'r tŷ o leiaf.

Mater o ddeall a dysgu'r diagramau oedd Bioleg, ac mi ddes i i ben, jist, â chadw ar wyneb y dŵr mewn Lladin, pwnc yr oedd 'yn chwaer yn disgleirio ynddo. Ond erbyn cyrraedd *Form III* roedd y Mathemateg, a phopeth cysylltiedig, megis Cemeg a Ffiseg, yn cilio ymhellach bellach i dywyllwch hollol anhydraidd. Nid ar yr athrawon roedd y bai ond ar yr etifeddiaeth enetig, oherwydd roedd Jean, gystal disgybl ym mhob peth ag yr oedd hi, yn dioddef o'r un aflwydd. Doedd y *coaching* yn tycio dim. Mi fues yn ddigon hurt i ddewis Mathemateg yn lle Gwaith Coed a Metel wrth groesi'r trothwy i Ddosbarth IV, a Chemeg yn lle rhywbeth. Trychinebus fuodd y canlyniadau ym mhob ystyr, er gwaethaf parodrwydd 'yn ffrind galluocach – ond cwbl anacademaidd – Uriel (Jo Porth House) i helpu, weithiau trwy esbonio, weithiau drwy ganiatáu i fi gopian. Cyn bo hir roeddwn i wedi llwyr anobeithio, a dyna ddiwedd ar ymroi. Mi ges yr anghymharol 0 yn 'yn Algebra Lefel O, 20au isel mewn Rhifyddeg a Geometreg, a 17 mewn Cemeg. Buasai Gwaith Coed a Metel a 'Sbesial Arith' wedi bod o lawer gwell defnydd i fi. Llwyddais i i gael mynediad i brifysgol ddwy flynedd wedyn yn rhinwedd y ffaith fod Lladin yn rhoi *Welsh Matric* i ddyn, a mi ges fynd yn athro am nad oedd Mathemateg bryd hynny, diolch i'r drefn, yn amod mynediad i'r proffesiwn, fel y mae e nawr.

Buodd y ffaeledd fathemategol yn gloffrwym difrifol i fi ar hyd y blynyddau. Dim ond trwy feddwl yn galed yr wy'n gallu gwneud synnwyr o'r graffiau a'r tablau ystadegol symlaf: unrhyw beth mwy cymhleth, ac mae 'mhen i'n troi. Mae'r anghaffael yn ymestyn i bob math o feysydd cysylltiol, llawer yn bethau bara-menyn i'r gwleidydd ymarferol. Systemau treth incwm, cylluniau pensiwn neu nawdd cymdeithasol: jyngl dywyll y mae angen canolbwyntio dwys i olrhain ei llwybrau amlycaf. Ac mae'r ddealltwriaeth yn llithro o'r cof y funud y mae'r canolbwyntio'n dibennu. Mae'r profiad o fethiant mewn gêmau megis gwyddbwyll a draffts ac mewn unrhyw fath o bosau yn peri i fi'u hosgoi nhw fel y pla. Gwaeth na hynny, mae unrhyw beth sy'n sawru o system yn faen tramgwydd: rheolau sefydlog a chyfansoddiad pleidiau, trefn y Senedd a'r Cynulliad ac ati. Pan fyddai grŵp y Blaid yn trafod opsiynau ar gyfer system staffio neu ddewisiadau ar gyfer trefn busnes y pythefnos nesaf, fe fyddai 'meddwl i'n cymylu a doedd gen i ddim ond gobeithio bod yr hyn oedd yn dywyll i fi yn eglur i'r gweddill. Os oedd yr olwg ar 'y ngwyneb i'n awgrymu gorddifrifoldeb neu amheuaeth, y rheswm ran fynychaf oedd 'mod i'n rhoi pob gewyn o 'ngallu ymenyddol cyfyngedig ar waith i ddeall y pwnc dan sylw.

Mi fordwyais y cerrynt gwleidyddol yn gymharol lwyddiannus am gyfnod drwy adael i eraill y myrdd ystyriaethau ymarferol a chanolbwyntio ar yr hyn roedd 'y magwraeth yn y Mans a'r capel, a'n hyfforddiant i ym myd iaith a llenyddiaeth, wedi 'mharatoi i'n go lew ar ei gyfer: egwyddorion athronyddol a moesegol cyffredinol, y gallu i drafod geiriau'n weddol ddeheuig, sythwelediad dychmyglawn i hanfod sefyllfaoedd (crebwyll neu ddarfelydd, dwyf i byth yn cofio p'un) a'r gallu i empatheiddio â gofidiau, petruster a dyheadau pobl. Hyn, a diddordeb awchus mewn syniadau, ynghyd â rhyw allu, drwy hir brofiad ac ymarfer, i ddilyn llinell o ymresymiad a gweld y cysylltiad rhwng ffenomenau amrywiol a'i gilydd. Yn y priodoleddau hyn beth bynnag, rwy'n fab i Nhad. Ac mewn un peth arall, sef y ffordd y mae unrhyw syniad neu egwyddor gwerth ymboeni ag e yn ennyn cyffro, hyd yn oed ymrwymiad, emosiynol. Cenedlaetholdeb Cymreig ar enghraifft.

Mi amsugnais wladgarwch rywfodd o agwedd Nhad ac o gael 'y nghyfareddu'n gynnar gan *Flame-Bearers of Welsh History* y cymeriad hynod hwnnw, Owen Rhoscomyl, a oedd ar silffoedd y stydi. Roeddwn i'n cynhyrfu drwydda i at ddewrder herfeiddiol-ddigyfaddawd y tywysogion a ffyrnigrwydd eu hymrwymiad i warchod Cymru annibynnol, ac at ddiawledigrwydd y Saeson oedd yn mynnu chwalu'r cyfan. Ond mi wyddwn fod hyd yn oed awdur tanllyd y *Flame-Bearers* wedi bradychu'r weledigaeth fawr trwy gyhoeddi bod Bosworth (roedd yna lun godidog o Harri Tudur buddugoliaethus ar faes y gad a'r Ddraig Goch yn cyhwfan uwch ei ben) rywfodd yn sychu llechen y gormes yn lân, ac yn allwedd i well dyfodol i'r Cymry fel cyfranogwyr brwd yng nghyfleoedd llachar yr Ymerodraeth Brydeinig.

Yr argraff ges i oedd bod pobl Aberaeron at ei gilydd yn frwd o blaid yr ail elfen yn stori Rhoscomyl heb fod gyda nhw affliw o syniad, na gwybodaeth chwaith, am yr elfen gyntaf. Tra Phrydeinig oedd yr agweddau glywn i ar hyd y dref, a ches i'n arswydo unwaith pan ddatganodd 'yn ffrind pennaf ei fod e'n cefnogi tîm ffwtbol Lloegr yn erbyn Cymru. Siom fawr oedd nad oedd Siencyn

Ifan hyd yn oed yn fodlon rhoi unrhyw hygrededd i'r ambell sylw ymfflamychol wnawn i am Gymru a'i thynged ar brynhawn dydd Sul. Pan dreiais i esbonio'n llipa ddigon wrth fodryb un o'n ffrindiau pam na chawn i fynd i'r ATC, fe ofynnodd yn finiog, "Beth sy'n bod 'te, bod chi ddim eisiau ymladd dros *king and country?*"

Cadd swyngyfaredd gwleidyddiaeth afael yndda i, fel rwy'n cofio, drwy ymgyrchoedd etholiadol 1950 a 1951. Roderick Bowen oedd 'yn arwr i, a thestun 'yn eiddigedd o ran hynny, yn ymddangos yn fuddugoliaethus drwy ffenestr y Monachty Arms i sefyll ar y balconi cul a gweiddi slogan ei ymgyrch, "Dyn y bobl, dyna Bowen!" Ond doedd a wnelo hynny ddim byd â'r cwestiwn cenedlaethol, hyd y gwyddwn i, a doedd gan Blaid Cymru ddim ymgeisydd. O ran Nhad, y ddelwedd sy'n ymwthio i'r meddwl yw ohono fe'n sefyll ar ben Market Street a rhuban Llafur ar lapél ei got. Cefnogydd oedd e i'r tanbaid Iwan Morgan, cefnder yr Elystan Morgan hwnnw a enillodd, rhwng 1964 a 1974, safle'r unig AS Llafur yn hanes Ceredigion.

Ond fe hedfanodd ambell i welltyn heibio ar y gwynt. Mae gen i gof am Nhad yn mynd ar wibdaith bws i Bencader i ddadorchuddio carreg yr Hen Ŵr. Ac un noson ym Medi 1953, a finnau ar y ffordd i'r pictiwrs yng nghwmni ffrind, fe'n perswadiwyd ni i aros ar bwys y Cae Sgwâr i groesawu rhedwyr mewn dillad gwladgarol oedd yn cario ffagl danllyd o Fachynlleth i Gaerdydd. Un ohonyn nhw oedd y byr, gwalltddu Emrys Roberts, ac mae'r llun sy ger 'y mron i y foment hon yn dangos arwr blynyddau wedyn, Chris Rees, hefyd yn y grŵp. Ychydig funudau, a roedd y fintai fach wedi diflannu i'r gwyll. Ar Fedi 26, gwnaeth Emrys Roberts ei "fynediad dramatig trwy gefn y babell yn cario fflamdorch rhyddid i ganol y dorf" a oedd wedi ymgynnull mewn pabell yng Ngerddi Soffia Caerdydd ar gyfer Rali Senedd-i-Gymru-o-fewn-Pum-Mlynedd wedi'i threfnu gan Blaid Cymru. Ond roedd Caerdydd yn bell iawn yn y dyddiau hynny, a digwyddiadau'r diwrnod hwnnw y tu hwnt i 'ngorwelion i. Go brin 'y mod i wedi clywed am y Gwynfor Evans y cyflwynodd Emrys Roberts ei fflamdorch iddo i gymeradwyaeth wresog y dyrfa. Serch hynny, roedd chwilen cenedlaetholdeb Cymru wedi 'mrathu i.

VI Ffermydd Brycheiniog

Doedd amgylchedd byd arall 'y mhlentyndod, sef Brycheiniog, ddim yn ffafriol i feithriniad y chwilen arbennig yna. Os mai lled-sychdir oedd tref Aberaeron o ran gweledigaeth genedlaethol i Gymru, roedd Brycheiniog 'y nhylwyth a 'mhrofiad i yn ddiffeithwch llwyr. Torïaid oedd 'y mherthnasau i gyd ac eithriad prin iawn oedd 'y nghyfnither Jean Gil-fach a fynnodd ddanfon ei phlant i ysgol Cwm-du am fod cryn bwyslais ar Gymraeg yna. Roedd John Games, gŵr Anti Katie, yn ddyn annwyl, cydnerth, cwbl unplyg ei egwyddorion, a'i deyrngarwch i Brydain lawn cymaint â'i ffyddlondeb i gapel Bryn-bont lle byddai fe'n eistedd yn y sêt fawr ar fore Sul, a'r gwasanaeth yn Gymraeg, yn syllu'n astud ar y pregethwr na allai ddeall dim gair a fyddai'n dod mas o'i ben e. (Jôc fawr Yncl John oedd mai'r unig eiriau Cymraeg a wyddai fe oedd "Nos yfory am wech".) Wedi'r cyfan, onid oedd e'n ddisgynnydd balch i Ddafydd Gam oedd wedi arbed bywyd y brenin yn Agincourt (heb sôn am dreial bradychu Owain Glyndŵr, yr oedd ei nai-yng-nghyfraith bach wedi cael ei ail enw ar ei ôl e)? Ac onid oedd e wedi bod yn filwr yn y *Khyber Pass* yn y Rhyfel Mawr, a thystysgrif ddarluniedig ar wal y staer i brofi hynny; ac onid oedd e'n mynychu'r Hôm Gard yn selog ddi-fwlch bob nos Sul? Mi fyddwn yn dadlau hyd at ddagrau gydag Yncl John ynghylch ecsbloetio annynad y gweithwyr gan y perchnogion; ond roedd Nhad yn ddigon call, a theuluol-ddiplomatig, i beidio dal pen rheswm â'r ansymudadwy.

Pan dreiais i argyhoeddi Anti Katie ryw dro, a finnau oddeutu'r un ar ddeg yma, y dylai Cymru gael hunanlywodraeth, ei hateb hi oedd bod y Cymry'n bobl rhy benboeth i gario cyfrifoldeb fel'ny. Ond o leiaf roedd gyda hi ryw glem am yr hyn roeddwn i'n brewlan amdano. Roedd hi wedi gorfod dysgu Cymraeg yn ystod ei chyfnod yn y Wladfa, ac fe gadd flas anghyffredin ar ddarllen *A History of Modern Wales* David Williams.

O Goedgenau, ffarm Yncl John ac Anti Katie, ar draws y cwm o Ynys Mynach a rhyw dair milltir o'r Fan Isaf, mi glywn sŵn y drylliau'n tanio ar y *Range*. Wydden i ddim byd ar y pryd am gymuned Gymraeg yr Epynt, a oedd wedi cael ei diwreiddio mor giaidd-ddiseremoni i greu'r maes tanio, nac am ryw Gwynfor Evans yn arwain yr ymgyrch yn erbyn hynny. Pe bai'r pwnc wedi codi, dwyf i'n amau dim nad cyfiawnhad ar sail y *war-effort* fyddwn i wedi'i gael gan 'y mherthnasau.

O, dyna braf fuasai eu gwysio nhw 'nôl rywbryd rhwng 1999 ac Ebrill 2003 (ond dim un diwrnod wedyn!) iddyn nhw, a'u cyfoedion yn y tylwyth, gael 'y ngweld i'n cymysgu â'r pwysigion yn rhyw fath o Aelod Plaid Cymru dros Frycheiniog yng Nghynulliad Cenedlaethol Cymru. Ac i Nhad a Mam fod yna hefyd!

Ond trech nag unrhyw bellter ideolegol oedd 'y nghariad at 'modryb a'n ewythr, a hudoliaeth ddigymar byd y ffarm ar yr ymweliadau dwywaith-y-flwyddyn â Choedgenau. O fewn dyddiau i gau'r ysgol, mi fyddwn yn ei bwrw hi am Frycheiniog, gan golli'r wythnosau hirfelyn ar y traeth yn Aberaeron er mwyn ennill llawenydd uwch. Roedd hi'n daith diwrnod cyfan ar y bws (newid ar sgwâr Llanwrda), a rhywle rhwng Llanddyfri a Threcastell byddai ymddangosiad y pridd llachar-binc a cherfluniaeth odidog y Bannau yn arwydd o groesi ffin i fyd gwahanol.

Byddai'r plentyn Saesneg ym myd Cymraeg Aberaeron yn troi'n dipyn o giwriositi: un a allai ddeall y pregethwr ar fore Sul, a siarad ag e yn iaith ei bregeth. Yn 'y nghlustiau nawr o ddydd i ddydd mi glywn, yn lle arabedd stacato Cymraeg Ceredigion, lilt ling-di-long Saesneg Brycheiniog, a chan Yncl John a'i debyg yr *Aye aye* parhaus ac ebychiadau cymhedrol megis *good gom* a *danker it all*.

Roedd y ffarmwriaeth yn fwy hen-ffasiwn o'r hanner. Yr unig waith i geffyl ym Mhengarreg neu Rope and Anchor, dwy ffarm Aberaeron, oedd tynnu'r rhaca fawr, ond yr unig dractor a welai dyn ar dir Coedgenau oedd un y *War Ag* a fyddai'n cyrraedd ddechrau Medi i dorri'r llafur, tan i dractor bach llwyd a heidrolics Harry Ferguson ddechrau'r chwyldro mawr rywbryd tua'r 1948 yma. A byddai'r bacwn hallt, y llaeth ffres a'r menyn ffarm nid yn unig yn rhoi blas cwbl wahanol ar y bwyd ond yn creu, drwy gyfuno â sawr y tail o'r domen fawr ar y clôs ac o'r dillad gwaith, yr arogl arbennig yna a fyddai'n crisialu'r croeso a'r caredigrwydd cynnes, a'r teimlad diogel o fod am dro, ac yn anghyffredin, ymysg 'y nhylwyth.

Gyda lwc, mi fyddwn yn cyrraedd Coedgenau, ganol Gorffennaf, mewn pryd i'r cynhaeaf gwair, wedi cael rhedeg yn wyllt drwy gaeau Pengarreg a Rope and Anchor ar yr un perwyl. Anti Katie yn galw'i gorchmynion o ben y gambo, *"Front corner ... middle binder"*, a'r parau pigeuau yn codi'r beichiau mawr i'r union le; rhaffo'r llwyth wedyn, cyn clymu'r ceffyl ifanc Joli o flaen ei fam Beti yn y siaffts i dynnu'r llwyth lan y llethr ac i'r tŷ gwair. Y trît mawr wrth gwrs fyddai cael reidio'r llwyth 'nôl i'r ydlan.

Pasg, mi allwn ddibynnu ar fod yna ar gyfer sgwaru os nad cywain y dom, a threulio dyddiau yn y cae yng nghwmni'r gwas. Tomi (bachan o gymoedd dwyreiniol y maes glo) oedd yr un ddysgodd fwyaf i fi. Mi gawn fanylion am yr ymladdfeydd meddw yn Aberhonddu ar nos Sadwrn ac am y cwrso hyd y lonydd cefn culion ar y Panther, y BSA neu'r Norton (o bryd i'w gilydd fe ddôi'r hanes am was y lle-a'r-lle'n cael ei ladd ar ei fotor-beic). Unwaith mi ges ddisgrifiad manylach fyth o brofiadau Tomi ar wibdaith yn Llundain pan dreuliodd e ei amser a'i arian gyda phutain yn lle'u gwastraffu nhw'n gweld y seits. Gwynfyd! Ac o'i boeni e ddigon mi gawn siâr o'i faco yn gymysg â hadau gwair i rowlio sigarét, ac ambell, ambell i wdbein. Pe bai Yncl John parchus ac Anti Katie jentîl wedi dod i wybod am bethau fel hyn, mi fuasai yna le, ond go brin y cawsai Tomi'r sac, a nhwythau'n gorfod aros tan ffair gyflogi'r hydref cyn cael rhywun yn ei le fe.

Mae swyngyfaredd yr atgofion am holl fywyd y clôs a'r meysydd – si y llaeth yn tasgu o'r bysedd i'r bwcedi gloyw, ac yn nes ymlaen dic-toc pylsetors y peiriant godro; caniad y ceiliog a bref yr ŵyn ben bore; y cwrso cwningod drwy'r sofl adeg y cynhaeaf llafur a blas hir-ddisgwyliedig y ffowlyn adeg cinio'r cynhaeaf; rhochian y moch wrth iddyn nhw larpio'r ymborth sur yn y cafn; tynnu'r dryll oddi ar y bachau dan y to i saethu ambell i gwningen i'r ffwrn neu'r cawl – yn gyfryw fel ei bod hi'n hawdd iawn anghofio'r cyfnodau *boring*. Byddai rhaid poeni Yncl John gochelgar yn ddiddiwedd cyn cael ymgymryd ag unrhyw swydd; rhwyddach a saffach ei gwneud hi'i hunan. (Rwyf am gofnodi gyda balchder, serch hynny, i fi ddod i'r fan lle cawn i wisgo'r gaseg a'i rhoi hi yn siaffts y gambo.)

Byddai dydd Gwener yn torri ar yr adegau undonog. Fe gâi'r car ddod mas o'r garej i fynd i'r farchnad yn Aberhonddu, a fan'ny, yn ogystal â rhwyfo ar afon Wysg ac ymweld â'r amgueddfa i weld y *dugout canoe discovered in Llangorse Lake,* mi gawn gwrdd â 'nhylwyth hyd y seithfed ach. Y ffefryn oedd Anti Blod, oedd wedi priodi Vincent Gittoes o ardal Llys-wen, Maesyfed, dyn difyr a oedd yn rhy hoff o'r hanner o'i seidir cartref. Nid gŵr nodedig am ei dduwioldeb oedd Vincent, ond ar ei wely angau fe'i clywyd, yn ôl yr hanes, yn ymbil yn daer, *"For God's sake, get my eyes to Annie"*. Roedd Mam erbyn hynny wedi colli'i golwg.

Anti Mary Gil-fach wedyn, lem ei thafod, sardonig ei sylwadau, Gymreigaidd ei hidiom. *"Draw the plates from that cupboard. We better have somethin' to eat before* go.* Hi fyddai'n iwsio Cymraeg yn iaith gyfrin gen i rhag bod ei hŵyr Henry yn deall. Roeddwn i wrth 'y modd yn ei chwmni, a hithau o leia'n oddefgar ohonof i, ond fe fyddai'n gormesu ar ei merch Jean â ffrewyll ei thafod yn bechadurus. Jean hithau, yr oedd diffuantrwydd yn pefrio o'i llygaid ac yn hydreiddio'i henaid, a phob symudiad o'i heiddo yn arwyddo ymostyngiad i awdurdod ei mam. Gwelodd Jean gladdu dau ŵr yn ifanc, ac yna, ddioddef ei phoenydio'n greulon gan arthritis – effaith y llafur beunyddiol wrth y godro a'r llestri llaeth, haf a gaeaf, yn ddiau.

Cadd yr arthritis afael yn Anti Katie hefyd yn gymharol ifanc, ac am yr un rheswm. Pan fuodd raid symud o Goedgenau, roedd hi fel petai rhan ohona i'n cael ei rwygo mas. A phan fuodd Anti Katie farw, roedd hynny fel colli ail fam. Hi wedi'r cyfan oedd wedi 'ngharco i yn blentyn pedair oed o Orffennaf drwyddo i Dachwedd pan oedd Mam yn ymgeleddu David yn Abertawe a Rhydychen. 1942 oedd hynny, yr unig dro i fi gael profi, nid yn unig y cynhaeaf llafur ar ei hyd, ond sbri y cynhaeaf tato a rhamant y dyrnu hefyd.

VI Pen-hydd, a'r Mudo

Bob mis Awst, byddai Nhad yn diflannu idd ei hen gartref, Pen-hydd, i helpu'i frawd Donald gyda'r cynhaeaf gwair a hyn-a'r-llall, yn ogystal â chael Sul yn Bryn Seion, y capel lle'r oedd e wedi cael ei fagu. Mae'n rhaid 'y mod i'n 14 oed cyn i finnau gael mynd yna. Dal y bws felly o Aberhonddu, cyrraedd rywsut i Bont-rhyd-y-fen, a dringo'r llwybr, hwyrddydd Awst, heibio Pen-hydd Waelod a murddun Pen-hydd Ganol, nes cyrraedd Pen-hydd Fawr ar y top yn deg. Pwll dŵr ar gwr y clôs lle byddai'r da yn domi ac yn yfed; pwmp yn y cwrt o flaen y tŷ i godi dŵr yfed mewn bwced; a chegin fawr nad oedd ynddi ddim byd tebyg i gysur a syberwyd jentîl tai ffarm Brycheiniog. Chofiaf i ddim yn iawn, ond tebyg mai bîns a tsips gawson ni i swper. Soniodd Mam wrtha i, flynyddau wedyn, am yr arfer ym Mhen-hydd yn nyddiau Mam-gu o droi'r plât cinio wyneb-i-waered ar y ford i dderbyn y pwdin.

Gŵr crwn-o-gorff, rhadlon, direidus oedd Yncl Donald. Ar wahân i groen gwritgoch ei wyneb, feddyliech chi ddim y gallai fod yn perthyn dim i Nhad, gymaint y gwahaniaeth mewn ymarweddiad, diwylliant a disgwrs. Yn ifanc, roedd e wedi bod yn ddilynwr brwd i'r cŵn hela, ac roedd gydag e lygad am geffyl a blas at gwrw o hyd. Wedi colli ei wraig gyntaf Bessie yn ddi-blant, roedd e wedi priodi'i howsgipar, Mair, merch ddi-Gymraeg o bentre'r Bryn, a chanddi lygaid glas golau fel-yr-wybren. Yn naturiol, mae 'nghefnder a 'nghyfnither o'r briodas yma hefyd yn ddi-Gymraeg, a'u plant nhwythau. Serch hynny, Cymro gwlatgar oedd Yncl Donald a phe buasai opsiwn ysgol Gymraeg ar gael yn y dyddiau hynny, dwy'n amau dim na fuasai wedi ei fynnu idd ei blant.

O glos Pen-hydd, roedd yna lôn gart yn arwain lawr i'r Bryn, ryw filltir bant. Wrth gerdded honno y ces i 'ngolwg gyntaf ar y diwydiant glo oedd yn gymaint rhan o sôn-a-siarad ein haelwyd ni: lefel brysur a'r dramiau'n gwibio mewn a mas, a'r glowyr nhwythau a'u helmedi a'u hwynebau duon yn dygnu arni. Roedd nifer o hen lefelau segur ar waun fawr Pen-hydd yn ogystal, a'u mynedfeydd agored yn gwahodd y mwy-mentrus-na-fi i chwilio'u hymysgaroedd nhw.

Byddai rhai o wŷr y Bryn yn dod i Ben-hydd i helpu gyda'r gwair, yn eu plith Tal (ie Taliesin), brawd Anti Mair, a byddai'r cwmni'n ddigon diddan, y rhyngchwarae rhwng Cymraeg a Saesneg yn ymwybodol ac yn gywrain. Dau fyd yn cwrdd ac yn gorgyffwrdd. Does dim eisiau gofyn p'un, ymhen ychydig, fyddai'n disodli p'un.

O grwydro i'r Bryn, mi ddown i gyffyrddiad â bywyd plant y strydoedd cefn, caletach hyd yn oed na gorchestion chwaraeyddol Aberaeron. Cadw draw oedd orau, at ei gilydd. Ond mi fues yn y Bryn gyda Nhad hefyd, ymhlith yr hynafgwyr a'u Cymraeg swynol a'u siarad rhwydd. Cinio dydd Sul gyda Mrs Walters, 1 Bryngurnos Street, er enghraifft, yr organydd, bwndel sionc o hen fywyd gwaraidd y pentrefi glofaol, ei llygaid yn loyw tu ôl i'r sbectol *rimless*, a hithau'n sôn am fabinogi Nhad ar y rownd laeth, a'r dyddiau pan fyddai'r "llwybr yn goch rhwng Pen-hydd a Bryn Seion". Ddim mwyach.

Ryw noswaith, dyma'r brawd ifancaf Trefor yn dod i Ben-hydd. Rwy'n ei weld e nawr yn sefyll yn dalsyth-walltddu ar lawr y gegin, yn disgrifio'i waith dan ddaear yn barchus idd ei frawd hynaf: drilio tyllau i'r wythïen lo a phwmpio dŵr i mewn er mwyn treial lladd y llwch. Tebyg bod safonau iechyd-a-diogelwch wedi gwella ers y gwladoli rai blynyddau ynghynt. Roedd Trefor yn briod â Cora, merch bert, ddi-Gymraeg, o'r pentref. Y tro nesaf i fi'i weld e oedd pan ddaeth e i'r tŷ ar ôl marw Nhad, yn ei ddagrau'n dweud wrth Mam, *"I should have come before"*, nad oedd yn ddim llai na'r gwir. Pan alwais i brynhawn Sadwrn i'w weld e flynyddau wedyn yn ei gartref yn Baglan, roedd e'n eistedd ar y soffa yn tsiecio canlyniadau'r ffwtbol ar gyfer y pŵls. Dywedodd Cora wrtha i mor browd y byddai fe o 'ngweld i weithiau'n dadlau achos Cymru ar y teledu.

Fe ddaeth yn bryd i fi gwrdd â Dai a Rowly a'u teuluoedd yng nghwm Afan, a dyma ni'n cerdded un prynhawn braf o Ben-hydd dros y cefn i olwg y cwm a lawr i bentref Pwll-y-glaw. Roedd yna gysur i fi yn y ffaith fod y ddau frawd yma wedi priodi (sut mae'i ddweud e?) o fewn y diwylliant. Eu gwragedd, Gwladys a May, yn ddwy chwaer wedi'u magu ym mhentre'r Mynydd Bychan gyferbyn â Phwll-y-glaw, a'u Cymraeg yn llifo'n esmwyth-naturiol, ymhlith cymdogion tai cyngor o'r un iaith a chefndir. Roedd eu mam yn wahanol iawn: ffrwd ei llafar bonheddig difyr a thafodiaith cwm Afan yn ei dewredd ar ei gwefusau yn destun edmygedd pawb. Ond pe bai rhywun yn sôn am ddod â recordydd tap ar ei chyfyl i gostrelu'r drysorfa fyw yma, ystyfnigo a gwrthod cydweithredu fyddai'r ymateb.

Cymraeg oedd iaith y plant hefyd, ond buodd dau fab Dai, Miall a Dewi, gweithwyr dur yn yr Abbey, farw'n ddiepil, a di-Gymraeg yw plant Joy, merch Rowly.

Unwaith y cwrddais i â Dai, cyn i'r niwmoconiosis fynd ag e, ond mi dreuliais aml i awr ddymunol yng nghwmni Rowly, ac yntau'n rhy ffaeledig i weithio. Serch ei fod e'n aelod yng nghapel y Roc (Annibynwyr), lle'r oedd e a Dai wedi mynd gyda'u gwragedd, hanes tîm criced Morgannwg a phethau cyffelyb fyddai testun yr ymddiddan rhyngddon ni.

Byddai'n adnabyddiaeth i o Forgannwg yn cynyddu'n ddirfawr cyn bo hir. Erbyn 1953 roedd Nhad wedi cael llond bola o drafaelu hewlydd Ceredigion ar ei fotor-beic bach digon trafferthus i fynd idd ei gyhoeddiadau ar ddydd Sul, a chan nad oedd cyflog y Tabernacl yn ddigon i feddwl am fforddio car, rhaid oedd symud i ardal lle roedd trafnidiaeth gyhoeddus ar gael. Rhoddwyd ar led y gair ei fod e'n 'symudol' a dyma alwad yn dod i fugeilio tair eglwys yng Nghwm Nedd: Nasareth Tonna, Tabernacl Resolfen a Gosen Clun. Fel hynny y dychwelodd Nhad i weinidogaethu yn nes at ei wreiddiau tua'r Pasg 1954, a chael codiad cyflog yn y fargen.

YMBALFALU: 1954–62

CASTELL-NEDD, ABERYSTWYTH A PHONTARDAWE

I Jac Rees, a Chastell-nedd

GAN 'MOD I AR DROTHWY'N arholiadau Lefel O, fe drefnwyd i fi aros ymlaen yn Aberaeron tan yr haf, a chael llety gyda Jac a Olive Rees. Athrawes Fathemateg ac Ymarfer Corff yn yr Ysgol Sir oedd Olive, ac roedd hi wedi dod yn ffrind agos i'n teulu ni trwy'i bod hi wedi lletya yn y Mans ac am gyfnod hwy yn Gilvin, drws nesaf. Brodor o Benrhyn Gŵyr oedd hi, hollol ddi-Gymraeg a phrin braidd ei chydymdeimlad â'r iaith. Un o Aberaeron oedd Jac, mab Siencyn Rees y gof. Roedd e wedi gorfod torri ar ei gwrs coleg i fynd i'r fyddin ac wedi bod drwy'r drin mewn difrif ym myddin Montgomery yng Ngogledd Affrica a lan drwy'r Eidal, profiad oedd wedi'i droi e'n heddychwr. Roedd e'n sosialydd, ac yn Gristion o argyhoeddiad – cadd ei benodi'n athro Addysg Grefyddol yr Ysgol Sir. Fe ddangosodd ei hawddgarwch Cristnogol yn ei garedigrwydd tuag ataf i. Roedd e'n fodlon neilltuo amser i drafod a dadlau gyda fi er mwyn codi tipyn ar 'yn hunanhyder, ac wedi'r symud o Aberaeron, i ysgrifennu ataf i.

Roedd cwestiwn Cymru a'r Gymraeg yn ei dynnu e i bob cyfeiriad. Fe gyfansoddodd nifer o ddramâu un-act gafaelgar yn Gymraeg, a gweld eu perfformio. Ond wrth drafod gweithiau llenyddol Cymraeg, ei duedd e bob amser fyddai eu cymharu nhw'n ddiraddiol â llenyddiaeth Saesneg – Keats a Shakespeare oedd gwrthrychau arbennig ei orhoffedd.

Rhaid cydnabod bod 'y mhrofiad i o'r cwrs Lefel O yn sigo 'ngallu innau i wrthsefyll grym dadleuon Jac. Doedd cerddi ID Hooson a *Cartrefi Cymru*, ac yn fwy fyth ddull eu cyflwyno nhw i ni, yn cynnig fawr o ysbrydoliaeth mewn cymhariaeth â Coleridge, Wordsworth a Shakespeare. Yna, rywbryd tua'r Pasg 1954 daeth copi o *Cysgod y Cryman* i 'nwylo. Mi ges 'y nghynhyrfu a'n ysgwyd gan y ffresni, manylder cyfoethog y rhyddiaith ddisgrifiadol, a difrif-ddiffuantrwydd y trafod ar bynciau mawr y cyfnod yn nofel gyntaf fythgofiadwy Islwyn Ffowc Elis. Bydd rhaid dychwelyd ati yn nes ymlaen er mwyn nodi pellgyrhaeddedd ei heffaith ar gwrs 'y mywyd i.

Tra oeddwn i'n aros gyda Jac a Olive, roedd eu plentyn cyntaf nhw'n cael ei fagu yn uniaith Saesneg. Pan es i, y glaslanc o letywr-am-ddim oedd wedi'i fagu'n ddidrafferth ddwyieithog i fam Saesneg-ei-hiaith, i blu Jac am hyn, ei ateb oedd nad oedd gydag e ddim dewis gan fod Olive yn ddi-Gymraeg, a beth bynnag, y byddai'r plant yn codi Cymraeg yn y stryd a'r ysgol. Nid fel'ny y buodd hi.

Ac eto roedd yn Jac Rees haen gref o wladgarwch Cymreig, ac roedd e'n pleidio hunanlywodraeth i Gymru. Gwnaeth e drefniadau yn haf 1954 – a finnau wedi symud i'r Tonna, Castell-nedd – i gwrdd â fi yn Eisteddfod Ystradgynlais a mynd â fi i Neuadd Les y Glowyr i gyfarfod o Ymgyrch Senedd i Gymru. Profiad gwefreiddiol oedd cael bod mewn cynulleidfa o 800 yn gwrando ar Megan Lloyd George, SO Davies, Tudor Watkins, Dai Francis a Gwynfor Evans yn areithio. Y noson honno mae'n debyg y dihunais i i realiti a chyffro'r mudiad cenedlaethol.

Erbyn yr wythdegau roedd Jac Rees yn aelod mawr-ei-barch o Gyngor Dosbarth Ceredigion. Fel rhan o'r ymgais barhaus i sefydlu hygrededd Plaid Cymru yng ngwleidyddiaeth y sir, mi bwysais yn galed arno fe i sefyll yn enw'r Blaid, a llwyddo. Fe gollodd ei sedd, yn gwbl groes i'r disgwyl, a does fawr o amheuaeth nad ar y label pleidiol yr oedd y bai. Dywedodd un o'i ffrindiau wrtha i na chododd e byth dros y siom. Pan fuodd e farw, yn go isel ei ysbryd, roeddwn i'n Aelod Seneddol, ac erbyn i fi glywed roedd yr angladd wedi bod. Pe buaswn i'n gwybod, mi fuaswn wedi dod o ben draw'r byd i dalu parch i un o 'nghymwynaswyr pennaf i, un y gwnes i yn 'y mrwdfrydedd unllygeidiog anghymwynas fawr ag e. Mi wnawn i rywbeth heddiw i gael dad-wneud y cam.

Mi wnes yn burion yn y Lefel O, ond doedd arnaf i fawr o awydd mynd 'nôl i'r ysgol. Y ffaith ddiflas amdani, serch hynny, oedd bod y methiant trychinebus mewn Mathemateg yn golygu nad oedd gen i ddim dewis os oeddwn i am swydd goler-wen, a buasai unrhyw beth arall yn annychmygadwy debyg iawn. A chwedyn buodd rhaid ceisio am le yn Nosbarth Chwech Ysgol Ramadeg y Bechgyn, Castell-nedd.

Gan 'y mod i dros wyliau'r haf yn ennill 'y nhamaid wrth y cynhaeaf yn Gil-fach, Nhad aeth i wneud y trefniadau. Mi soniodd wedyn wrtha i am syndod y prifathro pan esboniodd e 'mod i am astudio Cymraeg, a'i werthfawrogiad e o gydsyniad yr hybarch Ddr John gan fod "yr ysgol yn bod er mwyn y bechgyn, nid y bechgyn er mwyn yr ysgol".

Drwy hyn fe gadd yr athro Cymraeg a'r dirprwy brifathro, WW Davies, ddosbarth chwech Cymraeg am y tro cyntaf ers sawl blwyddyn. Daeth Neville Hopkins, crwt o'r Creunant oedd wedi'i fagu gyda'i rieni-cu, yn gwmni i fi, a'r flwyddyn ddilynol mentrodd dau arall i'r llwybr anghyfarwydd yma. Prin bod WW yn gallu credu'i lwc.

Roedd yr olwg ddwyreiniol braidd ar ei wyneb e, a'i arfer e o gerdded y coridor a'r naill law yn llawes arall ei got wedi ennill i WW y glasenw 'Ching'. Testun sbort oedd e braidd i 'nghyd-ddisgyblion, na fyddai wedi breuddwydio am astudio Lefel A Cymraeg ddim mwy na siarad yr iaith ymysg ei gilydd. Bydden nhw'n ei ddisgrifio fe'n sefyll o flaen y dosbarth fel arweinydd côr yn eu harwain yn tsiant y terfyniadau berfol: "wn it ai, em ech ent". Ac roedd y flwyddyn pan fuodd raid iddo fe gymryd swydd prifathro dros-dro, a Dr John bant (yn cael ei 'sychu mas', yn ôl yr hanes), yn chwedl.

Ond roedd yna WW arall, y tu hwnt i furiau'r ysgol, y ces i ei weld. Fe lanwodd y Sul fwy nag unwaith yn bregethwr cynorthwyol yn Nasareth. Yn y pulpud roedd e'n dawel-hyderus a chwbl hunanfeddiannol, yn cynnal y gwasanaeth yn ddeallus-ddiwylliedig; ymysg ei bobl ei hunan, roedd e'n uchel iawn ei barch.

Tywysodd WW ni drwy'r cwrs Lefel A yn feddylgar ac yn hollol drwyadl. Os nad oedd yn y dysgu gymaint â chymaint o ysbrydoliaeth na her, roedd digon o'r ddau yn y testunau gosod: *Enoc Huws*, 'Madog' T Gwynn Jones, *Cerddi* TH Parry-Williams, *Llywelyn Fawr* Thomas Parry a'r anhygoel *Ddrych y Prif Oesoedd*. Heddiw, byddai'n dda gen i pe tawn i wedi dangos mwy o werthfawrogiad nag a wnes i, yn 'yn anaeddfedrwydd dihyder, o arweiniad caredig WW.

Roedd yr athro Saesneg Elis Jenkins gystal â bod am y pegwn eithaf. Y ffaith ei fod e'n treulio cymaint o amser y gwersi'n siarad amdano'i hunan yw'r rheswm pam 'y mod i'n gwybod mai mab oedd e i weithiwr tun diwylliedig a oedd ymysg pethau eraill wedi rhoi copi o weithiau Ruskin yn bresant idd ei fab. Brawd i'r gweithiwr tun hwnnw oedd yr Archdderwydd Gwili ("Davies, mi fyddwch chi yn gwybod amdano", meddai fe, yn Saesneg wrth gwrs, wrth ddyfynnu llinell neu ddwy o'i farddoniaeth ryw ddiwrnod). Oedd, roedd gan Elis Gymraeg, ond ni chlywech chi fyth mohono fe'n ei defnyddio hi, ac mae'n sicr na throsglwyddodd e ddim ohoni idd ei blant.

Mae'n anodd credu y byddai Elis wedi cael cadw'i swydd yn y dyddiau hyn o oruchwylio manwl ar waith athrawon. Chwech o draethodau a osododd e i ni gydol y ddwy flynedd, a buodd rhaid aros am wythnosau cyn eu cael nhw 'nôl wedi'u marcio. Roedd ei fynych grwydriadau o briod waith y dosbarth mor ddiarhebol nes ysgogi gwrthryfel bach ryw ddiwrnod. Ac yntau'n traethu'n huawdl ar ryw agwedd ar hanes diwydiannol Cwm Nedd, penderfynodd rhai o aelodau'r dosbarth gofrestru'u protest drwy hoelio'u llygaid ar eu gwerslyfrau. Gwelodd yr hen Elis beth oedd ymlaen, a siomi'n arw. Pan dynnodd e sylw'r gwrthryfelwyr at y ffaith fod gweddill y dosbarth wedi peidio â chymryd rhan yn y brotest, mi ges innau ddigon o nerth i awgrymu, nid heb gryndod yn y llais, mai ofn oedd arnyn nhw. *Et tu Brute!*

Ond llai na hanner y gwir am Elis Jenkins fel athro sydd yn y manylion yna. Mae'n ddrwg gen i orfod cyfaddef mai trwy ei wersi fe, yn fwy na rhai WW, y ces i 'meddiannu â chymaint gorhoffedd o lenyddiaeth. Fe dreuliwyd y flwyddyn gyntaf yn darllen yn eang a pharatoi ar gyfer Lefel O Cyffredinol mewn Llenyddiaeth. Mynd drwy *Palgrave's Golden Treasury* o glawr i glawr a throi at eilun mawr Elis, Dylan Thomas; llarpio nofelau Hardy, Dickens a Conrad; dramâu O'Casey, Synge a Shaw. Ac yna astudio'r testunau gosod mewn cwta flwyddyn. Ymysg y rheini, y darganfyddiad mawr oedd barddoniaeth John Donne, y crefyddol a'r cnawdol, a'i delweddaeth fforiol-anturus, gïau'r rhythmau afreolaidd, y cyfuniad unigryw o'r astrus-ddeallusol a'r eirias-angerddol, yr integriti digymrodedd, a'r syched anniwall, dychrynllyd bron, am brofiadau dwysaf bywyd. Rwy'n credu mai Elis a dynnodd ein sylw ni at y ffaith fod gan Donne a'r beirdd metaffisegol ymron i gyd wreiddiau Cymreig.

Rhwng y ddau athro yma, mor wahanol i'w gilydd, mi amsugnais, heb yn wybod, ryw argyhoeddiad mai ychydig o bethau mewn bywyd a allai fod yn bwysicach na meithrin i'r eithaf y gallu i ddeall a gwerthfawrogi llenyddiaeth, i iawn-wahaniaethu rhwng y gwych a'r gwachul, ie, i garu'r gwych ac i ddirmygu'r gwachul. Snob, ddywedodd rhywun? Am wn i nad creu snobs oedd rhan o waith Ysgol Ramadeg yn y dyddiau hynny.

Un o'r Rhondda, Cymro Cymraeg a diacon gyda'r Annibynwyr oedd yr athro Hanes, Sam Evans. Serch bod cymaint o amser yn mynd i "gymryd nodiadau" yn ôl arfer y cyfnod, roedd gwersi Sam yn siampl o ran meddylgarwch, ehangder gwelediad, parch at reswm, pwyslais ar ddeall achos-ac-effaith, a chydbwysedd. Ganddo fe yn gymaint â neb y dysgais i hynny a wn i am sut i osod allan ddadl ac i dafoli gwahanol ystyriaethau. Yr argraff ges i oedd ei fod e'n eithaf cenedlatholwr Cymreig. Pan osododd e Ddeddf Uno 1536 yn destun traethawd ("Ystyriwch y Manteision a'r Anfanteision") rhoddodd e gopi o lyfr Plaid Cymru ar y pwnc yn 'yn llaw i, a mi'i darllenais i e.

Yn ystod y cyfnod yma o ymbalfalu ac amwyster agweddau, buodd dau ddigwyddiad yn fodd i fwrw tafol 'y mwriadau lawr o blaid y Gymraeg a'i phethau.

Y cyntaf oedd trochiad wythnos yng nghwrs y Cilgwyn, Castellnewydd Emlyn, i ddisgyblion dosbarthiadau Lefel A Cymraeg. Mae'n anodd gorfesur y thril o gael 'y nhrawsblannu o blith cyfoedion yr oedd y Gymraeg islaw sylw iddyn nhw am ei bod hi'n amherthnasol, i ganol byd lle'r oedd hi wedi'i chynysgaeddu ag arwyddocâd ac ymdeimlad o genhadaeth – yn ogystal â bod yn normal. Ond yr hyn a barodd gynnwrf yn y stumog os nad lled-chwythu 'mrêns oedd clywed llenyddiaeth Gymraeg yn cael ei thrafod drwy gyfrwng yr un disgwrs ag yr oeddwn i wedi arfer ag e yn Saesneg. Waldo Williams yn dangos sut yr oedd Crwys yn 'Melin Tre-fin' yn "troi'r gwrthrych yn symbol", troad rhod y felin yn arwyddlun o enbydrwydd dinistr ar law Amser. A John Gwilym Jones wedyn yn agor ein llygaid ni i gyfoeth cyfeiriadaeth ac ystyron cudd *Cerddi'r Gaeaf*, a'i gymharu e â '*Waste Land*' TS Eliot.

Yr ail oedd mynd i'r Eisteddfod Genedlaethol yn Aber-dâr, y buodd rhaid 'yn rhwygo i oddi wrthi am un diwrnod i fynychu priodas 'yn chwaer Jean yng nghapel Tabernacl Resolfen. (Y diwrnod hwnnw, serch hynny, sy gliriaf yn y cof: Huw Wynne Griffith yn gweinyddu, anerchiadau cynnes Nhad ac Yncl Gwyn, y derbyniad di-alcohol hyfryd yn y festri, a'n ymddygiad gwarthus o anghymdeithasol 'yn hunan. A'r diwrnod hwnnw mi ges frawd-yng-nghyfraith ymhlith yr hyfrytaf o blant dynion, yr Albanwr alltud Alistair.) O bob peth yr wythnos honno y profiad 'meddwl-chwythol' oedd perfformiad Cwmni Drama Ceredigion o waith Kitchener Davies: difyrrwch cwmni cytûn, dychryn y condemnedig ar ffo a chysgod du'r crogwr yn y *Tri Dyn Dierth* (na wyddwn i ddim bryd hynny ei bod wedi'i chymryd air-am-air o stori fer gan Hardy); y dinoethi iasoer ar y myth gwledig yn *Meini Gwagedd*; ac i goroni'r cwbl ddelweddaeth ryfeddol, gwers rydd afaelgar a hunanchwilio didostur *Sŵn y Gwynt sy'n Chwythu*, a rhyw James Jones meistrolgar yn cymryd y brif ran. Mae'n rhaid bod golwg drychiolaeth arnaf i'r noson honno yn cerdded o'r neuadd i ddal y bws 'nôl i Gastell-nedd.

Roedd yna brofiadau eraill yn gyrru i'r un cyfeiriad. Gweld *Gymerwch Chi Sigarét* er enghraifft yn y Palace, Abertawe. Ac un prynhawn ar y ffordd i weld Richard Burton mewn rhyw ffilm neu'i gilydd, dyma alw i mewn yn Nhŷ John Penry a phrynu copi o *Ysgubau'r Awen*. Hwnnw wedyn yn peri i'r gwaed gwrso ynghynt drwy'r gwythiennau. A meddwl y byddai modd eistedd wrth draed y pentewyn Gwenallt yng ngholeg Aberystwyth!

Fyddwn i ddim am gamarwain y darllenydd drwy awgrymu bod 'yn ymsoddiad cynyddol i mewn Cymreictod yn 'yn ynysu i oddi wrth 'y nghyfoedion yn yr ysgol a'r pentref. Agosach i'r gwir fyddai cyfaddef bod y byd Cymraeg y byddwn i'n cysylltu ag e drwy achlysuron arbennig a'r gair ysgrifenedig, i ryw raddau, yn cynnig dihangfa o'r unigrwydd llethol a brofais i dros y ddwy flynedd yna yng Nghastell-nedd. Roeddwn i'n boenus o swil, a heb feddu ar na'r sgiliau na'r hyder a fuasai'n fodd i fi allu treiddio'r heidiau o fechgyn hyf y byddwn yn gwylio'u gweithgareddau nhw gydag eiddigedd. Un tro buodd Tony Lewis, a oedd eisoes ar ei ffordd i fod yn gricedwr o fri, yn ddigon caredig i 'ngwahodd i fynd gydag e i berfformiad o *Mefistofele* Boito yn Neuadd Gwyn. Fel rheol, ar 'y mhen 'yn hunan yr awn i i gyngherddau a'r sinema ac i wylio campau Rees Stephens a Roy John ar y Gnoll neu'r brodyr Allchurch, Mel Charles, Terry Medwin a'r lleill – ogoneddus fintai – ar y Vetch. Ar hyd yr amser, wrth gwrs, roedd y dyhead didrugaredd am serch yn cnoi ac yn ysu, ond doedd gen i fawr o glem sut i ddelio â'r ambell gyfle a ddaeth heibio i wneud rhywbeth yn ei gylch e.

A Chlwb Ieuenctid y Tonna a'r timau chwaraeon yn yr ysgol a'r pentref y tu hwnt i 'nghyrraedd i, roeddwn i'n llanw'r oriau meithion wrth 'yn astudiaethau ac wrth adfer a datblygu 'ngallu cyfyngedig i chwarae'r piano, gan weithio'n ffordd 'nôl a mlaen yn ddiddiwedd drwy'r Llyfr Emynau. Mae'n gas gen i feddwl beth fuasai'n hanes i pe buasai teledu yn y tŷ.

Rwy'n sylweddoli wrth edrych 'nôl gymaint o nodded i fi yn y cyfnod yma fuodd cymdeithas y capeli yn y Tonna a Resolfen. Roedd yna bobl ddarllengar, gerddgar, ymholgar eu meddyliau, byrlymus a dychanol eu hiwmor, rhadlon ac agored eu cyd-ymwneud, cryf eu hymdeimlad o ddyletswydd, awyddus i estyn cynhaliaeth i ryw adyn encilgar fel fi. Roedden nhw hefyd yn driw neilltuol i'w gweinidog, fel y ces i'r fraint o'i weld pan ddaeth adfyd maes o law i gwrdd â Nhad a Mam. Unrhyw beth pellach o gapelwyr a diaconiaid crebachlyd ffuglen Gwyn Thomas (yr oedd ei frawd Walter gyda llaw yn athro Ffrangeg yng Ngastell-nedd), mae'n anodd ei ddychmygu. Erbyn hyn mae'r rhan fwyaf ohonyn nhw ymhell y tu hwnt i gyrraedd y diolch y byddai'n dda calon gen i ei estyn iddyn nhw.

Ymysg y dros-eu-hanner-cant roedd y Gymraeg yn dal yn gryf; ymysg 'y nghyfoedion i roedd hi'n gwbl absennol. At ei gilydd roedd yna dderbyn, trist ond realistig, mai ar ei ffordd mas yr oedd y Gymraeg, er bod yna ryw fath o gychwyn adfywiad yn ysgolion Cymraeg Glyn-nedd a Chastell-nedd. Ond fynnwn i ddim o'r besimistiaeth yna. Roeddwn i, drwy'r profiadau y cyfeiriwyd atyn nhw uchod, a thrwy golofnau'r *Faner*, wedi 'ngwifro mewn i set fwy herfeiddiol o agweddau. Ddiwedd 1955, daeth y newydd am sefydlu Undeb Amaethwyr Cymru; roedd yna sôn am wrthwynebu'r cynllun i foddi Tryweryn; ac ym mis Hydref roedd Chris Rees, ymgeisydd Plaid Cymru yn Nwyrain Abertawe, wedi ennill 4,651 o bleidleisiau ac yntau yn y carchar yn wrthwynebydd cydwybodol. Rywbryd yn 1956, dyma fi'n ceisio am aelodaeth o Blaid Cymru.

Mi ges ganlyniad digon parchus yn y Lefel A, gydag A yn y Gymraeg. Doedd dim ond un peth i wneud: dilyn ôl traed Nhad a Jean i'r Coleg ger y Lli, a gwneud cwrs anrhydedd yn y Gymraeg. Roedd ysbryd cwrs y Cilgwyn yn disgwyl ailwefreiddiad; anturiaeth ddeallusol a chymdeithasol yn amneidio'n wahoddol.

II Ar Grwydr

Fuodd erioed y fath siom â'r cwrs Cymraeg, a'r dadrithiad mwyaf oedd Gwenallt ei hunan. Nid pentewyn o bethau'r byd, ond dyn bach sychlyd yn darllen yn ddieneiniad o nodiadau ag arnyn nhw ôl traul blynyddau. Manylion sych, fformiwlaig am Robert ap Gwilym Ddu a'i ddylanwadau. Dim fflach, dim arddeliad, dim *engagement* â'i gynulleidfa, dim treiddgarwch dehongliad, dim sialens. Pan ofynnodd e mewn seminar rywbryd beth oedd y gwahaniaeth rhwng gwaith bardd ac athronydd, mi awgrymais fod yr athronydd yn ymwneud â'r haniaethol a'r bardd â'r diriaethol. "Na," meddai yntau, cyn troi at y myfyriwr nesaf. Roedd gwrando ar Proff Tom yn trin *Branwen Ferch Llŷr* fel chwarel ar gyfer esbonio manion gramadegol a tharddiad geiriau yn ddigon diddorol, ond ble roedd yr arweiniad i guddiad rhagoriaeth un o glasuron cydnabyddedig yr oesoedd? Os oedd gramadeg yn gyfaredd i Arwyn Watkins, fel y byddai fe'n mynnu, buodd raid i *ni* fodloni ar olrheiniad peiriannol o'r elfen Ladin. Ar y llaw arall roedd boneddigeiddrwydd ac ysgolheictod Garfield Hughes wrth drafod rhyddiaith y Dadeni yn help i dorri'r syched am ddysg, a'r Dafydd Bowen ifanc yn llwyddo i gyfleu i ni asbri os nad holl ddyfeisgarwch anchwiliadwy barddoniaeth Dafydd ap Gwilym.

Af i ddim i ddweud bod y cwrs Saesneg yn rhyw *great shakes*. Roedd yr Athro, Gwyn Jones, fel petai e'n dibynnu mwy ar ei sgiliau rhethregol na miniogrwydd ei feirniadaeth lenyddol; rhyddieithol ar y naw, ar y llaw arall, oedd y cyflwyniad i'r Hen Saesneg a'i llenyddiaeth. Ond roedd y cyferbyniad o ran dyfnder, disgwyliadau deallusol ac ehangder gweledigaeth rhwng y ddwy adran yn boenus o amlwg. A waeth i fi gydnabod ddim bod yr un cyferbyniad i'w gael ymysg y myfyrwyr. O leiaf roedd darlithiau Nosworthy, Earnshaw, Kinloch a Price yn cynnig sbardun deallusol. Dros wyliau'r haf ar ddiwedd 'y mlwyddyn gyntaf, mi wnes gais am gael 'y nerbyn i'r dosbarth anrhydedd Saesneg, a llwyddo. Ddechrau'r ail flwyddyn, mewn sgwrs ar falconi'r cwad, dangosodd Dafydd Bowen ddigon o ddiddordeb a hyder yndda i i awgrymu 'mod i'n mynd am anrhydedd dwbl. Ces i 'nhemtio ac roedd Proff Tom yn fwy na bodlon. Ond buan iawn y gwelais i ofynion yr amserlen yn ormod, a finnau'n dechrau cael blas ar gymdeithasu. Pan es i at yr Athro i ddweud 'mod i'n rhoi'r gorau i'r fenter, fe ddywedodd, "Wel, Mr Davies, rown i'n meddwl bod mwy o stic na 'na ynddoch chi". Aeth y geiriau fel saeth at y targed ac mi es o 'na a 'nghwt rhwng 'y nghoesau.

Doedd gweddill 'y mhrofiad o'r bywyd Cymraeg ddim yn ysbrydoli chwaith. Roeddwn i'n cael holl ddiwylliant y Geltaidd, gyda'i nosweithiau o hwyl a sbri a'r portreadau o fywyd y siroedd yn ddiflas ar y naw. Ond i fod yn deg, dwyf i ddim yn cofio i finnau ddangos y ffordd i amgenach arlwy. Beirniadu oedd 'yn *forte* i, nid creu.

Ces i'n rhoi i letya yn Hafodunos, ym mhen draw'r prom, lle gallwn i wylio'r tonnau'n torri a ffantasïo am ddirgel gyrff y merched di-rif yn troedio'u ffordd i ddarlithiau o Neuadd Alexandra. Cyn diwedd y flwyddyn gyntaf mi fyddwn wedi cael profi o'r gymysgedd boenus yna o berlesmair a rhwystredigaeth a oedd yn canlyn o reolau ymddygiad rhywiol y cyfnod, ac wedi cwympo mewn cariad dros 'y mhen a 'nghlustiau â Saesnes ddeallus, hyderus a swynol o Birmingham, aelod o dîm rhwyfo'r Coleg. Erbyn y Nadolig wedyn roedd hi wedi cael llond bola ar 'yn angst piwritanaidd-genedlaetholgar i ac wedi dirwyn y berthynas i ben. Mi es innau i bwll diwaelod o anobaith a hunandosturi, y bues i fisoedd yn codi ohono. Wn i ddim o'i hanes hi ers dyddiau coleg, ond rwy'n dragwyddol ddiolchgar iddi am yr hyn ges i ganddi, ac am iddi roi send i fi. Roedd rhywbeth gwell o lawer ynghadw i fi gan ragluniaeth, ond ddim cyn i fi oroesi mwy nag un o dymhestloedd yr hen Eros.

Nid Hafodunos oedd y lle i feithrin Cymreictod. Saeson a bechgyn di-Gymraeg o'r cymoedd oedd y cyfan ond tri o'r lletywyr, y Saeson ar y cyfan yn ddirmygus o Gymru a'r Gymraeg (mi gofia'n glir am un yn pwysleisio na fyddai fe erioed wedi dod i Aber petai e wedi'i dderbyn i Birmingham neu Warwick), a'r lleill yn go ddifater. Nhw, serch hynny, oedd yn ffurfio'r rhwydwaith cyfeillion ar gyfer trafod popeth o wleidyddiaeth a chrefydd i gerddoriaeth a chwaraeon ac anturiaethau rhywiol. Ac ar gyfer meddwi. Mi wnes 'yn siâr o hynny, wedi i fi groesi'r trothwy erch i dŷ tafarn am y tro cyntaf. Ond es i erioed i'r eithafion gwaethaf, fel y gwelais i rai, yn eu plith rai o feibion y Mans, yn gwneud. Un rheswm am hynny oedd bod 'y nghapasiti'n gyfyngedig a'r dioddefaint bore-trannoeth mor ofnadwy. Rheswm arall oedd na phrofais i fawr iawn o'r gwrthryfel yn erbyn magwraeth anghydffurfiol y mae cymaint sôn amdano fe; iau esmwyth osododd Nhad ar ein gwarrau ni, a gwan beth bynnag oedd 'yn ysgogiadau anturiaethus innau.

Am yn agos i flwyddyn, mi fues yn cadw'r Sul yn union fel pe buaswn i gartref. Roedd Jean wedi sôn am ragoriaethau gweinidog Shiloh, Huw Wynne Griffith, ac fe ges innau flas anghyffredin ar y gwasanaethau dan ei ofal, ddwywaith bob Sul. Ysgol Sul hefyd, a thrafodaethau modernaidd, meddylgar-resymiadol dan arweiniad John Bennett. Mi ges 'y nhemtio hyd yn oed i fynd i gyngres Gristnogol gydwladol yng Nghaeredin – profiad cofiadwy iawn. Ond yn wahanol i Jean, a barodd yn ffyddlon, ac yn weithgar hefyd, gydol dyddiau coleg ac wedyn, llithro'n raddol-anochel i anffyddiaeth, a chilio o'r cwrdd, fuodd 'yn hanes i. Nid mater o gydymffurfio â'r grŵp yr oeddwn i'n perthyn iddo oedd hyn, ond proses boenus o gwestiynu, a thrwy orfod, wrthod y fframwaith o gredo a oedd wedi bod, hyd hynny, yn rhoi pob ystyr i fywyd.

Gwaeth na hynny efallai, roedd e'n golygu bradychu Nhad, a'r perygl o'i glwyfo fe. Nid na fues i'n ei herio fe o dro i dro ar hanfodion y ffydd (fel y gwelwn i nhw bryd hynny), ond roedd hynny yn ysbryd un yn chwilio am sicrwydd: anghrediniaeth-gad-fi'n-llonydd job. Ond erbyn i fi gyrraedd pen draw'r broses o ffaelu credu mewn Duw personol, trugarog sy'n llywio'n rhawd ni ar y ddaear (ble wedi'r cyfan roedd y dystiolaeth?), roedd y syniad y gallwn i nid yn unig ddolurio Nhad ond efallai ennill y ddadl, trosglwyddo'n anffyddiaeth iddo fe hyd yn oed, yn peri arswyd i fi. Tebyg 'y mod i'n tanfesur gwytnwch ei ffydd e, neu ar y llaw arall i ba raddau yr oedd yntau wedi bod drwy'r un bwlch argyhoeddiad, ac yn dal gafael yn dynn yn yr hyn oedd yn weddill. Gartref dros y gwyliau, fyddwn i byth braidd yn colli cwrdd, a'r un modd drwy ddwy flynedd gyntaf 'y ngyrfa ddysgu ym Mhontardawe.

Ond anffyddiaeth neu beidio, ni laciodd holl gyfoeth yr hanesion na'r drosiadaeth na'r dysgeidiaethau cysegredig ddim o'u gafael ar 'y meddwl na'n ymysgaroedd i – 'yn enaid i gallech chi ddwued – ac mi roeddwn i'n falch annioddefol, pan es i fyw i Dalgarreg yn 1962, o allu ymateb yn gadarnhaol i awgrym 'Nhad y byddai'n well gyda fe 'mod i'n mynd at yr Undodiaid na "dy fod di ddim yn cael oedfa". A chyda hyn, byddai JR Jones a Gwilym O Roberts, Paul Tillich ac Esgob Woollich yn agor y drws i bosibilrwydd bod yn rhyw fath o Gristion ôl-wyddonol.

Yn y byd mawr y tu hwnt i Gymru ac Aberystwyth roedd yna bethau mawr yn digwydd, a'r myfyrwyr yn ymateb. Yng Ngorffennaf 1956 roedd Abdel Nasr, Arlywydd yr Aifft ac arweinydd cenedlaetholdeb yr Arabiaid, wedi cyhoeddi'i fwriad i wladoli Camlas Suez. Ac o fewn diwrnod i fyddin Prydain a Ffrainc fentro ar eu hymosodiad gwallgof ar yr Aifft i "warchod" y Gamlas ar Dachwedd 6, roedd milwyr yr Undeb Sofietaidd yn chwalu ymgais arwrol Hwngari dan arweiniad Dubcek i arloesi fersiwn ryddfrydig o Gomiwnyddiaeth. Roedd hi'n ddadl boeth yn Hafodunos ar y naill ddigwyddiad, ond roedd Kruschev dan gollfarn pawb. Cyhoeddodd 'y nghyd-ystafellwr Emrys Bowen (Em, o Aber-carn, Gwent) ei fod e am fynd i ymladd gyda'r Hwngariaid. (Dwy'n amau dim na fyddai fe wedi mynd pe bai'r cyfle wedi dod. Pan ffaelodd e ei flwyddyn gyntaf, i'r fyddin yr aeth e.) Pan ddaeth hi'n gyfarfod cyffredinol brys o Undeb y Myfyrwyr, a Neuadd yr Arholiadau dan ei sang, dadleuodd y Llywydd Derek Pope yn ddeheuig mai gweithred anghyfrifol Prydain a Ffrainc oedd wedi agor y drws i'r Undeb Sofietaidd gyflawni eu hymosodiad ciaidd hwythau, a phleidleisiodd mwyafrif lletchol i gollfarnu Anthony Eden a'i lywodraeth. Dadl Derek Pope yn unig a'i swingiodd hi gyda'r wejen o Saesnes.

Rai misoedd yn ddiweddarach, mi drefnon ni noson yng nghangen y Blaid i fyfyrwyr o'r Aifft, Uganda a Hwngari (yr olaf gan ffoadur o fyfyriwr oedd wedi dod i fyw yn Hafodunos) ar genedlaetholdeb yn eu gwledydd nhw.

Erbyn 'yn ail flwyddyn i yn Aber, doeddwn i ddim heb 'yn amheuon ynghylch yr holl fusnes Cymraeg yma. Pan gadd y gwyn-hosanog, blinderog-gan-brofiadau-bywyd, disglair fohemaidd Goronwy Rees (mab gwrthryfelgar gweinidog capel Tabernacl gynt) y pôc, roedd 'y nghyfeillion i, un ac oll, yn gweld hynny'n dystiolaeth ddigamsyniol o gulni adweithiol y sefydliad Cymreig yr oedd ei afael, meddid, yn dynn ar y coleg. Roedd hi'n anodd dadlau yn eu herbyn nhw. A phan ddaeth y Cymreigiwr Tom Parry o'r Llyfrgell Genedlaethol i gymryd ei le fe, rwy'n cofio pa mor hynod o bedestraidd oedd yr araith gyflwyniadol. Roeddwn i wedi pwysleisio i'n ffrind gorau, Lerpwdliad o'r enw Geoff Bilson, fod Tom Parry yn un o ysgolheigion mawr y genedl. Mawr oedd y siom.

Parodd y cyfeillgarwch â Geoff hyd yn oed wedi iddo fe ymfudo i Ganada a chael swydd ym Mhrifysgol Saskatchewan. Mi fuon yn gohebu'n lled gyson a galwodd e a'i deulu yng Nghrugeryr fwy nag unwaith ar ei ymweliadau gartref. Wedyn daeth llythyr oddi wrth ei wraig yn rhoi gwybod ei fod e wedi marw ym mlodau'i ddyddiau o diwmor ar yr ymennydd.

Para i ymlynu wrth Gymreictod, neu beidio? Mi fues yn simsanu, do. Ond doedd cefnu ddim mewn difrif yn opsiwn. Pan haerais i wrth Em rywbryd y gallwn i'n hawdd ei baglu hi am Loegr neu Seland Newydd ac anghofio'r cyfan, meddai fe, "Na allet ddim. Fe fyddet yn teimlo'n euog weddill dy ddyddiau". A beth bynnag, gyda hyn byddai seigiau Cymraeg blasusach yn dod i'r ford.

Hydref 1957, daeth Wyn Belis Jones ataf a chynnig y brif ran yn *Teithiwr heb Bac*, cyfieithiad o Ffrangeg Jean Anhouil, ei ddewis waith e i Gymdeithas y Ddrama Gymraeg. Nawr 'te, dyna rywbeth! Llenyddiaeth go dywyll a thipyn o afael ynddi, y cyfle i fod yn rhywun, mynediad i gwmni grŵp o ferched afieithus a deniadol ac, yng nghwmni Wyn yn arbennig (roedd e gymaint o fisanthrop bron â fi), gyfle i ymenydda o ddifrif yn Gymraeg. Buodd Wyn a fi yn haf 1958 ar wyliau hir yn Llychlyn, yn rhannol er mwyn adnewyddu cyfeillgarwch â myfyriwr o Sweden, Lars Lindvaal, a oedd wedi treulio blwyddyn yn Aber a Hafodunos. Cyfle estynedig felly i ymgolli'n bruddglwyfus mewn trafodaethau am wacter ystyr, y foment ddirfodol, agweddau negyddol gwladwriaeth les Sweden, jazz, y cwestiwn Cymreig, ac i eistedd mewn caffis yng nghwmni Americanwr mawr-ei-ddirmyg o *inbuilt obsolescence* a phrynwriaeth lamsachus ei wlad ei hunan. Meddwi'n gocls hefyd fwy nag unwaith, a threial mynd yng ngafael ag ambell Swedes addawol, ond heb lawer o lwc. Ennill digon o arian i dalu am hyn oll ac am y fordaith adref drwy roi eising a jeli ar gacs mewn *konditori*. Ymhen tair wythnos roeddwn i'n fwy na pharod i fynd adref at Mam a Nhad, a mi ges i 'y nghip cyntaf ar Lundain wrth fynd am Paddington a'r trên i Gastell-nedd.

Rywfodd daeth byd y ddrama (nad oedd yn rhan o'r cwrs gradd Cymraeg bryd hynny) i wisgo arwyddocâd ideolegol bron i 'nghenhedlaeth i, ac yn fwy fyth i'r un ddilynol. Onid oedd yr alltud mewnol Saunders Lewis, neb llai, wrthi'n dehongli argyfyngau cred a gwleidyddiaeth yr oes, y gwrthdaro rhwng ymgyflawniad yr unigolyn a chyfrifoldeb i gymdeithas, a'r cwestiwn cenedlaethol yn y fargen, drwy gyfrwng drama? Onid oedd yr ingol Gitchener Davies wedi gwneud rhywbeth tebyg? Ac onid oedd mab llygatlas beirniadaeth lenyddol Gymraeg, John Gwilym Jones, wedi ysbrydoli cenedlaethau o fyfyrwyr a llunio dramâu gloyw-feddylgar ac ynddyn nhw ddogn briodol o'r lleddf? Gwell o lawer na hwyl y Noson Lawen.

Ddwy flynedd wedyn roeddwn i wedi ymddyrchafu i fod yn gynhyrchydd y ddrama Gymraeg, a mynnu dewis *Fel y Tybiwch y Mae* o waith Pirandello. Ei thema? Beth yw'r gwirionedd? neu rywbeth i'r perwyl yna. Daeth twr o fyfyrwyr blwyddyn gyntaf i'r gwrandawiadau, yn eu mysg, rhyfedd o beth, ferch o'r enw Megan Kitchener Davies. Fe gadd hi ran wrth gwrs, ond gwrthodwyd Emyr Llywelyn Jones, ac Aled Gwyn (adroddllyd braidd). Y cam gwag mwyaf o ddigon oedd peidio cynnwys Llinos Jones, slipen o ferch lygatlas a chanddi wyneb clasurol o luniaidd a rhyw fiwsig hudolus yn ei llais. Ond roedd un rhan fach, Mrs Ponza, y cymeriad mwyaf enigmatig o bob un, eto i'w llanw. Erbyn y diwedd roedd Llinos 'nôl yn y ffrâm, a diolch am hynny. Mi weithion ni'n galed ar y cynhyrchiad yna, ac fe fuodd yn weddol lwyddiannus. Fe berfformion ni i lond neuadd yng ngŵyl ddrama Tywyn, a daeth John Gwilym Jones yna i feirniadu ar gyfer yr Eisteddfod Genedlaethol. Ddim digon da, ond daeth gwahoddiad yn nes ymlaen, ac yn rhy hwyr, i ni gystadlu, pan dynnodd rhyw gwmni neu'i gilydd 'nôl.

Cyn i fi adael y Coleg yn haf 1960 roedd Cymdeithas Ddrama Prifysgol Cymru wedi'i ffurfio. Cadd cyrsiau a gwyliau drama eu rhedeg. Perfformiadau o ddramâu Tsiecoff a Wil Sam a Saunders Lewis a John Gwilym Jones a Twm o'r Nant. Golygodd Emyr Llew argraffiad newydd o *Tri Chryfion Byd*. Yn Aber, cyfansoddodd Bobi Jones ddrama afaelgar am Padraig Pearse a Gwrthryfel y Pasg, *Daw'r Pasg i Bawb*. Roeddwn i wedi gadael y Coleg erbyn hyn, ond mi fyddwn yn dilyn y digwyddiadau fel rhyw gamp-ffolower er mwyn rhannu yn yr afiaith – a chadw 'ngafael ar un o'r prif sêr, Llinos Jones.

Cenhedlaeth danbaid oedd yr un newydd, a chyn bo hir fe fyddai'u herfeiddiwch gwrthryfelgar a'u diofnedd nhw yn newid gwedd cymdeithas Gymraeg y coleg yn gyfan gwbl. Hyd yn oed yn 'y nghenhedlaeth i roedd yna greadigrwydd newydd yn cyniwair tua Bangor gyda deallusion ifainc fel Dafydd Glyn Jones, Derec Llwyd Morgan, Gwyn Thomas ac R Gerallt Jones yn cynhyrchu'r cylchgronau *Ffenics* a'r *Arloeswr*. Ac erbyn y ddwy flynedd olaf roeddwn i wedi cefnu ar Hafodunos ac yn cydletya â'r grymusddyn Ifan Wyn Williams, ac yn ffrindiau ag Elfyn Thomas, newydd ddod yn raddedig o Rydychen i ddilyn cwrs ymarfer dysgu. Dim diffyg sbardun i'r meddwl yn y cwmni yna.

Ond ar y ffrynt academaidd roedd pethau'n mynd o burion i waeth ac i wael. Mae'n haws esbonio nag i esgusodi sut yn union y gwnes i gymaint o annibendod o bethau wrth fynd ymlaen. Rhyw fath o flaenlencyndod gohiriedig i ddechrau, a'r math o ymddieithriad ymarweddus-wrthryfelgar sy'n mynd gyda'r cyflwr hwnnw. Syrthni parhaus, a rhyw fewnddrychyd pruddglwyfus hollol afiach, yn enwedig yn sgil yr ysfa am ryw a thrafferthion serch. Mae'n bosibl bod y colli ffydd wedi cael mwy o effaith nag yr oeddwn i'n sylweddoli ar y pryd, ond ddim cymaint â ffactor fwy arwynebol o lawer: rhywfaint o gynnydd mewn hunanhyder yn peri bod cysur cymdeithasu yn drech o beth wmbredd na'r nerth ewyllys i wneud y gwaith yn lle poeni am y ffaith nad oedd e ddim yn cael ei wneud. Yn gap ar y cwbl, doedd gen i ddim o'r syniad lleiaf am gyfeiriad gyrfaol. O bethau'r byd, doeddwn i ddim am fynd yn athro, a doedd gen i mo'r dyfeisgarwch na'r egni na'r trwyn ymarferol i feddwl am unrhyw beth amgen a allai greu cymhelliant.

Wrth geisio esbonio'r cyflwr hwn mae'n rhaid i fi apelio mae'n debyg at ysbryd y cyfnod, y *zeitgeist* nid llai. Onid y diystyr a dieithredd wedi'r cwbl oedd *y peth* cyn i wrthryfeloedd y chwedegau lanw'r gwacter? Y llanc ifanc hydeiml yn treiddio trwy bob twyll yn *The Catcher in the Rye* Salinger, Jimmy Porter yn rhefru am ddiffyg cyfeiriad yn *Cilwg yn Ôl* John Osborne, yr academydd wedi mynd yn rong yn *Hurry on Down* John Wain. A doedd siniciaeth Evelyn Waugh ac ymwingo Graham Greene ddim llawer o help. Dirfodaeth Camus (*Y Dieithryn*) a Sartre ("pobl eraill yw uffern") o gyfeiriad Ffrainc yn porthi agweddau tebyg. Ac un rheswm pam roeddwn i'n cymryd yr holl stwff yma gymaint o ddifrif oedd ei fod e'n rhoi esgus i fi wneud yr hyn oedd yn dod rwyddaf beth bynnag, sef diogïa.

Roedd yna ffrydiau syniadol eraill, llai ymdrybaeddlyd, hefyd yn milwrio yn 'y meddwl troellog i yn erbyn canolbwyntio ar ragoriaeth mewn arholiadau. Dyna i chi'r polymath anhygoel Aldous Huxley, yr oeddwn i wedi ffoli'n llwyr ar ei waith, yn rhybuddio yn *Brave New World* yn erbyn ymhaenu o gymdeithas yn ôl lefel gallu deallusol, yng ngwasanaeth y peiriant economaidd ac er mwyn tynnu colyn pob gwrthdaro. Y perygl y byddai peiriant nithio'r gyfundrefn addysg – yr oedd Deddf Addysg 1944 a thwf economaidd wedi'u creu – yn arwain at ymhaenu tebyg oedd pwnc y cymdeithasegydd Michael Young yn *The Rise of the Meritocracy*, dadansoddiad a oedd yn cyd-daro'n rymus â'r pryder am ddinoethi Ceredigion o'i hadnoddau dynol praffaf yr oedd profiad plentyndod yn Aberaeron wedi'i feithrin ynof i.

Wedyn, ryw noswaith, dyma Jac L Williams, brodor o Aber-arth, a'i lygaid disglair yn melltennu, yn annerch y Geltaidd ar 'Ddyrchafiad Arall i Gymro' ac effaith ddifaol y gorgynhyrchu athrawon a'r peiriant allforio pobl ar Gymru a'r Gymraeg. Amen, amen, amen, meddwn i yn y rhes gefn. Dyma gyfiawnhad o lygad y ffynnon dros ganolbwyntio ar rywbeth pwysicach nag arholiadau. Ac roedd y seiliau cymdeithasegol i neges Jac L wedi'u gosod yn nadansoddiad meistrolgar David Jenkins o fywyd Aber-porth yn *Welsh Rural Communities* Alwyn D Rees: plant Buchedd A, lle'r oedd y pwyslais ar gapel a'r pethau, ar addysg a hunanwelliant a chyfrifoldeb cymdeithasol, yn ymadael i ddilyn gyrfa broffesiynol, a phlant Buchedd B, pobl y dafarn a'r *News of the World*, yn tueddu i aros i fod yn weithwyr llaw.

Neges gyffelyb, wedi'i mynegi gydag argyhoeddiad, bywiogrwydd a gallu disgrifiadol tra apelgar, a oedd gan lais pwysicaf llenyddiaeth Gymraeg y pumdegau, y gweinidog Methodist a fyddai gyda hyn yn gadael ei bulpud, Islwyn Ffowc Elis. Cefnu ar yrfa Coleg a wnaeth Harri Vaughan yn *Cysgod y Cryman* (1956) ac yn *Yn Ôl i Leifior* (1956) er mwyn dychwelyd i fro ei febyd, y berfeddwlad Gymraeg wledig a oedd, serch hynny, am y ffin â Lloegr ac mewn perygl parhaus o gael ei llygru gan fas-ddylanwadau diwylliannol estron yn ogystal â'i hatroffeiddio drwy ddirywiad mewnol a'i gwanhau drwy ymadawiad ei harweinwyr naturiol. Eithr nid dychwelyd er mwyn cadw i'r oesoedd a ddêl unrhyw lendid chwedlonol a fu a wnaeth Harri Vaughan ychwaith, ond i roi cefn gwlad Powys ym mlaen cad y trawsnewidiad economaidd-gymdeithasol drwy gyfrwng arbrawf mewn sosialaeth a fyddai'n cyfuno'r delfrydgar a'r ymarferol. Ac yn y fargen fe fyddai Harri, gyda chymorth ei gyd-fyfyriwr Gwdig, yn dyrchafu urddas llafur drwy ymroi, ar eu ffarm gydweithredol, ochr-yn-ochr â phroletariad gwledig yr ardal, i'r gwaith corfforol-ymarferol yr oedd eu llwybr addysgol confensiynol wedi peri iddyn nhw gefnu arno fe. Proses go-chwith i'r ymhaenu yr oedd Huxley a Young yn rhybuddio yn ei erbyn. Cymdeithas ddiddosbarth hyderus, arloesol ac eang-ei-gorwelion, fersiwn newydd o'r werin Gymraeg ddiwylliedig, yng nghefn gwlad y Gymru Gymraeg, dyna'r freuddwyd.

Ar drywydd prosiect ar linellau fel yna yr oedd 'y mryd i'n rhedeg erbyn diwedd 'y ngyrfa Coleg, ac roedd hi'n 'yn siwtio i i'r dim i weld llwyddiant academaidd yn amherthnasol i hynny.

Mi lwyddais i grafu gradd anrhydedd Dosbarth 2b ac yna, o ddiffyg cyfeiriad ac er mwyn cael mwy o amser i feddwl yn gymaint â dim, gofrestru ar gyfer cwrs ymarfer dysgu. Mae arnaf i ormod o gywilydd i wneud mwy na phasio heibio i'r esgeulustod addysgol y bues i'n euog ohono yn ystod y flwyddyn honno, heblaw nodi dau beth. Mi ffaelais â chael y Diploma yr oedd disgwyl i bawb ei ennill yn y dyddiau hynny, a derbyn, diolch i ddylanwadau goddefgar a thrugarog o fewn yr adran ac, i fod yn deg, am i fi wneud ymdrech i adfer y sefyllfa cyn diwedd y flwyddyn, Dystysgrif Athro fel gwobr gysur. Yn ail, mi brofais garedigrwydd a hir-ymarhoustra mawr a chwbl anhaeddiannol ar law Auriol Watkin, santes o wraig, un o braidd Tom Nefyn gynt yng nghapel Llain y Delyn, y Tymbl, ac un a wnaeth fwy o weithredoedd da nag yr oeddwn i wedi breuddwydio amdanyn nhw. Pan fuodd raid i fi o'r diwedd blygu i'r drefn a gwneud cais am swydd athro er mwyn ennill 'y nhamaid, phetrusodd hi ddim rhag llunio'r tystlythyr angenrheidiol er cael y swydd.

Os methu'n academaidd, mi ges yn 1959–60 'yn llwyddiant personol mwyaf llachar o ddigon, sef ennill Llinos. Nid cwympo dros 'y mhen a 'nghlustiau ar un waith wnes i – roedd profiadau blaenorol wedi 'ngwneud i'n rhy ochelgar i hynny – ond dod i'w nabod hi, yn bennaf drwy'r Gymdeithas Ddrama, ac o nabod, werthfawrogi, ac o werthfawrogi lithro'n esmwyth ddi-droi-'nôl i'w chyfaredd hi, lle rwyf i wedi bod byth wedyn. Y syndod mwyaf oedd ei bod hithau wedi caniatáu, pan oedd yna ddigon o bysgod eraill yn gegrwth amdani, i'r berthynas barhau a dyfnhau, nes angori'n gadarn. Hebddi dwyf i ddim yn gwybod beth fyddai wedi dod ohonof i. Yr achlysur a seliodd y peth am wn i oedd parti Nadolig y Blaid Lafur, y *Soc Soc*, yng ngwesty'r Cambrian. Roeddwn i wedi aros yn Aber ddeuddydd yn hwy na'r bwriad, er i fi gael llythyr gan Nhad yn nodi'n ddigon didaro iddo ddioddef o salwch oedd wedi gadael craith o ryw fath. Meddyliais i efallai mai yn achos cloffni ei goes e yr oedd y drwg, ond pan gyrhaeddais i adref, a iasau llawenydd yn cerdded drwy 'nghorff, ces wybod mai thrombosis oedd yr afiechyd ac mai ar ei galon e yr oedd y graith.

III Ar y Bachyn

Ar drothwy'r flwyddyn ymarfer dysgu, gywilyddus, ryfeddol a thrist, y mynychais i'r digwyddiad a seliodd 'y nhynged gwleidyddol i weddill 'y nyddiau. Roeddwn i wedi bod yn mynychu cangen y Coleg o'r Blaid yn go selog ar hyd yr amser; wedi darllen am orymdaith pobl Tryweryn, a Gwynfor Evans ar y blaen, drwy strydoedd Lerpwl yn Nhachwedd 1956 ac wedi gresynu at y Senedd yn pasio, yng Ngorffennaf 1957, heb gefnogaeth un AS Cymreig, y ddeddf i foddi'r Cwm; wedi nodi ymddiswyddiad y Llafurwr cenedlaetholgar Huw T Edwards o gadeiryddiaeth Cyngor Cymru yn Hydref 1958 am fod Macmillan wedi gwrthod gweithredu argymhelliad y Cyngor i benodi Ysgrifennydd Gwladol dros Gymru; wedi gwrando ar Gwynfor Evans yng Nghymdeithas Adran Economaidd y Coleg yn traethu ar arwyddocâd y ffaith fod dadansoddiad Edward Nevin o gyfrifon yr economi Cymreig yn dangos y gallai Cymru annibynnol dalu'i ffordd.

Ond ddiwedd Gorffennaf 1959, fe yrrwyd cyrrent nerthol o drydan drwy'n ymwybyddiaeth genedlaethol i. Ar ôl treulio pum wythnos yn gweithio gyda'r Comisiwn Coedwigaeth yn y Bala (am yr ail waith, er mwyn treiddio i fywyn y Gymru Gymraeg yn ogystal ag ennill arian poced), dyma gychwyn ffawd-heglu o'r Tonna am gyrchfan tra phellennig, am Sir Fôn a Llangefni, i fynychu, am y tro cyntaf, Gynhadledd ac Ysgol Haf Plaid Cymru. Cyrraedd erbyn nos a chael lle i godi 'mhabell ar lawnt teulu oedd yn awyddus i ad-dalu haelioni pobl y Sowth adeg y Royal Welsh yn Aberafan flwyddyn neu ddwy ynghynt. Orig fach mewn tafarn y noson honno a tharo sgwrs â W Mitford Davies yr oeddwn i wedi gweld ei luniau fil o weithiau yn *Cymru'r Plant.*

Drannoeth yr oedd gweddill aelodau Ysgol Haf yr Ifainc yn cyrraedd, a rywbryd y bore hwnnw, mi 'nghes i'n hunan rywsut mewn tafarn arall yng nghanol cwmni nad oeddwn i erioed wedi profi'i debyg e. Canol carismataidd y cwmni oedd rhyw Harri Pritchard Jones, myfyriwr meddygol a oedd yn astudio yn Nulyn. Roedd e newydd ymddiswyddo o'r Blaid o achos yr hyn a glywais i'n cael ei alw sawl gwaith wedyn yn 'frad Tryweryn' – gwrthodiad yr arweinyddiaeth i adfer traddodiad Penyberth trwy weithredu'n uniongyrchol a chreu'r un math o adwaith cyhoeddus a oedd wedi digwydd yn Nulyn wedi gwrthryfel y Pasg. Gwynfor, wrth gwrs, oedd y troseddwr mawr, JE Jones yn gyd-euog, a'r maen prawf i bob penderfyniad oedd y sawl a alltudiwyd i Ben-arth, ond a allai, efallai, ddychwelyd, fel y Mab Darogan ei hun, sef Saunders Lewis. Yn sêt y ffenestr wele ffenomen nad oeddwn i erioed wedi dod ar ei thraws, gwrthrych parch y cwmni, ac yn teilyngu'r teitl, 'Tad'. Offeiriad Pabyddol oedd e, ac i fi roedd y ffaith ei fod e'n rhugl ei Gymraeg yn llai o ryfeddod na'i fod e yna o gwbl. Cymhedrol, os cofiaf i'n iawn, oedd ei sylwadau pan ofynnai Harri'n barchus am ei farn e.

Wedi troi at Babyddiaeth yr oedd Harri, yn wahanol i un arall o'r cwmni, lawn cyn gryfed ei argraff arnaf i, ond yn dawelach ei draethu, Sionyn Daniel, mab y gweinidog Annibynnol, yr ysgolhaig a chyn-Lywydd y Blaid, JE Daniel, a oedd wedi'i fagu'n Babydd. Byddai mam Sionyn, Catrin Daniel, yn arwain gyda hyn y gwrthryfel mewnol yn erbyn polisi'r Blaid ar Dryweryn, a'r alwad am weithredu uniongyrchol. Yn ysgol breifat Ampleforth yr oedd Sionyn wedi derbyn ei addysg uwchradd cyn treulio tair blynedd o wasanaeth milwrol yn y Llynges. Roedd e nawr ar ganol ei gwrs gradd yn Rhydychen, lle y byddai fe'n graddio gydag anrhydedd dosbarth cyntaf dwbl.

A dyma Gareth Miles, taerineb a chanolbwyntiad yn argraffedig ar ei dalcen.

Roedd yntau'n rhannu argyhoeddiad y lleill bod y traddodiad anghydffurfiol Cymreig yn dramgwydd i ddatblygiad y genedl (gweler arweinyddiaeth y Blaid er enghraifft) ac yn anffawd hanesyddol o'r radd flaenaf, ac yn cynhesu at Babyddiaeth. Tra oeddwn i hefyd yn credu bod dysgeidiaeth y capel erbyn hyn wedi hen basio'i ddyddiad gwerthu, roedd derbyn mai drwg agos-ddigymysg oedd y cyfan roeddwn i wedi cael 'y magu i'w fawrygu yn bilsen ry chwerw i'w llyncu. Ddeuddeg mis yn ddiweddarach fe fyddai Gareth wedi dychwelyd ar ôl treulio blwyddyn yn Ffrainc, wedi'i ddadrithio'n llwyr â realiti dylanwad Rhufain mewn gwlad lle roedd hi'n bresenoldeb gwirioneddol. Yn ysgol fonedd Llanddyfri yr oedd Gareth wedi derbyn ei addysg uwchradd. Saesneg oedd pwnc ei radd ym Mangor, ond wedi meistroli Ffrangeg fe dreuliodd gyfnod estynedig heb ddarllen dim Saesneg er mwyn ymddihatru o ddylanwad llethol y meddylfryd Seisnig. Un o Bontrhydyfen oedd ei dad, etifedd i sosialaeth y cymoedd; roedd e wedi bod yn gydnabyddus â 'nhad innau yn ŵr ifanc.

Roedd Hywel ap Dafydd hefyd yn y cwmni. Roeddwn i'n lled-gyfarwydd ag e o Goleg Aber, ond nawr mi ddes i'w nabod yn well. Anarchydd, yn ystyr manwl y term, oedd Hywel, syndicalydd hefyd, ac efrydydd o Ryfel Cartref Sbaen. Fe soniodd wrtha i am, a'n hudo i hefyd, â'i syniad o sefydlu gwladfa gydweithredol Gymraeg. Roedd gydag e amheuon ar y pryd p'un a oedd hi'n gyson ag anarchiaeth i fod yn perthyn i blaid wleidyddol go gonfensiynol.

Roedd Elfyn Thomas, yr oeddwn i wedi dod yn gryn ffrindiau ag e yn Aber, hefyd yn y cwmni, ond yn fwy dywedwst nag arfer.

Y cof sy gen i yw i fi eistedd mewn syndod tawel yn gwrando ar ddisgwrs rhesymiadol yr oedd ei thaerineb, beiddgarwch ei soffistigrwydd, a'i radicaliaeth ar y cwestiwn cenedlaethol, mor gyfan gwbl ddieithr i fi. Nid yn unig yr oedd y grŵp yma yn ymgodymu â chwestiynau dyrys yn Gymraeg; roedden nhw hefyd yn defnyddio'r iaith mewn ffordd gynhyrfus o fanwl a dyfeisgar. Yr unig gyfraniad, cwbl ryddieithol, y cofiaf i fi ei wneud oedd awgrym i Harri PJ y byddai'n well iddo fe aros yn aelod o'r Blaid a dadlau'i achos, er fod gen i gryn gydymdeimlad â'i safbwynt e.

Ffrinj yr Ysgol Haf oedd honna, ac fe fuodd yn cwrdd yn gyson gydol y pen-wythnos. Daeth y Neil Jenkins bythol grac, trwm ei lach ar yr arweinyddiaeth, i ymuno â hi. Ac yn Llangefni y cwrddais i gyntaf â gwrthbwynt eithaf Neil, sef John Davies 'Bwlch-llan', rhyddfrydig, cytbwys, deallus, ond â'i sêl dros Gymru gymaint â dim un ohonon ni.

Roedd sesiynau ffurfiol Ysgol Haf yr Ifainc bron mor gyffrous, ac yn fwy gwleidyddol-sylweddol. Roedd Cennard Davies yna, a Meic Tucker (yr oeddwn i wedi dod ar ei draws e yng nghwrs y Cilgwyn) a Dafydd Iwan yn grwt 15 oed. Merched meddylgar hefyd, yn cynnwys rhyw Enid Roberts benfelen o Rydaman. Emrys Roberts oedd echelydd meistraidd y trafodaethau a'r adloniant fel ei gilydd, yn fywiog, bob amser yn ddiddorol, yn wybodus, yn procio ac yn ysgogi. Ychydig a gofiaf i am feysydd y drafodaeth, heblaw'r pwyslais ar fod o ddifrif am wleidydda, a theori Emrys y byddai Llafur yn hollti wedi iddi golli'r etholiad a oedd ar ddod, ac y byddai hynny'n gyfle mawr i Blaid Cymru.

Atgofion gwasgaredig sy gen i am y brif Ysgol Haf a Chynhadledd. Canu emynau ym mhrif neuadd yr ysgol gyda'r nos, er mawr ddirmyg y Ffrinj; seiat holi, gyda Waldo a Rolant o Fôn ymysg y panel; Tudur Jones yn traethu yn Saesneg, yn eironig siŵr-o'i-bethau, ar egwyddorion cenedlaetholdeb – sylwedd pamffledyn o'r un enw wedi hynny. Ond y prif atgof, lled-eglur yn y meddwl, yw trafodaeth mewn ystafell ddosbarth orlawn ar weithredu uniongyrchol a Thryweryn yr oedd yr arweinyddiaeth wedi gorfod cytuno i'w chynnal er bodloni'r asgell wrthryfelgar. Byddai'r drafodaeth hon yn rhygnu ymlaen ar gyrion ysgol haf a'r gynhadledd tan i'r mater gael ei setlo'n derfynol, ddwy flynedd yn ddiweddarach yng Nghynhadledd Llangollen, pan wrthodwyd drwy fwyafrif clir, wedi dadl boeth a thra anghyfeillgar, gynnig yn galw am weithredu uniongyrchol gan y Blaid, a Chatrin Daniel yn ei gyflwyno. Wedi hynny aeth gweithredu uniongyrchol dan y ddaear ar y naill law ac i rengoedd Cymdeithas yr Iaith ar y llaw arall.

Roedd hi'n ddigon clir mai gwleidyddiaeth etholiadol oedd dewis lwybr yr arweinyddiaeth, er dirfawr ddicter y Ffrinj. Ac onid oedd yna obaith pendant i Gwynfor gipio Meirionnydd, dim ond i bawb fod yn gyfrifol a chydymdrechu? Rwy'n cofio Gareth yn datgan mai'n dyletswydd ni oll, yn wyneb y realiti yma, oedd gweithio'n galed yn yr ymgyrch a oedd i ddod, ac wedyn – wel, fe gaen ni weld. Cyn cau'r gweithgareddau, fe drefnwyd cyfarfodydd i aelodau'r gwahanol etholaethau, ac mi es i gwrdd ag Illtyd Lewis, yr ymgeisydd yn Aberafan, gan nad oedd y Blaid yn ymladd Castell-nedd. Ond cyn i fi gael 'y mlas cyntaf ar ymgyrchu etholiadol, roedd Eisteddfod Genedlaethol Caernarfon yn gwahodd, y gyntaf i fi ei mynychu ar ei hyd.

Y cof sy gen i yw am chwirligwgan o brofiadau cyffrous. Noson Lawen go glasi gan barti Pontrhydyfen yn Neuadd y Felinheli; siarad diddiwedd mewn tafarnau; un noson, cerdded adref bob cam i Waunfawr wedi blino'n lân gyda Gareth, ac yntau'n taeru mai "ofn ydi pechod"; loetran yn yr haul tu fas i babell y Blaid a chlywed JE Jones yn sôn am y posibilrwydd y byddai Huw T Edwards yn ymuno â'r Blaid; Eirwyn Pont-siân yn perfformio mewn rhyw dafarn. Cythraul o beth oedd i ddyn ei rwygo'i hunan ddiwedd yr wythnos o'r fath fyd, a dychwelyd i realiti bywyd yn y Tonna, Castell-nedd. Awd adref yng nghar Ednyfed Curig Davies, mab i weinidog eto fyth, a ddaeth wedyn, a'i enw canol wedi newid yn 'Hudson', yn AS Caerffili. Ar y ffordd, treulio noson o law trwm dan gynfas yng nghyffiniau Trawsfynydd.

Os oedd y mudiad cenedlaethol wedi lled-afael yn 'yn ymwybyddiaeth i o'r blaen, fe roddodd yr wythnos-a-hanner ym Môn a Chaernarfon fi'n sownd ac yn barhaol ar y bachyn. Roedd y cyfuniad o'r detholiad roeddwn i wedi'i brofi o ddeniadau Cymreictod y presennol a bydysawd cyfochrog y Gymru Rydd, y Gymru a allai ac a ddylai fod, yn anwrthsafadwy.

Ddechrau Medi roedd rhaid treulio cyfnod o ymarfer dysgu yn Ysgol Ramadeg y Bechgyn, Castell-nedd, ond i'r ymgyrchu yn Aberafan y teflais i'n holl egni. Roedd Illtyd Lewis, mab i weinidog wrth gwrs, pregethwr lleyg rhagorol ac athro Cymraeg ym Mynydd Cynffig, yn ymgeisydd o'r safon uchaf, y math o ddyn a fuasai'n weinidog llywodraeth disglair yn y bydysawd cyfochrog. Roedd ganddo fe fagad o weithwyr tanllyd yn gweithio allan o siop tsips go amheus yn un o strydoedd cefn Port Talbot, o stryd i stryd yn dosbarthu taflenni ar hyd y dref a phentrefi'r cwm, ac Illtyd yn traethu'n huawdl drwy'r corn siarad. Cyfle i fi am y tro cyntaf fentro ar araith gyhoeddus, yn y Cymer. Llawn cymaint o addysg wleidyddol â hyn i gyd oedd treulio oriau lawer yng nghwmni'r asiant Pedr Lewis, eironïwr deallusgraff oedd wedi treulio cyfnod yng ngharchar am fod â detonators yn ei feddiant ddechrau'r pumdegau, a chael Ambrose Bebb yn fechnïydd iddo; ymroddodd neb yn llwyrach i waith y Blaid nag a wnaeth Pedr, ac ar gryn gost bersonol. Welon ni ddim cip o'r ymgeiswyr eraill heblaw mewn un cyfarfod hystings, lle na wnaethon nhw, i 'nhyb rhagfarnllyd i, fawr o argraff, ac roedd ein disgwyliadau ni'n uchel.

Cyn dydd yr etholiad, Hydref 8, roeddwn i 'nôl yn Aber mewn pryd i ddau gyfarfod yn Neuadd y Brenin. Yn un, wele Loti Rees Hughes, Llafur, yn adrodd yr hanes am Gwynfor Evans yn esbonio pam roedd e'n cyflogi Saeson yn ei fusnes tomatos yn Llangadog: am ei fod e "am wneud caethion o'r Saeson". Roedd 'yn ffrind Geoff Bilson yn ffaelu credu'i glustiau. Roedd y llall yn gyfarfod ffantastig: Neuadd y Brenin yn llawn i wrando ar dri siaradydd gwych: Elystan Morgan, heb nodyn o'i flaen, yn dalsyth ar ganol y llwyfan yn rhoi'r araith rethregol genedlaetholgar orau a glywais i erioed – er nad oedd hi at 'y nant anfelys i; Huw T Edwards, newydd groesi i'r Blaid oddi wrth Lafur, yn dweud fod yna "ysbryd yn cerdded y tir"; a Gareth Evans, ymgeisydd Ceredigion, mathemategydd a meddyliwr dwfn, yn ddwys-ddifrifol effeithiol. Cawd canlyniad a oedd yn rhag-gysgodi'r dyfodol yng Ngheredigion: 12.8 y cant i'r Blaid ond gyda Roderick Bowen, yn absenoldeb ymgeisydd Toriaidd, yn cael 59 y cant a Loti'n cael llawer mwy na'i haeddiant yn 'y ngolwg i ar 28.2 y cant.

Yn Aberafan, John Morris, ymgeisydd newydd Llafur, hwnnw a welodd ugain mlynedd yn ddiweddarach eliffant ar garreg ei ddrws, aeth â hi wrth gwrs, gyda 30,397 o bleidleisiau (65.8 y cant), Geoffrey Howe, y Tori a fyddai ryw ddydd yn gyfrifol am foelyd Margaret Thatcher, yn ail gyda 12,759 o bleidleisiau (27.6 y cant), ac Illtyd ymhell ar ôl gyda 3,066 (6.6 y cant).

Ym Meirionnydd bell roedd Gwynfor, yn ôl unrhyw fesuriad gwrthrychol, wedi llwyddo'n rhyfeddol wrth gael 22.9 y cant o'r bleidlais yn erbyn 40.8 y cant TW Jones (Llafur) a 36.3 y cant y Rhyddfrydwr. Ond nid felly y gwelen ni'r anesmwyth ifainc y peth, wedi'r holl sôn am dorri trwodd. Ac os yw sylwebyddion heddiw yn gweld llwyddiant y Blaid i gael 77,571 o bleidleisiau drwy Gymru gyfan yn garreg sylfaen i adeiladu arni lwyddiannau diweddarach, yr hyn a welen ni ar y pryd oedd methdaliad y strategaeth etholiadol a ffrwyth chwerw'r penderfyniad i beidio â gweithredu yn Nhryweryn.

Pan fynegais i ryw feddyliau felly i Illtyd, ei ymateb e oedd 'y ngwahodd i annerch cangen Pen-y-bont ar y pwnc. Pwdin trwm o gynhwysion cymysglyd oedd yr araith. Cyfiawnhad athronyddol dros genedlaetholdeb Cymreig yn nhermau anghyfiawnder ac esgeulustod llywodraeth Prydain, a'r syniad bod "cenedl heb hunanlywodraeth yn wrtheb mewn termau"; cyfeiriad at effeithiau difrifol colli ein hadnoddau deallusol drwy allfudiad; dyfyniad o *Brave New World Revisited* Aldous Huxley i ddangos mai'r dewis i'r ddynoliaeth oedd totalitariaeth ganoledig neu "ddatganoli, gan ddefnyddio gwyddoniaeth gymwysedig ... i gynhyrchu hil o unigolion rhydd"; apêl i esiampl Penyberth fel yr unig fodd i ysgwyd pobl

Cymru o'u difrawder; a gresyndod at awgrym JE Jones yn y *Ddraig Goch* y byddai
hi'n well i gefnogwyr gweithredu uniongyrchol adael y Blaid. Siaradodd un aelod
yn gefnogol; ac yna fe ddaeth Pedr Lewis â'i glwtyn gwlyb i sychu'r llawr â fi.
Rhamanso meddai fe oedd breuddwydio am ryw ergyd ddramatig-arwrol yn
gweddnewid y sefyllfa. Sefydlu hygrededd y Blaid drwy ymwneud â phobl yn
eu cymunedau a'u bywydau dyddiol, ymgyfundrefnu ac ymwregysu i'r dasg,
cysylltu'r prosiect cenedlaethol â'r realiti yna – dyna'r wir dasg.

Am wn i na chadd cystwy caredig Pedr ei effaith, achos yn ystod y ddwy
flynedd a dreuliais i yng Nghastell-nedd (1960–62) mi es ati i ailgodi'r gangen
leol drwy ymweld â phawb ar y rhestr aelodaeth, trefnu cyfarfodydd gydag Emrys
a Gwynfor ymysg y siaradwyr a chnocio cannoedd o ddrysau ar hyd yr etholaeth
i ddosbarthu llenyddiaeth. Trwy'r gweithgarwch yma y des i i adnabod rhai o
oreuon y mudiad y gallwn i nawr ddweud o ddifrif 'y mod i'n perthyn iddo.
Y ddiledryw, ddi-ffael-gefnogol Wendy Richards er enghraifft, yn wreiddiol o
Gwm Tawe, a'i theulu. I'w thŷ hi y daeth Gwynfor i gael swper noson cyfarfod
cyntaf y gangen a dweud wrtha i, "R'ych chi wedi dechrau rhywbeth *mawr* yma
heno!" Y gweithiwr dur darllengar o Farcsydd, Tom Curry o Lansawel, wedyn,
fiolinydd a phaentiwr mewn olew yn ei amser hamdden; Tom Curry a glywais i
mewn cyfarfod cyhoeddus yn y Creunant yn dangos sut yr oedd gwerth gwargedol
wedi cael ei sugno mas o Gymru drwy ecsbloetiad y Chwyldro Diwydiannol;
Glyn John, yr economegydd ifanc disglair o Gwm Dulas y lladdwyd ei fab, yn
ôl a glywais i, yn y ddau dŵr ar Fedi'r 11; a Philip Cockwell a fuodd yn eistedd
piliwn 'yn Lambretta i ar deithiau canfasio.

Mi ges fynd yn gynrychiolydd y gangen ar Bwyllgor Gorllewin Morgannwg
a chwrdd fan'ny â'r Dr Gwyn Griffiths, gŵr yr Almaenes Kate Bosse, nofelydd
a storïydd yn iaith ei mabwysiad; Trefor Morgan, ffrewyll y mudiad llafur ac
arweinyddiaeth y Blaid fel ei gilydd, cydymdeimlydd ag *apartheid*; Roy Lewis,
yr ysgolhaig o foderneiddiwr a dynnodd nyth cacwn am ei ben drwy fynnu
roi'r pennawd *Draig Goch* yn lle *Y Ddraig Goch* pan oedd e'n olygydd y papur;
y cytbwys-ym-mhob-peth Jac Harris; ac Abiah Roderick, awdur adroddiadau
digrif ('Ych chi'n napod Matilda? Ma' hi'n napod chi!') a chynghorydd yn enw'r
Blaid.

IV Pontardawe, a Cheredigion eto

Ond roedd hi'n bryd i fi feddwl am ennill 'y nhamaid. Roeddwn i wedi chwarae
â'r syniad o ymuno â'r dosbarth gweithiol drwy fynd i weithio yn y coed yn
y Bala, neu dan ddaear yn Resolfen hyd yn oed. Mi fues yn hollol o ddifrif
am sbel ynghylch mynd i Sweden i ddysgu'r iaith a chyfieithu llyfrau Swedeg i
Gymraeg. Ond doedd pethau ddim yn dda gartref: iechyd Nhad ymhell o fod
yn iawn, a Mam yn colli'i golwg er gwaethaf, ac o ganlyniad i, lawdriniaeth.
Gwelodd rhywun (nid fi) hysbyseb yn y *Western Mail* am swydd athro Saesneg,
Cymraeg a *Civics* yn Tec Pontardawe. Mi wnes gais ac roedd y cymwysterau'n
ffitio. Tystlythyr caredig gan Auriol Watkin a chyfweliad un-i-un gyda'r prifathro
Oswald Thomas, a dyna'r swydd ar blât i fi. Roedd cyflenwad-a-galw yn ffafrio'r
darpar-athro yn y dyddiau hynny. £750 y flwyddyn fyddai'r gyflog, digonedd
nad oeddwn wedi breuddwydio am ei debyg, a £250 yn fwy na chyflog Nhad
wedi 32 o flynyddau yn y weinidogaeth.

Dros y ddwy flynedd yng Nghwm Tawe mi dderbyniais fwy o addysg nag
a draddodais i. Mi 'nges ces i'n hunan ymysg athrawon o gyn-lowyr. Bil Samuel
er enghraifft, cyfrannydd cyson i raglen radio Eic Davies, *Y Maes Chwarae*, ac un
o'r pennaf ddylanwadau ar yr anfarwol Gareth Edwards y bues i'n athro arno am
flwyddyn. Ken Edwards o Ystalyfera wedyn, yn llawn storïau am anturiaethau
yn y gwaith glo ac o gynghorion doeth i greadur fel fi. A John Davies, Goronwy
Davies a Dai Daniel, partneriaid mewn gwaith bach cynhyrchu offer peirianyddol
i ffatrïoedd newydd y cylch.

Ond yr un yr ymhoffais i'n arbennig ynddo oedd Glyn Lloyd, graddedig
mewn Mathemateg ar ôl cyfnod yn y gwaith glo ac ennill mynediad i brifysgol
drwy'r ysgol nos. Doedd dim sut beth â gwrthod gwahoddiad Glyn i gael swper
gydag e a Sheila unwaith bob wythnos rhwng diwedd y prynhawn ac ysgol nos
am chwech. Un o Gaerdydd oedd Sheila, yn ddi-Gymraeg. Fel Jac Rees, roedd
Glyn, o gefndir cwbl Gymraeg Rhiw-fawr, Cwmllynfell, yn magu'i ddau blentyn
yn ddi-Gymraeg, ond yn dioddef poenau cydwybod ynghylch hynny o bryd i'w
gilydd. Doedd y cyfnod a dreuliodd y mab hynaf yn Ysgol Gymraeg Pontardawe
ddim wedi gweithio rywsut a rhaid fuodd rhoi'r arbrawf heibio. Mi fydden yn
cael trafodaethau go ddwys am yr holl gwestiwn. Ond y sbri a'r cynhesrwydd
yw'r hyn rwy'n ei gofio. Sheila yn famol-garedig. A Glyn yn mynd â fi ambell

dro i'r Rhiw-fawr i dreulio noson gofiadwy yn y dafarn. Fan'ny y ces i'n hunan un noswaith o gynhaeaf gwair yn eistedd ar bwys hen ŵr â phibell yn ei ben a sbitŵn yn gyfleus wrth law. "Ydych chi'n cofio Dyfnallt?" myntwn i. "Wy'n frawd i Dyfnallt, bachan yffarn!" mynte fe.

Yn yr ysgol, y sialens fwyaf oedd delio gyda hyfforddeion y Bwrdd Glo, nad oedd arnyn nhw fwy o awydd addysg nag o gafiâr i ginio. Eu problem bennaf nhw, yn ôl Mr Davies, y cyn-löwr a oedd wedi byw i oedran teg drwy lwc y ffaith iddo fe fod dan gwymp a gorfod cefnu ar fywyd y ffas a llwch y glo carreg, oedd bod "eu ceilliau nhw'n dechrau chwyrnu".

Roedd delio â phrentisiaid y Bwrdd Glo am sesiwn o awr a hanner bob bore Gwener hefyd yn dipyn o sialens. Ond roedd y rhain yn fechgyn effro, craff. Penderfynais i ar batrwm cyson i'r sesiwn. Finnau i draethu ar bwnc o ddiddordeb cyfoes am ryw hanner awr; trafodaeth agored; nhwythau wedyn i ysgrifennu traethawd yn y dosbarth. Pe bai direidi'n mynd yn drech na chanolbwyntiad ambell un, a chyn i'r peth fynd yn heintus, roedd 'na sangsiwn effeithiol wrth law: ei hela fe adref fel ei fod e'n colli diwrnod o bae.

Yn raddol mi ges ryw fath o drefn ar y dysgu. Ond roedd 'na bethau eraill yn mynd â 'mryd. Yn amlach na pheidio ar nos Wener mi fyddwn yn ei bwrw hi ar y Lambretta dros y Mynydd Du o Frynaman i gyfeiriad Aberystwyth ac i freichiau Llinos, a dod adref yn hwyr nos Sul o fywyd Coleg. A pheth bynnag, roedd yn y Gorllewin dynfa i berwyl arall. Roedd syniad Hywel ap Dafydd am ffarm gydweithredol wedi cydio o ddifrif yn y dychymyg. Roedd ei gynlluniau fe ar y gweill, a chroeso i fi ymuno. Er mwyn bod yn rhan o'r prosiect yna, nid er mwyn unrhyw ddatblygiad gyrfaol, y ceisiais i rywbryd tua Phasg 1962 am swydd pennaeth Saesneg yn Ysgol Uwchradd (Fodern) Emlyn. Unwaith eto, ches i ddim trafferth i gael y swydd. Mae'n wir bod gadael Nhad a Mam yn ddiymgeledd yn pigo 'nghydwybod, ond roedd trefniadau ar y gweill iddyn nhw ymddeol i Aberaeron, lle'r oedd gobaith am fflat a sicrwydd am fynediad i gronfa bensiwn Syr David James er mwyn sicrhau rhyw gymaint yn well na thlodi ar bensiwn y wladwriaeth.

DOD AT 'Y NGHOED: 1962–92

TALGARREG, TEULU A THAIR O YSGOLION

I Cychwyn

MI DDECHREUAIS 'yn swydd newydd yn Ysgol Emlyn ym Medi 1962, a symud i fyw gyda Hywel i Pledrog, ffarm 44 cyfer ym mhen draw'r gweundir lle mae Bwdran, Sycan a Glowon yn cwrdd, ym mis Hydref. Aethon ni'n dau ati i ddechrau ffarmio: prynu rhyw ddeg o dda godro, peiriant godro (â llaw yr oedd Jac a Rachel Davies wedi godro eu hwyth buwch nhw), diadell fach o ddefaid, tractor, cyflenwad o wair at y gaeaf, a sicrhau trwydded i werthu llaeth i'r Bwrdd Marchnata.

Roedd y ddau ohonon ni'n dra dibrofiad, ac roedden ni'n wynebu gaeaf cythreulig mewn mwy nag un ystyr. Drannoeth y Nadolig, fe fwrodd eira'n drwm ac yna rewi'n gorn, gyda rhagor o eira nawr ac yn y man, tan fis Ebrill. Rhewodd y dŵr yn y tŷ ac yna'r ffynnon, a buodd rhaid cywain o ffynnon cymydog. Mi allon droi at gymdogion am gymorth, Ifor a Martha yn Llawrcwrt er enghraifft, ond yn arbennig iawn, gyfoed i ni, Lewis Hefin Davies a'i wraig Clare – Saesnes oedd wedi dod i weithio ar ffarm geffylau yng nghyffiniau Llanarth – a oedd yn ffarmio'r Ffatri Isaf (lle roedd tad Lewis wedi rhedeg un o dair ffatri wlân y pentref). Ymhen llai na phymtheg mlynedd roedd Lewis, soniarus ei lais a'i chwerthiniad, parod ei gymwynas, awchus am fyd sioe amaethyddol a cheffylau, wedi marw yn frawychus o ddisymwth.

Tra bod Hywel yn cadw'r ffarm i droi orau y gallai, roeddwn i'n bwrw 'nhaith bob dydd, cyn oes na swch eira na grito, i Ysgol Emlyn, gan ddibynnu (a finnau'n ddi-gar) ar lifft gan ddau o 'nghyd-athrawon. Yn gynnar y flwyddyn newydd y galwodd John Tysul Jones y prifathro fi idd ei ystafell i dderbyn galwad ffôn. Mam oedd yna yn 'y ngalw i adref: Nhad wedi cael trawiad difrifol. Taith drafferthus adref a chael Nhad yn y gwely a'i wedd wedi diraenu'n enbyd. Buodd rhaid cael cyfnod yn rhydd o'r ysgol er mwyn gweini. Roedd cyflenwad dŵr y tai wedi rhewi yn y Tonna hefyd nes i rywrai dyfeisgar ddarganfod sut i redeg cyrrent trydan drwy'r pibau cyflenwi. Dihoeni drwy gyfnod o ddioddef go greulon fuodd hanes Nhad a buodd e farw ar Fawrth 15 yn 67 oed.

Penderfynodd Mam, a phob gobaith am adfer ei golwg wedi hen fynd heibio (ar ben y lled-fyddardod roedd hi wedi dioddef oddi wrtho ers yn ifanc) fentro ar fyw ar ei phen ei hunan yn y fflat oedd wedi'i threfnu ar gyfer yr ymddeoliad yn Aberaeron. Wnaeth hi erioed well penderfyniad. Bwriodd ati i feistroli o'r newydd swyddi ymarferol byw, dysgu darllen *Moon*, gohebu â pherthnasau a chydnabod mewn llawysgrifen hynod o ddealladwy, ysgrifennu peth o'i hatgofion ar bapur, cadw lan â'r newyddion a materion cyfoes drwy gyfrwng y radio a phapur newydd y deillion, a helaethu ymhellach ei gwybodaeth o lenyddiaeth drwy'r llyfrau llafar. Byddwn innau'n ymweld yn gyson, ac unwaith yr wythnos byddai'n teulu ni yn cael swper braf, dau gwrs, wedi'i baratoi'n gyfan gwbl â'i dwylo'i hunan. Byddai hi'n derbyn ymwelwyr, yn berthnasau ac yn gyfeillion, i aros gyda hi, ac yn ymweld â nhwythau yn ei thro. Symudodd ymhen ychydig i fflat fwy cyfleus yn Llywelfa, tŷ a brynodd Jean ac Alistair yn Sgwâr Alban. Buodd Jean a'i theulu'n ymweld yn gyson, a hithau'n mynd o bryd i'w gilydd i aros atyn nhw. Am ugain mlynedd arall, cadd fyw bywyd yn ei gyflawnder.

Ond fyddai hyn oll ddim yn bosibl heb i bobl y dref, a'r capel, a'i ddau weinidog ffyddlon yn enwedig, glosio o'i chylch a'i thynnu i mewn i bob math o weithgareddau. Galwodd Evelyn Lewis, merch yr hen flaenor JR Evans, bob dydd yn ddi-feth yr holl flynyddau y buodd Mam ar ei phen ei hunan. Cadd Mam ei gwobr, do yn hael, am yr holl flynyddau o wasanaeth diflino di-dâl yr oedd hi wedi'i roi i eglwysi gofalaeth ei gŵr. Ond chlywais i mohoni hi erioed yn awgrymu y gallai fod gan Ragluniaeth ryw law yn hyn, fwy nag y'i clywais i hi'n cwyno am yr amryw greulonderau a ddaeth i'w rhan hi.

Pan ddechreuodd hi ddioddef – a hithau ar drothwy ei phedwar-ugain – o byliau difrifol o benysgafnder, sylweddolwyd mai methiant y galon oedd y drwg. Trefnwyd iddi gael *pacemaker,* ac estynnwyd ei dyddiau ar y ddaear o ryw bedair blynedd. Ond nid bendith ddigymysg fuodd ymyriad gwyrthiol technoleg. Daeth yr arthritis felltith i'w dirdynnu hi, yna glefyd y siwgr. Tra blinderus fuodd ei misoedd olaf hi gyda ni yng Nghrugeryr am gyfnod ac wedyn yn ysbyty Aberaeron, lle buodd hi farw yn go ddryslyd ei meddwl ym Mawrth 1981. Anghofiaf i byth am y Parch. Griffith Jones yn ei horiau olaf hi'n gafael yn ei llaw, a hithau'n anymwybodol, ac yn gweddïo drosti.

II Ffarmio a Phobl

Un o fendithion 'yn ymdrechion aflwyddiannus i i fod yn ffarmwr oedd cael dysgu, am y tro cyntaf yn 'y mywyd, beth oedd gwaith caled a disgyblaeth. Codi'n fore a charthu dan y da cyn eu godro a chael y tsiyrns i ben y stand erbyn dyfodiad y lorri laeth. Symud pynnau llafur am oriau bwygilydd nes bod y breichiau'n gwynio a'r cefn ar dorri. Gorfod bod adre bob nos yn ddi-ffael erbyn godro, pa mor amheuthun bynnag y difyrrwch a'r cwmni. Cwpla tasg cyn clwydo ("mynd am y cae nos" yw ymadrodd yr ardal) am y gallai'r tywydd droi cyn y bore, a chanlyniadau esgeulustod yn bellgyrhaeddol.

Roedd i hynny oll, fel i gymaint ym mywyd y ffarmwr, ei felyster. Ffresni meddwol a llonyddwch dwys y bore glas wrth hôl y gwartheg, a'r gwlith trwm yn llathru'r borfa. Eu sawr melys wrth eu clymu nhw yn y stalau, sŵn eu hanadlu a llarieidd-dra'u llygaid. Y bodlonrwydd rhyfedd sydd yn holl osgo buwch wrth iddi gnoi'i chil. Gwefr odidog geni llo bach, a chariad dwys y fam yn ei luo fe'n lân; yntau cyn pen dim yn stryffaglu ar ei draed a chydag anogaeth ei fam yn anelu am y deth. Troi'r da bach o'r tai mas i bori yn y gwanwyn a'u gweld nhw'n strancio a rhedeg yn wyllt o ryddhad a llawenydd. Go brin y dewiswn i fod heb gael y profiadau hyn. Mae'r holl hyfrydwch wedi'i gofnodi ym marddoniaeth ddiledryw Dic Jones.

Mae Dic hefyd, a'i draed yn solet ar y ddaear, yn disgrifio ochr arall y geiniog: yr "ambell fuwch fe wyddoch [sy'n] ddi-ddal, yn hidio dim i daflu ambell gic". Fe allai hyd yn oed lasffarmwr fel fi warchod rhag peth felly, dim ond dysgu'r dechneg, a chael teimlad o fuddugoliaeth. Mwy digalon o lawer yn 'y mhrofiad i oedd yr amryw brofedigaethau a fyddai'n tarddu, yn amlach na pheidio, o ddiffyg clem mewn maes a brofodd yn fwy cymhleth a heriol nag yr oeddwn i wedi dechrau dyfalu wrth fentro iddo fe.

Yr ogor yn prinhau ddiwedd Ebrill a'r borfa'n hir yn dod. Peiriannau'n torri neu'n pallu gweithio, y gwaith yn galw a'r amser yn pasio heb i ddim gael ei gyflawni. Ffaelu starto'r tractor ar dywydd rhew am fod y batri'n fflat neu iâ yn y botel ddiesel. Teth buwch odro dda yn cael ei damsgen gan ei phartneres yn y stâl neu'n cael ei thorri gan farben oedd wedi'i gadael yn esgeulus mewn man gwan yn y clawdd. Mwy difrifol fyth, a thra chostus, afiechydon o bob math: buwch neu eidion yn dihoeni o ganlyniad i gibi yn y carn drwy bori gweundir gwlyb. Lloi'n traddu, a hynny'n mynd yn haint o un i'r llall. Anifeiliaid yn trigo: colli dau eidion braf unwaith o'u taro â mellten. Biliau'r fet yn disgwyl eu talu, er y byddai ymweliad gan yr arabus, gonsyrnol Tomos Glyn Herbert yn rhyw gymaint o iawn am brofedigaeth felly.

Fyddwn i ddim am funud am i chi gredu, cofiwch, mai un gyfres o anffodion oedd y cwbl ac na wnes i ddim yn iawn. Mi ges hwyl ar rai pethau: cael prisoedd parchus iawn yn y mart am dda stôr a da tew ac aneirod parod i darw; aredig bob un o'r caeau dros y blynyddau, cael cnwd teidi o farlys i'w werthu ac ailhadu'r un pryd. Pan benderfynais i beidio â ffarmio Crugeryr Uchaf yn ymarferol a gosod y tir i'w bori, roedd y lle mewn cyflwr purion.

Yn un peth roedd y cloddiau, a oedd wedi tyfu'n wyllt pan brynais i'r lle, wedi cael eu torri 'nôl, os nad eu plygu'n gymen fel roeddwn i wedi gobeithio. Yr hynod Ddai Ffos-y-giach gadd y gwaith o wneud hynny. Gŵr yn byw ar ei ben ei hunan ar ddyddyn bach gweunog oedd Dai. Byddai fe'n crwydro'r ardal yn gweithio yma a thraw: carthu siedau oedd ei gryfder mawr e. Beic oedd ei unig fodd o gludiant a hwpo hwnnw fyddai fe amled â pheidio. Un garw ei wedd a'i ffordd o fyw, a dweud y lleiaf, ond o natur cwbl ddiniwed a chyfeillgar. Rywsut fe gytunwyd pris am blygu'r cloddiau. Teilwng i'r gweithiwr ei fwyd hefyd wrth gwrs, a thros wythnosau'r contract fe fyddai Dai yn cael swper yco. Ei gael e o'na wedyn oedd y gamp, a gwres yn y Rayburn a chysur yn y gegin, yn enwedig os oedd miwsig ar y radio. Roedd e'n dwlu ar hwnnw ac fe soniai fe'n fynych wrtha i am ei ddyddiau yng nghôr meibion Gwenlli a oedd wedi hen beidio â bod. Wedi iddo fe fynd, fe fyddai ôl ei esgidiau fe ar y llawr, ei ben-ôl ar y gadair a chefn ei ben ar y papur wal.

Rhan o'r fargen oedd yr awn i â'i esgidiau fe yn ôl yr angen at y crydd yng

Nghastellnewydd Emlyn. Fe fyddai gwep y gŵr bach hwnnw yn ei oruwch-ystafell yn cwympo dim ond iddo fe 'ngweld i'n dod lan trwy'r staer ag esgidiau Dai, yn drwch o laid caled, o dan 'y nghesail. Gwaith ailadeiladu oedd arnyn nhw yn hytrach na reparo. Fesul cetyn y byddai'r gwaith yn cael ei wneud, yn ôl pan fyddai nerth y crydd yn caniatáu, ond o'r diwedd fe ddoen nhw'n barod, a'r rhestri hoelion ar y gwadnau yn disgleirio fel diamwntiau, fel pe baen nhw wedi dod i'r lan o'r bedd. Byddai gwerthfawrogiad Dai yn fawr. At ddod i oedran pensiwn yr oedd e'n edrych ymlaen, ond chadd e ddim o'i weld e. Ryw noson wrth ddod oddi ar fws trip yr Ysgol Sul tu fas i'r tafarn, mi gawson ni wybod bod Dai wedi ei daro'n gelain wrth hwpo'i feic ar ganol yr heol yn y tywyllwch yn ôl ei arfer.

Ond sôn roeddwn i am anffodion y glasffarmwr dibrofiad. O hyd ac o hyd mi fyddwn yn gorfod troi at 'y nghydnabod i ofyn am help i ddod mas o ryw bicil neu'i gilydd. Ac wrth wneud hynny, mi ddes i werthfawrogi'r cyfoeth rhyfedd o fedrau o bob math a oedd yn ail natur i bobl oedd wedi'u magu yn hen draddodiad y tir. Deall creaduriaid wrth gwrs a sut i'w cael nhw i dalu'r ffordd. Gwybod sut i gynnal ffrwythlondeb y pridd, pryd i hau a phryd yn union yr oedd cnwd yn barod i'w gynaeafu. Ond yr hyn a wnaeth argraff arbennig arnaf i, a'r tractor heidrolic wedi'r cyfan yn beth cymharol newydd, oedd eu meistrolaeth nhw ar hwnnw, a'u dyfeisgarwch dihysbydd wrth addasu peiriannau o bob math. "O dewch chi, mi weithiwn ni ryw ffêc nawr," meddai rhyw ŵr ifanc llon, a gwir fyddai'r gair. Mewn dim o dro, byddai'r broblem wedi'i datrys a'r gwaith yn mynd yn ei flaen.

Doedd hyd yn oed yr hen Fordson Major ddim yn ddigon cryf i drafod y peiriannau silwair oedd yn cyrraedd ddechrau'r chwedegau. Dyma'r gwŷr ifainc yn mynd ati ryw ddiwrnod felly i dynnu injian o lorri, ei rhoi hi yn lle injian y tractor, ac ymestyn tsiasi'r tractor i gymryd yr hyd a'r pwysau ychwanegol. Yn y fan, roedd yr hybrid newydd yn rhuo'i ffordd o amgylch y caeau ac yn dwyn y silwair yn ddidrafferth i'r ydlan. Pan aeth y Major ail-law roeddwn i wedi'i brynu i ollwng oel o'i fogail – arwydd bod rhywbeth mawr o'i le – doedd dim i'w wneud ond tynnu'r cwbl ar led, mynd â'r crancshafft at ryw ddyn yn Burry Port i'w ail-wneud, ac ailgysylltu pob peth nes bod y tractor ddim llawer gwaeth na newydd. Yr unig ran oedd i fi yn y broses oedd estyn y twls, rhoi pownd i godi rhywbeth i'w le nawr ac yn y man, a dwy wâc i Burry Port ynghylch y crancshafft.

Buan y des i i sylweddoli bod peiriant allforio'r gyfundrefn addysg ymhell o fod wedi sugno pob talent o'r cefn gwlad: am wn i nad oedd e wedi gwneud ei waith yn llai effeithiol yn ardal Talgarreg nag mewn ardaloedd eraill. Dyna i chi Lloyd Mynachlog er enghraifft a ddyfeisiodd, ac adeiladu, dreler tipio a fyddai'n codi bêls fesul pentwr a'u gosod nhw'n dwt ar y treler nes crynhoi llwyth cymen yn barod i fynd i'r tŷ gwair. Enillodd Lloyd yng Nghelf-a-Chrefft yr Eisteddfod Genedlaethol am lunio ceiliog gwynt ar ffurf ceffyl tynnu'r wedd, ac ymhen blynyddau fe ysgrifennodd hanes ei fro a'i gyhoeddi'n llyfr hanswm. Adeiladodd Dai Ffarm beiriant hollti coed tân anhygoel o effeithiol yn gweithio ar heidrolics tractor; fuaswn i ddim wedi gallu cadw'r stof goed i fynd heb gael benthyg hwnnw. Gellid pentyrru enghreifftiau o'r medrusrwydd dyfeisgar yma a alluogodd gymunedau cefn gwlad i addasu'n gwbl ddidrafferth i'r chwyldro mecaneiddio a oedd eisoes ar waith pan gyrhaeddon ni Dalgarreg.

Roedd yr holl weithgarwch y ces i'n hunan yn awr yn rhan ohono fe yn gydweithredgar yn ei hanfod. O amgylch y tractor a lyncodd injian lorri, byddai 'na dwr o sylwedyddion, yn seso, yn awgrymu, yn canmol weithiau, ac mewn geiriau diplomatig neu gellweirus yn beirniadu; yn fwy na dim yn dysgu. Cydrannu gwybodaeth a syniadau er adeiladaeth pawb oedd y gêm, nid eu cadw nhw'n gêl er ennill mantais gystadleuol. Doedd dim angen unrhyw theori am sosialaeth i'r gymdeithas yr oeddwn i wedi mentro i'w chanol hi i ddeall bod cydweitho a chyd-ddibynnu, nid jest yn egwyddorion moesol, ond yn rheidrwydd ymarferol er mwyn goroesi a ffynnu. A'r gair i fynegi'r egwyddor yriadol yma oedd 'cymwynas'.

Mi dynnon ni'n helaeth, yn anghymesur yn wir, o ysbryd cymwynas a chydweithrediad yr ardal. Pan fyddai ffynnon Crugeryr Ucha'n sychu, fel a fyddai'n digwydd yn gyffredin ar haf sych, roedd modd tynnu o ffynnon ddihysbydd Crugeryr Isaf, a chymorth gyda dyfais i bwmpio dŵr i'r tanc yn hwylus.

Un flwyddyn wlyb, roedd hi'n edrych fel pe na ddôi cyfle o gwbl i gynaeafu'r barlys yng nghaeau Llaingaenor. Erbyn dechrau mis Tachwedd roeddwn i wedi anobeithio. Yna, ryw brynhawn, dyma wynt sych, rhewllyd yn codi, a'r peth cyntaf wyddwn i oedd bod Dai Ffarm a'i gombein yn achub y cnwd yng ngolau hedlamps y tractor. Roedd e wedi sylweddoli arwyddocâd y gwynt oer ac wedi gweithredu cyn i fi feddwl am fynd ar ei ofyn e.

Pan brynon ni Grugeryr Uchaf yn haf 1963, mi ddes i, a Llinos hithau wedi i ni briodi ddechrau 1964, i gysylltiad â theulu'r Whitfields. Sais oedd Reg, wedi dod i Gymru'n rhyw ddeunaw oed, ac wedi gorfod dysgu digon o Gymraeg i ymdopi â hynafgwyr uniaith-gystal y cyfnod hwnnw. Fe fuodd yn gyfaill annwyl a thra chymwynasgar i ni, ac mi ges i'r anrhydedd o fod yn un o gludwyr ei arch yn 1996. Mae ei wraig Edith yn un o'r menywod ardderchocaf y ces i'r fraint erioed o'i hadnabod. Erbyn ei bod hi'n bedair oed roedd hi wedi colli'i rhieni, Ffrancwr a Saesnes, ac wedi cael ei rhoi mewn cartref i blant amddifaid yn Noc Penfro. Cadd ei mabwysiadu'n dair ar ddeg oed gan ffarmwr a'i wraig o ardal Llanbed. Fe amsugnodd Gymraeg ar yr aelwyd, ymysg y plant ac ym mywyd y capel, ac wedi priodi fe fagodd bedwar o blant rhagorol yn iaith ei mabwysiad. Roedd y teulu wedi cymryd ffarm Crugeryr Isaf ryw ddeg mlynedd cyn i ninnau setlo yng Nghrugeryr Uchaf. Roedd y ddau dŷ o fewn tafliad carreg i'w gilydd a chyn pen dim roeddwn i'n ymwelydd cyson, yn cael eistedd gyda'r nos ar y soffa o flaen y teledu a chael cwpanaid o de a chacen cyn mynd am y cae nos. Rwy'n cofio'r teimlad o falchder pan es i â Llinos i gwrdd â Mrs Whitfield am y tro cyntaf.

Ar y wyneb, allwn i a Derrick, y mab a gymrodd y lle wedi i Reg a Edith ymddeol, ddim bod yn fwy gwahanol. Ond fe'n tynnwyd ni gan yr angen i gydweithio, gan amgylchiadau, a chan gynhesrwydd y croeso, i gyfeillgarwch agos. Felly Llinos a Hefina, gwraig brydferthfwyn Derrick a fuodd farw yn rhy ifanc o lawer yn 2002. Rwy'n gwrido wrth alw i gof gymaint 'y nibyniaeth ar Derrick wrth dreial ymdopi â galwadau byd y ffarm, ac yn gobeithio i ni fel teulu allu rhoi rhywbeth bach yn gyfnewid.

Priododd plant Reg a Edith i mewn i deuluoedd lleol: Derrick i deulu Nantycwnstabl; Violet yn wraig i Dai Ffarm o deulu'r Fadfa; Florence yn wraig i John, mab Capten a Mrs Beaufort Williams oedd â busnes gwerthu petrol ar sgwâr y pentref, a ddaeth wedyn yn brifathro ysgol gynradd Llanbed; a Peter, y cyw melyn olaf, yn ŵr i Llinos, merch Gruff a Neli Brynawelon, lle bach ar y gweundir llwm uwchlaw'r pentref i gyfeiriad y Chwilgarn.

Mi gofiaf i'n glir yr argraff wnawd arnaf i yn ystod y misoedd cyntaf yn Nhalgarreg gan Neli, yng Nghymanfa Bwnc Pisga, yn eistedd dan y galeri ar y dde, yn ateb y pwnc, yn daer, yn ddeallus-hyderus, yn feistres ar y maes llafur. Un yn unig oedd hi o'r menywod rhyfeddol hynny yr oedd yr ardal fel petai'n eu tyfu nhw o bridd ei chymdeithas.

Roedd Vi Ffarm yn un arall: streifus gref, ffraeth-feddylgar, gwasanaethgar, didwyll, a pharod ei chymwynas y tu hwnt i ofynion cymdogaeth dda. Fe fuodd yn ymgeledd diatal ei haelioni i Jane Graig, cymydog oedrannus a chynyddol fethedig, heb fod rheswm i ddisgwyl, na modd yn y byd, i'r gymwynas gael ei thalu 'nôl.

A dyna i chi Mrs Davies Pantswllt, fel brenhines wylaidd ar bawb, arweinydd naturiol ond anawdurdodus, cynheiliad pob achos da, un na ddwedai, ac na fynnai glywed, air drwg am neb. Roedd plant Pant-swllt, naw ohonyn nhw, yn adnabyddus i fi o ddyddiau ysgol sir Aberaeron, disglair yn eu gwersi ac ar lwyfan fel ei gilydd. Buodd Glyn yco'n gwneud gwaith adeiladu o ansawdd gwych. Y mab ifancaf, Arwel, a gymrodd at y ffarm ar ôl ei rieni, a'i datblygu i ateb sialens pob cyfnewid mewn technoleg ac yn nulliau ffarmio. Daeth yn arweinydd ymysg ffermwyr drwy gyfnod yr anawsterau mawr a fyddai'n eu poeni nhw drwy'r wyth- a'r nawdegau. Ryw noswaith ym mharti Nadolig yr Aelwyd fe gyflwynodd ei gariad dengar Mary, un o dueddau Aberteifi, i Llinos a fi. Fe'i denodd e hi i Pantswllt yn wraig iddo fe. Buodd y pentref mor ffodus ag yntau i gael un mor alluog a gweithgar i roi o'i diwydrwydd i fywyd y gymdeithas; bues innau'n hynod o ffodus o'i ffyddlondeb i waith Plaid Cymru a'i holl ymgyrchoedd. Dychweledigion o redeg rownd laeth yn Llundain oedd Tom a Nancy, y ddau benteulu, a daeth Tom, gŵr galluog, egwyddorol os buodd neb erioed, yn gynghorydd sir. Mynych y cymwynasau di-sôn-amdanyn a wnaeth y ddau. Rwy'n cofio'r teimlad o ryddhad rywbryd pan oedd y ceiniogau'n brin a Mrs Davies yn gwrthod cymryd ei thalu am dato had roeddwn i wedi'u cael ym Mhant-swllt.

Ond 'nôl am funud at y Whitfields, ac at y mab ifancaf. Gallai cerdd Tom Stephens, 'Mynd i'r Ysgol' ('Sdim fynnwy'i â mynd i'r ysgol o gwbl... Peth dwl iawn yw hela bachan fel fi i'r ysgol yn groes i'r graen') fod wedi'i seilio ar Pete. Dianc o hualau'r ystafell ddosbarth ar y cyfle cyntaf fuodd ei hanes e. Cael prentisiaeth mecanic wedyn yn Felin-fach a rhedeg busnes reparo ceir o seler byngalo'i rieni gyda'r nos; cymryd garej ar rent yn Llandysul am gyfnod. Penderfynu bachu ar y cyfle wedyn, fe a Llinos a Edith a Reg, i symud o'r byngalo i Dôl-gerdd, tŷ dwbl mawr a chanddo fe dai mas helaeth, er mwyn sefydlu busnes peirianyddol i wasanaethu tractors a cherbydau trymion o bob math yn ogystal â cheir. Fuodd dim troi 'nôl wedyn, a daeth y mab Aled, wedi gyrfa lwyddiannus mewn Addysg Bellach, i roi dimensiwn ychwanegol i'r fusnes.

Nid nepell i lawr yr heol, roedd ei gefnder Brian, na chadd ddim mwy o hwyl ar ei waith ysgol na Pete, wrthi'n datblygu'i fusnes ffensio a redi-mics, gan ddefnyddio grafel o gwarrau Crugeryr lle'r oedd Robert Powell, Rhydlewis, wrthi'n creu cynnyrch o safon uchel. (Buodd rhaid i hwnnw oresgyn gwrthwynebiad ffyrnig carfan y bobl hedd-a-llonydd cyn cael caniatâd cynllunio – penderfyniad y mae'n dda gen i ddweud i fi gael rhan fach ynddo.)

Nid annodweddiadol ymysg gwerin cefn gwlad Ceredigion yw hi bod Pete a Brian wedi cael gwragedd addysgol-lwyddiannus, Llinos a Wendy, a allai ddod â'u sgiliau arbennig nhw i fyd busnes ac ategu medrusrwydd, nerth bôn-braich a gweithgarwch diflino eu gwŷr.

Mae'n drawiadol bod pob un o ŵyrion, a gor-ŵyrion, Edith a Reg Whitfield yn Gymry Cymraeg.

Ydw i'n rhamantu? Rhag hynny, rhaid llunio darlun cyflawnach. Roedd yn Nhalgarreg wrth gwrs holl ffaeleddau'r natur ddynol: cenfigen, malais, twyll a hoced, anoddefgarwch a gormes, hunanoldeb, hunangyfiawnder, bychander meddwl, i enwi rhai. Realiti byw mewn cymdeithas glòs yw bod y cyfryw wydiau yn amlwg i'w gweld, a'u heffeithiau weithiau'n rhy agos i fod yn gysurus. Mi fyddwn i'n dadlau mai iach o beth yw hynny, serch bod yr awydd cyffredin i ddianc oddi wrtho i anhysbysrwydd y dorf neu swbwrbia yn gwbl ddealladwy. Rwy am ddal hefyd bod yr holl ffaeleddau yma, realiti'r natur ddynol ymhob man, a'r dramâu personol bach diflas sy'n ganlyniad anochel iddyn nhw, yn digwydd o fewn ffrâm o ymroddiad cyffredinol i gyd-fyw, i oddef gwendidau a rhannu dioddefiadau'n gilydd a (gyda mesur priodol o eiddigedd neu ddychan ambell dro) i lawenhau yn llwyddiannau'n gilydd hefyd, gan wneud y rheini yn rhan o eiddo cyhoeddus y gymuned.

Mi ddarllenais sylw gan gymdeithasegydd mai un o nodweddion 'cymdeithasau wyneb-yn-wyneb' yw bod pobl yn treulio rhan fawr o'u hamser gefn-wrth-gefn. I'r gwrthwyneb, yr hyn y sylwais i arno oedd awydd parhaus i *osgoi* gwrthdaro. Wrth gwrs byddai rhai yn mynnu mai un o effeithiau hynny yw rhyw gydymffurfiaeth gyfaddawdus sy'n tueddu i fygu arbrawf a chynnydd, a chreu elfen o ragrith.

Un o'r rhai a oedd yn ei gweld hi felly oedd Eirwyn Pont-siân, neu Eirwyn Dosha (ar ôl ei fam Theodosha) fel roedd e'n cael ei adnabod yn lleol, yr un a fu'n gyfrifol mai i Dalgarreg yr aeth Hywel a finnau yn 1962 i gychwyn ar ein menter. Doedd gan neb wreiddiau dyfnach yn yr ardal nag e. Roedd e'n rhan o rwydwaith deuluol eang, ei fam-gu, Ruth Mynachlog, yn un o golofnau'r achos annibynnol yn Pisga, ac yn awdur perl o hunangofiant, *Atgofion Ruth Mynachlog*, sy'n cofnodi gwead cyfoethog cymdeithas wledig dlawd, ac ymdrech arwrol honno er hunanwelliant. (Dylai pawb ddarllen y clasur bychan hwn.) Rywfodd, serch hynny, ar yr ymylon y cadd Eirwyn ei hunan gydol ei oes, a chwmni pobl yr ymylon megis y lliwgar-dalentog Twm Meini Mawr oedd ei hoff gymrodyr. Yn wir, un o'r profiadau roedd e'n ymfalchïo ynddo oedd cael cymryd rhan yn nrama Idwal Jones, *Pobl yr Ymylon*. Fel Idwal Jones, roedd e'n ddychanwr wrth reddf, ac yn un annioddefol o effeithiol, digon ar ei orau i'ch gwneud chi'n sâl o ffaelu peidio chwerthin, ond yn llymach na'i eilun, weithiau'n raselaidd finiog. Ei gas beth oedd rhagrith, ac yn sgil hynny, holl ddiwylliant cydymffurfiol y capeli anghydffurfiol roedd e wedi'i brofi'n ifanc, ac fe wnaeth ymlyniad wrth y dablen fach (ei hoff enw e ar y ddiod) yn erthygl o ffydd yn ei ymosodiad e arni. Roedd gan Eirwyn gyfeirbwyntiau o'r tu hwnt i fro ei fagwraeth a oedd i ryw raddau'n ei ddieithrio fe oddi wrthi, deallusion yr Eisteddfod Genedlaethol er enghraifft. Roedd e'n genedlaetholwr gwleidyddol ffyrs o anymddiheurol pan oedd hynny'n dal yn destun drwgdybiaeth. Roeddwn i, waeth i fi gyfaddef, yn cael 'yn rhwygo rhwng edmygedd ohono fe ac awydd i gael 'y nerbyn yn aelod llawn a chymeradwy o brif ffrwd y gymdeithas. Fe oedd yr elfen o swnd oedd yn sicrhau na fyddai olwynion cymdeithas yn rhedeg yn rhy ddidramgwydd o esmwyth. Elwodd Arthur a Rolant eu dau o bob o dymor o brofiad gwaith gyda'r saer rhyfeddol a dreuliodd gryn amser yn llawnder ei ddyddiau yn treial meistroli *Williams Pantycelyn* Saunders Lewis.

Pan aethon ni gyntaf i Dalgarreg, roedd rhyw naws dirywiad ar y lle, y felin wedi hen gau, a'r efail, serch ymdrechion gorau Elwyn y Gof, wedi gweld ei hamser gorau. Erbyn i ni gefnu ar y lle yn 2001, roedden ni wedi gweld adfywiad economaidd cwbl anrhagweledig yn prysur ffrwtian: cenhedlaeth o blant y pentref, ac eraill atyn nhw, wedi penderfynu aros yna a chreu bywoliaeth ar sail eu medrau amrywiol a'r cyfleoedd a oedd yn codi. Tebyg y byddai modd olrhain llawer o'r cyfleodd hynny i dwf y diwydiant ymwelwyr, y galw anniwall am godi ac adnewyddu tai a'r trallwysiad o wario a ddaeth yn sgil mewnfudiad, yn ogystal â'r buddsoddi mewn datblygiadau amaethyddol. Ond stori arall yw honno.

III Aelwyd a Neuadd

Un peth sy'n sicr, doedd a wnelo'r adfywiad economaidd ddim â 'nyhead gwreiddiol i i ddatblygu'n rhyw fath o *entrepreneur*. Buan y sylweddolais i (roedd Llinos siŵr o fod yn gweld ymhellach o'r dechrau'n deg) mai'r unig ffordd y gallen ni gyfrannu rhywfaint i'r patrwm cymhleth o gyd-gymwynasau a oedd yn gyrru'r gymdeithas oedd drwy bethau y gwydden ni rywfaint amdanyn nhw, sef diwylliant a chrefydd.

Wrth wneud hynny, roedden ni ymhell iawn o fod yn ysgrifennu ar lechen lân. Doedd dim ond pedair blynedd ers marw cyn-brifathro'r ysgol gynradd, Tom Stephens (testun cyfrol deyrnged, *Y Gwron o Dalgarreg*, wedi'i golygu gan T Llew Jones), a oedd wedi bod yn rhyferthwy o ddylanwad creadigol yn yr ardal, ac yr oedd ei nith Beti Griffiths, awdur nofelau a storiau byrion i blant, yn athrawes yn y pentref o hyd. Â pharchedig ofn tra gwerthfawrogol y byddai enw Stephens bron yn ddieithriad yn cael ei grybwyll gan y trigolion. Pan ffaelodd e, yn brifathro newydd, brwdfrydig, â chael cydweithrediad llawn pwyllgor y neuadd ar gyfer ei gynllun i sefydlu Aelwyd yr Urdd, fe aeth ati i brynu a chonfyrtio hen felin wlân yn ganolfan ieuenctid. Adeilad moel, dwy-ystafell, hytrach yn llaith oedd hi, ond gyda naws hyfryd-gartrefol: llefydd tân braf ym mhob talcen; sgiwiau a ffwrmau yn erbyn y walydd ac o gwmpas y llefydd tân; bordydd biliards a tenis bwrdd; cwpwrdd llyfrau cain, llun Stephens ar ei ben e, a'r geiriau, 'Teyrnged yr Aelwyd i'w Sylfaenydd'. Dros yr ugain mlynedd nesaf mi fyddwn yn treulio oriau dirifedi yn yr Aelwyd, a dod gan bwyll bach, gyda phwyllgor o swyddogion, yn gyfrifol am drefnu ei gweithgareddau hi.

Yn y dyddiau hynny roedd gorfodaeth ar yr ysgolfeistr i fyw ym mhentref ei ysgol, a disgwyl arno i arwain y bywyd cymdeithasol. Percy Roberts a'i wraig Mildred felly oedd yn gyfrifol am redeg yr Aelwyd, ond roedden nhw'n ddigon balch o gael cymorth ac i ymateb yn gadarnhaol i 'nghynnig i a Tom Davies Jones, cyd-athro yn Ysgol Emlyn a mab i Mali Jones, athrawes y dosbarth babanod, i drefnu noson o ddwy ddrama fer, ac amrywiol eitemau yn y canol. Wrth wneud hynny, roedden ni'n rhan o batrwm ehangach o lawer. Yn y cefn gwlad, roedd y ddrama un-act yn boblogaidd eithriadol, a chwmnïau'n eu perfformio i neuaddau pentref llawn ar hyd y sir. Roedd Llyfrgell Ceredigion, yr oedd y deinamo syfrdanol hwnnw Alun R Edwards yn ei datblygu, yn arf ar gyfer diwyllio gwerin gwlad, yn cadw setiau o gopïau yr oedd modd cael eu benthyg dros gyfnod y cynhyrchiad. Ac ymysg y setiau hynny, wele gopïau dyblygedig o'r *Tri Dyn Dierth*. Doedd dim problem cael actorion, na pherfformwyr mewn eitemau, na chynorthwywyr llwyfan na sain na thrydanol; dethol oedd y job anoddaf.

Llanwyd y neuadd, roedd sglein ar y perfformiadau, yr actorion a'r staff cefnogi wrth eu bodd. Sut allai dyn beidio â darparu rhagor? Dros y blynyddau nesaf, fe gynhyrchwyd llif o ddramâu, rhai digon gwamal, ond eraill o sylwedd a dyfnder. *Michael* er enghraifft, addasiad o stori fer gan Tolstoi. Roeddwn i'n teimlo 'mod i wedi cyrraedd rhywle pan ddwedodd Euros Ffosdeule wrtha i fod uchafbwynt y ddrama honno wedi "hela ofn arnaf i": Arwel Pantswllt yn datgelu mai angel, nid unrhyw brentis crydd, oedd e mewn gwirionedd, y sbotleit benthyg o theatr Felin-fach yn tywynnu'n ddisglair uwch ei ben e ac agorawd *Parsifal* Wagner yn graddol chwyddo dan reolaeth medrus Wyn Pantycetris. *Talar Deg* wedyn, ffars ddychanol ddisglair Wil Sam, gyfoethog ei symboliaeth. Emyr Henbant a gymrodd y brif ran yn honno, ond odid y talent actio mwyaf y des i ar ei draws e yn yr ardal: cadarn ei ynganu, cywir ei bwyslais a'i oslef, llawn mynegiant ei osgo a'i symudiad, perffaith ei amseru. Ond roedd ei gystal e bob tamaid ar y llwyfan: Llinos yn actio'r droba ddiog o forwyn ddiwerth, Lisa Parri. Addasiad llwyddiannus iawn dro arall o stori fer gan Idwal Jones. Dro arall wedyn adfywio ac ychwanegu at gyflwyniad o eiddo Tom Stephens, a finnau'n cael adrodd cerdd storïol gampus Sarnicol, 'Stori Siaci'r Gwas'.

A sôn am Sarnicol, y bardd, y dychanwr, y storïwr a'r atgofwr athrylithgar a oedd wedi'i fagu mewn bwthyn bach llwm iawn ar y cefndeuddwr rhwng cymoedd Sycan-Bwdran a Cherdin, rwy'n credu mai noson dathlu ei ganmlwyddiant e yn Neuadd Ffostrasol, cynhyrchiad ar-y-cyd pentrefi Talgarreg a Ffostrasol, a'r neuadd dan ei sang, yw un o'r pethau mwyaf cofiadwy a brofais i erioed. Roedd y blew yn codi ar 'y ngwar i wrth i barti o blant Talgarreg, ac Arthur yn eu canol nhw, ganu ar osodiad cerdd dant Nancy Martin y cywydd i afon Glowon sy fel pe bai'n dweud y cwbl am ystyr a hudoliaeth lle sydd wedi'i gysegru gan bobl a'u gweithgareddau a'r atgof amdanyn nhw:

> *'Afon Glowon a glywaf*
> *Yn sôn o hyd am swyn haf;*
> *Daw o'i chrud i iach redeg*
> *O ben y twyn i Bant Teg,*
> *Ac yn rhwydd dan ganu'r â*
> *Trwy'r Wyngyll tua'r Henga'…*
> *O dan Ryd-wen a'i aur do,*
> *Annwyl dŷ Nel a Deio…*
> *Grugieir a geir yn gori*
> *Yn nawdd gref ei hendref hi…*
> *Onid gwych i enaid gwan*
> *Iach dawelwch ei dwylan?'*

Fe wibiai teithiwr heddiw dros 'Glowon Fawr, ei phur swyn a'i pherseinedd', un o fân is-nentydd Cletwr, heb sylwi ei bod hi yna, heb sôn am Glowon Fach, un lai na hithau.

Atgof arall yw'r un o berfformiad rhagorol cangen Merched y Wawr yn cyflwyno 'Baled Siôn Cwilt' Sarnicol yn Neuadd Talgarreg. Mwy gafaelgar fyth oedd y noson i gyflwyno *Atgofion Ruth Mynachlog* mewn cyfuniad medrus o ddrama a darlleniadau. Yn Nhalgarreg y cawd y drydedd gangen yng Ngheredigion o Ferched y Wawr, o fewn blwyddyn i sefydlu'r mudiad yn 1967, rhan o'r don gyffrous a hunanhyder a ddaeth yn sgil deffroad gwladgarol y chwedegau. Llinos a Beti Griffiths a ysgogodd ei sefydlu hi; cawd cyfarfod cychwynnol brwd a daeth Nancy Davies Pantswllt yn gadeirydd gyntaf. Yn yr Aelwyd y byddai Merched y Wawr hefyd yn cwrdd.

Rywbryd ddechrau'r saithdegau sefydlodd Percy Roberts yr ysgolfeistr gynllun gefeillio rhwng ysgol Talgarreg ac Ysgol Gymraeg y Bargoed, Cwm Rhymni, er mwyn dod â phlant o 'siaradwyr newydd' i gysylltiad â chymuned Gymraeg naturiol a chyflwyno profiadau newydd i blant lleol. Efallai mai hyn a barodd i Llinos a finnau ddatblygu cynllun i'r un perwyl ar gyfer oedolion. Cawd cydweithrediad cartrefi'r ardal i ddarparu llety am bris rhesymol, a chysylltwyd drwy ddosbarthiadau Cymraeg i Oedolion â phobl a ddymunai dreulio penwythnos yn Nhalgarreg. Trefnwyd amserlen orlawn o weithgareddau amrywiol. Siarsiwyd y lletywyr i ddefnyddio dim ond Cymraeg gyda'u gwahoddedigion. Mae gen i gof clir am y noson groesawu gyntaf yn yr Aelwyd ar nos Wener, tanau mawr yn y ddau ben, bwyd yn llwythog ar y fordydd, plant yr ysgol yn actio dramodig gan Tom Stephens, *Dial ar Ladron*, y lle'n orlawn o letywyr, plant a rhieni, a'r dysgwyr â'u llygaid led y pen wrth brofi'r fath groeso. Ryw dair gwaith y mentrwyd ar beth mor uchelgeisiol â hynny, ond daeth y patrwm o gysylltiadau rhwng Talgarreg a chymoedd y De yn beth go reolaidd: plant o Rydfelen yn dod yco i aros; trefnu ar y cyd â Choleg Pontypridd i athrawon ar gwrs blwyddyn dysgu-Cymraeg i dreulio mis yn yr ardal tra'u bod nhw ar ymarfer dysgu yn ysgolion cynradd y cylch; ac adeg streic 1984, rhai o blant y glowyr yn cael gwyliau yng nghartrefi'r ardal.

Amrywiad pellach ac iddo wedd fwy masnachol oedd y cwrs Cymraeg preswyl un-i-un y buodd Llinos yn ei redeg yng Nghrugeryr. Buodd yco ddysgwyr o America, Norwy, Iwerddon a Lloegr yn ogystal â Chymru. Roedd yr arlwy'n cynnwys mynychu gweithgareddau diwylliannol yn y pentrefi cylchynnol (ac roedd digon ohonyn nhw), a byw yn rhan o deulu cyfan gwbl Gymraeg. Dim Saesneg oedd y rheol, anodd ei gorfodi gydag ambell un, gan gynnwys yr Athro Astudiaethau Celtaidd o Brifysgol Oslo.

IV Capel, Tafarn, a Bow Street

Aelodaeth o gapel oedd yr agoriad arall, a chyfle pellach i gyfrannu i rwydweithiau cymdeithasol Talgarreg. Roedd marwolaeth Nhad wedi cnocio mas o 'mhen unwaith ac am byth yr elfennau a oedd yn weddill o ymdrybaeddu negyddol a phesimistiaeth ffasiynol yr israddedigyn pum-degol. Yn ogystal, roeddwn i wedi gweld anhunangarwch Cristnogol ar waith yng nghyfnod ei salwch olaf e. Ymysg llawer, rwy'n credu mai'r un a wnaeth yr argraff ddyfnaf arnaf i oedd Ray (chofiaf i ddim o'i steil hi), gofalydd y capel. Un gwbl ddi-sôn-amdani oedd hi, heb fod yn 'aelod gweithgar'; di-Gymraeg. Ond rywsut fe gymrodd at Nhad, a'i ymgeleddu fe a Mam ym mhob rhyw ddull a modd, er nad oedd hynny'n gyfrifoldeb ffurfiol arni o fath yn y byd. Wedi iddo fe farw, fe ofynnodd i Mam a gâi hi droi'r corff heibio; roedd hi'n cymryd y peth yn fraint.

Doedd dim 'nôl-a-mlaen wedyn. Roeddwn i am fynd 'nôl i'r capel. A phan ddaeth hi'n fater o fod yn dad (Arthur 1965, Rolant 1967 a Gwenllian 1971) roedd hi mor amlwg â haul ar bost 'mod i am iddyn nhwythau hefyd dderbyn hynny a oedd yn bosibl o'r cynhysgaeth yr oeddwn i'n gweld 'yn hunan mor ddyledus iddi. Roedd Llinos yn teimlo'r un modd. Ysgol Sul felly, yn ogystal â chwrdd. A doedd hi ddim yn ddigon da tynnu ar y ddarpariaeth un unig; rhaid oedd cyfrannu ati hi.

Ond roedd rhaid dewis ble. Roeddwn i wedi tywyllu Pisga unwaith neu ddwy, ond heb gael 'y mhlesio gan y pregethu. Mi gwrddais ag Aubrey Martin, gweinidog yr Undodiaid, yn nosbarth Waldo Williams yn yr Aelwyd. Roedd e'n ŵr rhyddfrydig, yn fwy parchus o'r traddodiadau anghydffurfiol eraill na rhai Undodiaid, yn eang ei wybodaeth a'i ddiddordebau; dyn at 'y nant i. Dyna un rheswm dros ddechrau mynd i Gapel y Fadfa (y ffurf yr oedd yn well gyda'r hen bobl na 'Bwlch y Fadfa', enw'r clwstwr o dai sy o'i gylch e, neu hyd yn oed 'Capel Bwlch'). Roedd rheswm arall, trymach: nad oedd Undodiaeth yn mynnu gen i danysgrifio i'r uniongrededd os nad llythrenoliaeth a oedd i bob golwg yn ennill tir, wedi'r cyfnod o feddwl agored, rhyddfrydig, yn yr enwadau anghydffurfiol eraill. A byddai troi at yr eglwys mor estron i fi ag ymuno â'r Blaid Geidwadol.

A chwedyn dyna ddechrau ar gyfnod o aelodaeth go weithgar o Gapel y Fadfa, a thrwy hynny o gymdeithas capeli Undodaidd y Smotyn Du, a fyddai'n para am 38 o flynyddau.

Aeth Llinos yn go fuan wedi geni Arthur i gynnal braich David Thomas y Plas, a'i chwaer Elen, y ddau yn go oedrannus, a oedd wedi cadw'r drws yn agored dros hir flynyddau. Gan 'mod i'n athro bum diwrnod yr wythnos, doeddwn i ddim am gymryd at ddosbarth o blant ar y seithfed dydd yn ogystal ond mi gynigiais gynnal dosbarth oedolion. Cawd hwyl ar hwnnw am gyfnod, ond yn raddol fe gadd Llinos a finnau ein hunain yn gyfrifol am oruchwylio pethau, tan i'r adeg ddod pan drawon ni'r fargen y safwn i gartref i weithio cinio dydd Sul.

Byddai rhai o'r menywod ifainc yn ffyddlon iawn, yn cyfrannu syniadau ac yn helpu gyda'r paratoadau. Ond yr un a fuodd yn ffyddlon ddi-fwlch tan iddi ffaelu'n llwyr oedd y rhyfeddol Annie Nantygwyddau, organydd y capel. Roedd Annie wedi cael ei magu'n ddigon llwm yn Sarnicol, yn yr un lle, ond nid yr un tŷ, â'r bardd. Cerddoriaeth oedd gorhoffedd Annie a mi ges dipyn o'i chwmni hi un adeg wrth deithio i rihyrsals y Gymanfa Ganu, lle byddai hi yn ei helfen. Fe ddywedodd hi wrthon ni rywbryd ei bod hi yn ifanc wedi gallu fforddio chwarter blwyddyn o wersi piano a chyfle i ymarfer ar harmoniwm ac fe ddaeth yn brif organydd y capel wedi iddi hi briodi Ieuan a dod yn aelod yn y Bwlch. Welais i erioed mo Annie'n segur. Mynd mynd mynd: gartref ar y ffarm wrth gwrs, yn y cwrdd, ac yn yr Ysgol Sul lle byddai hi'n dod â'i hŵyrion yn ddi-fwlch ac yn sicrhau eu bod nhw'n cyfrannu'n llawn at y gweithgareddau. Fe gafodd ei chladdu rywbryd tua'r un adeg â Ledi Di, a'r capel yn orlawn. Rwy'n cofio meddwl, pe bai Diana wedi gwneud un rhan o gant o'r gwasanaeth roddodd Annie i gymdeithas y byddai hi wedi haeddu rhyw gymaint o'r sbloet gwneuthuredig cyfryngaidd yn y Mall a'r Abaty.

Am dros 30 mlynedd fe arllwysodd Llinos egni, cariad a chreadigedd i waith yr Ysgol Sul. Paratoi plant ar gyfer y cymanfaoedd a'r gwyliau; sgriptio a rihyrsio gwasanaethau a dramâu Nadolig; trefnu ymweliadau. Aeth yr Ysgol Sul o nerth i nerth o ran gweithgarwch, nifer a phresenoldeb. "O gwd," meddai Iwan Ucheldir, 6 oed, ryw ddydd Sul wrth gyrraedd a gweld ein car ni wedi parcio tu fas i'r festri, "mae Llinos Dafis wedi dod yn car Cynog!" Fel'ny'n gywir. Byddai Llinos yn esgor ar syniadau ar gyfer gweithgarwch gyda'r un rhwyddineb ymddangosiadol â chorryn yn creu gwe, ond bod yna wreiddioldeb a diffuantrwydd angerddol yn ogystal. Weithiau bethau parod megis cantata JT Rees a T Gwynn Jones, *Dewi Sant*. Weithiau bethau yn llwyr o'i phen a'i phastwn ei hunan. Ar gyfer tymor y diolchgarwch dyfeisiodd y syniad o gael math o gymundeb arbennig: y plant yn paratoi salad ffrwythau ac yn ei rannu e, fel y bara a'r gwin, i'r oedolion.

A thu ôl i'r cyfan roedd y gwersi'n pwysleisio rhyfeddod anchwiliadwy y ffaith ein *bod* ni, ein bod ni'n fyw. Gwyrth wyddonol wrth gwrs, fel roedd yn gweddu mewn capel Undodaidd. Mae'n debyg bod Llinos rywfodd wedi etifeddu diddordeb ei thad, yr agronomegydd Iorwerth Jones, un o staff George Stapledon yn y Fridfa Blanhigion, mewn gwyddoniaeth. Mi fyddai'n traethu wrtha i yn huawdl, noson o haf efallai ar y clogwyni uwchben Cwm Tydu, am gyfaredd esblygiad a llyfrau gwych Richard Dawkins. Mi etifeddodd ei dyfeisgarwch â geiriau gan ei mam, Eluned, o aelwyd ddiwylliedig Garth Lwyfen, Bow Street, a ddisgrifiodd hi mor gofiadwy yn ei rhagymadrodd i gyfrol cerddi ei hewythr, Ifor Davies. Byddai T Gwynn Jones yn ymwelydd cyson â Garth Lwyfen a phan laddwyd y brawd arall Merfyn ar yr heol ym mlacowt y rhyfel, fe gyfansoddodd farwnad ysgytiol iddo fe. Ac fe gafodd Llinos gynhysaeth ardal hynod ddiwylliedig pentref

Bow Street, y buodd ei thad yn ysgogydd ac yn ysgrifennydd i'w "heisteddfod tylwythau" unigryw; a Chapel y Garn â'i draddodiad cerddorol gloyw, cynnyrch oes llafur JT Rees.

Heb yn wybod iddyn nhw, ond yn hynod werthfawrogol, roedd plant Ysgol Sul y Bwlch yn sugno o'r holl ffynhonnau yna yng ngwaith yr Ysgol Sul. Does dim rhyfedd eu bod nhw'n bwyta mas o'i dwylo hi. Pechod ofnadwy na fuasai ei chreadigaethau cefn-amlen wedi'u cyhoeddi, ond wfftio'r awgrym eu bod nhw'n ddigon da i hynny fyddai Llinos.

Roedd dod yn aelod yn y Bwlch yn rhoi mynediad i rwydweithiau eang o dylwythau a chysylltiadau. Ymysg y pwysicaf oedd teulu Bwlch-y-bryn, diwyd a dylanwadol ym mywyd y capel a'r pentref, a oedd â chysylltiadau yn eu tro â theuluoedd Nantycwnstabl a Llawrcwrt. Mi ges y pleser mawr o adnabod Rado, ddireidus, ddi-lol, blaen ei thafod, wrth eistedd gyda hi yng nghefn y llwyfan adeg eisteddfod Capel y Fadfa, a'i chlywed hi'n achwyn ar arfer rhai cystadleuwyr o ganu yn Saesneg. Heb ei merched a'i hŵyrion hi, buasai bywyd sefydliadol y capel a'r pentref yn go denau.

Teulu'r Fadfa wedyn, yn cynnwys Dai a Vi Ffarm. Un o ardal Aberteifi oedd Margaret, gwraig William John, brawd Dai; daeth hithau'n ffrind amhrisiadwy i'n teulu ni, nid yn unig drwy waith yr Ysgol Sul, lle roedd ei phlant yn aelodau ffyddlon, ond am iddi gymryd Gwenllian idd ei haelwyd glyd i'w charco hi pan aeth Llinos 'nôl i ddysgu.

Doedd neb ffyddlonach yn y cwrdd a'r gweithgareddau na Lisa Troed-y-bryn ('Ffou' oedd yr hen enw ar y teras o bedwar tŷ ar yr heol gefn lethrog rhwng y Bwlch a Castell Hywel, lle buodd gweinidog cynta'r capel, yr enwog Ddafydd Dafis, awdur 'Cwymp Ffynnon Bedr' yn cynnal ei ysgol: Arminiad a roddodd ei hyfforddiant cynnar i'r uchel-Galfin Christmas Evans, o Dre-groes yn wreiddiol a Sir Fôn wedyn). Byddai Lisa'n cerdded yr heol yn blygeiniol yn ddi-ffael bob bore i'r Tafarn Bach lle buodd hi'n mwy-na-gwasanaethu am flynyddau lawer. Chwaer iddi hi, Hannah 'Cottage', a fuodd yn cadw cwmni i Mam, yn dyner ofalgar, yn ystod ei salwch olaf yng Nghrugeryr Uchaf. Sut mae mesur dyled felly? Un o'r disgyblion gorau a fuodd yn Ysgol Sul y Bwlch erioed, ac ymhlith 'y nosbarthiadau i yn Ysgol Aberaeron o ran hynny, oedd Luned, merch Hannah.

Ond rywsut mi ddaethon ni'n agosach at deulu Gwardafolog nag at neb. Rwy'n cofio'n glir am gwrdd ag Ynfer, gŵr wedi'i drwytho yn hen ddoethineb cefn gwlad os buodd un erioed, am y tro cyntaf yng nghegin hen-ffasiwn y tŷ-ffarm eang. Hanes oedd pwnc y drafod, o'i ddewis e. Hanes y Troad Allan o hen gapel Undodaidd Llwyn Rhyd Owen, dair milltir oddi yno, er enghraifft. Y gweinidog, Gwilym Marles, yn pregethu rhyddid rhag gormes y landlord, sgweier Alltyrodyn, ac yn annog ei braidd i bleidleisio i'r Rhyddfrydwr yn etholiad 1876. Y stiward dialgar wedyn yn troi'r gynulleidfa o'u capel, a nhwythau'n codi'r Tŷ Coed, i'w weld o hyd ar y rhiw rhwng Pren-gwyn a Rhydowen, cyn codi capel mawr hardd, newydd sbon, ryw ganllath i ffwrdd. Mi ddes i ddeall yn union pa mor rymus yr oedd yr hanes yma ym mytholeg yr Undodiaid, i ba raddau roedden nhw'n ei weld e'n cynrychioli craidd eu gwerthoedd nhw. Sut mae cysoni hynny 'te â'r ffaith fod Ynfer yn gryn edmygydd o Margaret Thatcher? Wel, roedd hunanddibyniaeth, ymdrech, a menter hefyd, ym mêr ei esgyrn e; ac yn hynny doedd e ddim yn unigryw ymysg amaethwyr Ceredigion.

Daeth Mair, addfwyn ei hysbryd ond cyndyn-benderfynol hefyd, yn wraig iddo fe o blith teulu Rhiw-lug, Tre-groes, ac yn aelod llawn yng nghapel Bwlch. Un o'n atgofion cyntaf i o fywyd y capel yw ei gweld hi'n annerch fel llywydd y noson mewn cwrdd swllt yn y festri, a finnau'n feirniad. Magon nhw chwech o blant gwydn, streifus, anturus, bywiog-eu-meddyliau a chwbl gadarnhaol eu hagwedd at bob peth. Fe fuon drwy'r Ysgol Sul bob un, yn eiddgar i drafod a chymryd rhan, eu llygaid nhw'n disgleirio, eu bochau nhw'n gochion gan awelon y bryniau, ac ôl gwaith y clôs ar eu dwylo. Cadd Arwel wraig o ardal y Tanglwst, uwchlaw Castellnewydd Emlyn, Lydia, na cherddodd ei gonestach na'i dewrach Ddyffryn Teifi erioed. Daeth ei meibion hithau, Rhodri a Steffan, eu hwynebau nhw'n pefrio o ddidwylledd, yn blant yr Ysgol Sul, wedi'r trallod enbyd o golli'r cyntaf-anedig, Dafydd Ynfer, yn fabi bach.

Er gwaethaf pob dirywiad roedd egni a bwrlwm yn para yng ngweithgareddau'r Undodiaid. Capel y Fadfa oedd yn noddi eisteddfod flynyddol y pentref, a Megan Llain-delyn, er yn byw a gweithio yn Aberystwyth, yn ysgrifennydd ddiflino, ac ysgrifennydd y capel yn ogystal am gyfnod: ffaelu dianc o grafangau pentref ei magwraeth a'i gwerthoedd. Sali Bwlch, un o ferched Rado, a Nans Ffosdeule fyddai'n canu cân y cadeirio am yn ail flwyddyn. Roedd gan Nans lais unigryw, cryf, gwerinol-ddihyfforddiant, ac mi ges yr hyfrydwch o gyd-slyrio carolau â hi droeon yn y Crismas Trî.

Byddai hwyl ar Gymanfa Bwnc, a chapel Soar Llanbed yn rhwydd lawn i'r Gymanfa Ganu. Mi ges innau am gyfnod 'y nhwyllo i arwain rihyrsals, a chael hyfforddiant gan Llinos cyn mynd. Ac o dipyn i beth fe gytunais i weithredu fel pregethwr lleyg, yn bennaf yng nghapeli Undodaidd y Smotyn Du (enw Daniel Rowland mae'n debyg ar gylch yn ymestyn o Lanbed i Landysul ac o Giliau Aeron i Dalgarreg y ffaelodd y Methodistiaid ei dreiddio o gwbl, ond enw yr oedd yr Undodiaid yn ei arddel â balchder): Llwyn Rhydowen, y Graig Llandysul, Pantydefaid, Bron Deifi Llanbed, Rhyd-y-gwin a'r Ciliau, Cwrtnewydd, Cribyn, Capel y Cwm, nad oedd ar ddim un ohonyn nhw enw Beiblaidd. Buodd Llinos a finnau hefyd yn gyfrifol am gynnal nifer o wasanaethau yn y Bwlch.

Dwyf i ddim yn amau na ddaethon ni â rhywbeth newydd i'r gwasanaethau: yr elfen o ryfeddod, dirgelwch, parchedig-ofn a dwyster teimlad a oedd mor bwysig yn y traddodiad yr oedden ni wedi'n magu ynddo; gwerthfawrogiad hefyd o ddyfnder ystyr a rhin di-ben-draw yr hanesion am yr ymgnawdoliad, aberth y groes, yr atgyfodiad, dwyfoldeb Crist a rhyfeddod ei Berson E. Waeth i fi gyfaddef na pheidio, serch bod Undodiaeth wedi agor y drws i fi ddychwelyd i'r capel, yr hyn rwy'n dragwyddol ddiolchgar amdano, i brofiad y gwasanaethau fod, ar hyd y blynyddau, yn beth siom. Truenus, er enghraifft, oedd y *Perlau Moliant* mewn cymhariaeth â barddoniaeth aruthrol *Llyfr Emynau*'r Methodistiaid Calfinaidd. Ac roedd adwaith (cwbl ddealladwy) yr Undodiaid yn erbyn Calfiniaeth a'i phwyslais ar yr aberth waed, eu dyrchafu ar reswm, y gwrthod credu mewn gwyrthiau, wedi achosi, fel y gwelwn i bethau, i hanfod y profiad crefyddol, holl bwynt mynychu gweithred o addoliad, gael ei wanhau bron allan o fodolaeth. Ble roedd y distawrwydd astud, yr ymostyngiad mewn parchedigaeth, yr ymdeimlo â dirgelwch anchwiliadwy bywyd a thragwyddoldeb, y diolchgarwch am fywyd a marwolaeth y Crist yn tonni fyth i'r lan, y gostyngeiddrwydd mawr y gallai hyn oll ei ennyn? I fi roedd yna rywbeth ofnadwy o drist ym methiant, gwrthodiad yn wir, yr Undodiaeth a welais i i ymafael yn yr holl elfennau yna, creiddiol i wir grefydd, eu hailddehongli a'u hailgyflwyno nhw mewn termau trosiadol ar gyfer oes ôl-wyddonol na allai hi ddim llai na'u gwrthod yn nhermau'r hen uniongrededd.

Dyna i chi'r Parch. Elwyn Davies, gweinidog cydwybodol, meddylgar, dysgedig, ymwelydd caredig â'r claf, adeg gwasanaeth bedyddio plant, yn pwysleisio mewn ffordd ddigon diraddiol nad oedd dim byd gwyrthiol yn y dŵr a fyddai'n cael ei daenu ar dalcen y babi bach. Dim byd gwyrthiol mewn dŵr? Y sylwedd rhyfedd o gyfuniad dau nwy sy'n gallu troi'n eira neu'n gesair neu'n iâ caled ar wyneb llyn (serch mai codi i'r top y mae dŵr cynnes yn ei wneud *bron* yn ddieithriad), neu'n ager i ddianc i'r awyr neu yrru peiriant, y'n gwnaed ni i raddau mawr ac y tarddon ni ohono fe, ac y trengen ni hebddo? Mi fyddwn i'n gwingo yn 'yn sêt wrth wrando ar y rhesymoliaeth ddiddychymyg wrthryfeddus yma. Dim byd yn wyrthiol mewn dŵr, wir! Ond fe luniodd Llinos wasanaeth diolchgarwch cyfan amdano, ei ryfeddod, ei brinder megis trysor mewn gwledydd o sychder, a'r modd, o'i roi e i wahanol lefelau mewn potiau jam, i chwarae tôn arno fe.

Haws diffinio Undodiaeth yn nhermau'r hyn nad oedd raid ei gredu nag fel fframwaith i gredo amgen, heblaw wrth gwrs y pwyslais ar ryddid a chyfiawnder a rheswm, nad ydyn nhw yn hanfod y profiad crefyddol, er y dylid yn wir ddadlau eu bod nhw'n ddidwythiadau angenrheidiol ohono fe.

Pan ddechreuon ni fynd i'r Bwlch, doedd yna ddim dathlu ar y Nadolig, dim ond ar ffurf Crismas Trî yr Ysgol Sul: y trimins heb y sylwedd. Roedd y gwagle, dwy'n amau dim, yn tarddu o benderfyniad egwyddorol rywbryd yn y gorffennol, ond fuodd yna ddim gwrthwynebiad, dim ond i ni gynnig y dehongliad trosiadol, i gyflwyno gwasanaeth y geni a dod â holl ddisgleirdeb y carolau a gogoniant y darlleniadau i glustiau a thafodau pobl y Smotyn Du. Caed bachgen doeth Eseia, 'R addewid roed i Adda, Yr Alffa a'r Omega ar lin Mair, Mewn côr ym Methlem Jwda ar lin Mair. Rhown glod i'r mab bychan ar liniau Mair wiwlan, Daeth Duwdod mewn baban i'r byd; Ei ras o derbyniwn, Ei haeddiant cyhoeddwn A throsto Ef gweithiwn i gyd. A gelwir ei enw Ef Rhyfeddol, Cynghorwr, y Duw Cadarn, Tad Tragwyddoldeb, Tywysog Tangnefedd. A chadd Llinos drwydded i draethu ar bwysigrwydd mawrygu'r Forwyn Fair fwy, mae'n debyg, nag a fyddai'n dderbyniol ymysg yr enwadau eraill. Eclectig, myn asen i.

I fi, a oedd wedi profi o anadliad iachusol y plygain cynnar fore'r Nadolig yn Nhabernacl Aberaeron, roedd yr Ŵyl yn boenus o wag heb wasanaeth. Wnes i erioed beth gwell, dyna beth rwy i'n ei feddwl, na chychwyn gwasanaeth undebol am ddeg bob bore Nadolig. Daeth mwy na'r disgwyl i eistedd yn gylch y tro cyntaf yn ystafell fach yr Aelwyd, a phawb yn gwerthfawrogi'r fendith a gawd. Symudwyd i'r Neuadd er mwyn cynnwys y nifer cynyddol. Byddai graen ac ôl paratoi ar y cyfraniadau. Canu'r Magnificat yn bedwar llais. Mrs Davies Pantswllt yn darllen 'Carol y Crefftwr' Iorwerth Peate, Llinos yn darllen 'Y Geni' Waldo,

Ieuan Heddfan yn darllen proffwydoliaeth Eseia, Deri Smith a phartïon o fenywod, hen ac ifanc, yn darllen o'r efengylau, plant yr Ysgolion Sul â'u heitemau, Mererid Reeves (cyfnither Eirwyn a chwaer-yng-nghyfraith Annie Nantygwyddau) yn offrymu gweddi gyhyrog wedi'i pharatoi o'r newydd bob blwyddyn, Cen Llwyd neu Elwyn yn traddodi anerchiad. Gyda hyn mi fentrais innau ar ganu 'Gwêl yr Adeilad' yn unawd, ond job ar y diain oedd hi i gadw i fynd hyd y diwedd.

Galw yn y Tafarn wedyn am ddiod fach, taro heibio i Jane a Gwyneth a Heti yn y bwthyn gyferbyn, cyn cerdded adref, *via* Sycharth a diod fach arall, i roi'r llysiau ar y Rayburn. Melysddwys yr atgof.

Tafarn Glanyrafon. Jane a Gwyneth oedd yn ei gadw e tan i Hefin a'i wraig Megan, un o ŵyresau Bwlch-y-bryn, ei gymryd drosodd a'i ddatblygu e'n ganolfan gymdeithasol ac adloniant cyhoeddus, yn ôl tuedd yr oes. Gwasanaeth cyhoeddus hefyd. Fuon ni erioed yn fynychwyr cyson iawn, ond mae'r difyrrwch, yn ogystal â'r ambell i ddadl boeth, a gawd yna yn rhan o gyfoeth y cof. Gwrando ar atgofion chwedleugar, nid rhydd o ambell i hen, hen sgandal, gan Jane a Gwyneth. Rhannu chwisgïen a ffraethinebau gyda Jac Felin, a Dai Bwthyn, ei fysedd fwy nag un yn brin o ddeg. Finnau rywbryd yn cywiro rhyw gamgymeriad cwbl fwriadol gan Dai. "Wel, dyna beth od yw dyn twp," meddai yntau, a finnau'n teimlo'n rial ffŵl. Y lle'n llawn ambell i nos Sadwrn wedyn, cynhesrwydd cymdeithas lond y lle, a Dewi Nantycwnstabl neu Goronwy Moelifor, cyfeillgarwch a brwdfrydedd yn pelydru o'u hwynebau, yn gwthio un chwisgïen fach arall arnaf i: un ddwbl bob tro pan ddôi hi. Rhyfedd i feddwl i'r ddau yna o bawb, coffa da amdanyn, fynd yn ysglyfaeth i iselder.

Yn ystod tri deg wyth mlynedd trigiant ein teulu ni yn Nhalgarreg, roedd gyda ni ganolfannau disgyrchiant y tu fas i'r ardal. Ymweliadau cyson ag Aberaeron i weld Mam wrth gwrs. A Bow Street, lle'r oedd rhieni Llinos yn byw, a lle y dychwelodd Gwerfyl a Deulwyn ymhen y rhawg o Wrecsam. Fe gawson nhw dri o blant, Lleucu, Rhodri ac Esyllt, gan achub y blaen arnon ni, o ryw gymaint, bob tro. Dywedodd Deulwyn wrtha i mai eu hymweliadau nhw â Chrugeryr a blannodd yn eu meddyliau y syniad o symud o'u byngalo ochr-ffordd i dyddyn hyfryd Felin Gyffin. Fuon nhw ddim yna'n hir cyn i Gwerfyl, ferch loyw-wengar, daer, gellweirus, barod ei hateb, aml-ei-doniau, gael ei tharo gan gyflwr

annedwydd o benysgafnder. Fe gadd gamddiagnosis a derbyn triniaeth a wnaeth
fwy o ddrwg nag o les. Gwaedlif oedd yr aflwydd. Daeth yr alwad ffôn ofnadwy
Nos Galan 1975 yn ein gwysio ni i erchwyn ei gwely hi yn ysbyty Aberystwyth.
Buodd hi farw yna, heb adennill ymwybyddiaeth, yn gynnar fore trannoeth yn 35
oed. Bwlch enbyd, ingol ar ei hôl hi, a golwg wahanol ar fywyd.

Roedd rhieni Llinos yn wahanol iawn i'n rhieni i. Dim ond yn achlysurol
y byddai 'nhad-yng-nghyfraith, Iorwerth Jones, yn mynd i'r capel, ond roedd e'n
selog, â'i lais tenor peraidd, yn yr Ysgol Gân. Fyddai 'mam-yng-nghyfraith, gantores
ragorol yn ei dydd, byth braidd yn tywyllu, fwy na'i mam hithau meddai Llinos.
Ond pethau o'r un cynhysgaeth oedden nhw, pobl alluog, uniawn, egwyddorol,
llawn asbri hefyd, ac yn gofalu bod eu plant yn derbyn yr etifeddiaeth, grefyddol
yn ogystal â diwylliannol. Buodd Eluned Jones farw yn annisgwyl yn 1981 o fewn
ychydig fisoedd i 'mam innau. Ymrodd 'nhad-yng-nghyfraith yn gadarnhaol-
ddirwgnach i barhau ei fywyd, yn ddiwyd-adeiladol. Bu yntau farw yng nghanol
ei ddyletswyddau personol a chymdogol yn 1989.

V Dysgu Saesneg, a Dwyieitheg

Am 30 o'r 38 mlynedd, rhaid oedd mynd i'r ysgol, heblaw pan ddeuai rhyw
storom o eira bendithiol i rwystro. I ddechrau rhaid oedd e, a dim arall. Ond pan
ddaeth y ffarm gydweithredol i ben yn 1966 buodd rhaid rhoi heibio'r rhamantu
am droi'n ffarmwr go-iawn. Tan hynny, digon di-sut oedd 'y nghyfraniad i wedi
bod i lwyddiant Ysgol Emlyn, a fuodd John Tysul Jones, y prifathro dros y pum
mlynedd gyntaf, dyn tra charedig ar y cyfan, ac un yr oedd gydag e feddwl y byd
o'i ysgol a'i ddisgyblion, ddim yn brin o ddweud hynny unwaith neu ddwy, pan
fyddai'r hwyl yn wan. Wedyn, dyma benderfynu mynd ati i wneud llwyddiant o'r
unig alwedigaeth yr oedd gen i gymhwyster yn y byd i'w dilyn hi.

Roeddwn i eisoes, ers dyddiau Pontardawe, wedi dod o dan ddylanwad
syniadau David Holbrook, yn ei lyfrau ysbrydoledig *English for Maturity* a
English for the Rejected, ynghylch seilio dysgu Saesneg i blant o bob lefel gallu ar
lenyddiaeth o'r safon uchaf, a barddoniaeth yn enwedig. Go brin bryd hynny bod
yr ymadrodd 'ysgrifennu creadigol' wedi ennill ei blwyf, ond dyna oedd craidd
dysgeidiaeth Holbrook ar gyfer hyrwyddo llythrennedd gan feithrin hydeimledd,
empathi a gwerthoedd personol a chymdeithasol cadarn ar yr un pryd. Jest y math
o neges roeddwn i eisiau'i chlywed, a finnau'n ymfalchïo yn y ffaith y byddwn

i, mewn Ysgol Fodern ar gyfer y 50 y cant "llai galluog", yn dysgu plant na fyddai, at ei gilydd, yn ymuno â'r allfudiad mawr, ac felly'n cyfrannu rhywfaint at adeiladaeth y gymdeithas yr oeddwn i wedi dod "tua'r Gorllewin" (i arfer ymadrodd diweddarach Emyr Llywelyn) i'w gwasanaethu hi. Dyma archebu felly set o flodeugerddi Holbrook, *Iron, Honey, Gold*. Tua'r un adeg mi ddes ar draws nifer o werslyfrau ('*seminal*' fyddai'r gair ffasiynol i'w disgrifio nhw mae'n debyg) a oedd yn grwpio detholiadau o lenyddiaeth yn ôl thema.

Rwy'n gobeithio nad wy'n swnio'n rhy ddramatig pan ddywedaf i fod hyn wedi bod yn drobwynt yn 'yn hanes i fel athro. Dim rhagor o werslyfrau sych, darnau darllen-a-deall yn arwain at bwyntiau penodol am ramadeg, sillafu, ystyr geiriau ac ymadroddion, digon i ladd diddordeb plant afieithus, anacademaidd-eu-hanian Ysgol Emlyn. Roeddwn i wedi darganfod y dull thematig o ddysgu: tynnu darllen barddoniaeth a rhyddiaith, cyfansoddi creadigol, storïol a thrafodol, a gwaith llafar i batrwm integredig, y naill elfen yn porthi'r llall, gan archwilio'n gynyddol ar yr un pryd blygion y thema yr oedd y detholion wedi'u seilio arni.

Fuodd gen i erioed, fel y gwelais i gan eraill, y ddawn werthfawr honno i ddyfeisio gwersi o 'mhen a 'mhastwn 'yn hunan yn fyrfyfyr. Dim ond deunydd cynlluniedig a allai gynnig achubiaeth i fi heb sôn am ysbrydoliaeth i'r disgyblion. A chwedyn mi dreuliais oriau bob dydd yng ngwyliau haf 1967 (roedd lleian o Ferthyr, y Chwaer Brendan Joseph, yn aros gyda ni i ddysgu Cymraeg ar y pryd), yn mapio allan unedau thematig o wersi i bara rhyw fis yr un, digon ohonyn nhw i bara blwyddyn i bob dosbarth, gan dreial sicrhau eu bod nhw'n adlewyrchu diddordebau a lefel datblygiad y gwahanol oedrannau. Mi es 'nôl i'r ysgol ym mis Medi wedi 'nghyflawn arfogi, a chael am y tro cyntaf 'mod i wrth 'y modd yn dysgu, heb orfod pwslo o hyd, nid heb elfen o banic, am gynnwys y wers nesaf. Roeddwn i wedi archebu rhai gwerslyfrau newydd, ond hefyd wedi tyrchu ymysg hen setiau a oedd yn segur mewn cypyrddau llychlyd, ac wedi darganfod yr ambell gnepyn gwerthfawr yn y rheini. Gosodwyd y cyfan, yr hen a'r newydd, yn bentyrrau cyfleus ar fyrddau yng nghefn y dosbarth a'u dosbarthu ar ddechrau'r gwersi yn ôl y gofyn. Yn sydyn roedd cyfoeth o adnoddau cyffrous yn arlwy amrywiol yn dod gerbron y plant.

Ar yr un pryd mi gychwynnais broses systematig o hyrwyddo darllen unigol wedi'i seilio ar lyfr o ddetholion (gyda thasgau darllen-a-deall) yn y gyfres *Encounters* gan John Watts. Byddai gwaith prosiect yn cael ei osod wedi'i seilio ar y llyfrau darllen unigol. Flynyddau yn ddiweddarach mi welais y math yma o waith yn dod yn un o ofynion y cwrs Saesneg TGAU.

Roedd yr ymateb ymysg y plant yn gyffrous. Roedd y cysylltu a oedd yn cael ei wneud rhwng llenyddiaeth a llythrennedd ar y naill law a byd diddordebau a phrofiadau'r plant ar y llaw arall rywsut yn tapio i mewn idd eu chwilfrydedd naturiol a'u hadnoddau creadigol-ddychmygus nhw. Roedd yr allbwn yn nhermau ysgrifennu creadigol yn bleser i'w weld, dim ond i ddyn werthfawrogi'r dilys a'r diffuant. Un o reolau euraid Holbrook oedd yr angen am farcio (os dyna'r gair) cadarnhaol; canmol y rhinweddau, awgrymu sut i wella ymhellach a pheidio torri calon y plentyn drwy ganolbwyntio parhaus ar wallau. ("Os creffi ar anwireddau Arglwydd, Arglwydd pwy a saif?" meddai rhyw lais o ddwnsiwn y cof.) Serch hynny mi fyddwn yn anghymeradwyo'n gryf atgynhyrchu sothach y teledu, neu lunio anturiaethau ias-a-chyffro ar fodel Enid Blyton neu ffuglen y comics; roedd mwy na digon ym mywydau real y plant o lawenydd, digrifwch, galar, gwrthdaro (enwch chi fe) i gynhyrchu cyfrolau.

Mi ges bartner galluog neilltuol yn y dynesiad yma at ddysgu ym mhennaeth adran y Gymraeg, Eleri Davies, un yr oeddwn i wedi sylwi ar ei chraffter neilltuol yn nosbarth Cymraeg y Coleg ddyddiau gynt. Daeth Eleri â'i holl ddoniau, ei diwydrwydd diarbed a'i disgwyliadau uchel i'r gwaith o gael y gorau allan o blant Ysgol Emlyn. Mi fuon yn cydweithio'n agos ar baratoi cylchgrawn ysgol yn seiliedig ar ysgrifennu creadigol y plant, gwahanol iawn i'r hen *school mag* yr oeddwn i'n cofio amdano yn Aberaeron a Chastell-nedd, ac ar berfformiadau o ddramâu, yn ogystal â rhannu syniadau. Wedi ysbaid ar wahân mi daethon 'nôl at ein gilydd yn Ysgol Dyffryn Teifi a chael cyfnod pellach o gydweithio ffrwythlon. Bydd raid cyfeirio ymhellach at Eric, gŵr Eleri, un o oreuon y ddaear, un a chwaraeodd rôl allweddol yn yr ymgyrch i sefydlu ysgol uwchradd 'ddwyieithog' yn Nyffryn Teifi, ac a ddioddefodd gystudd hir gyda dewrder rhyfeddol, ei droi e'n wir yn fendith i eraill, cyn ei farw annhymig.

Ysgol ragorol oedd Ysgol Emlyn. Os mai gwahanu'r defaid a'r geifr addysgol oedd y syniad y tu ôl i'r rhaniad rhwng Ysgol Fodern ac Ysgol Ramadeg yn 11 oed, doedd dim yn ansawdd yr addysg na difrifoldeb ymroddiad y staff i gadarnhau hynny, a theg yw nodi bod yr ardal pentigilydd yn gwybod hynny'n iawn. Pan es i yna ym Medi 1962, roedd yna dwr o athrawon ifainc yr oedd eu hoffter o'r plant i'w weld yn glir, ar dân i dynnu'r gorau ohonyn nhw, heb rithyn o agwedd nawddoglyd tuag at ddisgyblion "llai galluog" yn agos iddyn nhw. Pe bai agwedd felly'n codi o unrhyw gyfeiriad, buan iawn y byddai'n cael ei gnocio'n ddiseremoni ar ei ben. Rwy mas o gysylltiad â'n hen gyd-weithwyr ers blynyddau ac mae amryw wedi blaenu. Fe fyddai'n beryglus i enwi neb yn benodol (heblaw, efallai, am yr athrawes gerdd eneiniedig Vera John), dim ond cofnodi'r parch mawr sy gen i i fintai o addysgwyr ardderchog. Ymysg pethau eraill fe godon nhw gywilydd arnaf i am i fi erioed weld proffesiwn athro yn rhywbeth i ddianc oddi wrtho.

Y peth mwyaf trawiadol am Ysgol Emlyn efallai oedd y *rapport* hynod rhwng yr athrawon a'r plant. Roedd hwnnw i'w briodoli lawn cymaint i ansawdd y gymdeithas leol bryd hynny ag i ymroddiad yr athrawon. Cymdeithas wreiddiedig oedd hi, y rhwydweithiau teuluol yn gryf a sefydlog, wedi'i thrwytho hefyd (maddeuer y cyfeirio eto fyth at hyn) mewn anghydffurfiaeth ac, mewn rhai llefydd, mewn anglicaniaeth neilltuol o Gymreig. Plant ffermwyr, crefftwyr, gweithwyr ffatrïoedd gwlân a hufenfa'r Castellnewydd, siopwyr a gweithwyr sector cyhoeddus oedd mwyafrif y disgyblion, iach yn eu crwyn, llawn direidi a bywyd, yn barod i ddysgu, wedi'u trwytho rywsut mewn rhyw gwrteisi naturiol, agored. Nid herio awdurdod yr athro oedd y gêm: rywsut, er pob direidi a bywiogrwydd, roedd y plant *o blaid* yr athrawon. Ches i mo'r teimlad yna mewn unrhyw ardal arall.

Er cyfoethoced y profiad o fod yn athro yn Ysgol Emlyn, erbyn ail hanner y saithdegau roedd rhyw gosi yn 'y ngwadnau i, eisiau symud ymlaen. Cryfhau wnaeth yr awydd yna wedi i fi gael y fraint anghyffredin yn 1977–8 o gael blwyddyn sabothol i ddilyn cwrs M.Ed yn Aberystwyth. Mi ges i'n hunan yn aelod o ddosbarth mawr cosmopolitanaidd yn cynnwys myfyrwyr o orllewin a gogledd Affrica, India, India'r Gorllewin, y Dwyrain Canol, Malaysia, Hong Kong ac Iwerddon, yn ogystal â Chymru a Lloegr. Roedd y flwyddyn yn anturiaeth ddeallusol, diwylliannol a chymdeithasol pentigilydd, a finnau'n benderfynol o wneud iawn am bechodau 1956–60. Astudiaethau'r flwyddyn honno a agorodd 'y meddwl i ddealltwriaeth lawnach o natur oddrychol realiti a'r ffordd y mae'n canfyddiadau ni'n cael eu penderfynu gan ddiriaethau cymdeithasol ac economaidd: *The Social Construction of Reality* Berger a Luckman oedd un o lyfrau sylfaenol y cwrs Cymdeithaseg. Ces i'r cyfle i arbenigo yng Nghymdeithaseg Addysg ac yn arbennig y berthynas rhwng hynny ac Iaith, o ran datblygiad addysgol yr unigolyn a pherthynas ieithoedd â'i gilydd mewn cymdeithas ddwyieithog. Daw cyfle i sôn am effaith hyn oll ar 'yn hynt ymgyrchol i yn y bennod nesaf. Roedd yr adran wedi cael ei llywio i'r cyfeiriad yma gan y brenin ei hun, Jac L Williams, ac wedi ennill enw rhyngwladol yn y maes. Ar y pryd roedd Jac L ar ganol ei ymgyrch, gwbl ddiffuant ond camgyfeiriedig, yn erbyn sefydlu sianel deledu Gymraeg. Yn ystod y flwyddyn daeth y newydd trist ei fod e wedi marw yn ddisyfyd ar stesion Casnewydd, yng nghanol ei ddiwydrwydd cenhadol didostur-iddo'i-hunan.

'Nôl i Ysgol Emlyn wedi cwpla'r arholiadau yn haf 1978. Roedd yr ysfa i symud ymlaen yn cynyddu ond am resymau y cawn ni'u trafod nhw ymhellach, doedd dim modd gwneud, er ceisio am sawl swydd. Daeth ymwared o gyfeiriad David Thomas, prifathro grymus Ysgol Gyfun Aberaeron, a'i lywodraethwyr, yn 1980 pan gynigiwyd i fi swydd yn yr adran Saesneg yna, a chael mynd yn athro i blith rhai oedd wedi bod yn athrawon arnaf i: Bill Lewis, Ron Matthews, a Jac Rees wrth gwrs. Roedd hyn yn golygu cam i lawr o fod yn bennaeth adran i fod yn athro cynorthwyol, a gostyngiad cyflog nid ansylweddol, ond roedd e'n gyfle hefyd i ddysgu ar lefel hollol newydd. Llenyddiaeth o'r safon uchaf oedd grym y maes llafur wedi bod yn Ysgol Emlyn, ond dyma gyfle nawr, wrth baratoi i ddysgu Lefel O ac A am y tro cyntaf, i blymio i ddyfnderoedd y mawrion: trasiedïau Shakespeare, *Prelude* Wordsworth, Keats, Donne a'r metaffisegolion, Jane Austen, Conrad, Hardy, ac (hyd yn oed i geidwadwr llenyddol fel fi) ymafael yng ngherddi Ted Hughes, Sylvia Plath ac eraill. Roedd yr holl brofiad yn ddyrchafol, yn rhyw fath o ailenedigaeth feddyliol ac emosiynol. Ac yn gwbl rydd o gyfrifoldebau pennaeth adran.

Roedd David Thomas wedi penderfynu Cymreigio'r ysgol yn drwyadl, a chryfhau dysgu cyfrwng-Cymraeg. Penodwyd nifer o Gymreigwyr brwd i'r staff, yn cynnwys Emyr Llywelyn. "Beth yffarn sy'n mynd 'mlaen lan'na?" meddai Vic Hubbard, un o arwyr 'y mhlentyndod i, colofn ddiysgog yn nhîm ffwtbol Aberaeron, wrtha i ryw noson ym mar y Mynachty, yn fwy cellweirus na dig, "*take-over* 'da'r blydi *welsh nationalists?*"

Ymhen blwyddyn roedd y prifathro wedi cynnig codiad cyflog i fi i gymryd cyfrifoldeb am hyrwyddo dysgu'r Gymraeg yn yr ysgol. Sefydlwyd Cyfadran Cyfrwng Cymraeg i rannu syniadau a chynnig datblygiadau. Trefnwyd cwrs penwythnos yn Llangrannog i ddisgyblion ffrydiau Cymraeg y flwyddyn gyntaf cyn dechrau'r tymor. Roedd brwdfrydedd ac afiaith yn yr awyr. Ac eto, rywsut, roedd dyn yn ymdeimlo â thensiwn a gwrthwynebiad dan yr wyneb, nid yn gymaint ymysg yr athrawon ag o gyfeiriad y disgyblion. Anodd i ddyn roi'i fys arno, ond roedd e i'w glywed yn y gwasanaeth boreol pan fynnai David Thomas gynnal cyfran sylweddol o'r gweithgareddau yn Gymraeg – rhyw islais hyglyw bron ymysg y di-Gymraeg.

Yn anfoddog braidd y cefnais i ar Ysgol Aberaeron yn 1984 i gymryd swydd pennaeth adran Saesneg Ysgol Gyfun Ddwyieithog Dyffryn Teifi, yr oedd yr ymgyrch i'w sefydlu wedi llwyddo o'r diwedd ar ôl deng mlynedd.

Roedd y cyfrifoldeb yn pwyso arnaf i. Y pryder mawr ynghylch yr holl fenter oedd y byddai Saesneg y disgyblion – aelodau o deuluoedd a rhwydweithiau cydnabod Cymraeg, a Chymraeg yn bendant iawn yn iaith gynta'r mwyafrif mawr – yn dioddef drwy fod crynswth eu haddysg yn cael ei gyflwyno yn Gymraeg. Does arnaf i ddim ofn honni i fi roi pob gewyn ar waith i chwalu unrhyw bryderon felly. Cyn dechrau'r tymor cyntaf roeddwn i wedi llunio maes llafur manwl ar gyfer y tair blwyddyn a fyddai'n rhoi cychwyn ar yr ysgol newydd, yn seiliedig ar y dynesiad thematig roeddwn i wedi'i ddatblygu dros y blynyddau, ond gydag amser priodol hefyd i ddrilio sgiliau sylfaenol llythrennedd megis gramadeg, ffurfiant brawddegau a sillafu.

Roeddwn i hefyd wedi sefydlu polisi clir ynghylch defnyddio'r ddwy iaith yng ngwaith yr adran: Saesneg yn ddieithriad ar gyfer gwaith dosbarth-cyfan a grŵp, a Chymraeg yr un mor ddieithriad wrth gyfathrebu â phlant unigol. Roeddwn i'n gweld perygl, heb reol bendant felly, mai'r hyn a ddigwyddai fyddai i'r athro lithro, yn ddiarwybod bron, i'r arfer o esbonio pethau yn Gymraeg i'r plentyn Cymraeg-iaith-gyntaf, ac yn Saesneg i'r lleiafrif cymharol fach o blant Saesneg-iaith-gyntaf a oedd wedi dewis Ysgol Dyffryn Teifi. Y canlyniad: cadarnhau, drwy negeseuon anffurfiol ymddygiad yr athrawon, y carfannu ar sail defnydd iaith a oedd yn dueddiad parod yn y sefyllfa.

Gofynnwyd i fi gymryd cyfrifoldeb am y creadur ffasiynol – a thra phwysig – hwnnw, Iaith ar draws y Cwricwlwm. Yn rhan o'r gwaith yma, yr oedd gen i wir ddiddordeb ynddo, fe drefnwyd cwrs deuddydd i ddisgyblion y flwyddyn gyntaf fel eu profiad cynta'n deg o fywyd yr ysgol. Y theori oedd (a) y byddai ymwybyddiaeth o iaith yn nodwedd o ddisgyblion mewn ysgol fel hon, yn ased pwysig iddyn nhw yn eu datblygiad gwybyddol (a defnyddio'r *jargon* roeddwn i wedi'i godi yn y cwrs M.Ed) a (b) bod angen sefydlu o'r cychwyn cyntaf yr arfer o ddefnyddio Cymraeg yn iaith ymddiddan pawb yn ddiwahân, yn anffurfiol-gymdeithasol yn ogystal ag yn y gwersi. Trafodwyd *rationale* sefydlu Ysgol Dyffryn Teifi, defnyddiwyd hawl-ac-ateb a gwaith grŵp i archwilio dwyieithrwydd ac ymddygiadau ieithyddol, y cyfan mor ddifyr â phosibl. Roedd y plant wrth eu bodd, a byddai'n dda gen i gredu bod yr amcanion wedi'u cyflawni o leiaf i ryw raddau.

Yn nes ymlaen fe ymgymerwyd â menter fwy uchelgeisiol, ar awgrym Wendy Crockett, un o staff y sir, Lerpwdliad yr oedd ei Chymraeg hi'n ddigon o ryfeddod. Am dair wythnos, cadd amserlenni trydedd flwyddyn yr adrannau Cymraeg a Saesneg eu hintegreiddio. Paratowyd cwrs manwl mewn ymwybyddiaeth iaith a phob athro'n cyfrannu deunyddiau. Deunydd ar gydberthynas ieithoedd a phatrymau eu dylanwad ar ei gilydd mewn sefyllfaoedd dwyieithog. Patrymau bri a statws ieithoedd yng nghyd-destun grym gwleidyddol. Disgrifiadau o ddwyieithrwydd ac amlieithrwydd mewn rhanbarthau Ewropeaidd, a gwaith y Biwro Ieithoedd Lleiafrifol. Gwersi ar lenyddiaeth Gymraeg yn Saesneg ac ar lenyddiaeth Saesneg yn Gymraeg: 'Eirlysiau' Waldo yn y wers Saesneg a 'Snowdrops' Leslie Norris yn y wers Gymraeg. Ac yn ystod yr awr ginio, weithgareddau amrywiol ar themâu cysylltiedig: daeth Edith Whitfield a Vi i ddisgrifio'u taith ieithyddol hynod nhw, a'r plant yn gwrando'n gegrwth. Gweithiodd y cyfan fel watsh; profiad addysgol gwirioneddol gofiadwy, a'r bwriad oedd ei atgynhyrchu'n flynyddol.

O fewn yr Adran Saesneg roeddwn i'n awyddus i hyrwyddo ymwybyddiaeth a gwerthfawrogiad o amlrywiaeth ieithyddol y profiad Cymreig. Efallai mai'r uned thematig fwyaf llwyddiannus a ddatblygais i erioed oedd yr un ar lenyddiaeth Saesneg Cymru ar gyfer y bedwaredd flwyddyn fel rhan o'r cwrs TGAU. Cyfle i drafod y profiad diwydiannol a rhesymau dros dwf y Saesneg ar draul y Gymraeg; i archwilio arwriaeth a thrychinebau'r glofeydd a gwrthryfel y mudiad Llafur, drwy farddoniaeth Idris Davies yn arbennig. Astudio manwl ar rai o gerddi Dylan Thomas, gan gynnwys 'Fern Hill'. Camgymeriad mawr, serch hynny, fuodd dewis *Under Milk Wood* yn destun gosod i'r cwrs TGAU; erbyn y diwedd roedd ei sentimentalrwydd nawddoglyd hi, gwaith-o-athrylith neu beidio, wedi troi ar 'yn stumog i. Mentro ar '*Be this Her Memorial*' Caradoc Evans a'i lach didostur ar fywyd yn Rhydlewis, un o bentrefi'r dalgylch. Ac enghraifft o newyddiaduraeth ymchwiliadol dda o'r *Western Mail* ar arbrawf trychinebus Pen-rhys yn ddarn darllen-a-deall.

Ar hyd y blynyddau roedd 'y nallineb rhyfedd ym maes systemau a threfniadaeth (agwedd ar y 'methiant mathemategol') wedi 'nghadw i rhag cynnig am swyddi rheoli, ar wahân i'r tro y teflais i'n hat i'r cylch ar gyfer prifathrawiaeth Bro Myrddin a ffaelu â chael ei gwynt hi. Ond erbyn diwedd yr wythdegau roeddwn i'n dechrau magu hyder a dyma gynnig am swydd dirprwy Ysgol Dyffryn Teifi. Wedi i fi fethu am y drydedd waith (mae hi 'run man i fi gyfaddef) mi lyncais i ful. Gwelodd Llinos hysbyseb am swydd ymchwil yn Adran Addysg Barhaus Oedolion Prifysgol Abertawe, lle'r oedd Heini Gruffudd a phennaeth yr adran Hywel Francis yn gwneud gwaith arloesol. Ymchwilio i batrymau dwyieithrwydd ymysg pobl ifainc yng Ngorllewin Morgannwg a Dwyrain Sir Gâr oedd y pwnc: roedd e fel petai e wedi'i lunio ar 'y nghyfer i. Serch y byddai yna ostyngiad cyflog sylweddol, a dim diogelwch swydd ar ben blwyddyn, dyma benderfynu codi 'mhac o fyd yr ystafell ddosbarth ar ôl 32 o flynyddoedd, a mentro arni.

Erbyn mis Medi 1991 roeddwn i'n eistedd mewn ystafell eang yn Nhŷ Hendrefoelan, a chefnogaeth ysgrifenyddol wrth law, yn esgor ar gynllun ymchwil ac yn treial meistroli dirgeledigaethau rhaglen gyfrifiadurol SBSS. Llwyddais i i restru a lleoli holl ieuenctid 17 oed y cylch a oedd wedi derbyn o leiaf gyfran o'u haddysg uwchradd drwy'r Gymraeg. Lluniwyd holiadur cynhwysfawr iawn i ddiffinio eu cefndiroedd teuluol, addysgol a daearyddol nhw ac i ddarganfod patrymau eu hymddygiad ieithyddol, a'i weinyddu e yn nosbarthiadau chwech a cholegau trydyddol yr ardal. Erbyn gwanwyn 1992 roedd y canlyniadau'n barod i'w bwydo i fola'r cyfrifiadur, ac roedd ail gam yr ymchwil, cyfweliadau mewn dyfnder gyda sampl o 50, yn yr arfaeth. Roedd pethau'n edrych yn weddol olau am ail flwyddyn o gyflog hefyd. Efallai y byddai modd creu gyrfa newydd ym myd dwyieitheg a chynllunio ieithyddol.

Ond roedd yna arfaeth uwch ar waith. Erbyn Mai 1992 roeddwn i wedi cael 'yn ethol yn aelod o senedd y Deyrnas Gyfunol ac wedi 'nghatapwltio i Lundain ac i fywyd syfrdanol o newydd.

DADLAU AC YMGYRCHU: 1962–79

I Y Wladfa

OS BUODD cynllun uchelgeisiol erioed, sefydlu ffarm gydweithredol, neu, a rhoi'i enw swyddogol iddo, Y Wladfa Gydweithredol Gymreig, oedd hwnnw. Pe baech chi am ddeall y weledigaeth, a'r *rationale* y tu ôl iddi, fe allech ddarllen amdanyn nhw (a chaniatáu y llwyddech i chi ddod o hyd i gopïau) yn y cylchgrawn seicosteiliedig *Rhyddid*, rhifyn 5, haf 1963, yn arbennig.

Yn hwnnw dadleuodd y golygydd Hywel ap Dafydd na allai'r mudiad cenedlaethol ddisgwyl ennill "teyrngarwch difrifol nifer fawr o'r cyhoedd" drwy "bregethu damcaniaeth ei ffydd" yn unig. Nid felly, ond trwy ymladd y rhyfel dosbarth, pan oedd hwnnw'n beth byw, yr oedd Llafur wedi'i angori'i hunan yn ymwybyddiaeth y cymoedd diwydiannol. Yr angen oedd i "nifer sylweddol o genedlaetholwyr ennill eu bara beunyddiol a brwydro dros yr achos ar yr un pryd trwy gyflawni eu gwaith". Yn yr ardaloedd gwledig byddai dwy swyddogaeth i brosiect felly: "atal dirywiad y cefn gwlad, ac ailadeiladu 'calondir' y genedl ['y cadarnleoedd' fyddai enw JR Jones yn nes ymlaen] sydd mor angenrheidiol i benderfyniad a hunan-hyder pleidwyr yn yr ardaloedd poblog".

Mewn erthygl arall cyfeiriodd Meic Tucker, un o siaradwyr newydd Caerdydd yr oeddwn i wedi dod ar ei draws e gyntaf yng nghwrs y Cilgwyn a'r eilwaith yn Llangefni yn 1959, at y cyfle oedd 'na, o achos ffactorau economaidd ac esgeulustod llywodraeth, a chan fod "cyfoethogion Canoldir Lloegr yn canolbwyntio ar lan y môr am eu bythynnod haf a'u ffermydd hamdden" i "brynu tai, siopau a ffermydd yn y rhannau diarffordd o Gymru yn weddol rad". Meddianned cenedlaetholwyr nhw felly.

Roedd gen innau erthygl go fanwl ar ffurf adolygiad o *The Other Society*, astudiaeth o fudiad cibwtsim Israel. Dangosais i fod y cibwtsim nid yn unig yn gymunedau wedi'u seilio ar egwyddorion sosialaeth ddemocrataidd ond yn flaengad adeiladu cenedl a gwladwriaeth Israel. (Bryd hynny roedd chwalfa'r Palestiniaid yn anweledig: *Exodus* Loen Uris a *Thieves in the Night* Koestler oedd y tecstiau i'w darllen, ac onid oedd yr Hebraeg wedi'i chodi o farw'n fyw?) Y wers i Gymru? Bod "bywyd cydweithredol yn ymarferol ac yn ddedwydd, ac … y gall bywyd gwledig fod yn eangfrydig yn hytrach na phlwyfol, yn flaengar ac nid yn geidwadol, yn llawn a chyfoethog yn lle'n gyfyng a chlawstroffobig" a bod modd "achub ein hardaloedd gwledig ninnau hefyd, a thrwy hynny … achub ein hiaith rhag difancoll". Mae'r erthygl yn cau gyda gwahoddiad i'r darllenydd. "Meddyliwch am gadwyn – dyweder pump – o wladfeydd cydweithredol mewn gwahanol rannau o Gymru, y rheini'n trafod eu busnes a'u gwaith yn Gymraeg, yn ymarfer eu cenedlaetholdeb, yn byw fel Cymry, yn gweithredu fel canolfannau i genedlaetholwyr ac i garwyr diwylliant. Meddyliwch mewn difri, ac ystyriwch y dylanwad gaen'hw".

Gweithred radical-feiddgar felly oedd dychwelyd o'r de-ddwyrain diwydiannol i gefn gwlad; neu felly y mynnwn i gredu. Mi fuaswn i wedi ffromi pe bai rhywun wedi awgrymu ar y pryd mai chwilio roedden ni am ddiogelwch yng nghroth hen ffordd o fyw yn lle cyfwynebu'r trawsnewidiadau yr oedd Gŵyl Prydain ddeng mlynedd ynghynt wedi eu cyhoeddi nhw. Roedden ni *yn* mynd yn groes hollol i lif ffasiwn ein cyfoeswyr trwy wrthod ymuno â'r ecsodus meritocrataidd mawr. Ond mae hi 'run man i fi gydnabod hefyd fod yna ryw elfen o ffoi i Arcadia 'mhlentyndod ar ffermydd Brycheiniog yn y peth.

Fe greodd yr arbrawf beth diddordeb ymysg cenedlaetholwyr, a byddai cyfeillion a chydnabod yn dod yco i ddangos diddordeb a chefnogaeth: Dave Pritchard er enghraifft a Chris Rees; Gareth Miles a Sionyn Daniel wrth gwrs; a daeth Harri Webb a Keidrych Rhys, neb llai, yn ei sgil i barti twymo'r tŷ. Mi ddechreuon ni ricriwtio hyd yn oed: y cyfrifydd ifanc galluog o Gaerdydd, Tony Lewis, am gyfnod, ac wedyn Deri a Petsy Smith o Abertyleri a setlodd yn barhaol yn Nhalgarreg. Daeth dwy wraig hefyd: Llinos yn syth bron o'r Coleg, ac Almut yn wraig i Hywel, a chanddi gefndir ym mudiad Rudolf Steiner. Pan ddirwynwyd yr antur i ben ymhen tair blynedd, am resymau cwbl ymarferol y gwnaed hynny. Y ffaith oedd nad oedd gan na Hywel na fi mo'r medrau i wneud llwyddiant masnachol o ffarmio, nac o ran hynny y parodrwydd i ganolbwyntio'n ddigon llwyr ar faes mor eang ei ofynion i gaffael y medrau hynny. Mi aethon bawb i'w ffordd ei hun.

Ac eto rodden ni'n rhyw fath o ragredegwyr. Ymhen fawr o dro byddai "dropio mas" a hipïaeth yn estyn eu cortynnau lliwgar ac anniben i gyfeiriad Cymru wledig, a serch pob cyhuddiad o ddiletantiaeth ac anghonfensiynoldeb difeddwl y gellid yn deg eu dwyn yn erbyn y symudiad hwnnw, buasai bywyd Cymru dros yr hanner canrif diwethaf, yn wleidyddol, yn gymdeithasol, yn ddiwylliannol, ac yn economaidd hefyd, wedi bod beth wmbredd yn dlotach hebddo fe. Onid ffrwyth o'r gangen honno er enghraifft yw Canolfan Technoleg Amgen Pantyperthog a'i sgil-fentrau ym myd ynni adnewyddol sydd eisoes yn dwyn bendithion, ac a ddaw â mwy eto, i economi cefn gwlad?

A chyn hir iawn byddai'r holl symudiad "tua'r Gorllewin" ymysg cenedlaetholwyr yn esgor ar ganlyniadau adeiladol pellgyrhaeddol eu heffeithiau. Mudiad y cymdeithasau tai, er enghraifft, yng Ngwynedd, Clwyd a Dyfed. Twf gweisg cyhoeddi megis y Lolfa. Mentrau busnes diwylliannol megis Sain a'r diwydiant teledu yng Ngwynedd. Efallai, efallai i'r sylw a roddwyd i'r Wladfa Gydweithredol Gymreig ysgogi rhai a chanddyn nhw fedrau busnes ac ymroddiad ymarferol fwy nag a oedd gan yr wtopiaid yn Nhalgarreg.

Rwy'n gwybod i Jac Rees, a oedd yn ddigon diamynedd â fi am wastraffu'n amser ar esgus ffarmio, gael 'i danio i'n hamddiffyn ni pan esgorodd colofnydd polemaidd y *Western Mail*, y *Junior Member for Treorchy*, ar un o'r darnau mwyaf bustlaidd-ddadlennol a luniodd e erioed. Yn ei watwarddarn ar yr *"all-Welsh Cardi kibbutz"* fe lwyddodd i gynnwys ymosodiad ar reol Gymraeg yr Eisteddfod, collfarn ar y bwriad i fagu'n plant mewn cymuned uniaith Gymraeg, cyhuddiad o anghysondeb yn 'yn erbyn i am ennill 'y nhamaid drwy fod yn athro Saesneg (doedd e ddim yn unigryw yn hyn), a phwysleisio cymaint oedd dibyniaeth Ceredigion ar garedigrwydd trethdalwyr Lloegr. Gwell peidio treial cyfieithu'i berorasiwn: *"Who is for the all-Welsh kibbutz, free from the tyranny of England? Not me for one. I love England and the English and her language. But I would not love her half so well, loved I not Cymru more."* Un o leisiau nodweddiadol y cyfnod.

II Rhwystredigaeth ac Ymrafael

Doedd agor ffrynt y Wladfa ddim yn golygu cefnu ar y Blaid. Mi gychwynnon gangen yn Nhalgarreg, a thrwy'r cyfnod yma bues i'n mynychu'r cynadleddau a'r ysgolion haf. Cyn troi at Bontarddulais (1962) byddai'n werth crybwyll tair arall.

Yn Llangollen (1961) y rhoddwyd y farwol i unrhyw ymdrech i droi'r Blaid tuag at weithredu anghyfreithlon, gyda'r cyn-weriniaethwr huawdl Harri Webb, yn groes i'r disgwyl, yn dadlau dros ganolbwyntio ar y brif ffrwd etholiadol. Yn un o dafarnau Llangollen, yng nghanol sesiwn ganu, y gwelais i Phil Williams gyntaf, ei wyneb e'n tywynnu brwdfrydedd, wedi darganfod ohono ei gartref gwleidyddol newydd. Fan'ny hefyd y bues i'n gwrando gyntaf ar yr anfarwol Ddafydd Orwig, yn pwyso ar fynychwyr Ysgol Haf yr ifainc, yn Saesneg, i symud y Blaid ymlaen *fel plaid wleidyddol.*

Yn Abergwaun (1964) cawd sioc y degawd drwy i Chris Rees drechu etifedd tybiedig Gwynfor, Elystan Morgan, am yr is-lywyddiaeth. Flwyddyn wedyn yn Ysgol Haf Machylleth daeth y newydd fod Elystan yn ymuno â'r Blaid Lafur ac y dôi e'n ymgeisydd yng Ngheredigion. Mae modd gweld hynny nawr fel gweithred ddewr gan wir wleidydd, a wir, roedd Elystan wedi esbonio'r cyfiawnhad i fi ymlaen llaw yng nghegin Hafan, cartref Llinos, ryw noswaith, oddeutu'r adeg y daeth ei frawd Deulwyn a finnau'n frodyr-yng-nghyfraith. Ond ar y pryd roeddwn i'n ddall i ddehongliad felly: uchelgais noeth oedd e yng ngolwg 'yn siort i. Buodd Chris Rees yn aruthrol o ddylanwadol yn nes ymlaen, fel cyfarwyddydd polisi'r Blaid ac fel un o ddatblygwyr ffurfiannol mudiad Cymraeg i Oedolion. Buodd e hefyd yn gyfaill cynnes-amyneddgar ond diflewyn-ar-dafod i fi. Rwy'n ei gofio fe'n cydio yn 'y mraich ar y stryd adeg Cynhadledd Dolgellau, a finnau newydd wneud sylw diraddiol ar ryw araith neu'i gilydd: "Cynog, mae'n hen bryd i ti gael gwared ar yr hen negyddolder yma!" Doedd gen i ddim ateb.

Ond 'nôl â ni i Bontarddulais. Roedd rhwystredigaeth a chynnen lond y lle. Safodd Wynne Samuel yn erbyn Gwynfor yn etholiad y llywyddiaeth a chael pleidlais gref. Roedd Peter Hourahane mewn hwyliau pigog-feirniadol; ymhen ychydig dros flwyddyn fe fyddai wedi ymddiswyddo o'r Pwyllgor Gwaith mewn diflastod a mynd ymlaen wedyn gyda meddylwyr pragmataidd galluog megis Roderick Evans i sefydlu Grŵp Cathays a chynhyrchu nifer o rifynnau o'r cylchgrawn *Devolution Wales.* Cawd dadl ddigon diffrwyth am ymgyrchu dros statws i'r Gymraeg, a rhywun yn awgrymu nad oedd angen llyfrau siec Cymraeg, y byddai siec, wedi'i geirio'n gywir, mewn llawysgrifen yn ddilys. Sôn am fisio'r pwynt!

Roedd hi'n bryd ffeindio gwell ffordd o roi agenda *Tynged yr Iaith* Saunders Lewis ar waith. Yn nosbarth Saesneg ysgol nos Pontardawe roeddwn i wedi clywed y ddarlith, yn rhyfedd ddigon. Trefnu bod estyniad o'r radio i uchelseinydd yn yr ystafell, a'r dosbarth cyfan yn colli gwers Saesneg er mwyn gwrando ar lais yr arweinydd coll yn deisyf ar genedlaetholwyr i ddilyn esiampl Eileen a Trefor Beasley, gan wneud ymgyrchu dros y Gymraeg a'i statws yn brif dasg y mudiad cenedlaethol.

Gareth Miles a John Bwlch-llan oedd ysgogwyr y cyfarfod, mewn ystafell ddosbarth ym mhen draw rhyw goridor, a gytunodd i sefydlu Cymdeithas yr Iaith Gymraeg, mudiad y byddai gweithredu torcyfraith yn arf angenrheidiol iddo. Achub yr iaith trwy drawsnewid ei statws mewn cymdeithas oedd y nod echblyg, wrth gwrs ond, lawn cymaint â hynny, wneud yr iaith yn arf gwleidyddol a rhoi rheswm dros chwistrellu tipyn o arwriaeth i fudiad a oedd, yng ngolwg rhai o'r ieuenctid, yn prysur fynd yn rhy barchus (a defnyddio'r gair yn gollfarnus fel y byddai Eirwyn Pont-siân yn ei wneud) o'r hanner.

Ond yr achlysur a wnaeth argraff annileadwy arnaf i oedd darlith yr Athro JR Jones, na wydden i cyn hynny am ei fodolaeth e, ar *Gristnogaeth a Chenedlaetholdeb*. O bulpud capel yr oedd e'n traethu, a Gareth Miles a finnau'n eistedd yn y galeri gyferbyn. Y llygaid llym-dreiddgar, osgo hollol *engagé* y corff esgyrnog ac ystum mynegiannol y breichiau. Y cyfuniad thriling o ddull rhesymu athronyddol a thanbeidrwydd yr argyhoeddiad; cyhyrau nerthol yr iaith.

Datganiad agoriadol apocalyptaidd ei naws: "Y mae cenedligrwydd y Cymry mewn dygn berygl ... math o ddadfeiliad yn digwydd yng Nghymru, megis oddi tan y dirywiad diwylliannol a moesol sy'n gyffredin i Brydain a'r Gorllewin oll". Dyma'r awdur a fyddai'n traethu o fewn y flwyddyn ar 'Yr Argyfwng Gwacter Ystyr' ar sail athroniaeth y diwinydd Protestannaidd Paul Tillich. Yr hyn oedd yn wynebu'r Cymry meddai fe, yn sgil erydu eu hunaniaeth, oedd cael eu gadael "yn fath o haid anghenedl ac anwreiddiedig ... ar drugaredd y duedd a fydd yn nodweddu hanner olaf yr ugeinfed ganrif yn y gwledydd gwâr, sef cwymp haenau o'r boblogaeth yn ôl i anwareidd-dra".

Yr ymresymiad yn dilyn. Chwalu yn gyntaf y ffalasi arwynebol bod pwyslais Cristnogaeth (a Sosialaeth hefyd) ar undod teulu dyn rywfodd yn ymhlygu "condemniad ar y pethau sy'n gwahanu dynion yn genedligol ... dileu canolfuriau'r gwahanrwydd hwn a thoddi dynion mewn i gymdeithas unffurf fydeang". Rhybudd angerddol wedyn rhag "y genedlaetholdeb na ddyry mo ddyn, yn hytrach na'r genedl, yn sylfaen rhestr ei gwerthoedd" a rhag credu am foment fod a wnelo hil a gwaedoliaeth ddim â'r sylwedd cenedligol i'r graddau lleiaf. "Myth annynol ac annuwiol" oedd hwnnw; moesol a diwylliannol yn hytrach oedd sylwedd y gwahanrwydd cenedligol.

Yna'r ddadl, ar sail Tillich, bod ymryddhau'r unigolyn o gaethiwed cymdeithas ormesol-gydymffurfiol i'w alluogi e i ymffurfio'n *bersonoliaeth* (proses yr oedd yn rhaid ei chroesawu hi) wedi arwain erbyn hyn at sefyllfa dorfol yn yr hon yr oedd dyn yn mynd yn ysglyfaeth i unffurfiaeth newydd oedd yn dinistrio'i wir ymreolaeth fel unigolyn.

Er mwyn bod yn wirioneddol rydd, rhaid i ddyn ailddarganfod ei wreiddiau mewn "bychanfyd organaidd" yr oedd iddo fe fodolaeth "oesol". Y sialens yng Nghymru felly oedd "ymchwelyd i'n bychanfyd oesol ni, bychanfyd y genedl Gymreig ... nid mewn ysbryd ffoi rhag enbydrwydd rhyddid" (roedd dyn wedi dod bellach "megis i'w gyflawn oed", a da hynny), ond er mwyn i'r bersonoliaeth rydd greadigol flodeuo mewn gwirionedd yn hytrach na chael ei rhwydo i gaethiwed newydd mewn byd lle'r oedd unffurfiaeth a safoneiddiad wedi disodli gwir gymdeithas.

Ac i gloi, proffwydoliaeth Eseciel am yr esgyrn sychion: Duw yn eu codi o'u beddau fel "y byddoch byw ac y gosodaf chwi yn eich tir eich hun".

Peidiwch â disgwyl i fi ddyfarnu ar ddilysrwydd rhesymu angerddol JR nac i ba raddau y mae e'n berthnasol o gwbl i'n cyfnod ni. Yn hytrach, fe gewch ddychmygu'r effaith ar un pensyfrdan o leiaf o'r ddau oedd yn eistedd yn y galeri. Roeddwn i'n clywed adleisiau o bob man, a sibrydion yn 'y nghlust oddi wrth Aldous Huxley ac awdur *The Rise of the Meritocracy*, ill dau lawn mor apocalyptaidd.

Yr hyn yr oedden ni'n dyst iddo oedd datganiad gan intelect pwerus a phersonoliaeth angerddol o integriti llwyr, ei fod e'n bwrw'i goelbren o hyn ymlaen dros y mudiad cenedlaethol. Ar Gymdeithas yr Iaith, y mudiad a anwyd o fewn yr un ychydig ddyddiau, yn hytrach nag ar y Blaid, y cadd diagnosis a phrognosis JR eu dylanwad. Fe fyddai'n addasu'i bwyslais ar "y sylwedd diwylliannol" mewn areithiau diweddarach, sawl un ohonyn nhw dan nawdd y Gymdeithas, drwy ei gysylltu â'r iaith Gymraeg fel elfen gwbl hanfodol yn hunaniaeth y Cymry. Yn fwy hyd yn oed na Saunders Lewis, fe greodd sail athronyddol cyfiawnhaol i weithgareddau'r Gymdeithas, gan chwistrellu i feddyliau ei haelodau y syniad bod y prosiect roedden nhw'n ymrwymo iddo yn un o arwyddocâd moesol enfawr. Unwaith neu ddwy, ar faes yr Eisteddfod fel rwy'n cofio, mi fynegais iddo fe 'yn amheuon, serch 'y nghydsyniad i â grym ei ddadl, a ddylid uniaethu hunaniaeth genedlaethol Cymru mor llwyr a chyfan gwbl â'r iaith Gymraeg. Fe fyddai bob amser yn amyneddgar-fonheddig, ond roedd ei argyhoeddiad ar hyn yn ddi-syfl, a chredai mai ofer fyddai ceisio adeiladu prosiect gwleidyddol i genedlaetholdeb Cymru heb i'r iaith fod yn y canol, ac ysgogi'r 'ewyllys i wahanu' heb gryfhau 'yr ewyllys i barhau'. Serch hynny, roedd e'n ymglywed yn gryf â chwestiwn hunaniaeth y di-Gymraeg, ac mae'i araith *A Raid i'r Iaith ein Gwahanu?*, ymateb i apêl Aneirin Talfan yn Eisteddfod Aber-afan am ddialog rhwng y Cymry Cymraeg a'r Cymry di-Gymraeg, yn tystio i hynny.

Wedi fflyri cychwynnol o weithredoedd torcyfraith gan y Gymdeithas, megis pont Trefechan, y ces i'n rhwystro rhag bod yn rhan ohonyn nhw gan gaethiwed ffarmio, fe sefydlwyd Comisiwn David Hughes-Parry ar statws swyddogol yr Iaith Gymraeg, a chyhoeddodd y Gymdeithas gadoediad. Ystyr hyn oedd bod yr ysgrifenyddion, John Davies a Tedi Millward, a'r cadeirydd Sion Daniel yn bwrw ymlaen â'r dasg ddi-ddiolch o bwyso am gonsesiynau mewn statws swyddogol, a bod Owen Owen wedi creu cangen fywiog ym Mangor. Doedd yna fawr ddim i'r rhengoedd i'w wneud.

Roeddwn i'n dal o blaid rhoi cyfle i strategaeth etholiadol y Blaid weithio. Pan safodd Gareth Evans yr ail waith yng Ngheredigion, cymrodd Llinos swydd trefnydd yr ymgyrch yn ne'r sir. Clymwyd corn siarad wrth y Morris 1000 a threuliwyd tair wythnos yn cwrso'n ddi-drefn braidd o bentref i bentref; yr un peth y cawd trefn berffaith arno oedd y cyfarfodydd cyhoeddus, tri bob nos, ymhob twll-a-chornel, yn ôl arfer y cyfnod, a finnau'n annerch yn ambell un tra'n bod ni'n disgwyl yr ymgeisydd. Un peth y gellid ei ddweud am siaradwyr y Blaid, meddai'r henwr mwyn oedd yn cadeirio'r cyfarfod yn y Gors-goch, oedd nad oedden ni wedi treial tynnu neb arall lawr. Pan ofynnais i gwestiwn i Roderick Bowen yn Neuadd Talgarreg am leihau allfudiad yr ifainc o Geredigion fe ddywedodd wrthaf i bod eisiau i Blaid Cymru benderfynu p'un a oedd hi am ddefnyddio'r "*ballot-box* neu'r bom".

A ninnau yn yr oes gyn-seffolegol honno'n disgwyl rhyw 5,000 o bleidleisiau, nid bach oedd y siom pan welwyd y canran yn gostwng o 12.8 y cant 1959 i 10.9 y cant. Roedd y dolur yn waeth gan fod Llafur, gyda'u hymgeisydd deinamig, ffarmwr blaengar Panteryrod, Llwyncelyn, DJ Davies, wedi codi'r bleidlais i 31 y cant. (Hwnnw glywais i yn un o gyfarfodydd cefnogi Elystan yn 1966, a Jim Griffiths yn bresennol yn balchïo yng ngwaith Llywodraeth Lafur 1945 yn sefydlu'r "*worker state*").

Erbyn 1964 roeddwn i wedi dod yn aelod o Bwyllgor Gwaith y Blaid, corff anhylaw o fawr bryd hynny. Yng nghyfarfod mis Tachwedd digwyddodd dau beth cofiadwy.

Cyflwynodd Emrys Roberts ddadansoddiad manwl o ganlyniadau'r etholiad. Diflas oedd y darlun. Roedd y ganran genedlaethol o'r bleidlais wedi gostwng o 5.2 y cant (mewn 20 sedd) yn 1959 i 4.8 y cant (mewn 23 sedd) yn 1964. Mewn pedair etholaeth yn unig yr oedd cynnydd wedi digwydd: Caerffili, Caerfyrddin, Conwy a Dinbych. Roedd gostyngiadau sylweddol mewn seddi megis Môn, Llanelli a Meirion (lle roedd Elystan wedi sefyll).

Wrth edrych ar y darlun ymlaen llaw, roeddwn i a John Bwlch-llan, a fyddai'n galw yn go fynych ar nos Sul yng Nghrugeryr, wedi penderfynu na ellid caniatáu i'r Blaid gladdu'i phen yn y tywod pan (maddeuer y trosiadau cymysg) oedd y 'sgrifen yn eglur ar y mur: roedd y strategaeth etholiadol, ar hyn o bryd beth bynnag, yn arwain y mudiad cenedlaethol i'r gors. Roedd ein cynnig ni o flaen y Pwyllgor Gwaith, yn galw am "ymchwiliad manwl a thrylwyr (ar sawl achlysur tybed yr ysgrifennais i'r geiriau yna?) i'r posibilrwydd o ymladd dros senedd i Gymru mewn dulliau ar wahân i etholiadau seneddol". Petai'r ymchwiliad yn dangos y gallai dulliau felly ddwyn ffrwyth roedden ni'n credu "y dylai'r Blaid ymwrthod ag ymladd etholiadau seneddol am gyfnod amhenodedig, hyd nes y bo sefyllfa yn datblygu pan fyddai eu hymladd yn fuddiol".

Os teimlwch chi fod yna rywbeth enbyd o amaturaidd ynghylch y cynnig yna, ystyriwch nifer o ffeithiau. Cadd y cynnig gefnogaeth, nid y criw mewnol o ffrindiau yn unig, ond gwŷr a thipyn o bwysau ynddyn nhw fel Illtyd Lewis, Peter Hourahane a Roderick Evans, HB Richards (un o arweinwyr y Blaid yng

Nghaerffili), T Llew Jones, ac ysgrifennydd Pwyllgor Rhanbarth Ceredigion, Tegwyn Jones. Mae ei fywgraffydd yn cofnodi i Islwyn Ffowc Elis ddatgan wrth Gwynfor yn y cyfnod yma na allai fe fod yn weithgar yn y Blaid tra'i bod hi'n seilio'i gobeithion ar ymladd etholiadau seneddol. Ar fwy nag un achlysur byddai Phil Williams (ond nid yn 1964) yn dadlau dros i'r Blaid ganolbwyntio ar ennill grym ar gynghorau lleol. Strategaeth y Blaid yn ei blynyddau cyntaf oedd ymwrthod ag etholiadau San Steffan, ac roedd Saunders Lewis erbyn y chwedegau yn argyhoeddedig mai gwastraff amser oedd dal ati ar y llwybr presennol.

Dwyf i ddim yn cofio i neb heblaw fi siarad o blaid y cynnig. Awgrymodd DJ Willams nad oedd hi'n beth rhyfedd i'r Blaid ffaelu cynyddu yng Ngheredigion os mai taclau fel fi oedd wrth y llyw, a dadleuodd Gareth Evans yn nodweddiadol dreiddgar a blynt na allech chi ddim rhoi plaid wleidyddol mewn *moth-balls*. Cadd y cynnig ei wrthod yn rhwydd a phenderfynais i, er i Harri Webb bwyso arnaf i yn y bar cefn wedi'r cyfarfod i beidio ymddiswyddo, na fyddwn i mwyach yn weithgar yn y Blaid.

Ond yr ail ddigwyddiad cofiadwy oedd yr un pwysicaf o ddigon. Cadd Emrys Roberts, un o dalentau disgleiriaf y Blaid yn ei holl hanes, a gwas cyflog cwbl ymroddedig, y sac. Cyfeiriwyd at y ffaith fod Emrys wedi datgan cyn yr etholiad ei fwriad i sefyll i lawr wedyn, ond bwriad Emrys, wrth gwrs, oedd cael amser i chwilio am swydd amgen, nid ei daflu'i hunan ar y clwt y funud yr oedd yr etholiad drosodd. Cadd dadl fwy drygsawrus o'r hanner ei chyflwyno: roedd Emrys wedi cyrraedd y papurau Sul trwy'i fod wedi ymadael â'i wraig a mynd i berthynas â gwraig briod, hithau'n aelod o'r Blaid. Gallai peth felly, meddid, wneud niwed mawr i enw da'r Blaid, ag Emrys yn aelod cyflogedig ac amlwg o'r staff. Wn i ddim a fues i mewn trafodaeth fwy gwenwynig erioed, ac Emrys yn eistedd yn y ffrynt yn dweud fawr ddim. Roedd hi'n ymddangos i fi bod pob math o gyllyll yn cael eu hogi. Cyfarfod salw oedd e ac fe gadd yr arweinyddiaeth ei ffordd.

Y gwir reswm wrth gwrs oedd y gred bod Emrys yn rhan o gynllwyn yn erbyn arweinyddiaeth Gwynfor. Wn i, wydden i, ddim byd am y mashinesions, ond beth sy'n ddigon clir yw bod Emrys yn dra beirniadol o gyfeiriad y Blaid ac o arweinyddiaeth Gwynfor. Mi allwn i weld hyn yn gwbl glir o'r hyn a ymddangosodd yng nghylchgrawn *New Nation, Cilmeri,* y daeth nifer o rifynnau ohono o'r wasg yn 1965–6. Ar y wyneb roedd e'n hybrid go ryfedd: y golygydd

John Legonna yn tueddu at rethreg ac eiconograffeg cenedlaetholdeb rhamantaidd (yr hyn a ddisgrifiais i mewn llythyr ato fel 'smoneth', gair a heuodd e ar draws ac ar led y rhifyn nesaf), ond roedd Datganiad Cilmeri (Rhagfyr 1964) yn mynnu mai cenedlaetholwyr o welediad cynyddgar a chadarnhaol oedden nhw. Roedd yr agenda weithredol yn cyfiawnhau'r honiad.

Roedd y critîc ar y *status quo* yn un llym. Roedd y Blaid yn ôl Ray Smith mewn cyflwr truenus, yn dioddef o "geidwadaeth gul", yn gaeth i "gors o sentiment y 19eg ganrif y mae cynifer o'i hagweddau hi'n tarddu ohoni". Cyhuddodd Emrys y Blaid o daflu pob cyfrifoldeb, yn gyfleus iawn, ar y Llywydd, a oedd yn amharod i wrando ar safbwyntiau gwahanol ac wedi'i amgylchynu gan ymgynghorwyr o dueddfryd academaidd a "bagad brith o sycoffantiaid sydd naill ai mas o gysylltiad â, neu na allai boeni llai am, feddwl cyfoes yng Nghymru". Mynegi sentiment yn hytrach nag ewyllys genedlaethol yr oedd y Blaid wedi'i wneud. Gwlad ranedig oedd Cymru, meddai Emrys, ac roedd pwerau gwladwriaeth yn rhagamod ei hundod cenedlaethol. Rhaid edrych i Gymru'r dyfodol, a rhaid i honno fod yn "genedl newydd sy'n uno ei holl elfennau amrywiol a'u hasio nhw at ei gilydd gydag ymdeimlad o dynged genedlaethol". Arwydd clir o fethdaliad syniadol y Blaid oedd ei hadwaith i'r cynnig i sefydlu tref newydd yn y canolbarth, yr oedd y Llywydd wedi mygu ymdrech i gyflwyno "tipyn o awyr iach a realiaeth i'r ddadl" yn ei gylch. Tra'n derbyn rheidrwydd gwrthwynebu gorlif o ganolbarth Lloegr, "ddylen ni ddim mynd i'r eithaf hurt o wrthwynebu tref newydd yn gyfangwbl".

Yn ogystal â thrawsnewid gweledigaeth y Blaid roedd *New Nation* am chwyldroi'i threfniadaeth, ac roedd tanseilio tra-awdurdod y Llywydd, yn rhannol trwy greu swydd Cadeirydd, yn bwysig yn hynny. Roedd y Phil Williams ifanc wedi cael ei dynnu mewn i'r grŵp, ac mewn un rhifyn o *Cilmeri*, fe ddisgrifiodd ei syniadau am sut y gallai'r Blaid "gynhyrfu (*agitate*), addysgu a threfnu". Roedd angen "aildrefnu'r Blaid yn llwyr", meddai, ond pan fydden ni "o'r diwedd yn sylweddoli'n dichonoldeb llawn, allai dim byd ein hatal ni". Roedd y grŵp yn cydnabod i 'sefydliad' y Blaid gytuno i beth ad-drefnu (i gyd o ganlyniad i gyhoeddi *Cilmeri*), ond os mai'r cyfan oedd hyn oedd "ychydig o dricyddiaeth i'w cadw'u hunain yn eu swyddi, byddai gystal iddyn nhw watsio'u hunain; fyddai'r Blaid ddim yn fodlon stumogi rhyw chwarae felly â thynged y genedl lawer yn rhagor".

Ymddangosodd rhifyn olaf *Cilmeri* ym Mehefin 1966. Roedd etholiad mis Mawrth wedi cadarnhau bod y rhagolygon yn dywyll: canran genedlaethol pleidlais y Blaid wedi gostwng ymhellach, o 4.8 y cant i 4.3 y cant.

Tua chwech o'r gloch y nos ar Orffennaf 13, roeddwn i ar ganol godro ym meudy Crugeryr Uchaf pan ymddangosodd Sionyn Daniel yn y drws, ei ben wedi'i blygu er mwyn dod dan y gronglwyd. A ddown i gydag e i Gaerfyrddin i glywed cyhoeddi canlyniad yr isetholiad yna? Roedd e wedi clywed y gallai fod rhywbeth go ddramatig ar fin digwydd. Na ddown, meddwn i, roeddwn i wedi cael 'yn siomi'n rhy aml i gredu'r amhosibl eto. A chwedyn doeddwn i ddim ar sgwâr Caerfyrddin pan enillodd Gwynfor yn rhwydd, gan adael yr ymgeisydd Llafur, y cyn-weriniaethwr Gwilym Prys Davies, yn ail, a newid popeth.

III Cymdeithas yr Iaith: cyffro, a rhagor o ymrafael

Yn y cyfamser roeddwn i wedi newid cyfeiriad. Awd o gynhadledd ddigalon Machynlleth (1965) i'r Eisteddfod yn y Drenewydd, lle byddai cyfarfod blynyddol Cymdeithas yr Iaith yn cael ei gynnal. Roedd 'na deimlad cryf fod y cadoediad i ddisgwyl adroddiad David Hughes Parry wedi para'n rhy hir, os nad oedd e'n wir yn gamgymeriad yn y lle cyntaf, a bod angen gwthiad o'r newydd i'r Gymdeithas. Ar y maes gofynnodd Geraint Jones, Trefor ('Twm'), yr oeddwn i wedi dod i edmygu'i genedlgarwch digymrodedd e yn ystod cyfnod Aber, a gymrwn i'n enwebu'n gadeirydd. Yr hyn y cytunais i ei wneud oedd bod yn gadeirydd ar y Pwyllgor Canol yr oedd sôn am ei greu, a fyddai'n ffurfio arweinyddiaeth gasgliadol ac yn trefnu ymgyrchoedd. Roedd a wnelo'r amod fwy â chilio oddi wrth gyfrifoldeb na syniadau'r chwedegau am ddemocratiaeth. Hynny a fuodd.

Dechreuodd y Pwyllgor Canol gwrdd yn fisol, yn amlach na pheidio yng nghegin orau Crugeryr Uchaf. Yn ddiymdroi penderfynwyd terfynu'r cadoediad. Sut i weithredu? Roedd y model ar gael ar draws yr Iwerydd yn ymgyrchoedd duon yr Unol Daleithiau dan arweinyddiaeth y gweinidog anghydffurfiol hwnnw, disgybl Ghandi yn y dull di-drais, Martin Luther King. *Sit-in*, neu 'feddiannu', amdani felly. Roedd y targed hefyd yn amlwg: Swyddfa'r Post (neu'r Llythyrdy fel y galwen ni e) a oedd wedi gwrthod cytuno hyd yn oed i roi'r enw Cymraeg ar y ffasâd newydd ar swyddfa Dolgellau.

Roedd hi'n bwrw cymysgedd o eirlaw a chesair wrth i lond car ohonon ni yrru lawr y rhiw ar bwys Tal-y-llyn. Rhyw 80 o brotestwyr roedden ni'n disgwyl eu gweld ym maes parcio Dolgellau, ond roedd byseidi o fyfyrwyr brwd wedi dod. Mi safais innau ar y wal a 'nghefn at yr afon i weiddi cyfarwyddiadau ar y protestwyr, rhyw drichant ohonyn nhw. Pan fyddai'r heddlu'n mynd ati i'n symud ni, doedd dim gwrthwynebu i fod, na chydweithredu chwaith, dim ond mynd yn llipa. Ffurfio gorymdaith a cherdded yn drefnus i swyddfa'r post felly. Doedd y cyhoedd ddim yn groesawgar, a dweud y lleiaf. Pwy ddisgwyl iddyn nhw fod, a haid o fyfyrwyr coleg a phobl ddieithr yn llawn ysbryd cenhadaeth wedi dod idd eu tref nhw i godi helynt a'u rhwystro nhw rhag mynd o gylch eu busnes? Ta beth, i mewn â ni, ac eistedd ar y llawr. Dyma'r prif blisman yn camu i'r canol a gofyn pwy oedd ein harweinydd ni. Bloedd gan bawb yn arddel cyfrifoldeb ar y cyd; finnau'n cadw 'mhen lawr. Doedd dim i'w wneud felly ond ein symud ni, a dyna'r pryd y dechreuodd pethau fynd yn flêr, am ddau reswm. Mae'n sicr i rai ymysg y protestwyr wrthsefyll eu symud, a defnyddio grym corfforol i wneud hynny. Yn ail, bwriodd rhai o lanciau'r dref iddi i ategu gwaith yr heddlu. Fe aeth yn wrthdaro go annymunol. Rwy'n cofio bod yng nghanol y *mêlée* y tu allan a sylwi ar wyneb plismon yn llusgo protestwyr i'r pafin a golwg dyn yn gwneud gwaith atgas ganddo ar ei wyneb. Lawer gwaith y gwelais i'r olwg yna ar wyneb plismyn dros y blynyddau.

Doedd dim modd cynnal y meddiannu tan ddiwedd y prynhawn yn ôl y bwriad. 'Nôl â ni felly ac ymgynnull yn neuadd llyfrgell y dref i drafod y sefyllfa. Rwy'n cofio Rhiannon Price yn nodi nad oedd pawb wedi ufuddhau i'r cyfarwyddyd am "fynd yn llipa". Ond y peth pwysicaf oedd y penderfyniad i barhau â'r meddiannu, yn Llanbedr cyn y Nadolig ac ym Machynlleth yn Ionawr 1966.

Fel y digwyddodd pethau, fuodd dim sôn am wrthdaro yn y naill dref na'r llall, pobl leol at ei gilydd yn dangos cefnogaeth chwilfrydig, a'r heddlu (ac awdurdodau uwch tebyg iawn) wedi cymryd penderfyniad i beidio symud protestwyr nac arestio neb. Ym Machynlleth mi ges sgwrs hir, ry gyfeillgar o'r hanner, gyda'r prif blismon yn ystafell gefn swyddfa'r post. *Stalemate* felly am y tro.

Cododd dadl yn y Pwyllgor Canol ynghylch y cam nesaf: a ddylid codi tempo'r frwydr drwy feddiannu lleoliadau'n ddirybudd? Trwy fwyafrif penderfynwyd peidio, ond roedd y lleiafrif yn ddig, a charfannu tra anghyfeillgar i'w weld yn y cyfarfodydd. Y ddadl yn erbyn meddiannu dirybudd oedd y perygl y gallai gwrthdrawiadau fynd yn dreisgar a rhywrai'n cael dolur difrifol: roedd

Dolgellau wedi dangos hyn. Ar awgrym Sionyn, a oedd yn bryderus y "gallasai rhywun gael ei anafu'n wael", roeddwn i wedi ysgrifennu at y Prif Gwnstabliaid cyn Llanbedr a Machynlleth yn pwysleisio'u cyfrifoldeb nhw i warchod protestwyr rhag ymosodiadau gan aelodau'r cyhoedd: apêl hynod o anchwyldroadol.

Roeddwn i yn erbyn protesiadau dirybudd, yn rhannol am yr un rheswm â Sionyn a'r mwyafrif, ond hefyd am ddau reswm llai anrhydeddus o lawer. Yn gyntaf, roedd yn gas gen i wrthdaro corfforol, o lwfrdra yn gymaint ag egwyddor, er 'mod i ar yr un pryd yn chwenychu merthyrdod y carchar. Yn ail, roedd amgylchiadau teuluol yn gosod cloffrwym tyn rhag i fi weithredu fel ag i beri gwrthdaro o ddifrif â'r awdurdodau, ac yn enwedig garchariad. Nid yn unig yr oeddwn i, yn wahanol i'r arweinyddion eraill, yn briod ac yn dad, ond hefyd yn treial rhedeg ffarm fach yn ogystal â dysgu, ac mewn sefyllfa ariannol anodd iawn. Mewn gair doeddwn i ddim yn arweinydd addas o gwbl i fudiad a oedd i fod i weithredu'r "dulliau chwyldro" yr oedd yn rhaid wrthyn nhw, yn ôl Saunders Lewis, i achub y Gymraeg. Gwaethygu a fyddai'r tyndra yn ystod yr ymgyrchoedd a oedd i ddod.

Roedd adroddiad Hughes-Parry wedi ymddangos o'r diwedd ym mis Hydref ac argymell 'dilysrwydd cyfartal' i'r Gymraeg, gan wrthod 'egwyddor dwyieithrwydd', a chydag arddeliad, dystiolaeth y Gymdeithas dros roi gwir statws i'r Gymraeg, gan amrywio darpariaeth yn rhanbarthol yn ôl canran y siaradwyr. Mi ges gyflwyno ymateb y Gymdeithas ar raglen HTV *Y Dydd* gyda Syr David ac Elystan, a chlywed Syr David yn achwyn ar Gwyn Erfyl ei fod wedi'i gael e ar y rhaglen yng nghwmni "dau eithafwr".

Trowyd i gyfeiriad gweithgareddau eraill. Gan fod rhai ohonon ni ar y pryd yn planta, penderfynwyd gwrthod cofrestru genedigaethau tan bod tystysgrifau Cymraeg ar gael. Buodd Llinos o flaen ei gwell yn Llys Ynadon Aberystwyth a chael ei dirwyo; felly hefyd Hywel ap Dafydd. Cawd cyhoeddusrwydd, a buodd Llinos yn gwahodd rhieni a oedd yn cyhoeddi genedigaethau yn Gymraeg yn y *Western Mail* i ymuno yn yr ymgyrch. Aeth Sionyn a finnau o ddrws i ddrws yn Llanbed â deiseb yn gofyn am statws cydradd â'r Saesneg i'r Gymraeg yn Swyddfa'r Post, a chael 70 y cant yn cefnogi. Yn hwyr yn y flwyddyn mi fues gyda chyn-bennaeth Cymraeg ysgol uwchradd Llanbed, yr Undodwraig ryfeddol Sali Davies, o flaen tribiwnlys apêl yn Llanbed i gael ad-daliad o'i phensiwn yr oedd hi wedi gwrthod ei gymryd tan bod dogfennau Cymraeg yn cael eu darparu.

Ond roedd eisiau mwy na hyn er mwyn creu momentwm.

Awgrym Sionyn oedd y "dylem geisio uno'r *holl* gymdeithasau a phwyllgorau Cymraeg, a llywodraeth leol hefyd, mewn gorymdaith heddychlon yng Nghaerdydd", y byddai hynny'n "strôc gynhwysfawr", ond aeth yr awgrym yna ddim pellach.

Yr hyn a gododd y gwres mewn gwirionedd oedd yr ymgyrch dros drwydded treth car. Erbyn Ebrill 1966 roedd Geraint Jones, nad oedd ball ar ei benderfyniad a'i wroldeb, yng ngharchar Abertawe am wrthod talu'i ddirwy a chynhaliwyd rali fawr o flaen y carchar. Mi ges innau siarad fel Cadeirydd. Rhaid, meddwn i, i ymgyrch yr iaith symud o'r amddiffynnol i'r ymosodol, mynd i wraidd clefyd y Gymraeg, nid lliniaru'r symptomau yn unig. Roedd yr angen am aberth i "achub cenedl a suddodd i'r fath waradwydd a gwendid" yn amlwg. "Bydded parodrwydd pob un ohonon ni i aberthu yn gyfnerth â'i gariad tuag at yr iaith." Rwy'n gwrido wrth ailgofnodi'r geiriau. Roeddwn i'n teimlo rheidrwydd i ddweud yr hyn a oedd yn wir, ac yn cynrychioli gweledigaeth y Gymdeithas, ac yn llwyddo i wthio i gefn 'y meddwl y cloffrwym oedd yn 'y nghadw i rhag troi'r rhethreg yn weithred briodol i arweinydd.

Nid na wnawd unrhyw ymdrech. Pan garcharwyd Gwyneth Wiliam gan lys ynadon Pontypridd, aeth Gareth Miles a finnau i'r dref, *incognito* fel petai, a pharcio'n Morris 1000 i mewn lle anghyfreithlon, heb ddisg treth, a'r plât rhif blaen wedi ei dynnu'n rhydd o'r gorden a oedd, ar y gorau, yn ei ddal yn ei le. Pan aethon ni i swyddfa'r heddlu yn ôl cyfarwyddyd y papur a osodwyd ar y winsgrin, dywedodd y plismon cyfeillgar wrtha i am symud y car ar frys, a rhoi'r disg a'r plât rhif 'nôl yn eu lle, ac na ddywedai fe ddim rhagòr am y mater. Fflat siot!

Daeth yr anghytundeb o fewn y pwyllgor i uchafbwynt pan gynhaliwyd gwrthdystiad mawr yng Nghaerdydd yn dilyn carcharu Neil Jenkins yn rhan o'r un ymgyrch. (Mae'n gas gen i gyfaddef 'mod i wedi colli'r brotest i fynd i briodas 'y nghefnder yn Aberhonddu. Sôn am aberth yn gyfnerth â chariad at yr iaith!) Aeth yn wrthdaro rhwng rhai protestwyr a'r heddlu ar risiau'r Swyddfa Gymreig, a chawd adroddiadau nad di-fai mo aelodau'r Gymdeithas. Mewn llythyr ataf i, meddai Dafydd Dafis, y cyn-löwr o genedlaetholwr o Faes-teg yr oeddwn i wedi cwrdd ag e gyntaf yn ymgyrch etholiad Aberafan 1959: "Barnaf mai gormod o rygbi a diffyg disgyblaeth mewn plismyn ifainc dibrofiad oedd y broblem yno. Ac wrth gwrs, yr oedd sawl un o'r Gymdeithas yn barod i feithrin unrhyw esgus dros greu helbul. Os oes dyfodol i fod, rhaid dadwreiddio'r elfen honno." Roedd hynny'n gyson â theimlad cymedrolion a phragmatwyr y Pwyllgor Canol bod elfen o ddymuno trais ymhlith rhai o'r lleill.

Y broblem gyda'r "dadwreiddio" yr oedd Dafydd Dafis yn ei gymell oedd mai'r rhai a oedd fwyaf glastwraidd eu hagwedd at y dull di-drais oedd yn meddu ar y trac-record gorau o bell ffordd o ran gweithredu. Ond rhaid oedd torri'r ddadl. Trefnwyd Cyfarfod Cyffredinol arbennig yn y Belle Vue yn Aberystwyth ym mis Tachwedd. Roeddwn i wedi camu i lawr o'r gadair ym mis Gorffennaf, ac Emyr Llywelyn wedi'i chymryd hi. Roedd cynnig manwl o flaen y cyfarfod yn "datgan unwaith eto mai dulliau di-drais yn unig a arddelir gan [y Gymdeithas] yn ei brwydr dros hawliau'r iaith Gymraeg" ac yn manylu ar union gymhwysiad hynny mewn protestiadau ac ar y broses o ddisgyblu aelodau a fyddai'n tramgwyddo. Efallai mai araith Emyr Llew yn datgan yn angerddol-ysgubol o blaid yr egwyddor ddi-drais oedd un fwyaf dylanwadol y cyfarfod. Pwy allai gwestiynu awdurdod moesol y sawl a oedd wedi bod yn y carchar am osod ffrwydron yn Nhryweryn? Serch hynny, pasiwyd yn y lle cyntaf benderfyniad i adael y cynnig gwreiddiol ar y bwrdd. Wedyn, ar gynnig Trefor Beasley, pasiwyd penderfyniad yn gwrthdroi'r penderfyniad gwreiddiol. Diwedd y gân fuodd pasio fersiwn o'r cynnig heb y dehongliad a'r ddarpariaeth i ddisgyblu.

Ar y sail y byddai hyn yn tynnu'r dannedd o'r ymdrech i roi'r Gymdeithas yn gadarn ar y llwybr di-drais, mi wrthodais dderbyn enwebiad i barhau ar y pwyllgor. Y gwir reswm wrth gwrs oedd bod y tyndra parhaus rhwng gofynion yr ymgyrch a'n amgylchiadau personol i yn golygu nad oedd gen i mo'r stumog i ddal ati. Gwroldeb Gareth Miles a achubodd y sefyllfa. Trwy gymryd y gadair (roedd Emyr wedi gorfod ei hildio oherwydd salwch ei ferch gyntaf-anedig) fe sicrhaodd arweinyddiaeth, a Geraint Jones yn ysgrifennydd, a allodd gyfuno ymlyniad wrth y dull di-drais a pharodrwydd di-ofn i weithredu'n anghyfreithlon.

Mae'n werth cofnodi rhywfaint am y cyfarfodydd a fuodd rhwng aelodau Pwyllgor Canol y Gymdeithas a Saunders Lewis yn ystod cyfnod 'yn aelodaeth i ohono, y ddau dro yng Ngwesty'r Parc, Caerdydd. Eisiau ei arweiniad e, awdur ein bod ni drwy *Tynged yr Iaith* ac un yr oedd idd ei enw *fystique* aruthrol i ni. Fe'n derbyniodd e ni'n serchog a chyfan gwbl ddiymffrost, wedi darparu te ar ein cyfer ni mewn ystafell ar y llawr cyntaf.

Am wn i nad oedd hi'n hysbys i ni erbyn hynny mai galwad oedd y Ddarlith Radio ar i Blaid Cymru gymryd at gwestiwn yr iaith yn brif fyrdwn ei hymgyrchu, a thrwy wneud hynny ei throi hi'n fath o fudiad chwyldro. Buodd hynny'n destun trafod yn y cyfarfod cyntaf. Faint o bosibilrwydd oedd yna i dreiddio canghennau'r Blaid a'i chael drwy hynny i fabwysiadu'r strategaeth amgen? Doedden ni, wrth gwrs, ddim wedi gosod ein hannel agos mor uchel â hynny, a pheth bynnag, doedden ni ddim yn optimistaidd. Nododd rhywun fod Gwynfor wedi datgan na wyddai fe beth oedd ystyr troi'r iaith yn arf gwleidyddol. Os felly, brathodd SL, "dydi o ddim wedi dechrau deall beth yw gwleidyddiaeth!" O ran ein bwriad ni i ymgyrchu yn erbyn Swyddfa'r Post (mae'n rhaid mai diwedd 1965 oedd hyn), ei farn e oedd mai camgymeriad oedd targedu sefydliadau Prydeinig. Yng Nghymru yr oedd rhaid ennill brwydr yr iaith, a llywodraeth leol oedd maes y gad.

Yn yr ail gyfarfod datblygodd SL y ddadl ymhellach. Ei bolisi i'r Blaid fyddai ymladd dwy sedd yn etholiadau San Steffan a phob isetholiad, a chanolbwyntio ar lywodraeth leol ar sail polisi o statws cyfartal i'r Gymraeg a chydweithio rhwng awdurdodau ar bolisi pwrcasu. Ymgyrchu dros yr iaith fel a ganlyn fyddai'r dull: deisebu; yna, pan (nid os) wrthodai'r awdurdod, feddiannu siambr y cyngor a rhwystro'r gweithgareddau nes i'r heddlu ddod; a dal ati nes ennill. Mewn llywodraeth leol y byddai'r frwydr ffyrnicaf ac yr oedd gorfodi pobl i ddewis eu hochr yn rheidrwydd. Heb strategaeth felly roedd e'n amau a ymatebai'r Cymry, "y bobl anoddaf i ddylanwadu arnyn nhw ar dir moesol yn unig".

Fe gyflwynodd gynnig i ni i'w ystyried. Fe gymerai fe Is-Lywyddiaeth y Gymdeithas. Fe draddodai fe ddarlith ymhen y flwyddyn yn disgrifio'i bolisïau, a'r Gymdeithas i'w chyhoeddi hi. Fyddai hyn ddim yn rhwymo'r Gymdeithas idd ei bolisïau. Fe gaen ni benderfynu ddechrau 1967 a oedden ni am gael y ddarlith ai peidio.

Paratoais i adroddiad manwl i'w gyflwyno i Bwyllgor Canol y Gymdeithas, yn cynnwys 'yn sylwadau i. Ymhlygiad syniadau SL hyd y gwelwn i oedd y dylai'r Gymdeithas, gan na fynnai'r Blaid droedio llwybr chwyldro, gipio arweinyddiaeth y mudiad cenedlaethol oddi wrthi. Welwn i ddim bod hyn yn dechrau bod yn ymarferol, ond yng nghyfarfod nesaf y pwyllgor yn y Belle Vue, Aberystwyth, mi ges 'yn siomi'n ddirfawr nad oedd yna fawr o awydd beth bynnag i drafod yr adroddiad. Yn nes ymlaen wrth gwrs fe ddaeth SL yn Llywydd Anrhydeddus y Gymdeithas ac yn gefnogydd cyson i'w hymgyrchoedd hi, ond gwrthododd e fwy nag un cynnig i siarad mewn cyfarfodydd a ralïau. Yn 1976 fe ymddiswyddodd o'r llywyddiaeth am i'r Gymdeithas redeg ymgyrch lwyddiannus i wrthod derbyn coron Eisteddfod Genedlaethol Aberteifi gan weithwyr maes tanio Aber-porth.

IV Cymraeg yn yr Ysgolion

Serch mai Plaid Cymru oedd y lle cyffrous i fod yn dilyn isetholiad Caerfyrddin, ac i finnau wisgo sachliain a lludw am 'y niffyg ffydd yn ei strategaeth etholiadol hi, roedd agwedd arall o ymgyrch yr iaith yn galw, a rhaid oedd ymateb.

Rywbryd tua 1965 cyhoeddodd *Y Cymro* ystadegau yn dangos gwaethygiad brawychus yn sefyllfa'r iaith yn ysgolion cynradd Ceredigion. Pan fyddai arolwg iaith ysgolion y Cyngor Sir yn cael ei gyhoeddi yn 1967, fe fyddai'n dangos bod nifer y siaradwyr Cymraeg iaith-gyntaf wedi gostwng o 77 y cant yn 1949 i 58 y cant yn 1961 ac i 53 y cant yn 1967. Yn ysgolion Rhydlewis a Bontgarreg, er enghraifft, lleiafrif oedd y siaradwyr Cymraeg. Nid yn unig hynny, ond dim ond chwech y cant o'r siaradwyr iaith-gyntaf oedd yn siarad Cymraeg "yn weddol rugl". Mewnfudiad oedd wrth wraidd y dirywiad yn ddiau, ac roedd yna fethiant trychinebus i Gymreigio plant y teuluoedd mewnfudol. Pan fyddai adroddiad Gittins, *Addysg Gynradd Cymru*, yn cael ei gyhoeddi yn Ionawr 1968 byddai'n cofnodi'i bryder bod ysgolion yn "gorfod newid eu cyfrwng hyfforddiant oherwydd lleiafrif o blant di-Gymraeg".

Roedd Gwilym Tudur wedi'i benodi'n drefnydd cenedlaethol Undeb Cymru Fydd (UCF) yn dilyn cyfnod yn newyddiadurwr teledu ar *Y Dydd*. Fe aeth ati i greu sail ariannol a denu gwaed ifanc i'r Cyngor. Ddiwedd 1967, penodwyd grŵp bychan ohonon ni, Lili Thomas, Peter Hughes Griffiths, Alun R Edwards a finnau yn eu plith, i lunio dogfen bolisi ar sefyllfa'r Gymraeg yn ysgolion cynradd Ceredigion. Fi a gafodd y gwaith o'i rhoi hi at ei gilydd ac rwy'n credu mai fi a ddyfeisiodd ei thrywydd.

Roedd yr adroddiad yn barod i'w gyflwyno i Bwyllgor Addysg Ceredigion erbyn Gŵyl Ddewi 1968. Gallai'r Gymraeg gael "ei boddi'n llwyr ymhlith plant bach Sir Aberteifi" yn sgil dyfodiad nifer fawr o deuluoedd di-Gymraeg, meddai. Galwodd am: sefydlu unedau meithrin Cymraeg, yn wirfoddol ond gyda chefnogaeth y sir; datgan mai Cymraeg fyddai iaith dosbarthiadau babanod yn yr ysgolion traddodiadol Gymraeg (y mwyafrif helaeth); a (syniad cwbl newydd ar y pryd) threfnu cyrsiau carlam i newydd-ddyfodiaid fel cam cyntaf eu haddysg yn y sir. Ymhlyg yn hyn roedd cefnogaeth i argymhelliad Gittins y dylai ysgolion traddodiadol Gymraeg gael eu penodi felly, fel na fyddai modd newid eu cymeriad heb hysbysiad cyfreithiol.

Ymatebodd y sir yn gadarnhaol. Mewn cyfarfod ddiwedd Ebrill cefnogwyd argymhellion UCF mewn egwyddor a sefydlwyd is-bwyllgor i'w hystyried ymhellach, ynghyd ag argymhelliad y Trefnydd Ysgolion Cynradd, Dave Williams, cenedlaetholwr hyd draed ei sanau, y dylai pob disgybl gael cyfran o'i addysg trwy gyfrwng y Gymraeg. Cododd nyth cacwn enfawr o gyfeiriad Aberystwyth. Sefydlwyd y *Cardiganshire Education Campaign (CEC)* i ymgyrchu yn erbyn polisi'r sir. Yn y Pwyllgor Addysg datganodd y Cynghorydd Eric Slater nad oedd e yn erbyn yr egwyddor o ddysgu Cymraeg, ond ei fod yn gadarn o blaid yr egwyddor o oddef optio allan – yr hyn yr oedd 500 o rieni, meddai fe, yn galw amdano.

Roedd CEC am roi'r cyfle i optio allan, nid o ddysgu cyfrwng-Cymraeg yn unig, ond o wersi Cymraeg fel y cyfryw, yn 5, 7, 11 a 13 oed. Mewn llythyr i'r *Cambrian News* ymatebais i drwy ddadlau bod rhaid i Geredigion ymateb i'r mewnlifiad drwy "fynnu y dylai plant y teuluoedd yma ddysgu iaith y gymdeithas yr oedden nhw wedi dod i fyw iddi", neu fe fyddai ar ben ar y Gymraeg. Pe bai gofynion CEC a'i brif ladmerydd Dr John Hughes (meddyg o Gymro Cymraeg a oedd wedi honni, yn hollol gywir, bod Cymdeithas Rieni ac Athrawon Ceredigion yn cynnwys cyd-deithwyr o rengoedd Cymdeithas yr Iaith) yn llwyddo "byddai hynny gystal â datgan nad oedd dysgu Cymraeg yn fater o bwys yn y byd". Ymhellach, "Os byddwn ni mor gachgïaidd â gwneud y cynnig iddyn nhw, ddylen ni ddim synnu pe baen nhw, gyda dirmyg haeddiannol, yn ei dderbyn e."

Daliodd y sir ei thir ar ddysgu Cymraeg yn bwnc, ond ar gwestiwn y Gymraeg yn gyfrwng, disodlwyd y datganiad y dylai fod gan blant erbyn y cyfnod iau "ddigon o feistrolaeth ar eu hail iaith i dderbyn rhan o'u haddysg drwy gyfrwng yr iaith honno" yn y gobaith y byddai gafael y cyfryw blant ar yr ail iaith "yn cynyddu drwy ei defnyddio yn iaith yr ysgol".

Fodd bynnag, roedd bwriad clir i atgyfnerthu sefyllfa'r Gymraeg yn yr ysgolion cynradd wedi'i sefydlu, nid heb gryn ymdrech ar ran yr ymgyrchwyr ar ffurf pwyllgora, dadlau a phwyso ar gynghorwyr. Mewn cyfarfod ym Medi 1967 roeddwn i'n siarad mewn cyfarfod yng Ngwesty'r Plu, Aberaeron (ac Alwyn D

Rees yn siaradwr gwadd), i sefydlu Cymdeithas Rieni Ceredigion gyda'r bwriad o "ddiogelu a hybu addysg Gymraeg yn ysgolion y sir". Cawd cyfarfod pellach yn y Plu ym Mawrth 1968 i drafod argymhellion UCF ac i drefnu cefnogaeth iddyn nhw.

Dwyf i'n amau dim na fuodd yr ymgyrch yma'n gefndeuddwr yn hanes addysg gynradd Gymraeg Ceredigion. Ohoni hi y daeth y rhwydwaith athrawon bro ac, ar ôl cyfnod rhy hir o oedi, ganolfannau iaith a chyrsiau carlam, a'r egwyddor o ddatgan polisi iaith ysgolion yn swyddogol. Efelychwyd y polisïau hyn gan siroedd eraill, ac fe'u hetifeddwyd adeg ad-drefnu gan Bwyllgor Addysg Dyfed. Yn ystod y cyfnod yma hefyd y trefnodd y Parch. John Roberts, aelod amlwg o'r Gymdeithas, gyfarfod i ystyried sefydlu mudiad ysgolion meithrin cenedlaethol.

Ond roedd 'na sialens arall i'r Gymdeithas newydd yn y drws, sef yr angen i fanteisio ar gyfuno addysg uwchradd yn Aberystwyth i gyflwyno addysg uwchradd Gymraeg (neu ddwyieithog fel y dewisid ei galw bryd hynny, nid heb gyfiawnhad).

Ffurfiwyd grŵp yn cynnwys, ymysg eraill, Jac L Williams, Gareth Edwards, Deulwyn Morgan a finnau, a Tegwel Roberts, cofrestrydd y Coleg Llyfrgellwyr, hen genedlatholwr newydd ddychwelyd i Gymru o dramor. Awgrymodd Jac L a golau Machiafelaidd yn ei lygaid y teitl Saesneg *'New Horizons in Education'* i'r daflen ddwyieithog a fyddai'n cael ei dosbarthu i rieni.

Cawd hyrfa gychwynnol i'r ymgyrch mewn cyfarfod cyhoeddus gorlawn yn Neuadd y Cambrian, gyda Gwilym Humphreys, prifathro cyntaf Ysgol Rhydfelen yn annerch. Penderfynwyd cael arolygydd ysgolion yn gadeirydd 'diduedd', sef Geraint Bowen. Mae gen i gof llachar amdano'n datgan mewn llais uchel nad dadl addysgol oedd addysg Gymraeg ond CENHADAETH!

Penderfynodd Plaid Lafur Aberystwyth wrthwynebu sefydlu ysgol ddwyieithog, a dyna roi Elystan Morgan, yr unig AS Llafur yn hanes Ceredigion, mewn sefyllfa anodd iawn. Ergyd nid bychan fuodd ei benderfyniad e i fod yn brif lais yr ymgyrchu yn erbyn wedi iddo fe gefnogi sefydlu ysgolion dwyieithog yn y gogledd-ddwyrain. Roedd ei ddadl yn rhesymegol ac yn arwynebol ddeniadol. "Un peth," meddai fe, "yw rhoi'r iaith Gymraeg mewn *stockade* mewn ardal lle nad oes ond lleiafrif bychan bach yn ei siarad hi. Peth cwbl wahanol yw gwneud hynny mewn ardal lle mae'r Gymraeg a'r Saesneg yn gyfartal gryf. Yr effaith ... fyddai gyrru dylanwad y plant Cymraeg o'r ysgol uwchradd Saesneg a ... pherygl y câi'r Gymraeg ei rhoi mewn *ghetto*."

Rhaid oedd tanseilio'i ddadl e. Mewn llythyr i'r wasg, fe'i cyhuddais i e o ddilyn rhesymeg ryfedd: "ei bod hi'n iawn i'r Gymraeg fod yn iaith swyddogol rhai ysgolion mewn ardaloedd Seisnigedig, ond nad oedd statws felly'n briodol iddi mewn ardaloedd dwyieithog". Ond camgymeriad mawr Elystan oedd ei fod e'n camfesur yn llwyr allu'r ddau grŵp ieithyddol i ddylanwadu ar ymddygiad ieithyddol ei gilydd.

Ar y llaw arall buodd ei olynydd, Geraint Howells, y cadd ei ymgyrch i ddisodli Elystan hwb gan helynt ymgyrch Penweddig, yn ddiwyro ei gefnogaeth i bob ymgyrch o blaid addysg Gymraeg.

Cyrhaeddodd y bygylu cyhoeddus uchafbwynt mewn dadl ar raglen *Y Dydd*, a Gwilym Owen yn cadeirio. O'n tu ni, Gareth Edwards, Derec Llwyd Morgan a finnau; o'r tu arall Elystan, John Hughes a Gareth Raw-Rees. Bu'n rhaid rhoi heibio'r bwriad i gael cynulleidfa stiwdio am i'r ymgyrch wrthwynebol ffaelu â chael llond bws o gefnogwyr. Mi ddes i o'r rhaglen yn teimlo'n ddigon fflat, ond barn Gwilym Owen oedd ein bod ni wedi'u "chwipio nhw"!

Pan gynhaliwyd arolwg o ddymuniadau rhieni cawd bod digon am gael addysg uwchradd ddwyieithog i gyfiawnhau sefydlu'r ysgol a fedyddiwyd wedyn yn Ysgol Penweddig, ond ymladdodd y gwrthwynebwyr hyd y ffos olaf ar fanylion yr union drefniadau.

Nid mewn gwagle strategol y rhedwyd yr ymgyrch. Mewn papur bach a ysgrifennais i ar y pryd, rwy'n sôn am yr angen i "egwyddor addysg uwchradd Gymraeg ledu'n ddirwystr nes dod yn norm ym mhatrwm addysg y Sir ryw ddydd". Cyn i Gyngor Sir Ceredigion ddiflannu yn ad-drefnu 1974, roedd e wedi pasio penderfyniad mewn egwyddor o blaid sefydlu ysgol uwchradd ddwyieithog yng ngodre'r sir. Roedd ôl ymdrechion Hywel Heulyn Roberts, nad oes modd gorfesur maint ei ddylanwad ar ddatblygiad addysg Gymraeg, yn drwm ar y penderfyniad yma. Roedd y sylfaen wedi'i gosod ar gyfer y cam nesaf.

V 'Nôl at y Blaid

Mae'n anodd cyfleu i genhedlaeth iau pa mor drydanol fuodd effaith cipio Sir Gâr gan Gwynfor yn isetholiad 1966, wedi marw Megan Lloyd George, cadeirydd Ymgyrch Senedd i Gymru y pumdegau, a merch prif arweinydd Cymru Fydd yr 1890au. Mae'n anodd i fi a 'nghyfoedion hyd yn oed i ailfeddiannu teimlad y cyfnod. Roedd hi fel petai holl argaeau negyddolder y Cymry am eu hunaniaeth a'u lle ymysg cenhedloedd wedi'u chwalu, a thon o falchder hyderus wedi cydio ynddyn nhw. Roedd hi fel petai pawb am fod yn rhan o'r fenter. Ac roedd pawb a oedd wedi gwrthwynebu strategaeth etholiadol y Blaid ac arweinyddiaeth Gwynfor, os nad mewn sachliain a lludw, yn cadw'u pennau lawr.

Ar anogaeth y masiwn Oliver Dolwilym mi ddihengais o ganol adeiladu sièd loi ar glos Crugeryr i Gynhadledd Maesteg am y dydd ddiwedd Gorffennaf, a chlywed Gwynfor yn datgan y byddai'i blaid e yn awr yn tyfu y tu hwnt i bob adnabyddiaeth. O gopa'i awdurdod diamheuol fe rybuddiodd rengoedd ei aelodau teyrngar nad oedd dim lle i "ysbryd y brawd hynaf" pan arllwysai llif mawr o aelodau newydd i'w plith. (Dylai darllenwyr ifainc ddarllen dameg y mab afradlon yn y Testament Newydd, Luc 15, er mwyn deall y cyfeiriad nad oedd dim tamaid o angen ei esbonio fe idd ei gynulleidfa addolgar.) O fewn ychydig amser roedd yr ad-drefnu yr oedd *New Nation* wedi galw amdano wedi dod i rym, yr aelodaeth wedi chwyddo'n aruthrol, a'r Blaid yn ysgubo i agos-fuddugoliaeth yng Nghaerffili, Gorllewin y Rhondda a Merthyr, gydag aelodau *New Nation* yn ymgeiswyr dau o'r tri isetholiad. Agos, ond ddim cweit. Am ennyd roedd hi'n edrych i lawer fel petai rhyw rym gwleidyddol anorthrech wedi'i ollwng yn rhydd.

Ac nid ewyn emosiynol yn unig oedd e, o bell ffordd. Yn ogystal â'r ad-drefnu, dyma Dafydd Wigley, Phil Williams, Eurfyl ap Gwilym ac eraill (gwŷr ifainc tra galluog, a gwahanol eu teithi i Gwynfor a'i flaenoriaid) yn sefydlu grŵp ymchwil a fyddai'n trawsnewid y broses o greu polisi, ac yn herio marweidd-dra Llafur wrth i Gymru wynebu argyfwng dirywiad ei diwydiannau cynraddol a thrwm, sylfeini ei heconomi, gyda Chynllun Economaidd Cenedlaethol amgen trwyadl a go feistrolgar.

Yng Ngheredigion roedd canghennau newydd yn codi fel madarch. Yn archif y Blaid yn y Llyfrgell Genedlaethol mae llythyron i'w gweld oddi wrth ysgrifenyddion canghennau Llanbedr ac Aberteifi yn gofyn am 200 o gardiau aelodaeth yr un.

Rhaid cael ymgeisydd seneddol ar frys, ond doedd pobl addas, serch yr ymchwydd mawr, ddim yn tyfu ar goed. Cyfwelwyd â, a gwrthodwyd, y gweinidog Undodaidd Jacob Davies, er uched ei barch a dyfned ei wreiddiau ym mywyd y sir. Soniwyd hefyd am y Parch. John Roberts, gweinidog gyda'r Annibynwyr yn Llanbed, ond rywsut ddaeth dim o hynny, heblaw iddo fe fynd yn asiant i'r ymgeisydd a ddaeth, drwy berswâd Gwynfor dwyf i'n amau dim, o gyfeiriad y Barri, sef y bargyfreithiwr llwyddiannus, golygus, wrbân, apelgar ei gyfarchiad a'i ymddiddan, Hywel ap Robert.

Cawd Peter Hughes Griffiths (yn gwbl wirfoddol) yn drefnydd i Geredigion, a chyda'i drylwyredd a'i ymroddiad hollol anhygoel, fe roddodd drefn ar fwrlwm gweithgarwch y Blaid a chreu peiriant etholiadol nerthol. Mi ges i fod yn un o'r rhwydwaith o is-drefnyddion lleol yn seiliedig ar ddalgylchoedd yr ysgolion uwchradd. Roedd gan Peter hen ddigon o gefnogaeth. Yn sgil y deffroad mawr roedd Glyn Griffiths, arlunydd a dylunydd graffig tra galluog, yn ddi-Gymraeg ac yn wreiddiol o'r Rhondda, wedi dod o goleg celf rywle yn Lloegr i redeg ffarm fefus ym Mydroilyn; fe gymrodd e at ddylunio'r llenyddiaeth a'r posteri a gadd eu plastro, pan ddaeth yr amser, ar bob postyn lamp rhwng Teifi a'r môr.

Cynhyrchwyd cyfres o daflenni polisi y ces i'r cyfrifoldeb o'u sgriptio, gan dynnu'n helaeth ar y syniadau oedd yn llifo o gyfeiriad y Grŵp Ymchwil. Ar Amaeth, roedden ni'n galw am ychwanegu gwerth i gynhyrchion crai ein ffermydd ni; am gymorth i'r ifainc ennill mynediad i ffarmio; am arallgyfeirio; ac am warchod ffermydd teuluol oddeutu'r 60 cyfer. Ar Addysg, roedden ni'n galw am Goleg Technegol i'r sir a phwyslais ar hyfforddiant er mwyn cywiro'r canolbwyntio traddodiadol ar bynciau academaidd a'r colli diatal ar yr ifainc addysgedig, yn ogystal â thwf mewn addysg Gymraeg. Wrth drafod Datblygu'r Economi fe rybuddion ni mai'r perygl i Geredigion oedd "dihoeni graddol yn gyrchfan ymwelwyr heb fawr ddim ond pentrefi gwyliau a gwersylloedd carafannau", senario apocalyptaidd y byddwn i'n dychwelyd iddo mewn areithiau. Cawd taflen ar Gludiant wedi'i seilio ar fanylion y Cynllun Economaidd.

Rhan o gyfrifoldeb yr is-drefnyddion rhanbarthol oedd sicrhau dosbarthu'r taflenni yma i bob twll a chornel yn y sir; y ffordd o gyrraedd y ffermydd oedd trwy wthio'r taflenni o dan glawr tsiyrn ar y stand laeth. Roedden ni'n gosod agenda bolisi radical a pherthnasol, a gweledigaeth am ddyfodol i'r etholaeth, na allai neb arall gystadlu â nhw.

Mi fyddwn yn llai na gonest i beidio â chydnabod nad Hywel ap Robert oedd yr ymgeisydd delfrydol i'r sir. Dyletswydd yn fwy nag uchelgais i fod yn wleidydd a barodd iddo fe gymryd at y gwaith. Roedd dod bob cam o'r Barri i Geredigion i ymgyrchu ar benwythnos neu i gyfarfod gyda'r nos yn boenus o anghyfleus, ac roedd perfformiadau seibiannol-fargyfreithiol Hywel ar lwyfan ymhell iawn o'r cyflwyno eglurchwim ar achos y Blaid a'i hagenda bolisi yr oedden ni wedi gobeithio amdano. Ond roedd gan yr Hywel ap Robert a oedd i'w weld ar y posteri ac a fyddai'n cyfarch pobl yn y priffyrdd a'r caeau â thestun y gân etholiadol 'I Hywel ap Robert rhowch groes y tro hwn' (gan y grŵp Tri o Ni), arddull a delwedd gysurlon hynod o werthadwy. Ysgydwodd e law â Dai Ffos-y-gïach ar glos Crugeryr gyda'r un parch â phetai e'n cyfarch y sgweier. Pan drefnwyd gorymdaith o ugeiniau o geir o amgylch y sir, a'r dwylo'n chwifio i'n cyfarch ni ymhobman (wel, nid ym mhob man) roedd hi'n bosibl credu bod Caerfyrddin arall ar wawrio.

Dod yn drydydd wnaeth Hywel ap Robert yn etholiad Mehefin 1970, gyda 19.6 y cant o'r bleidlais, ac mi ddaethon oll yn ôl i ddaear realiti, er bod y sylfaen wedi'i gosod na fuasai llwyddiannau'r nawdegau'n bosibl hebddo. Daliodd Elystan ei afael ar y sedd a daeth Huw Lloyd Williams, na wyddwn i ar y pryd ddyn mor gwbl ardderchog oedd e, yn ail. I'r sylwedydd arwynebol, roedd Rhyddfrydiaeth Ceredigion i'w weld yn dilyn llwybr gweddill y Gymru Gymraeg. Ond roedd Geraint Howells ar y ffordd, wedi gwneud marc iddo'i hunan ym Mrycheiniog a Maesyfed.

Roedd y Blaid wedi cynyddu'i chanran genedlaethol o'r bleidlais o 4.3 y cant 1966 i 11.5 y cant, gan ddringo i'r trydydd safle. Ond roedd hi'n amlwg bod yr ymchwydd mawr, am y tro beth bynnag, yn diffygio, ac roedd Gwynfor wedi colli Caerfyrddin o bron 4,000 o bleidleisiau i Gwynoro Jones. Dadleuodd Gwynfor, yn hollol gywir yn 'y marn i, ar sail ymateb y cyhoedd, ac i esbonio yn hytrach na beio, i ymgyrchoedd Cymdeithas yr Iaith gostio Caerfyrddin i'r Blaid.

Roedd petrusgarwch 'y nghyfnod i ar Bwyllgor Canol y Gymdeithas wedi cael ei ysgubo naill ochr gan do newydd o ymgyrchwyr. Cymrodd ysbryd ffug-chwyldroadol byd-eang y chwedegau ffurf fwy sylweddol a pharhaol yng Nghymru, am fod yna achos diriaethol i'w gofleidio. Yn 1969 roedd ôl yr ymgyrch paentio arwyddion i'w weld ym mhob man, er i gadoediad gael ei gyhoeddi yn Nhachwedd, pan adfywiwyd yr ymgyrch dorcyfraith dros sianel deledu Gymraeg. Ac wrth gwrs roedd yr Ysgrifennydd Gwladol George Thomas wedi llwyddo i greu achlysur yn seremoni'r Arwisgo a allai achosi'r embaras mwyaf a'r rhaniadau dyfnaf posibl ymysg gwladgarwyr Cymreig. Cyfrannodd ymgyrch fomio MAC a arweiniodd at ladd dau o'i aelodau yn Abergele, gweithgareddau'r heddlu cudd, ynghyd â charcharu naw o aelodau Byddin Rhyddid Cymru (yr *FWA*) at greu hinsawdd o bryder a bygythiad. Rywfodd fe daenwyd mwy na thrymwydd o barddu eithafiaeth ar fudiad nad oedd ond newydd ei sefydlu'i hunan ymysg y werin yn opsiwn gwleidyddol parchus y gallen nhw yn gysurus – rhy gysurus debyg iawn – ymuniaethu ag e.

Rwy'n cofio ymdeimlo â'r oerni newydd at y Blaid yn ymdaenu ymysg cydnabod. Ymysg llawer fe dyfodd yn ddicllonedd tuag at rai o ffigyrau eiconig y mudiad, Dafydd Iwan yn arbennig, a ddioddefodd gydag urddas hirymarhous gyfnod o elyniaeth ffyrnig, tra'i fod e ar yr un pryd yn destun edmygedd ei lu cynyddol o ddilynwyr. Roedd y pegynnu yr oedd SL wedi ei rag-weld yn digwydd o ddifrif.

Rywbryd yn 1970 mi ysgrifennais at Dafydd i fynegi 'mhryder ynghylch effaith ymgyrchoedd y Gymdeithas ar ragolygon etholiadol y Blaid. Dadleuais i mai "planhigyn delicet" oedd cenedlaetholdeb Cymru yr oedd angen ei "garco'n dra gofalus". Roeddwn i'n derbyn cyfreithlondeb ymgyrchoedd y Gymdeithas ar sail foesol a thactegol ond yn pryderu am ei diffyg cyfeiriad strategol hi, a'i methiant i gyfathrebu ei neges i'r cyhoedd. Roedd diffyg datblygiad y Gymdeithas yn y cyfeiriadau yma'n cyferbynnu'n gryf â'r trawsnewid llwyr a oedd wedi digwydd i'r Blaid er 1966. Roedd dau ddewis iddi dros y misoedd nesaf. Y naill oedd rhedeg ei hymgyrchoedd yn drefnus-ddisgybledig, gan ddilyn arweiniad SL yn *Tynged yr Iaith*. Drwy hyn byddai "gobaith i gadw brwydr yr iaith i ferwi heb beri ymddieithriad y werin oddi wrth genedlaetholdeb politicaidd, a methiant y Blaid yn yr etholiad nesaf". Y dewis arall oedd ymatal rhag gweithredu milwriaethus mewn blwyddyn etholiad. Serch 'yn edmygedd di-ben-draw o Dafydd, Gareth, Emyr Llew a'r lleill, roeddwn i'n credu'n hollol ddiffuant "mai ymatal piau hi nawr".

Does dim llawer o'i le, am wn i, ar resymeg y llythyr, ond mae ei ddealltwriaeth o *realpolitik* yn wan ar y naw. Fel y gellid disgwyl, roedd ateb Dafydd Iwan yn gwrtais, yn gall ac yn gytbwys.

Roedd profiadau gwleidyddol y chwedegau wedi dangos yr hyn y gellid ei gyflawni, ac yn bwysicach, ei ysgogi, drwy wleidyddiaeth etholiadol, ac er gwaethaf arafu'r cynnydd ddiwedd y degawd, roeddwn i am barhau yn weithgar. Yn 1973, mi sefais yn ward Tre-groes yn yr etholiad i gyngor dosbarth newydd Ceredigion. Dyn a ŵyr beth fyddai llwyddiant wedi'i wneud i 'ngyrfa fel athro ysgol, ond doedd dim angen poeni. Mi ges 'yn nhrechu'n rhwydd gan Tomi Jones (Pen-lan) nad oedd gen i ddim amgyffred o hyd a lled ei gysylltiadau teuluol a chymdeithasol. Roedd gafael y rhwydweithiau hynny ar benderfyniadau gwleidyddol gwerin Ceredigion yn dechrau gwawrio arnaf i.

Dwy flynedd cyn hynny, roeddwn i wedi cymryd 'y narbwyllo y gallwn i'n rhesymol daflu'n hat i'r cylch ar gyfer yr ymgeisyddiaeth seneddol. Cynhaliwyd y gynhadledd ddewis yn Neuadd y Dref Aberaeron lle roeddwn i wedi gweld Roderick Bowen yn ymddangos yn fuddugoliaethus ddwywaith yn 1950–51.

Roeddwn i wedi paratoi araith fanwl ar y pwnc gosodedig, 'Pam Plaid Cymru i Geredigion?' Edryched pawb o'u cwmpas ar Aberaeron, meddwn i, ar yr arwyddion clir o hoen economaidd y gorffennol ac o ddadfeiliad y presennol. Roedd Ceredigion wedi methu'n druenus ag addasu i sialens yr oes. Nid rhyfedd bod y boblogaeth yn mynd yn gynyddol oedrannus a bod mwy yn marw nag yn cael eu geni yn y sir. Roedd gwaeth i ddod, gyda gostyngiad pellach anochel yn nifer y swyddi mewn amaeth, a oedd bryd hynny'n cyflogi 27 y cant o'r gweithwyr. Ar yr un pryd roedd 'na ddarogan o dwf mawr yn y galw am ail gartrefi. Beth pe bai un o bob deg o bobl Birmingham (poblogaeth 2.5 miliwn) yn penderfynu prynu tŷ gwyliau yng nghanolbarth Cymru (poblogaeth 209,000)? Roedd amgylcheddwyr yn sôn am neilltuo ardaloedd helaeth yn *wilderness* a byddai'r galw am gronfeydd dŵr newydd yn cynyddu. O ddosbarthu tir yn ôl ei werth amaethyddol, onid oedd canolbarth Cymru'n hynod o addas? Y senario hunllefus? Gwlad o "dai a phentrefi gwyliau, coedydd a pharciau gwledig, cronfeydd dŵr ac… ychydig iawn o gyflogaeth i'r bobl leol". Pam Plaid Cymru i Geredigion? Roedd y dewis yn glir, yn enwedig gan fod Cynllun Economaidd y Blaid yn cynnig patrwm amgen mor wahanol a chredadwy.

Mae'n amlwg erbyn hyn nad felly y digwyddodd pethau, nad y *desertification* a'r absentyaeth a brofodd rhannau o Ffrainc fyddai tynged Ceredigion wledig. Ac eto, onid math o senario gyfochrog a welwn ni heddiw? Ta beth am hynny, mae hi mor amlwg i fi nawr ag yr oedd hi bryd hynny, mai'r economi, stiwpid, yw'r allwedd i ddyfodol Cymru.

Clifford Davies, am resymau digon da, a gadd ei ddewis yn ymgeisydd. Mi fues yn aelod go weithgar o'r Blaid drwy'r saithdegau, ond i feysydd eraill yn bennaf y byddwn i'n cyfeirio'n ymdrechion.

VI 'Nôl i'r Gymdeithas

A rhyferthwy twf y Blaid wedi arafu, a breuddwydion am drawsnewid gwleidyddiaeth Cymru dros nos wedi cilio, roedd momentwm ymgyrchoedd Cymdeithas yr Iaith yn cynyddu beunydd. Ac roedd hi'n dechrau ennill cefnogaeth, cyfranogiad hyd yn oed, y bobl y byddai ei harweinwyr gweithredol yn eu galw, nid heb ryw fesur o ddirmyg, yn "barchusion". Pan garcharwyd Dafydd Iwan am dri mis am baentio arwyddion, fe gydsyniodd i'r Archesgob Glyn Simon, Alwyn D Rees a rhyw ugain o ynadon heddwch i dalu ei ddirwy drosto a'i gael e o'r carchar ar ôl mis.

Ond doedd ymwneud y parchusion â sefydlu Cyfeillion yr Iaith yn pylu dim ar fin beiddgarwch y Gymdeithas. Penderfynwyd o blaid gwneud 'difrod cyfyngedig i eiddo' a chychwyn ymgyrch malu arwyddion. Roedd y gwres yn codi, a'r gefnogaeth yn helaethu: 1,500 o bobl er enghraifft yn rali Abertawe ym Mai 1971 i gefnogi wyth o arweinwyr y Gymdeithas mewn achos brawdlys yno. Roedd hi'n edrych i fi fel pe bai'r ymgyrch yn ennill y fath fomentwm ag a fyddai'n gorfodi'r awdurdodau i chwilio am gytundeb. Onid dwyn pethau i bitsh felly oedd holl bwynt yr ymarfer?

Ond pa fath o gytundeb yr oedd y Gymdeithas am ei geisio? Nid dim ond cael arwyddion ffyrdd a ffurflenni dwyieithog does bosibl? Nid sianel deledu Gymraeg yn unig chwaith, er mor aruthrol arwyddocaol fyddai ennill hynny? Os mai dim llai nag achub y Gymraeg, yr hyn a olygai anadlu bywyd newydd iddi, oedd y nod, onid oedd gweithredu ar bob ffrynt, yn strategol-systematig, ac ar bob lefel o fywyd cyhoeddus yn ogystal â gwirfoddol, yn angenrheidiol? A dyma lle y gwelwn i, ynghanol y berw i gyd, wagle mawr. Doedd dim o'r fath beth i'w gael â disgrifiad cynhwysfawr o amcanion y Gymdeithas. Dim maniffesto gan fudiad yr oedd ei weithgareddau'n llanw'r newyddion a'i gefnogaeth yn cynyddu'n gyson!

Dyma gyfle i fi laesu poenau cydwybod a chyfrannu at yr achos mewn modd arwyddocaol. Ysgrifennais i at Senedd y Gymdeithas (nid Pwyllgor Canol mwyach) yn cynnig gwneud y gwaith, a derbyn gwahoddiad i ymddangos ger eu bron. Fe baratois fraslun o gynnwys y gwahanol benodau. Mae gen i gof am ymddangos o flaen y senedd mewn rhyw oruwchystafell yn Chalybeate Street, Aberystwyth, Dafydd Iwan yn cadeirio o'i eistedd ar y llawr, a Ffred Ffransis a Huw Jones yn bresennol, a rhyw groeso go gymhedrol i'r cynnig. Roedd Ffred am wybod pam nad oedd yna bennod ar y fframwaith economaidd; 'yn ateb i oedd nad oeddwn i'n teimlo'n gymwys i ddelio â hynny. Mi ges ganiatâd y senedd i fwrw ymlaen â'r gwaith, ac mi es ati. Roeddwn i hefyd, ar 'y ngwaethaf bron, ar 'yn ffordd 'nôl i ganol gweithgarwch y Gymdeithas.

Fe ymddangosodd y Maniffesto yn haf 1973 a chael cryn sylw. Erbyn diwedd 1974 roedd cyfieithiad Saesneg, gan Harri Webb, wedi ymddangos yn *Planet*. Mi glywais rywbryd fod yr Ysgrifennydd Gwladol, Nicholas Edwards, wedi ei ddarllen. Onid oedd hi'n bwysig iddo fe o bawb wybod beth oedd y tu ôl i'r helynt, a beth y gallai gwleidyddion, o fewn rheswm, wrth gwrs, wneud yn ei gylch? Rwy'n credu i Faniffesto Cymdeithas yr Iaith roi'r syniad o gynllunio adfywiad y Gymraeg mewn ystyr strategol ar yr agenda am y tro cyntaf. Ymhen pedair blynedd byddai'r daearyddwr ifanc galluog o'r Barri, Colin Williams, cynnyrch ysgolion Cymraeg y de-ddwyrain, yn cyhoeddi cyfres o erthyglau ar 'Gynllunio ar gyfer yr Iaith' yn *Barn*. Fe, erbyn hyn, yw'r ymennydd mwyaf grymus yn y maes, mawr ei ddylanwad gobeithio ar bolisïau Bwrdd yr Iaith a Llywodraeth Cymru.

Byddai'n dda gen i feddwl hefyd i'r Maniffesto fod o gymorth i roi cyfeiriad i waith y Gymdeithas yn ystod y saithdegau, cyfnod cynyddol anoddach wrth i effaith berw 1970–71 edwino ac i gynnydd ddibynnu fwyfwy ar ddyfalbarhad nifer cymharol fach o weithredwyr cwbl ymroddedig.

Fel awdur y Maniffesto, mi ges annerch cyfarfod Cymdeithas yr Iaith yn Eisteddfod Genedlaethol Hwlffordd. Yr angen taer i bontio'r bwlch cyfathrebu rhwng aelodau Cymdeithas yr Iaith a thrwch y boblogaeth oedd y cymhelliad i lunio'r Maniffesto. I'r pwrpas yma rhaid oedd amlinellu ffeithiau'r sefyllfa a phennu'r anghenion; yna, grynhoi barn "o blaid rhaglen o nodau diffiniedig". Mi ddadleuais mai ystyr bod y Gymraeg mewn argyfwng oedd y byddai hi, yn wyneb y chwyldro cyfathrebu a mewnlifiad, yn colli'i lle yn brif iaith lafar unrhyw ardal. Ac "unwaith y digwydd hynny, fe beidia hi â bod yn iaith lafar gyffredin o gwbl". Roeddwn i'n gweld dirywiad iaith fel llithrigfa, tebyg i gyrrensi ariannol yn dechrau colli'i werth, ac, o ganlyniad, fwy a mwy o bobl yn dewis defnyddio cyrrensi amgen. Mewn amgylchiadau felly roedd rhaid wrth ymyrraeth nerthol i adfer hyder yn y cyrrensi oedd dan bwysau a'i roi e ar lwybr tyfiant. Roedd y Maniffesto yn ymdrech i osod allan y camau ymyrrol sy raid wrthyn nhw er mwyn adfywio'r Gymraeg.

Os gwnes i gyfraniad i waith y Gymdeithas yn y saithdegau, ym maes cyfathrebu a diffinio polisi y buodd hwnnw. Roedd cyflawni pethau yn y maes yma'n gynyddol bosibl am fod y Gymdeithas, yn sgil twf 1970–71 wedi cael yr adnoddau i sefydlu swyddfa a phenodi staff am y tro cyntaf. Mi weithiais gydag Arfon Gwilym a Ieu Rhos ar bamffled yn seiliedig ar gynnwys y Maniffesto, *Bywyd i'r Iaith*. Mi ges fynd yn gadeirydd y Grŵp Cyfathrebu a pharatoi cyfres o daflenni ar ymgyrchoedd cyfredol dan y pennawd *Cymdeithas*. Un o'r rhai mwyaf effeithiol oedd yr un ar ail gartrefi, gyda chartŵn gan Elwyn Ioan yn dangos dwy olygfa o'r un cartref: un yn dangos cyfoethogyn boldew mewn crys blodeuog yn smocio sigâr ar leithig a'i wydr siampên gerllaw, a'r llall yn dangos gwerinwr mewn dillad gwaith yn codi'i law ar ei fab, yr ardd wedi'i gosod yn daclus a dillad ar y lein yn y cefndir. Y capsiwn: 'Pun yw hi i fod?' Byddai'r daflen honno wedi tramgwyddo cywirdeb gwleidyddol heddiw sawl gwaith drosodd.

Trefnwyd teithiau cyfathrebu i ddosbarthu'r taflenni, cynnal deisebau ac ati. Rwy'n cofio dal pen rheswm yn ddigon cyfeillgar â dyn llafar iawn ar y ffrynt ym Mhwllheli ynglŷn â'r dryswch a'r dilemâu sy'n codi wrth werthu tŷ. Trafod wedyn â gwraig groesawgar ar ben drws, rywle ym Mhen Llŷn, y syniad y gallai'r gymdeithas leol berchnogi tai gwyliau a'u gosod i ymwelwyr. "Wel ie," meddai hi, "mi fasan yn gwneud aur felly on' basan?" (Mi dreiais i hyrwyddo'r syniad yna yn ystod 'y nghyfnod byr yn gadeirydd cwmni Adfer, ond heb ddim llwyddiant.)

Cymharol ychydig a welais i o Ffred Ffransis, oherwydd ei gyfnodau hir yng ngharchar. Fel cadeirydd y Grŵp Cyfathrebu, fodd bynnag, mi ges y gwaith o drefnu ei daith drwy Gymru ar derfyn ei garchariad tair blynedd, a llunio taflen

'Croeso 'Nôl Ffred Ffransis'. Yn neuadd Dre-fach Felindre mi wrandewais arno'n mynnu bod angen "chwyldro parhaol yng Nghymru", galwad y gofynnwyd i fi ei hesbonio gan gyd-weithiwr ar staff Ysgol Emlyn; ces i gryn drafferth.

Erbyn canol y saithdegau roedd hi'n edrych yn glir i fi bod mewnfudiad i Gymru yn gwestiwn na allai'r Gymdeithas ei osgoi ddim pellach. Roeddwn i wedi codi'r posibilrwydd gyda Gareth Miles yn ystod y chwedegau; yntau'n rhybuddio rhag i'r ddadl gael ei chymysgu â chwestiwn mewnfudiad o India'r Gorllewin ac Asia i Loegr trwy ddanfon ataf i gopi o *exposé* Paul Foot ar hiliaeth yn *Immigration and Race in British Politics*; finnau'n penderfynu peidio mentro i'r nyth gwiberod yna.

Ddechrau'r saithdegau gofynnodd Emyr Llywelyn i fi gymryd cadeiryddiaeth cwmni Adfer a fentrodd mor bell â phrynu nifer o dai (dau ohonyn nhw yn Nhregaron) a'u gosod i bobl leol. Mi ges i 'nisodli o'r gadair yn rhan o'r symudiadau i droi'r cwmni'n fudiad i ganolbwyntio ar y 'Fro Gymraeg' fel unig sylfaen posibl adfywiad yr iaith. Allwn i ddim llai na chydnabod dilysrwydd dadansoddiad Emyr Llew, Ieuan Wyn a'r lleill, ond 'y mod i'n ei gweld hi fel dadl anghyflawn yn cael ei chyflwyno mewn dull rhy gyfriniol i greadur mor rhyddieithol â fi. Beth bynnag, roeddwn i'n gweld peryglon mawr o hollti mudiad yr iaith. Fel ffordd o gydnabod grym dadl Adfer a chadw undod y mudiad y cyflwynwyd cynnig go faith i Gyfarfod Cyffredinol y Gymdeithas yn datgan pwysigrwydd canolog yr ardaloedd Cymraeg (nid 'Y Fro Gymraeg', cysyniad nad oedd yn 'y marn i yn adlewyrchu cymhlethdod y realiti ar y llawr) ac yn sefydlu Grŵp Ardaloedd Cymraeg yn un o'r ystod o grwpiau ymgyrchu.

Yn Awst 1973, cyhoeddwyd arwerthiant wyth o dai a oedd yn eiddo i stad leol ym mhentref bychan y Dderwen Gam, nid nepell o Lwyncelyn, Ceredigion, a rhyw bedair milltir o Dalgarreg. Gwahoddodd y tenantiaid Gymdeithas yr Iaith i'w helpu i ddiogelu'u cartrefi. Ffurfiwyd pwyllgor a daeth y pensaer Rheinallt Evans, hen ffrind plentyndod i fi, a dychweledigyn o Lundain, i gynghori'r ymgyrchwyr. Datblygwyd cynllun uchelgeisiol i gael Cyngor Dosbarth Gwledig Aberaeron i brynu ac adnewyddu'r tai a chael cymorth ariannol arbennig drwy ddynodi'r pentref yn 'Ardal Weithredu ar Gartrefi' a chydnabyddiaeth o ddiddordeb pensaernïol y tai. Lluniais innau, gyda chymorth Rheinallt, ddogfen yn gosod allan y cynllun, a'i chyflwyno i'r Cyngor.

Mewn rali genedlaethol yn y pentref, mi ddadleuais fod y Dderwen Gam yn nodweddiadol o duedd i bentrefi cyfain fynd yn bentrefi gwyliau, tuedd a allai achosi diboblogi cynyddol. Pwysleisiais i gryfderau arbennig cymunedau pentrefol: ansawdd y bywyd, y clymau teuluol a chymdogol, hoenusrwydd eu bywyd diwylliannol, ac yn arbennig eu harwyddocâd arbennig yn gymunedau Cymraeg naturiol. Es ymlaen i feirniadu polisïau datblygu'r awdurdodau lleol, gyda'u pentrefi twf a'u stadoedd anghymesur o fawr a oedd yn tanseilio cydlynedd y gymdeithas gan dynnu'r Cymry, ar drugaredd grymoedd y farchnad, i dai cyngor ar gyrion y pentrefi tra bod eu craidd, y tai oedd eisoes yn bod, yn mynd yn gynyddol i ddwylo mewnfudwyr anghyfiaith.

Roedd y sialens i Gyngor Aberaeron yn glir: cyfle, o achos amgylchiadau arbennig y pentref yma, i brynu ac adnewyddu'r cartrefi yn un cynllun integredig a thrwy hynny arloesi model newydd o ddarparu cartrefi cymdeithasol. Am gyfnod roedd hi'n edrych fel pe gallai'r freuddwyd ddod yn wir, yn enwedig ar y noson pan lanwyd neuadd Llwyncelyn hyd y to a Tydfor a'i Adar yn eu hafiaith yn llywio noson lawen ryfeddol. Ond oedi gweithredu wnaeth y Cyngor tan i'w oes e ddirwyn i ben, a diflannodd cynllun y Dderwen Gam i lawr rhwng y styllod yng nghwrs ad-drefnu llywodraeth leol.

Pryder am effaith mewnfudiad oedd yr is-destun i'r ymgyrchoedd yma, er ei bod hi'n haws canolbwyntio ar dai gwyliau, arwydd o anghyfartalrwydd cymdeithasol yn ogystal ag achos erydiad ieithyddol. Doedd hi ddim yn anodd cael cynghreiriaid mewn trafodaeth felly.

Nid heb beth petruster y cydsyniodd Senedd y Gymdeithas yn 1976 â'n awgrym i y dylid yn awr ymgyrchu'n agored ar fewnfudiad. Dyma gyhoeddi taflen *Wynebwn yr Her* a'i dosbarthu'n eang. Nid iaith fursennaidd a ddefnyddiwyd: "Mae Saeson wrth eu miloedd yn symud i … gefn gwlad Cymru … yn prynu tai, siopau, tyddynnod a busnesau … yn denantiaid tai cyngor ac yn landlordiaid tafarnau. Mae'r llif yn ddiddiwedd". Roedd yr effeithiau ar yr iaith a'r bywyd cymdeithasol Cymraeg yn ddifrifol. Roedd dwy wedd ar yr ateb: (a) "cryfhau blaenoriaeth y Gymraeg yn ein cymdeithas, a sicrhau bod y mewnfudiaid, a'u plant yn arbennig, yn cael eu Cymreigio", a (b) "cyfyngu ar nifer y Saeson sy'n symud yma i fyw, a gofalu bod modd i'r Cymry aros yma i fyw a gweithio". Roedd y pwyntiau bwled yn rhestru'r camau angenrheidiol i'r ddau berwyl. Cododd tipyn o nyth cacwn, a chyhuddiadau o hiliaeth wrth gwrs.

Dros y blynyddau wedyn, fe ddaeth y pwnc yma, yr anoddaf o bob pwnc i genedlaetholwr Cymreig i'w drafod, dro ar ôl tro i fynnu sylw, i herio pob ymdrech i'w ddatrys, i fod yn fêl ar fysedd gelynion y mudiad cenedlaethol ac yn fagl ar ymdrechion y mudiad hwnnw i ennill grym.

Tra 'mod i'n dadlau, yn cyfathrebu ac yn ymgyrchu roedd eraill yn gweithredu, a doedd gen i ddim ond edmygedd syn o'u hunplygrwydd a'u dewrder. Yn gwbl ganolog wrth gwrs yr oedd yr ymgyrch ddarlledu, y cyrhaeddwyd diwedd y degawd heb ei hennill ac a fyddai'n ganolog i ailddygyfor y mudiad ddechrau'r wythdegau. Wynfford James, un y ces i'r fraint o weithio cryn lawer gydag e, blaenllym fel gwaywffon, a fuodd yn gyfrifol ran fawr o'r amser am ddylunio a threfnu'r gweithredu. Fe oedd y tu ôl i'r tri mis o weithredu dros y sianel ddechrau 1973. Cystal dyfynnu geiriau Gwilym Tudur yn ei gyfrol gampus *Wyt ti'n Cofio?*: "Meddiannu a difrodi stiwdios a swyddfeydd ledled Cymru a Lloegr, ymyrryd â rhaglenni byw, tagu'r gwasanaethau ffôn, tarfu ar y Gweinidog Post yn y Senedd, protestio torfol yng Nghaerdydd, Bryste, Manceinion. Bu deugain o achosion llys yn y cyfnod hwn, gan gynnwys rhai'r drwydded deledu, a bu nifer dan glo."

Dan y pwysau aruthrol yma, sefydlodd Llywodraeth y DG Bwyllgor Crawford i ystyried yr alwad am sianel Gymraeg, ac yn 1975 argymhellodd y Pwyllgor o blaid. Roedd y ddadl, os nad yr ymgyrch, wedi'i hennill. Ond phallodd mo'r ymgyrchu, na'r erlyn, na'r achosion llys a'r carchariadau, weddill y degawd.

Ym Mawrth 1979, yn y dyddiau du ar ôl trychineb y Refferendwm, roeddwn i'n annerch cyfarfod yn Neuadd Arholiadau Coleg Prifysgol Aberystwyth i groesawu Wynfford a Rhodri Williams o'r carchar. Roeddwn i'n falch o'r cyfle i ganmol "camp arwrol grŵp bach o arweinwyr y Gymdeithas" dros y 7–8 mlynedd blaenorol a oedd wedi sicrhau ei llwyddiant heb "ymchwydd emosiynol torf o gefnogwyr" i'w cario nhw ymlaen. Roedd angen gyts arbennig iawn i ddyn gyflawni gweithredoedd o dorcyfraith ar adeg "pan mae dyn yn cael ar ddeall fod y bobl y mae e'n ceisio amddiffyn eu lles nhw, a rheini'n aml yn bobl y mae gydag e barch iddyn nhw fel unigolion, yn anghymeradwyo'i weithredoedd e'n ddwfn ac yn ffyrnig". Roedd hi'n "anodd ddiawledig" i weithredu felly os oeddech chi'n "byw yn y gymdeithas Gymraeg bob dydd". Am Wynfford yr oeddwn i'n meddwl yn arbennig, gwleidydd tra galluog na chadd ei le dyledus ym mhrif ffrwd y mudiad cenedlaethol ac y ces i'r pleser o lobïo a phleidleisio drosto i fod yn gyfarwyddydd Antur Teifi. Mae'r deyrnged, serch hynny, yn addas ar gyfer nifer (ond nid nifer fawr iawn) o rai eraill.

VII Addysg Gymraeg eto

Ddechrau'r saithdegau buodd ymdrech lew dan arweiniad y prifathro George Evans i gyflwyno dysgu cyfrwng-Cymraeg am y tro cyntaf yn Ysgol Emlyn, gan ddilyn datganiad Cyngor Sir Caerfyrddin fod y Gymraeg "i blentyn o Gymro Cymraeg yn fwy na phwnc", ei bod hi'n gyfrwng dysgu, mynegiant a byw, ac felly bod rhaid cael "cynnydd sylweddol, a hynny mewn byr amser, yn y nifer o bynciau a gyflwynir drwy gyfrwng y Gymraeg". Daeth yr anawsterau i'r amlwg bron ar unwaith. Roedd y cydbwysedd ieithyddol ymysg y disgyblion yn gyfryw fel nad oedd modd creu ffrydiau Saesneg, ac felly dysgu drwy gyfrwng y ddwy iaith yn yr un dosbarth oedd piau hi. Cyflwynais i bapur i gyfarfod y staff yn canmol yr ymgais, yn nodi, serch hynny, yr anawsterau (a fyddai yn 'y marn i yn arwain at fethiant), ac yn cyflwyno'r ddau opsiwn arall, sef ffrydio ar sail cyfrwng dysgu a sefydlu ysgol uwchradd ddwyieithog benodedig yng Nghastellnewydd Emlyn. Doedd dim amheuaeth gen i mai dim ond yr ail opsiwn a fyddai'n arwain at lwyddiant digamsyniol a thwf. Byddai'r ddadl ffrydiau *versus* ysgolion penodedig yn dominyddu'r drafodaeth yn Nyffryn Teifi am dros ddeng mlynedd ac mae'n parhau'n bwnc llosg hyd heddiw.

Ganol y chwedegau roedd ymgyrch egnïol wedi bod yn nhref Caerfyrddin dan arweiniad pobl megis Islwyn Ffowc Elis, Ifan Dalis Davies, Jim Parc Nest a Tecwyn Lloyd o blaid sefydlu ysgol uwchradd ddwyieithog yn y dref. Ond er gwaethaf canlyniadau holiadur a ddangosodd bod digon o alw i gyfiawnhau mentro, roedd grŵp Llafur yr hen gyngor sir, fel yng Ngheredigion, yn gryf yn erbyn ac fe drechwyd cynnig i sefydlu ysgol ddwyieithog o 36 i 9 yn 1973.

Pan ddaeth Cyngor Sir Dyfed i fod yn 1974 wele gyfle am gychwyn newydd. Penderfynodd y Cyngor newydd ei bod hi'n derbyn egwyddor addysg gyfun, ac ar yr un pryd y byddai ystyriaeth yn cael ei rhoi i sefydlu ysgolion uwchradd dwyieithog yn sgil hynny pe byddai digon o alw ymysg rhieni. Roeddwn innau'n gweld addysg uwchradd Gymraeg yn allweddol, nid yn unig fel cynhwysyn yn y broses o estyn terfynau teyrnas yr iaith, ond er mwyn newid y math o ymgom a oedd ac a allai ddigwydd ynddi.

Tua'r adeg hynny, mi wahoddais ddau gydnabod y gwyddwn i eu bod o gyffelyb fryd, Wyn James ac Ainsleigh Davies, i gwrdd â fi yng ngwesty'r Emlyn i drafod sut i ymgyrchu dros sefydlu ysgol(ion) uwchradd ddwyieithog yn Nyffryn Teifi. Aethpwyd ati i lansio'r syniad trwy gynnal cyfarfod mewn festri capel (ble arall?) yn y Castellnewydd, a chael athrawon a chynghorwyr yna. Ffurfiwyd pwyllgor a ddaeth yn Fudiad Addysg Ddwyieithog Dyffryn Teifi, rhan ar un adeg o Fudiad Addysg Ddwyieithog Gorllewin Dyfed.

Aeth y mudiad newydd ati i fesur cefnogaeth ymysg rhieni. Cawd gafael ar restr o rieni plant ysgolion cynradd drwy'r prifathrawon (beth fyddai effaith deddfwriaeth gwarchod data ar hyn heddiw?) a threfnwyd ymweld â phob cartref. Dosbarthwyd taflen, *Cyfle Newydd mewn Addysg*, ar ffurf hawl ac ateb, yn esbonio'r cysyniad, yn egluro sut y gallai'r cynllun weithio yn yr ardal, yn canmol llwyddiant ysgolion megis Rhydfelen, ac yn ceisio tawelu ofnau ynghylch effaith addysg Gymraeg ar Saesneg y disgyblion. Mi gawson ein synnu gan yr ymateb. Roedd ymhell dros dri chwarter, ac mewn rhai ardaloedd dros 90 y cant, o'r rhieni yn ateb yn gadarnhaol i'r cwestiwn, 'Pe bai ysgol ddwyieithog yn yr ardal yma, a fyddech chi am i'ch plentyn fynd iddi?'

Cyflwynwyd canlyniadau'r arolwg i'r Cyngor Sir, ynghyd â chais i dderbyn dirprwyaeth. Ymwelwyd â phob un o gynghorwyr sir y dalgylch, ac mae'n deg nodi fod yna gewri yn eu mysg bryd hynny a fuodd yn gefn i'r ymgyrch: Hywel Heulyn Roberts (nad oedd arno ddim angen ei argyhoeddi ac a fuodd yn fedrus-ddylanwadol gydol y daith), Elwyn Morris, Llangrannog, ac yn arbennig iawn y milfeddyg rhyfeddol David Davies. Rhaid ychwanegu enw Trefor Enoch, cynghorydd Llafur ardal Dre-fach Felindre. Rwy'n cofio'n dda amdano, pan benderfynodd y Cyngor Sir o'r diwedd sefydlu ysgol ddwyieithog, yn dweud pa mor browd roedd e'n teimlo wrth weld pob aelod o'r *"Labour group"* yn codi'u dwylo o blaid.

Ymddangosodd dirprwyaeth o flaen y Pwyllgor Addysg yn Chwefror 1976, gydag Eric Davies yn annerch fel cadeirydd ein hymgyrch ni, a WR Evans ar ran ymgyrch Preseli, ar ffurf cerdd os cofiaf i'n iawn.

Yn dilyn cyfarfod cyhoeddus llwyddiannus gan y mudiad yn Neuadd Llandysul, gyda Gwilym Humphreys a Jac L Williams yn annerch, roedd hi wedi dod yn bryd mynd â'r neges ymhellach. Trefnwyd cyfarfod tebyg (Gwilym Humphreys eto fyth) yn Neuadd Crymych, ac o hwnnw y tyfodd yr ymgyrch yn yr ardal honno. Cododd ymgyrch yn nhref Aberteifi yn ogystal. Sefydlwyd cysylltiad â'r ymgyrchoedd yn ardaloedd Caerfyrddin, Llanelli a Dyffryn Gwendraeth. Cynhyrchwyd dogfen ar y cyd, *Addysg Well i Ddyfed*, a chynnal 'seiat hyfforddi' (roedd y *teach-in* yn ffasiynol ar y pryd) dros ddiwrnod yng Nghaerfyrddin. Ma' gen i atgof niwlog am seminarau ac arddangosfeydd eraill yn ogystal.

Roedd sgêl y gefnogaeth yn Nyffryn Teifi, fel y pwysleisiodd y Dirprwy Gyfarwyddydd Addysg John Phillips wrtha i ryw dro, yn creu problem: buasai 50 y cant o gefnogaeth yn cynnig ateb syml, sef un ysgol Saesneg ac un ddwyieithog yn lle'r ysgol ramadeg a'r ysgol fodern. Ond roeddwn i'n gweld hyn yn fodd i ddatblygu gweledigaeth fwy radical o'r hanner. Cynigiodd y gohirio ar gyfuno, o achos cyfyngiadau ariannol, y cyfle i hyrwyddo'r weledigaeth honno, ac fe'i disgrifiais i hi mewn cyfarfod arbennig yn 1976, wedi'i drefnu, drwy ddylanwad cyfeillion y mudiad, gan UCAC ar faes yr Eisteddfod Genedlaethol yn Aberteifi.

Sefydlu yn gyntaf nad oedd system ffrydiau yn unrhyw fath o ateb. Nid sefydliadau addysgol yn unig oedd ysgolion dwyieithog penodedig, meddwn i, ond cymunedau Cymraeg yr oedd eu holl ethos nhw'n hyrwyddo dwyieithrwydd effeithiol a defnydd o'r Gymraeg yn iaith bywyd cymdeithasol a diwylliannol, ffurfiol ac anffurfiol. Mewn system ffrydiau, byddai'r Saesneg fel *lingua franca* yn rhwym o ennill y dydd. Dim rhyfedd felly nad oedd unrhyw hanes am dwf mewn ffrydiau Cymraeg, tra oedd twf deinamig yr ysgolion dwyieithog yn siarad drosto'i hunan.

Ond "nid sicrhau sefydliadau a hawliau addysgol i'r lleiafrif ohonon ni sy'n daer ac yn danbaid" dros y Gymraeg oedd y nod chwaith. Rhaid anelu at wneud ysgolion Cymraeg, cynradd ac uwchradd, "yn batrwm normal i fwyafrif mawr y plant" a rhaid i gymhathu dyfodiaid o blant Saesneg fod yn rhan annatod o'r prosiect. Gan fod mwyafrif ysgubol yn nalgylch Emlyn-Llandysul yn ffafrio ysgol uwchradd ddwyieithog i'w plant, roedd cyfle hanesyddol yma i arloesi "cysyniad y dalgylch addysg Gymraeg" lle byddai addysg Gymraeg-ddwyieithog yn norm. Roedd realiti yn golygu y byddai'n rhaid darparu ar gyfer y lleiafrif na allai neu na fynnai elwa ar addysg uwchradd ddwyieithog ac fe ellid trefnu hynny drwy gludo i'r ysgol Saesneg agosaf. Rhaid gwahodd rhai o'r tu hwnt i'r dalgylch i optio i mewn i'w ysgolion Cymraeg-dwyieithog e. Byddai hyn yn rhan o gynllun strategol i daenu ymhellach gysyniad y dalgylch addysg Gymraeg fel proses fwriadus o gryfhau'n gynyddol sail diriogaethol yr iaith.

Roedd maes yr Eisteddfod yn lle hwylus i osod sialens o flaen y Cyngor Sir i gychwyn gyda dalgylchoedd y Preseli ac Emlyn-Llandysul. Gellid symud yn ddiymdroi yn y Preseli ac yn fuan wedyn drwy gael ysgolion cyfun iau a hŷn, eu dwy yn benodedig ddwyieithog, yn nalgylch Emlyn-Llandysul.

Roedd y perorasiwn yn gosod yr holl beth yn ei gyd-destun. "Mae gyda ni hyd yma gymdeithas Gymraeg yn y parthau hyn i fod yn sylfaen i gyfundrefn o ysgolion dwyieithog naturiol. O ganlyniad i'r mewnlifiad Saesneg, mae'n amheus a fydd y gymdeithas yma gyda ni'n hir, oni bai bod gweithredu polisi cadarn, clir a phendant yn fuan. Mae gohirio nawr fel gohirio danfon y Frigâd Dân nes bod tri-chwarter yr adeilad wedi'i losgi i'r llawr, a'i adeiladwaith sylfaenol wedi'i sigo'n anadferadwy."

Mabwysiadwyd yr un polisi gan UCAC a'i gyflwyno mewn dogfen arbennig i'r Pwyllgor Addysg; o sylwi ar yr arddull, rwy'n barnu mai fi a sgriptiodd hon hefyd.

Derbyniodd yr Awdurdod yr her a chynnal arolwg o ddymuniadau rhieni yn y Preseli. Faint o argyhoeddiad a oedd y tu ôl i ymgais yr Awdurdod sy fater arall. Cawd ymgyrch chwyrn yn erbyn. Rwy'n cofio bod mewn cyfarfodydd lle roedd y cynllun yn cael ei bortreadu fel cynllwyn lleiafrif i danseilio lles y gymdeithas leol. Buodd bygylu caled a sôn am alwadau ffôn bygythiol gan gefnogwyr yr ysgol ddwyieithog. Mewn erthygl yn *Clebran*, 'Y Gwir a Saif', Mawrth 1977, dywedwyd, "Mewn ardal sy'n honni bod yn ddiwylliedig, tristwch mawr yw gweld pobl yn barod i gael eu camarwain gan siarad maleisus a di-sail".

Roedd cysyniad y dalgylch addysg Gymraeg fel sylfaen ar gyfer cadarnhau gafael diriogaethol yr iaith yn sarn, am y tro beth bynnag. Yn rhyfedd iawn, fe newidiodd yr hinsawdd yn y Preseli dros amser mor llwyr nes i'r ysgol yna gael ei phenodi'n ysgol ddwyieithog ddechrau'r nawdegau. Roedd a wnelo ymroddiad a gwaith di-sôn-amdano y Cyngorydd Halket Jones, Llandudoch, gryn lawer â'r cam pwysig hwnnw.

Roedd cyfuno addysg yn Nyffryn Teifi, a'r gobaith am ysgol ddwyieithog fan'ny, 'nôl ar y *back burner*, ond sefydlwyd Ysgol y Strade yn Llanelli yn 1977 a Bro Myrddin yn 1978. Wedi cryn bledio a llythyru mi enillon ni fel teulu yr hawl i Rolant, ein hail blentyn, fynychu Bro Myrddin, fel rhan o gonsesiwn ehangach i dderbyn disgyblion o'r tu hwnt i'r dalgylch. Fe awgrymodd un o swyddogion addysg y sir i Llinos a fi ein bod ni'n rhoi'r iaith Gymraeg o flaen lles ein plentyn.

VIII Deall Dwyieitheg

Buodd y cwrs MEd yn Aber, 1976–77, yn fodd i fi ddeall dwyieithrwydd yn well. Dim ond agor *Llyfryddiaeth Dwyieitheg* Jac L Williams a chael arweiniad gan Gareth Edwards a oedd yn gyfrifol am y cwrs Iaith mewn Addysg, a dyna fi ar drywydd astudiaethau o bob rhan o'r byd yr oedd eu perthnasoldeb i sefyllfa'r Gymraeg yn amlwg.

Yn y gwaith theoretig a'r astudiaethau achos mewn llyfrau am Ganada, Fflandrys, Iwerddon, yr Eidal, yr Unol Daleithiau, Israel, De Affrica, De America ac yn y blaen, roeddwn i'n gallu canfod y prosesau a'r symptomau, yr ymatebion a'r strategaethau yr oedd amrywiadau ohonyn nhw i'w gweld yn y cymunedau dwyieithog y gwyddwn i amdanyn nhw yng Nghymru. Roedd yna eirfa i alluogi dyn i ddisgrifio a dadansoddi: 'shifft iaith' am y broses o ddisodli un iaith gan un arall mewn cymuned; 'diglosia' i ddynodi'r arfer o neilltuo gwahanol ieithoedd i wahanol feysydd; 'peuoedd' i ddynodi'r meysydd hynny; 'teyrngarwyr iaith' i ddynodi pobl fel fi a oedd yn dewis glynu wrth iaith sydd ar encil.

Yr Iddew Americanaidd Joshua Fishman, tad 'Cymdeithaseg Iaith' oedd y seren fwyaf llachar yn yr wybren yma. Roedd hi'n rhyddhad i weld ei fod e'n credu y gellid, mewn amgylchiadau arbennig, atal iaith a oedd dan bwysau rhag marw. Roedd e wedi dyfeisio enw am y peth, 'gwrthdroi shifft iaith', cysyniad a oedd yn ymhlygu gweithredu bwriadus a digonol i gyflawni'r gamp, o achos roedd hi'n amlwg nad ar chwarae bach yr oedd dod i ben â hi. Dyna beth roedd angen ei wneud yng Nghymru felly: gwrthdroi shifft iaith. GSI! GSIwyr oedd y rhai a fynnai ymdaflu i'r dasg.

Doedd gen i ddim amheuaeth am bwnc y traethawd estynedig yr oedd yn rhaid i fi ei gyfansoddi yn elfen hanfodol yn y cwrs gradd: *Teuluoedd Saesneg mewn Ardal Gymraeg: Astudiaeth o Integreiddiad Cymdeithasol, Diwylliannol ac Ieithyddol.* Rhoddodd cyfaill o ddyddiau coleg a oedd erbyn hyn yn gweithio i'r Comisiwn Ewropeaidd yn Brwsel (mab i weinidog gyda'r Methodistiaid Calfinaidd, chredech chi byth), Hywel Ceri Jones, fi mewn cysylltiad ag ymchwilwyr i'r berthynas rhwng ymfudiad a ieithoedd. Mi fues yn cyf-weld â mewnfudwyr i ardal Dyffryn Cletwr rhwng dechrau'r ugeinfed ganrif a'r saithdegau i ddeall sut yr oedden nhw wedi cael eu cymhathu'n ieithyddol mor llwyr. Gweinyddais i holiadur manwl i holl ddisgyblion Ysgol Emlyn a chynnal cyfweliadau â 35 o rieni mewnfudol a 43 o'u plant nhw.

Dangosodd yr ymchwil fod 31.95 y cant o ddisgyblion yr ysgol yn blant i deuluoedd mewnfudol, o'i gymharu â 17.31 y cant yn 1961 a 5.46 y cant o blant cynradd y dalgylch yn 1945. O blith y plant yma rhyw 18 y cant oedd yn honni eu bod nhw'n gallu siarad Cymraeg yn "weddol rwydd", a dim ond 5 y cant yn dweud mai Cymraeg a siaraden nhw'n bennaf â phlant Cymraeg yr ysgol. O holi'r plant yn fanwl mi ddes i'r casgliad bod y realiti'n llai addawol fyth. Roedd hi'n amlwg hefyd mai eithriadau oedd yr ysgolion hynny a oedd yn anelu at gymhathu mewnfudiaid, a bod rhai ysgolion wedi rhoi'r gorau i unrhyw ymdrech o ddifrif i ddysgu Cymraeg iddyn nhw. O edrych ar yr astudiaethau o effaith mewnfudiad yn rhyngwladol ac yng Nghymru, yn ogystal ag arfer synnwyr cyffredin gonest, roedd y casgliad yn amlwg, sef bod proses ar waith, o ddilyn y tueddiadau cyfredol, a fyddai'n arwain at ddisodli'r Gymraeg gan y Saesneg yn Nyffryn Teifi, un o brif gadarnleoedd y Gymraeg.

Beth oedd yr ymhlygiadau i bolisi addysg? Roedd 'yn astudiaethau i'n awgrymu dwy ffordd o dreial cadarnhau safle iaith a oedd dan fygythiad oherwydd mewnfudiad. Y ffordd fwyaf effeithiol o bell oedd gweithredu 'egwyddor tiriogaeth', sef mynnu drwy bob dull-a-modd bod mewnfudwyr yn plygu i'r drefn, dysgu'r iaith frodorol, a derbyn mai trwyddi hi y byddai'r gymdeithas yn byw ei bywyd. Yr ail ffordd oedd gweithredu 'egwyddor personoliaeth', sef sicrhau i siaradwyr yr iaith frodorol, ac unrhyw fewnfudwyr a ddymunai ymuno â nhw, ddarpariaeth gynhwysfawr a fframwaith sefydliadol gref, yn eu hiaith nhw, gydag ysgolion yn sylfaenol ymysg y darpariaethau yna.

Erbyn hyn roeddwn i, yn wyneb maint y mewnlifiad ac arafwch awdurdodau cyhoeddus i weithredu, ynghyd â thystiolaeth megis methiant y Preseli, yn dechrau anobeithio am ddichonoldeb gweithredu egwyddor tiriogaeth, sef polisi cymhathiad effeithiol. Roeddwn i hefyd yn dod i'r casgliad bod esgus gweithredu egwyddor tiriogaeth, ei chymhwyso'n wangalon-anghyson, yn golygu cwympo'n dwt rhwng dwy stôl, er mawr ddrwg i'r Gymraeg ac i brif gollwyr y *mish-mash*, sef y Cymry Cymraeg brodorol, nad oedd eu hanghenion addysgol, seicolegol na ieithyddol yn cael eu gwasanaethu'n iawn.

Pe bai egwyddor personoliaeth yn cael ei gweithredu, byddai hynny'n golygu rhwydwaith o ysgolion Cymraeg-dwyieithog, yn agored i blant o bob cefndir ieithyddol, a allai weithredu fel craidd i rwydwaith gymdeithasol a sefydliadol Gymraeg ehangach. Mewn aml i ardal, yn enwedig pe bai'r awdurdodau cyhoeddus yn cefnogi hynny, ysgolion Cymraeg fyddai'r mwyafrif, y norm hyd yn oed. Gellid drwy hyn feithrin cadernid a hunanhyder y Cymry Cymraeg, eu gwneud yn grŵp pwerus a deinamig. Ddydd a ddelai gallai hyn fod yn llwyfan i ailsefydlu penarglwyddiaeth y Gymraeg mewn ardaloedd helaeth fel rhan o brosiect cenedlaethol i'w hadfywio hi.

Yn Eisteddfod Genedlaethol Caernarfon 1979, ar wahoddiad Rhodri Williams (mab i weinidog anghydffurfiol os nad wy'n camgofio), mi draddodais anerchiad yng nghyfarfod Cymdeithas yr Iaith ar 'Fewnlifiad, Iaith a Chymdeithas'. Yn ei ragair i'r pamffled seiliedig ar yr anerchiad, fe gyfeiriodd Rhodri at adroddiad go frawychus am y sefyllfa yn ysgolion Gwynedd a Dyfed. Yng Ngwynedd, o'r 51 y cant o blant a oedd yn cyrraedd yr ysgol yn ddi-Gymraeg, dim ond 12 y cant oedd yn rhugl eu Cymraeg yn 16 oed. Y ffigyrau cyfatebol yn Nyfed oedd 75 y cant a 5 y cant. Mi fues innau wedi hynny yn rhyw werthu'n syniadau mewn cyfarfodydd lleol o'r Gymdeithas a chael derbyniad negyddol digon ffyrnig. Serch hynny aeth UCAC ati i ddisgrifio, gyda chymorth y daearyddwr o Goleg Prifysgol Llanbed, Gareth Edwards, sut y gallai'n argymhellion i weithio'n llwyddiannus yng Ngheredigion.

Aeth deng mlynedd heibio cyn i Ddyfed, drwy ddylanwad glewion megis Emyr Hywel a Wyn James, a chyda chefnogaeth y Cyfarwyddwr Addysg John Phillips, weithredu fersiwn o egwyddor tiriogaeth ar ffurf y polisi categoreiddio ysgolion yn ôl iaith cyfrwng dysgu. Yn unol â thraddodiad ei blaid rhedodd AS Llafur Sir Gaerfyrddin, Alan Williams, a'r grŵp *Education First* ymgyrch waradwyddus yn erbyn y polisi. Enillodd y Sir y fuddugoliaeth ac mae ymdrechion arwrol athrawon ac addysgwyr i gael y system gategoreiddio i weithio wedi dwyn ffrwyth nid ansylweddol. 'Y nheimlad cryf i, serch hynny, yw mai cyfaddawd anfoddhaol yw'r system honno, os yw dyn o ddifrif am 'wrthdroi shifft iaith'.

Tua'r un adeg, cyhoeddodd Cymdeithas yr Iaith bamffled gen i ar *Gymdeithaseg Iaith a'r Gymraeg*. Rhwng un peth a'r llall roeddwn i'n cael 'y ngweld fel rhywun digon cymeradwy i droi ato am gyngor ar weithredu dwyieithrwydd.

Ymysg eraill mi fues yn annerch Ffederasiwn Cenedlaethol y Ffermwyr Ifainc. Rwy'n credu iddyn nhw fwynhau'r cyflwyniad ar theori dwyieithrwydd, gan adnabod cynifer o'r elfennau fel pethau a oedd yn codi yn eu profiad bob dydd. Roedd y cyngor a roddais i iddyn nhw yn syml, ond yn haws i'w annog nag i'w weithredu. Ofer oedd treial rhedeg clybiau "yn ddwyieithog". Yr unig fodel credadwy oedd clybiau Cymraeg a chlybiau Saesneg, a darpariaeth ar gyfer dwyieithrwydd effeithiol, offer cyfieithu ar-y-pryd yn enwedig, mewn sefyllfaoedd lle byddai'r ddwy gymuned ieithyddol yn dod at ei gilydd, ar sail cadernid ieithyddol a hunanhyder.

Cyn diwedd y degawd fe fyddai 'niddordeb mewn dwyieithrwydd ac effaith ymfudiad arno yn 'yn arwain i i ddŵr twym.

Yn haf 1979 daeth cynrychiolydd o Grŵp Cynllunwyr Gorllewin Cymru, Merelyn Hedger, i 'ngweld i yng Nghrugeryr â chais i fi annerch eu cynhadledd nhw ar Fywyd Gwledig, a oedd i gael ei chynnal, gyda chymorth Bwrdd Datblygu Cymru Wledig, yng Ngoleg Prifysgol Llanbed ar Fedi 28. Roedd hi am fod yn siŵr y câi llais rhywun a allai fynegi pryderon a dyheadau'r gymuned Gymraeg gael ei glywed; syniad go wreiddiol ymysg cynllunwyr yn y dyddiau hynny. Fi, meddai hi, oedd y dyn. Esboniais i iddi o ble yr oeddwn i'n dod fel 'tai, ac roedd hi'n fodlon. Mi fyddwn am annerch yn Gymraeg wrth gwrs. O, heb feddwl am hynny, ond fe wnâi hi bopeth a allai hi i gael offer cyfieithu-ar-y-pryd.

Roedd llond y neuadd ar y dydd, ac roeddwn i'n annerch ar ôl Brian John, gŵr o odre Sir Benfro y byddwn yn cydweithio ag e ymhen y degawd.

Roedd tynged cefn gwlad a thynged yr iaith Gymraeg, meddwn i, yn agos-gysylltiedig. Ers canrif a mwy roedd cefn gwlad Cymru, yn rhinwedd y syndrom Buchedd A a Buchedd B yn ogystal ag anfantais economaidd, wedi cael ei gwanhau'n ddifrifol gan ddiboblogi detholus helaeth. I fynd i'r afael â'r broblem yma yr oedd y Bwrdd Datblygu wedi cael ei sefydlu.

Ond erbyn hyn roedd mewnfudo mor arwyddocaol ag allfudo. Y broblem wedi'i datrys felly? Nid yn hollol. Esboniais i iddyn nhw, gan ddefnyddio Cymdeithaseg Iaith i ddehongli, bod yna fygythiad enbyd i'r iaith Gymraeg mewn mewnfudiad mor sylweddol, a hwnnw'n dilyn, ac yn cyd-ddigwydd â'r allfudo yr oeddwn i wedi cyfeirio ato. Erbyn 1991, yn ôl cynllunwyr Ceredigion, byddai 40 y cant o boblogaeth Ceredigion yn perthyn i deuluoedd a oedd wedi ymfudo i'r sir er 1971.

Roedd yna ddimensiwn sosio-economaidd hefyd na ddylid ei anwybyddu, sef ymyleiddiad y boblogaeth frodorol yn yr economi ac ym maes cartrefi yn wyneb gallu pwrcasu uwch allanwyr.

Nid digon mesur llwyddiant y Bwrdd Datblygu yn nhermau cyfrif pennau. Dylai gwrthweithio'r tueddiadau yma fod yn ganolog i'w strategaeth e. Ymhellach, dylid "mesur llwyddiant datblygu yn ôl y gallu i adeiladu ar sylfaen frodorol". Nid nad oedd lle i ddenu diwydiant. Dyna i chi ffatri Slimma yn Llanbedr, enghraifft o fewnfuddsoddi bendithiol a oedd yn cyflogi ugeiniau o Gymry lleol. Ac yn y gwaith o adfywio cefn gwlad Cymru, roedd lle cadarnhaol pwysig i fewnfudwyr.

Es i ymlaen wedyn i alw am wahaniaethu cadarnhaol o blaid y Cymry lleol, a defnyddio arlwy o wahanol fesurau i hwyluso cryfhau eu lle nhw yn yr economi. Nid yn unig hynny, roedd angen symud pwyslais polisïau cynllunio a chartrefu er mwyn cysylltu datblygiadau'n agosach ag anghenion lleol, a defnyddio prynu ac adnewyddu yn ogystal â chodi o'r newydd. Roedd polisi Ceredigion o "grynhoi rhagor o'r boblogaeth i aneddiadau o fwy" yn amhriodol mewn ardal o gymunedau bychain gwasgarog.

Wrth i fi eistedd lawr, fe sibrydodd Ian Skewis, prif weithredydd y Bwrdd, yn 'y nghlust ei fod e wedi cael y papur yn adeiladol a chytbwys. Yn nes ymlaen, mi fyddwn yn cael llythyr gan Dafydd Elis Thomas yn cynnig cyfarfod rhyngddo fe a Skewis a Wynfford James a finnau i drafod mynd â'r syniadau ymhellach.

'The English are Taking Over' oedd y pennawd yn y Teifiseid diwrnod Guto Ffowc uwchben adroddiad digon cytbwys a theg. Roedd yr hanes wedi bod yn hir braidd yn cyrraedd, ond fe gynheuodd fini-goelcerth a losgodd am wythnosau. Roedd 'yn sylwadau i'n *bigoted* ac yn hiliol yn ogystal â bod yn ddi-sail, meddai Mr Ashe, ffarmwr Blaenbedw Isaf, Plwmp. Ymunodd Simon Thorpe, y gŵr a ddaeth â stofs coed *Jøtul* i Gymru (bendith ar ei ben e am hynny) yn yr ymosodiad. Ond roedd 'na gymorth wrth law. Cyhoeddwyd llythyr maith, disglair-ddeifiol, gan Eric Mobberley o Rydlewis, cefnder 'y nghyfaill Hywel Ceri a gadd hanes y ffrae ym Mrwsel bell. A daeth Lewis Smith, y Sais a oedd wedi dod i fyw i Ffostrasol i redeg busnes cyfrifiadurol lawr-y-lein ac a oedd wedi dysgu Cymraeg yn siampal, i'r adwy gyda llythyr o amddiffyniad. Ac a 'mod i'n dweud hynny, fues innau ddim yn brin o ollwng ergydion digon effeithiol yn ogystal â sylwadau eglurhaol i golofnau'r Teifiseid, yn 'yn Saesneg gorau wrth gwrs.

Roedd pobl yn dod ataf i ar y stryd yn y Castellnewydd i ddatgan eu cefnogaeth. Ffoniodd Simon Thorpe i ddweud y carai fe i ni gwrdd er mwyn cymodi. Rwy'n go siŵr, serch hynny, mai'r helynt yn y papur oedd y rheswm pam na ches i ddim smel o'r swyddi y ceisiais i amdanyn nhw yn ysgolion uwchradd Aberteifi a Llanbedr, er fod gen i erbyn hynny ugain mlynedd o brofiad, enw go lew fel athro a gradd uwch i gynnig. Ond roedd Dai Thomas, prifathro Aberaeron, yn ormod o ddyn i adael i dipyn o helynt yn y wasg ei rwystro fe rhag gwneud y penderfyniad a oedd yn ei farn e yn gywir, ac mi ges 'y nghyfle i symud ymlaen ym Medi 1980.

ENNILL O'R DIWEDD: 1979–92

YN Y CYFARFOD i groesawu Wynfford a Rhodri o'r carchar ym mis Medi 1979, mi anogais y gynulleidfa – rhai o graidd caled y mudiad cenedlaethol – i beidio digalonni yn wyneb trychineb y Refferendwm. Roedd y don o wladgarwch a oedd wedi cario'r mudiad o ganol y chwedegau drwy'r saithdegau wedi treio, ond roedd yna "don arall yn dod", meddwn i. Dyna beth oedd byw mewn gobaith a ffydd. Ys dywed Gwilym Tudur, y caswir amdani oedd nad "oedd y Cymry eisiau hunanlywodraeth, diolch yn fawr" a bod "blyff y mudiad cenedlaethol" wedi'i alw.

Roedd y mudiad mewn picil, heb sôn am fod yn y falen. Serch hynny, pan ofynnodd John Bwlch-llan i fi gymryd golygyddiaeth Y Ddraig Goch, mi gytunais ar yr amod y cawn i fwrdd golygyddol i rannu'r cyfrifoldeb. Cawd grŵp galluog at ei gilydd: Ioan Williams, academydd wedi dychwelyd o yrfa lwyddiannus yn Lloegr; Philip Davies, trefnydd y Blaid yng Ngheredigion; Aled Eirug a aeth ymlaen i bethau mawr ym myd newyddiaduraeth. A llwyddwyd i ddenu ysgrifenwyr llawn mor alluog i gyfrannu: Sionyn Daniel yn adolygydd cyson er enghraifft; a'r hanesydd Robin Okey a luniodd gyfres wych ar 'Gymru a'r Byd Modern'. Rhan o thesis Robin oedd y byddai'r bwlch ffyniant rhwng de-ddwyrain Lloegr a gweddill y DG yn agor ymhellach bellach o dan lywodraeth Thatcher, a'r sefyllfa wleidyddol yn sgil hynny'n aeddfedu mewn modd ffafriol i genedlaetholdeb Cymru, gan gyrraedd rhyw fath o uchafbwynt tua diwedd y ganrif. Tipyn o ddarogan!

Yn awr ei hargyfwng mwyaf, fe edrychodd Plaid Cymru i ddau gyfeiriad: i frwydr yr iaith, ac i'r chwith, at ryw fath o sosialaeth.

I Brwydr yr Iaith

Am gyfnod daeth y ddwy ffrwd a oedd wedi ymwahanu yn 1962, gyda ffurfio Cymdeithas yr Iaith, 'nôl at ei gilydd i ymladd brwydr y sianel Gymraeg, ac ailgofleidiodd arweinyddiaeth y Blaid draddodiad gweithredu uniongyrchol Penyberth yr oedd wedi cefnu arno ers Tryweryn. "Galwn ar bob cenedlaetholwr i wrthod codi'r drwydded deledu o hyn ymlaen," meddai rhifyn Hydref 1979 o'r *Ddraig Goch*. Mater enbyd o ddifrifol oedd prif stori rhifyn Mai 1980, 'Bwriadaf Ymprydio'. Yn rhifyn Mehefin penderfyniad Gwynfor i ddechrau ympryd hyd angau pe na bai llywodraeth Thatcher yn gwrthdroi eu penderfyniad i fradychu'r ymrwymiad i sefydlu sianel deledu Gymraeg oedd pwnc 'yn erthygl olygyddol i.

Treiais i roi penderfyniad syfrdanol Gwynfor yn ei gyd-destun. Wedi canrifoedd o "oroesi cyndyn" roedd amgylchiadau'r oes yn golygu bod y Cymry yn "wynebu argyfwng eithaf parhad eu gwahanrwydd". Roedd gwladwriaeth Prydain wedi llwyddo i danseilio llwyddiant "ymdrechion glew" y mudiad cenedlaethol dros y ddau ddegawd blaenorol ac yn awr yn trin y Cymry gyda dirmyg llwyr: eu taflu i argyfwng economaidd difrifol ac ar yr un pryd yn "torri addewid blynyddoedd trwy beidio â chaniatáu idd eu hiaith un o'i hangenrheidiau mwyaf sylfaenol, sef ei chyfundrefn deledu ei hun". Roedd gan *Y Ddraig Goch*, meddwn i, gydymdeimlad â'r garfan a oedd yn achwyn ar le canolog brwydr y Sianel yng ngweithgarwch y Blaid ar adeg o "slachdar diwydiannol", ond ystyr gweithred Gwynfor oedd "datgan mai un yw'r frwydr sydd i'w hymladd", a thasg y mudiad cenedlaethol oedd profi bod hynny'n wir. Doedd gan y mudiad a'i aelodau, yn wyneb penderfyniad Gwynfor, er gwaethaf pob amheuon, "ddim dewis mwyach ond ei gefnogi hyd eithaf pellaf eu hymroddiad a'u canolbwyntiad".

Ganol Gorffennaf daeth 'y niwrnod olaf yn Ysgol Emlyn, wedi 18 mlynedd o ddysgu yna, i ben. Dyma grŵp o 'nghyd-weithwyr at ei gilydd i far y Cawdor i ddweud ffarwél. Diflas oedd gàdael y cwmni'n afresymol o gynnar a heb allu cynnig esboniad. Erbyn tua saith roeddwn i'n eistedd yn ystafell ffrynt tŷ yn y Gors-las yng nghwmni Maldwyn Jones, Iwan Meical Jones a Millicent Gregory. Roedden ni ('y parchusion') yn derbyn cyfarwyddiadau gan y 'gweithredwr' Euros Owen ynglŷn â sut i gael mynediad drwy'r ffenestr i drosglwyddydd teledu Carmel a sut i droi'r gwasanaeth bant, gan efelychu gweithred debyg gan Meredydd Evans, Pennar Davies a Ned Thomas ar fynydd Pencarreg rai wythnosau ynghynt. Wedi cyflawni'r weithred tuag 11 y nos, ar ôl i'r rhan fwyaf o wylwyr fynd i'r gwely, buodd rhaid aros gryn amser am y glas. Ein cludo ni wedyn i orsaf yr heddlu yn Rhydaman lle buon ni'n chwarae cardiau am sbel go lew. Ymddiheurodd y plismon a oedd wedi'n cyrchu ni o Carmel ein bod ni'n cael ein cadw mor hir. "Y cwbl alla i weud wrthoch chi yw, *'Wheels are turning'*."

Tua dau y bore dyma fynd â ni i'r celloedd yn Llanelli. O'r diwedd, ar ôl cachgïo droeon a ffaelu fwy nag unwaith, roeddwn i wedi cyrraedd un o balasau'r brenin, o leiaf am noswaith. Bync i gysgu arno ac un garthen, cachu ar hyd y walydd a thoilet llawn heb fflysh yn gweithio. Pan ddaeth yr arolygydd heibio cyn brecwast, mi adnabyddais Michael Cox, yr oedd ei ffwl-tòs wedi 'mwrw i yn 'yn arlais ar gae criced Aberaeron ers lawer dydd. Consesiwn arbennig ganddo fe i hen gyfaill oedd caniatáu i'r toilet gael ei fflysio.

Gwrandawiad byr yn llys Rhydaman a'n galw 'nôl ar gyfer wythnos Eisteddfod Genedlaethol Abertawe. Roedd y ddedfryd pan ddaeth hi yn dipyn o glatsien: £500 rhwng y ddirwy a'r costau. Pandemoniwm yn y llys, a'r olwg ddiflas yna eto ar wyneb plismyn yr oedd yn gas gyda nhw'r gwaith yr oedden nhw'n gorfod ei wneud, sef llusgo gweithredwyr mas i'r stryd. Un cefnogydd yn sefyll ar lawr y llys yn gweiddi ar gadeirydd y fainc, dro ar ôl tro, "Mochyn yw Aman Davies!" Cawd cymorth gyda'r wasgfa ariannol drwy i DO Davies godi cronfa, ond mi fynnon ni gwrdd â £100 o'r gost ein hunain.

Roedd yr ymgyrch yn ennill momentwm, a Gwynfor wedi'i ddyrchafu, yn hollol briodol, yn gyfuniad o sant ac arweinydd cenedlaethol. Roeddwn i'n bresennol yn neuadd Crymych y noson y cyhoeddodd Roy Llywelyn fod Gwynfor wedi gallu rhoi'r gorau i'w fygythiad ar yr unfed awr ar ddeg, gan fod Willie Whitelaw wedi datgan bod y llywodraeth am ildio, ac y byddai sianel Gymraeg yn cael ei sefydlu. Cadd *Y Ddraig Goch* hwyl yn rhifyn Tachwedd ar ddyfynnu geiriau dau newyddiadurwr cyn y fuddugoliaeth. John Junor yn yr *Express* wedi sôn am ymgyrch i sicrhau y gallai'r bedwaredd sianel *"spew forth Celtic porridge"* ac y buasai fe, o gael ei ffordd, yn gadael i'r *"silly old crumpet get on with it"*. James Cameron yn y *Guardian* yn fwy chwaethus: bygythiad Gwynfor yn *"proper Cymric caper ... about ... a pretty potty issue. Mr Evans... is an old show-off. This is not wholly unknown in Wales. They have been known however to get their way."*

Yn Nyffryn Teifi cawd buddugoliaeth i'r iaith drwy i'r ymgyrch dros ysgol ddwyieithog yn ardal Emlyn-Llandysul gael ei hennill.

Wedi hir oedi roedd yr Awdurdod Addysg yn symud ymlaen i gyfuno, wedi cynnal arolwg ac am sefydlu ysgol gyfun ddwyieithog yn Llandysul yn un o ddwy yn y dalgylch. Ar y funud olaf cododd gwrthwynebiad ffyrnig o gyfeiriad y *Teifi Valley Education Association (TVEI)*, gyda chefnogaeth (a goeliech chi byth?) AS Llafur Sir Gaerfyrddin, Roger Thomas. Mi'i cyhuddais i e yn y wasg o ffurfio *"unholy alliance"* â chymdeithas Ceidwadwyr De Ceredigion a golygydd y *Cambrian News*, Jonathan Holborow. Mi ddisgrifiais ei ddatganiad mai "sefydlu ysgolion ar wahân oedd y ffordd sicraf o rannu'r gymuned a meithrin y math o dyndra oedd yn anffurfio rhai rhannau eraill o Brydain" fel "ffwlbri anghyfrifol", a'i ymgyrch fel "fandaliaeth addysgol a ieithyddol".

Ar raglen deledu cyhuddais i olygydd y *Cambrian News* o gamddefnyddio'i safle newyddiadurol drwy roi amlygrwydd i'r *TVEI* yn ei bapur. Fe ymatebodd drwy gychwyn gweithredu cyfreithiol yn 'yn erbyn i. Gyda chymorth Michael Jones o Gaerdydd, mi ddaliais innau 'nhir a gwrthod tynnu'r cyhuddiad 'nôl. Bu'n rhaid iddo yntau roi'r gorau i'r cyfreitha, a fuodd e ddim yn hir iawn wedyn cyn ymadael â'r *Cambrian News* a'r ardal a dychwelyd i Lundain i gymryd at olygyddiaeth y *Mail on Sunday*. Penodwyd Peter Roberts yn olynydd iddo, yr hyn a fuodd yn fantais ddwbl. Gydol yr wythdegau buodd y *Cambrian News* yn fwy na theg ei sylw i ymgyrchoedd y Blaid, ffactor nid dibwys yn hynt etholiadol Ceredigion a Gogledd Penfro.

Ond roedden ni'n gweld perygl i'r holl fenter fynd yn rong. Lleiafrif bach wedi'r cyfan oedd wedi gwthio'r cwestiwn yn ddygn ers wyth mlynedd. Trefnwyd deiseb yn cefnogi penderfyniad yr Awdurdod, a chyfarfod cyhoeddus yn neuadd eglwys Llandysul. Noson y cyfarfod fe ddaeth yn amlwg y byddai'n rhaid symud i Neuadd Tysul i gynnwys y 400 oedd wedi ymgynnull. Siaradodd Dai Lewis yr arwerthwr yn ddeifiol-ysbrydoledig, ac roedd Davies y Fet yn yr uchelfannau. Hywel Heulyn yn galw i gof y gwrthwynebiad i Benweddig, a Wyn James, bendith ar y cof amdano, yn galw am greu mwy eto o ysgolion uwchradd Cymraeg.

Ces innau gyfle i annerch. Y cyfan yr oedden ni'n gofyn amdano i'r iaith Gymraeg, meddwn i, oedd amgylchiadau byw normal, naturiol, fel roedd gan y Saesneg yn Lloegr, y Norwyeg yn Norwy a'r Fflemeg yn Fflandrys. Dim ond mewn ysgol lle roedd y disgyblion i gyd yn cael addysg Gymraeg yr oedd modd creu'r amgylchiadau hyn. Mi ymosodais ar ddatganiad Roger Thomas ei fod e am i bob plentyn gael addysg Gymraeg fel rhagrith a'i herio fe i gefnogi polisi o gymhathiad llwyr i fewnfudwyr, fel yn Fflandrys. Croesewais i'n arbennig gefnogaeth y rhieni Saesneg a oedd yn bresennol. Rheidrwydd oedd i'r gymdeithas Gymraeg fod yn agored i fewnfudwyr meddwn i, gan nodi mai'r paradocs trist oedd bod y gymdeithas honno, wrth iddi fynd yn llai digyfaddawd o Gymraeg a cholli felly y gallu i gymhathu newydd-ddyfodiaid, wedi mynd yn fwy caeëdig, yn llai cynhwysol. Addysg Gymraeg oedd y modd i adfer i'r gymdeithas Gymraeg ei gallu i amsugno dylanwadau allanol. "Mae'ch angen *chi* arnon *ni*, a ninnau arnoch chithau; mae arnon ni i gyd angen ysgol ddwyieithog gyflawn ddynodedig".

Ar ôl y cyfarfod yna, doedd dim rhagor o amheuaeth. Agorodd Ysgol Gyfun Dyffryn Teifi ym Medi 1974. Ond roedd llawer o ddŵr wedi mynd dan y bont ers y galw yn 1974–76 am sefydlu 'dalgylchoedd addysg Gymraeg'. Ddechrau'r nawdegau lladdwyd symudiad i ledu'r patrwm newydd i ganol Ceredigion gan fethiant i gytuno pa un, neu ddwy, o blith Aberaeron, Llanbedr a Thregaron a ddylai fod yn ysgolion Cymraeg dynodedig. Rwy'n hollol siŵr i addysg a'r Gymraeg fod ar eu colled o ganlyniad.

II Rhyw Fath o Sosialaeth

Ysgrifennais i adroddiad ar Ysgol Haf Dolgellau i rifyn Medi *Y Ddraig Goch*. 'Y Ffordd Ymlaen i'r Mudiad Cenedlaethol' oedd pwnc yr ysgol, gyda Merfyn Jones yn sôn am chwarelwyr y Gogledd, Robin Okey yn ystyried gwersi Iwgoslafia i Gymru, a Robert Griffiths yn annerch ar SO Davies a'r haen genedlatholgar Gymreig yn y mudiad Llafur. Perwyl y trafodaethau, meddwn i, oedd "darganfod pa gydiad a allai fod rhwng y ddwy brif ffrwd yn hanes politicaidd Cymru, sef cenedlaetholdeb a sosialaeth", gan gydnabod mai "trasiedi fawr Cymru oedd i'r ddau ddyhead gael eu hysgaru i gymaint graddau oddi wrth ei gilydd".

Y mis Gorffennaf blaenorol roedd Gareth Miles a Robert Griffiths yn *Sosialaeth i'r Cymry* wedi galw ar sosialwyr i "ddyrchafu'r nod o sefydlu gwladwriaeth annibynnol i Gymru yn un o'u blaenoriaethau hanfodol", a naill ai y dylid trawsnewid y Blaid neu y dylai sosialwyr o'i mewn hi ei gadael "a ffurfio plaid sosialaidd, weriniaethol, annibynnol". Gan fod Robert Griffiths yn gynswyddog ymchwil tra galluog i'r Blaid, a Gareth yn aelod gweithgar ohoni, nid rhybudd i'w anwybyddu oedd hwn.

Mi deflais 'y ngheiniogwerth i i'r drafodaeth mewn papur i ysgol undydd gan y Blaid yng Nghaerfyrddin yn haf 1980 a gyhoeddwyd wedyn yn erthygl yn y *Ddraig Goch*. Fel hyn yr ymresymais i: roedd cenedlaetholdeb 'fel-y-cadwer-i'r-oesoedd-a-ddêl-y-glendid-a-fu', a oedd wedi methu ag ennill cefnogaeth beth bynnag, wedi hen beidio â bod yn berthnasol, wrth i briodoleddau yr hen Gymru megis anghydffurfiaeth Gristnogol, a bywyd diwylliannol a chymunedau clòs traddodiadol ('Y Pethau') ymddatod o flaen ein llygaid. Yr unig gyfiawnhad dros genedlaetholdeb Cymreig felly oedd y potensial a allai fod ynddo i greu cymdeithas well i'r dyfodol.

Cynigiais i nifer o elfennau hanfodol i'r math o safbwynt y dylai'r Blaid ei fabwysiadu. Pwyslais ar gymdeithas, neu gymundod, i ddechrau, a'r egwyddor y dylid ei threfnu er lles ei haelodau i gyd, nid unigolion ffodus a breintiedig. Yn ail, ymuniaethu â'r frwydr dros fuddiannau materol Cymru ac yn arbennig â'r "dosbarth sy fwyaf agored i gael ei niweidio yn y cyfnod sy'n ein hwynebu". Rhyw fath o sosialaeth felly.

Ond pa fath? Roedd sosialaeth yn ei ffurfiau cyfarwydd wedi cyrraedd *impasse*. Roedd fersiwn yr Undeb Sofietaidd a Dwyrain Ewrop wedi'i ddinoethi yn beiriant enbyd o ormesol, ac aneffeithlon hefyd. Ond roedd democratiaeth gymdeithasol, yn enwedig ym Mhrydain, hefyd mewn trwbl, fel yr oedd y gogwydd i'r dde wedi dangos: roedd e'n dibynnu'n llwyr ar dwf economaidd i'w weithredu ac wedi ffaelu delifro hynny; roedd gwastraff a biwrocratiaeth yn y sector cyhoeddus; ac roedd y pwyslais ar ymdrech, cyfrifoldeb a chyfranogiad wedi'i golli wrth i 'ddiwylliant dibyniaeth' fynd ar gynnydd.

Byddai'r adwaith yn erbyn Thatcheriaeth, mi ddadleuais, yn sicrhau y "gwelir yn y blynyddoedd nesaf ymdrech i saernïo sosialaeth newydd". Ei man cychwyn hi fyddai sicrhau cyfreidiau materol digonol i bawb yn ddiwahân; i'r pwrpas hwn roedd angen cynllunio'r economi. Rhaid ar yr un pryd sicrhau y derbyniai pobl gyfrifoldeb am les cymdeithas drwy gyfranogiad democrataidd. Doedd hynny yn ei dro ddim yn debyg o ddigwydd heb ddatganoli (*décentralisation* nid *dévolution*, a defnyddio'r termau Ffrangeg) gwleidyddol ac economaidd, a dyma lle byddai ymreolaeth i Gymru a'r Alban yn dod i brif ffrwd y drafodaeth. Er mwyn sicrhau y byddai pwyslais y Blaid ar genedligrwydd yn cael ei weld yn berthnasol, rhaid iddi "fabwysiadu osgo digymrodedd sosialaidd".

Trwy ryw ymresymu felly, peth ohono'n weddol sownd a pheth sy i'w weld erbyn hyn yn go sigledig, yr ymrestrais i â'r rhai a oedd yn galw ar y Blaid i gofleidio sosialaeth.

Erbyn hynny roedd natur y chwyldro Thatcheraidd yn dechrau'i amlygu ei hunan, a'r drafodaeth yn fwy nag academaidd. Roedd y *Ddraig Goch* yn cyhoeddi yn Ebrill 1980 bod diweithdra yng Nghymru wedi cyrraedd 92,075, 9.2 y cant o wrywod, ac megis dechrau roedd y gofidiau. Y ffigwr yn *Nraig* Medi 1981 oedd 200,000, a bron 3 miliwn drwy'r Deyrnas Gyfunol. Ac roedd anfodlonrwydd nad oedd y Blaid yn rhoi'r amlygrwydd dyladwy i'r rhyferthwy o ddatgymalu a oedd yn dechrau digwydd.

Yng nghynhadledd arbennig Aberystwyth ym Mawrth 1980 roedd Ieuan Wyn Jones wedi honni mai'r farn ymysg y cyhoedd oedd fod y Blaid "mewn rhyw fath o berlewyg ers yr etholiad ac wedi colli cyfeiriad …yn hollol amherthnasol i'r ddadl fwyaf ynghylch dyfodol Cymru". Gwnaeth Gwynfor, a oedd wedi ymuno â gweithwyr dur ar y llinell biced, ymdrech i uniaethu'r frwydr yn erbyn diweithdra â chenedlaetholdeb a hunanlywodraeth: "Os una miliwn o undebwyr llafur fel Cymry, gan ddatgan fel Cymry eu bod yn mynnu rhyddid i'n cenedl ni, bydd hynny ar unwaith yn mynnu parch". Ar y pryd byddai rhai wedi cwestiynu perthnasoldeb dod â hunanlywodraeth i'r blaen gwta flwyddyn ar ôl y Refferendwm, ond eisoes roedd pobl yn dechrau gweld cysylltiad rhwng 'Na' anferth 1979 a'r ffordd yr oedd Cymru nawr yn cael ei thrin. Byddai'r cysylltiad hwnnw'n cael ei wneud yn echblyg yn ystod Streic y Glowyr bedair blynedd pellach i mewn i'r arbrawf Thatcheraidd.

Cyn diwedd 1980 roedd Cynhadledd y Blaid, ag ymgyrch y Sianel wedi'i hennill, wedi penderfynu gwneud ymgyrchu ar ddiweithdra yn weithgarwch canolog ac, ar gynnig cangen Merthyr, wedi rhwymo'r Blaid i gyflogi swyddog arbennig i arwain y gweithgareddau. Roedd y themâu a restrodd y swyddog hwnnw, Gerald Howells, yn y *Ddraig Goch* Awst 1981 yn rhoi ffocws i weithgarwch ond yn dangos, serch hynny, pa mor anodd oedd hi i lunio ateb credadwy i'r diweithdra torfol a oedd yn realiti mor llethol yng Nghymru: Awdurdodau Lleol i brynu nwyddau a gwasanaethau o Gymru; buddsoddi cronfeydd pensiwn i ysgogi economi Cymru; atal y pwysau i ricriwtio o Gymru i'r lluoedd arfog; a chyfyngu ar fewnforion a oedd yn tanseilio economi Cymru. Rhyfedd nad oedd unrhyw gyfeirio at y toriadau mewn gwasanaethau cyhoeddus: pwnc yr erthygl olygyddol oedd y cynllun i dorri £4 miliwn o wariant ar y prifysgolion a nifer y myfyrwyr o 1,200.

Ond beth oedd a wnelo mabwysiadu sosialaeth â hyn oll? I gychwyn, doedd gan Gwynfor fawr o amynedd â mabwysiadu term a oedd yn ei feddwl e yn aneglur, yn gamarweiniol ac yn rhannu. Ysgrifennodd yn ddeifiol yn y *Ddraig* Rhagfyr 1980 mai "paffio ffug, ymgodymu disylwedd ... balihŵ" oedd y cyfan. Heriodd e'r sosialwyr cenedlaetholgar i gynhyrchu eu diffiniad o sosialaeth "er mwyn cywiro'r argraff a roddir o siarad bocsachus". Ond roedd y pwysau dros fabwysiadu'r term yn cynyddu. Datganodd adroddiad y Comisiwn, yr oedd y Blaid wedi'i sefydlu yn dilyn trychineb y Refferendwm, o blaid "sosialaeth ddatganolaidd" ac roedd Phil Williams, a luniodd adroddiad lleiafrifol braidd yn ymagweddus, hefyd o'r farn bod unrhyw un a ystyriai bolisi'r Blaid "yn rhwym o ddod i'r casgliad ei fod yn sosialaidd ei natur". Diwedd y dadlau fuodd i Gynhadledd Caerfyrddin 1981 blymio i'r dwfn a mabwysiadu geiriad go eithafol i'r amcanion, sef "ennill gwladwriaeth sosialaidd ddemocrataidd Gymreig".

Beth bynnag y byddai dadansoddiad o bolisïau'r Blaid cyn 1979 yn ei ddangos am eu natur sosialaidd, roedd y newid pwyslais a'r mabwysiadu cyfeiriad yr oedd penderfyniad Caerfyrddin yn ei arwyddo yn teimlo'n arwyddocaol i fi ar y pryd. Fe gydnabu Gwynfor hynny ei hunan yn y *Ddraig* adeg streic y glowyr a chroesawu'r newid pwyslais. Meddai fe: "Mae'n rhaid cael gwared ar y ddelwedd, a greais i yn anfwriadol, o genedlaetholdeb gwledig, ymneilltuol a'i holl bwyslais ar yr iaith". Roedd y newid pwyslais yn cael ei uniaethu i raddau helaeth â Dafydd Elis Thomas. Dyna pam y pleidleisiais i drosto fe yn y gystadleuaeth â Dafydd Wigley ac yr ymgyrchais i drosto yn yr ornest â Dafydd Iwan.

Ond doedd gen i ddim amynedd â'r awgrym chwerthinllyd bod Wigley rywsut yn ddyn y dde. Fe wedi'r cyfan oedd awdur polisi syndicalaidd (eithafol yn ôl syniadau heddiw) y Blaid ar ddemocratiaeth ddiwydiannol. Yn ei dystiolaeth i Gomisiwn Bullock roedd e'n datgan o blaid yr egwyddor chwyldroadol mai llafur a ddylai gyflogi cyfalaf, nid y gwrthwyneb, ac yn galw am roi "realiti rheolaeth mewn diwydiant i'r gweithwyr". Ac wrth ddadlau fod "cyfalafiaeth y wladwriaeth [sef gwladoli] yn gweithio dros fuddiannau cyfalaf" yn hytrach na'r gweithiwr roedd Dafydd Êl yn dangos yr un ddrwgdybiaeth o sosialaeth wladol ag yr oedd Wigley a Gwynfor eu dau, a Saunders Lewis o ran hynny, wedi'i mynegi. Fel y mwyafrif o Bleidwyr y rhengoedd ar y pryd roeddwn i'n gweld y ffricsiwn cydnabyddedig rhwng dau AS y Blaid yn tywyllu cyngor yn y ddadl am gyfeiriad y Blaid ac yn gwanhau ei gallu i ddilyn y cyfeiriad yna'n bwrpasaidd.

Ond rywfodd roedd Dafydd Êl yn mynegi ysbryd y cyfnod a'r angen am ailfrandio'r Blaid. Mi dreiais unwaith grisialu beth yn union yr oedd e yn ei gynrychioli. Fe ofynnodd i fi gymryd ei le mewn cyfarfod yng Ngholeg Llanbed. Y trueni, meddwn i, oedd bod teyrngarwch i blaid a theyrngarwch i fuddiannau'r dosbarth gweithiol erioed wedi'u gosod mewn cyferbyniad â'i gilydd. Roedd gan weithiwr yr hawl i ofyn i Bleidwyr, "Pa faint yn fwy rhydd fyddaf i yn y Gymru rydd rydych chi'n sôn amdani?" ac i gael ateb. Roedd prif blancyn polisi'r Blaid, y Cynllun Economaidd Cenedlaethol, yn cymryd bod cyfalafiaeth yn anochel ac am weithio gyda'i graen hi, ond roedd cyfalafiaeth ei hunan nawr mewn argyfwng. Er bod Dafydd Êl ei hunan ymhell iawn o fod yn glir ynghylch ystyr sosialaeth, roedd ei gwestiynu fe yn arwyddo angen clir am ddod o hyd i sosialaeth briod Gymreig fel yr unig ffordd o dorri gafael haearnaidd y Blaid Lafur ar fywyd gwleidyddol Cymru. Un o'r rhai a gynigiodd sylwadau nodedig o graff oedd Felix Aubel, myfyriwr yn Llanbedr ar y pryd, ac roedd y sosialydd rhagorol a phragmataidd hwnnw, Hag Harris, yn y gynulleidfa.

Roedden ni'n byw trwy gyfnod, a'r adwaith yn erbyn Thatcher yn dygyfor, a'r Blaid Lafur mewn picil, pan oedd y math yma o siarad yn ymddangos yn gredadwy. Pan ddeuai blwyddyn gyfan Streic y Glowyr, byddai'r awyr yn llawn o siarad chwyldroadol, a'r cwestiwn cenedlaethol yn rhan ohono fe. Kim Howells er enghraifft mewn cyfarfod o'r Gyngres Genedlaethol fyrhoedlog a sefydlwyd yn sgil y streic "i warchod cymunedau Cymru" yn collfarnu rheolaeth y diwydiant glo o dan wladoli ac yn galw am "edrych eto ar reolaeth y gweithwyr" fel yr unig ddewis amgen i breifateiddio a *rip-off* mawr i'r cyfalafwyr. Fe gysylltodd hynny â chwestiwn undod Cymru. Roedd "cysylltiadau hanesyddol annhoradwy" wedi'u gwneud gan y streic meddai fe; "heb weddill Cymru byddai'r glowyr yn dlotach ac yn wannach". Roedd Emlyn Williams, arweinydd glowyr y De, yn galw am Senedd i Gymru, na fuasai hi yn yr amgylchiadau ar y pryd wedi "gwneud dim byd ond lles". Aeth dirprwyaeth o TUC Cymru i Wlad y Basgiaid i astudio cywaith gweithwyr Mondragon a chasglu bod yr hyn a welon nhw fan'ny yn cynnig rhan o leiaf o'r ateb i ddiweithdra torfol yng Nghymru.

Roedd dadansoddiad mwy treiddgar a radical-bellgyrhaeddol, *way out* rhaid cydnabod erbyn hyn, yn dod o gyfeiriad yr hanesydd Marcsaidd eirias Gwyn Alf Williams. Mewn erthygl yn *Marxism Today*, 'Land of our Fathers', meddai fe am effaith Thatcheriaeth, yn enwedig y toriadau mewn glo a dur, "Os pery'r broses, does dim cymdeithas wâr yn debyg o oroesi; bydd Cymru a'r Cymry, fel endidau hanesyddol, yn diflannu o ddau benrhyn gorllewinol Prydain y buon nhw'n byw o'u mewn ers mileniwm a hanner". Roedd e'n ddirmygus o ymateb sosialwyr Prydeinig i'r argyfwng ac yn galw am symud grym i'r lefel Ewropeaidd ac i'r rhanbarthau Prydeinig. O fewn Cymru roedd rhaid datrys dwy broblem, sef rôl israddol menywod er eu bod yn bresenoldeb cynyddol yn y gweithlu, a'r iaith Gymraeg mewn perthynas â hunaniaeth aelodau'r genedl. "Rhaid i'r mudiad sosialaidd yng Nghymru wneud ymrwymiad ... i'r genedl Gymreig, i'r iaith Gymraeg, ac i hawl pobl Saesneg-eu-hiaith i fod yn Gymry, i ennill sylweddoliad llawn a sefydliadol o'r Cymreictod hwnnw, gan gynnwys yr hawl i beidio dysgu Cymraeg a pheidio diodde'r canlyniadau".

Yr unig amcan gwerth-chweil ac anrhydeddus i Gymru, yn ôl Gwyn Alf, oedd "gweriniaeth sosialaidd Cymru, wedi'i hangori ymysg ei chwaer-weriniaethau yn Ynys Prydain, nhwythau wedi'u hangori yn eu realiti Ewropeaidd". Fodd bynnag, roedd ar Gymru angen senedd ar lun San Steffan fel yr oedd angen twll yn y pen arni. "Yr hyn sy'i angen ar Gymru yw comiwn sosialaidd chwyldroadol."

Ddiwrnod neu ddau cyn etholiad cyffredinol 1983, cerddodd Gwyn mewn i swyddfa Plaid Cymru yn Heol y Gadeirlan ac ymuno. Roedd ei ddyfodiad i'r Blaid, ar drothwy streic y glowyr, yn ddigwyddiad ysbrydoliadol. Fe ddaeth yn Is-gadeirydd Cyhoeddiadau a Chyhoeddusrwydd pan rois i'r gorau i'r swydd. Pan symudodd e i fyw i Dre-fach Felindre, fe ddaethon yn dipyn o ffrindiau, ac fe siaradodd gyda'i huodledd gwreichionog unigryw yn 'y nghyfarfod mabwysiadu yn 1987.

Roedd tân y diffuantrwydd a'r ymroddiad deallusol yn ormod i unrhyw gorff i'w ddal a buodd rhaid i Gwyn gilio o reng flaen gweithgarwch y Blaid. Buodd e farw o ganser yn 70 oed yn 1995. Colled anfesuradwy, yn bersonol ac yn wleidyddol. Gofynnwyd i fi arwain ei wasanaeth angladdol, ond allwn i byth: fuaswn i ddim wedi gallu dal. Canwyd 'O Iesu mawr, rho d'anian bur I eiddil gwan mewn anial dir, I'w nerthu drwy'r holl rwystrau sydd Ar ddyrys daith i'r Ganaan fry', a'r Faner Goch.

Un o gywion Dafydd Êl oedd yr economegydd Phil Cooke a ddaeth yn Is-gadeirydd Ymchwil a Pholisi'r Blaid yn 1984. Fe a ddaeth agosaf at roi cynnwys economaidd i sosialaeth ddatganolaidd y Blaid. Fe'i disgrifiodd mewn erthygl yn *Radical Wales*, cylchgrawn a fuodd yn llais effeithiol a go eang ei gylchrediad i'r 'tueddiad sosialaidd', a ffeministaidd hefyd, yn y Blaid. Roedd e'n hallt ei watwar ar sylw Phil Williams mai gwrthddywediad oedd sosialaeth ddatganolaidd, fel "chwisgi di-alcohol". Roedd yntau hefyd yn gweld sosialaeth ganoledig wladol yn "anymatebgar, yn fecanistaidd, yn hunan-barhaol ac yn ormesol". Dylai rôl y wladwriaeth gael ei chyfyngu i swyddogaethau megis gwarchod hawliau cyfreithiol dinasyddion a democratiaeth, a pherchnogaeth y prif gyfleustodau. Dylai cyfran helaeth o drethi gael eu casglu'n lleol mewn comiwnau o lai na 50,000 o boblogaeth a fyddai'n gyfrifol am reolaeth leol ar wasanaethau sylfaenol. Dylai'r wladwriaeth sicrhau bod cynllunio economaidd yn digwydd, ond byddai cyfranogiad eang gan gynghorau gweithwyr, comiwnau ac arbenigwyr.

Y cwestiwn olaf yna a fuodd yn bwnc gwrthdaro hynod o anffrwythlon. Rwy'n cofio'r ddadl mewn Cyngor Cenedlaethol, a Phil Williams am i'r Blaid lunio olynydd i Gynllun Economaidd Cenedlaethol dechrau'r saithdegau. Dadleuodd Lyn Mainwaring yn gryf yn erbyn. Roedd cynllunio canolog yn annemocrataidd, yn aneffeithlon, yn llyncu adnoddau ac yn gwadu eu hawl i ddewis i ddefnyddwyr. Yn ôl 'yn arfer mi dreiais i ddiffinio ffordd ganol a fyddai'n ein galluogi ni i symud ymlaen, ond yr argraff ges i oedd bod y ddau, fel ceiliogod bantam, yn cael blas ar y gwrthdaro. Lluniodd Phil Cooke 'Strategaeth Economaidd Amgen', ond ymwneud yr oedd honno'n bennaf â phroses a chryfhau braich gweithwyr yn hytrach na disgrifio sut yn union y gellid mynd ati i adeiladu economi Gymreig hyfyw.

Ffaelu a wnaeth yr ymdrech i lunio gwrthbwynt realistig i Thatcheriaeth yn economaidd a gwleidyddol drwy ddatblygu rhaglen sosialaidd Gymreig. Serch hynny, fe gyflawnodd rywbeth yn nhermau newid delwedd a newid gwerthoedd, o ran safleoli'r Blaid. Awd trwy gyfnod a oedd yn rhannol fewnddrychol-theoretig ond lawn cymaint yn ymagor i ddylanwad anghenion real pobl real. Mi ddaethon ni lawr o'r uchelfannau ideolegol a gwladgarol. O fod yn fudiad a fynnai arosod ei werthoedd ar gymdeithas wrthnysig, mi droeson yn blaid i gynrychioli'u buddiannau a lleisio'u pryderon. Roedd y trawsnewidiad yn adlewyrchu llawer o'r hyn yr oedd *New Nation* wedi rhoi llais iddo a'r hyn oedd wedi galluogi'r Blaid i gipio Meirionnydd ac Arfon yn 1974. Dwyf i'n amau dim na fuodd yr ymroddiad i ryw fath o sosialaeth yn bwysig yn y broses o gipio Ceredigion a Gogledd Penfro i'r Blaid.

III Bod yn Ymgeisydd

Rywbryd yn 1981 y penderfynais i 'mod i am fod yn ymgeisydd seneddol yn sir 'y magwraeth a 'mabwysiad, a oedd erbyn hynny'n rhan o etholaeth fwy: Ceredigion a Gogledd Penfro.

Roeddwn i wedi gwrthod y cais i sefyll yn 1979 gan 'y mod i wrthi ar astudiaethau'r MEd, ac roedd Dafydd Huws, yn ei ddull anrhydeddus arferol, wedi camu i'r bwlch. Ond nawr, wedi'r cyfnod o ddigyfeiredd yn sgil 1979, roedd y Blaid unwaith eto'n lle diddorol i fod, a roeddwn i am fod yn rhan o'r antur. Awgrymodd sawl un mai fi oedd yr union ddyn i'r ymgeisyddiaeth ac roedd gen innau le i gredu 'mod i wedi ennill rhyw gymaint o hygrededd fel dadleuydd ac ymgyrchydd. Roedd hi'n gwbl glir i fi hefyd bod gwleidydda etholiadol llwyddiannus yn gwbl angenrheidiol os oedd y mudiad cenedlaethol ehangach i gyflawni unrhyw beth. Roedd 'y ngreddf yn awgrymu hefyd y byddai tueddiadau'n gweithio o blaid cenedlaetholdeb Cymru weddill yr ugeinfed ganrif, fel roedd Robin Okey wedi dadlau, a bod potensial yng Ngheredigion.

Dyna'r rhesymau swyddogol dros fynd ati. Y rheswm answyddogol wrth gwrs oedd 'mod i'n ffansïo'r ego trip. Wedi treulio'r holl flynyddau yng nghilfachau'r mudiad cenedlaethol, a heb fentro y tu hwnt i'r ystafell ddosbarth yn ei yrfa broffesiynol, roedd y crwt bach annigonol, swil, mab pregethwr y Tabernacl, yn awyddus i fod yn *rhywun*. Yr holl daflenni a phosteri yna ar hyd y sir, a'r llun a'r enw'n gyfarwydd i bawb!

Nid cynt y ces i'n newis yn ymgeisydd nag y cofiais i jest pa mor anaddas ar gyfer y rôl yr oeddwn i. Tebyg i hynny fod o les, o achos mi es ati'n gwbl systematig, fel efrydydd yn paratoi ar gyfer arholiad, i ddysgu'r maes llafur. Sut roedd llywodraeth leol yn gweithio; beth oedd gwaith y gwahanol gyfleustodau cyhoeddus; beth oedd proffil economaidd y sir; sut roedd Polisi Amaethyddol Cyffredin (PAC) y Gymuned Ewropeaidd yn gweithio; y system nawdd cymdeithasol – yr holl bethau hynny nad oedd hanner oes mewn ystafell ddosbarth yn dysgu iaith a llenyddiaeth yn ddim paratoad ar eu cyfer nhw.

Pan ddaeth ymgyrch etholiad 1983, felly yr es i ati i baratoi ar gyfer yr hystings cyhoeddus. Byddai'r rhai amaethyddol, yn tynnu rhai cannoedd o ffermwyr, yn allweddol. Drwy ddirgel ffyrdd cawd gafael yn y cwestiynau yr oedd yr undebau yn argymell eu gofyn. Daeth grŵp o gefnogwyr at ei gilydd yn nhŷ Gwynfryn Evans, rheolwr hufenfa Felin-fach a chefnogydd cwbl allweddol i fi ar hyd y daith, a pharatoi atebion manwl, wedi'u darlunio â ffeithiau allweddol, i bob un. Mi ddes mas o'r hystings a 'nghefnogwyr wedi'u calonogi a'n enw i wedi'i sefydlu fel boi oedd yn gwybod ei bethau.

Ond y cam cyntaf oedd argyhoeddi pobl y Blaid fod y frwydr yn werth ei hymladd, nad dyletswydd ddiflas oedd hi, ond bod modd, os nad ennill, osod y seiliau ar gyfer dydd a ddelai. Ym meddyliau llawer o aelodau, roedd Geraint Howells i'w weld yn faen tramgwydd ansymudadwy: ei gysylltiadau ym mhob twll a chornel ac ym mhob haen o gymdeithas yn ddiarhebol; cynhesrwydd ei bersonoliaeth yn ennill pawb y cwrddai fe â nhw; ei deyrngarwch i'r achos cenedlaethol, yr iaith yn arbennig, hefyd yn anwadadwy. Rhaid argyhoeddi cefnogwyr potensial y Blaid, a rhai aelodau, bod treial disodli cystal Cymro yn rhywbeth iawn i'w wneud heb sôn am fod yn werth yr ymdrech. Wedi'r cyfan roedd y Pwyllgor Rhanbarth ar un adeg wedi danfon dirprwyaeth ato yn ei gartref gerllaw Pumlumon i bwyso arno i adael y Rhyddfrydwyr a sefyll dros y Blaid. A beth bynnag, doedd y Blaid ddim wedi llwyddo i ddringo o'r pedwerydd safle ers gwthiad mawr Hywel ap Robert yn 1970.

Wrth dramwyo'r canghennau, gellais i ddangos sut roedd y Blaid er 1945 wedi ennill tir yn gyson drwy Gymru wledig, a'i bod hi ar i fyny unwaith eto yng Ngheredigion. Ond trwy weithredoedd yn fwy na ffydd yr oedd adeiladu hunanhyder y Blaid. Rhaid i fi felly, a Geraint mas o'r ffordd yn San Steffan lawer o'r amser, sefydlu enw fel y parhaus-bresennol, y chwim ei ymateb i bob argyfwng, cychwynnydd ymgyrchoedd – rhyw fath o ryfel gerila o'r esgyll.

Mae'n werth gweld y patrwm ymgyrch a fabwysiedais i yng nghyd-destun trafodaethau'r Blaid yn ganolog ar strategaeth etholiadol. Bues i'n aelod o'r Pwyllgor Gwaith ran fawr o'r wythdegau, yn olygydd y *Ddraig Goch* ac wedyn yn Is-gadeirydd Cyhoeddiadau a Chyhoeddusrwydd, ac felly'n rhan o'r trafodaethau.

Lluniodd Dafydd Wigley ddogfen strategaeth yn 1982 yn seiliedig ar safleoliad newydd y Blaid. Y nod meddai fe oedd "diorseddu'r Blaid Lafur fel y blaid sy'n ennill teyrngarwch mwyafrif gwerin Cymru … trwy ennill eu teyrngarwch i'r nod o annibyniaeth [sic!] genedlaethol a rhaglen wleidyddol radical wedi ei sylfaenu ar sosialaeth ddatganoledig", ynghyd â rhaglen flaengar ym meysydd diarfogi a'r Trydydd Byd. Byddai isetholiad Gŵyr "yn hanfodol bwysig… o safbwynt dangos mai i gyfeiriad y Blaid y byddai'r bleidlais Lafur yn chwalu yn hytrach nag i gyfeiriad [plaid newydd] yr SDP".

Wrth apelio am weithwyr i lifo i ymgyrch yr isetholiad, honnodd y *Ddraig Goch* ym Medi bod canlyniadau canfas yn dangos pleidlais Llafur yn ymddatod, 29 y cant yn cefnogi'r Blaid a dim sôn am yr SDP. Dechreuodd gyrfa seneddol Gareth Wardell i Lafur gyda 43.5 y cant, yr SDP ar 25.1 y cant, a'r Blaid yn bedwerydd ar 8.7 y cant. Y neges i fi oedd bod angen mwy na mabwysiadu proffil blaengar cyn dechrau troi'r llif i'n cyfeiriad ni.

Yn 1984 roedd Phil Williams yn dadlau, fel roedd e wedi gwneud bron hyd at syrffed, mai problem y Blaid oedd na allai hi benderfynu p'un ai ennill annibyniaeth neu gael y driniaeth orau posibl i Gymru o fewn y *status quo* oedd ei chenhadaeth. Yr ail piau hi yn anochel yn ôl Phil. Yn ogystal â hynny roedd prinder adnoddau yn golygu bod rhaid pennu blaenoriaethau ym maes etholiadau; canolbwyntio ar y cynghorau sir oedd ei argymhelliad e.

Lluniais innau bapur yn mynegi anghytundeb go sylfaenol. Parthed y genhadaeth, doedd dim modd osgoi'r angen i hyrwyddo buddiannau Cymru a'i phobl yn realiti'r presennol tra'n bachu ar bob cyfle i gyflwyno'r ddadl dros hunanlywodraeth (y term yr oedd arweinyddiaeth y Blaid yn ddieithriad wedi'i arddel). Yn ail, roeddwn i'n gwrthod y syniad mai rhyw gyfanswm digyfnewid oedd adnoddau'r Blaid; allen nhw amrywio'n fawr yn ôl morál ei haelodau a'u teimlad bod pwrpas i'w gweithgarwch hi. Yn drydydd, ac yn bwysicaf, dim ond trwy ddangos ein bod ni'n berthnasol i anghenion pobl a chymdeithas yn gyson yr oedd sefydlu'n hygrededd ni ac ennill tir yn etholiadol.

Y nod tymor-byr meddwn i oedd "gwneud Plaid Cymru yn gorff dylanwadol yn y sefyllfa ar-y-pryd a chryfhau'r dimensiwn Cymreig". Mae'r nod tymor-hir a ddiffiniais i yn arbennig o ddiddorol yng ngoleuni'r hyn a ddigwyddodd dros y pymtheg mlynedd wedyn: "Ennill digon o rym politicaidd i wneud Plaid Cymru yn ddylanwad o bwys yn y cynghrair o grwpiau radical a fydd efallai yn rhoi cynnig ar ail-drefnu'r Wladwriaeth Brydeinig rywbryd o hyn i ddechrau'r ganrif nesaf, a sicrhau sefydlu gwladwriaeth Gymreig". I'r pwrpas hwn roeddwn i'n gweld "cael cynrychiolaeth seneddol yn holl bwysig pan ddaw tro ar yr hinsawdd politicaidd ym Mhrydain, a datganoli 'nôl ar yr agenda".

Dyna'r weledigaeth a yrrodd 'y ngweithgareddau i fel ymgeisydd ac wedyn aelod seneddol drwy'r wythdegau a'r nawdegau.

A'r peth cyntaf yr oedd rhaid ei wneud, yn syml iawn, oedd dangos bod y Blaid yn berthnasol. Roeddwn i'n rhag-weld, fel y dadleuais i mewn papur strategaeth i'r Pwyllgor Rhanbarth, y byddai ymosodiadau Mrs Thatcher ar holl seiliau economi Ceredigion a Gogledd Penfro yn rhoi digon o gyfle am hynny, ond wedi etholiad 1983 y dechreuodd y broses yna, a'r canlyniadau gwleidyddol, fagu nerth.

Mi benderfynais gynnal 'y nghyfarfod mabwysiadu cyntaf yn Neuadd Talgarreg. Roeddwn i am wneud hynny, nid am resymau sentimental yn unig, ond er mwyn profi bod gen i erbyn hynny ryw fath o *bower-base* tua godre'r sir, ac er mwyn denu i'r cyfarfod rai eraill yn ogystal ag aelodau ffyddlon a chefnogwyr selog y Blaid. Llwyddodd y ddyfais, a chawd llond neuadd, gan gynnwys llawer o drigolion lleol. Nid mater dibwys oedd bod Davies y Fet i'w weld yn bresennol. Daeth Dafydd Wigley bob cam o Arfon, yn gynnar er mwyn cynghori Cen ac Enfys Llwyd ynglŷn â chynhaliaeth i'w plentyn bach tra methedig, Owain Rhun, a gyrru adre'r un noswaith. Roedd Dafydd Huws yn y gadair yn pledio'n euog, yn gwbl ragrithiol, o fod yn genedlaetholwr y galon, nid yn feddyliwr. Jackie Maddocks, cynghorydd sir nodedig o Abergwaun, a wnaeth y cynnig ffurfiol. Ac mi draddodais innau araith afresymol o faith am 'y mod i, fel petai, am ddweud y stori i gyd.

Gwendid economi Ceredigion oedd y man cychwyn. Y boblogaeth wedi cwympo o 61 mil yn 1901 i 53 mil yn 1961. Effeithiau enbyd Thatcheriaeth wedyn: diweithdra'n codi'n ddidostur i 20 y cant a mwy mewn rhai mannau. Ac allfudiad, wrth gwrs, yn parhau. Nid yn unig hynny, roedd Thatcheriaeth yn anwar, yn torri gwario ar wasanaethau a chartrefi a'i gynyddu ar arfau rhyfel ac yn ailddosbarthu cyfoeth drwy newidiadau trethiannol i ffafrio'r cyfoethog. Roedd y cyfan yn estron i'r math o werthoedd cymdeithasol yr oedd y neuadd bentref yma, bywyd yr ardal a Cheredigion, a Chymru gyfan yn eu cynrychioli. A'r unig fodd o'i herio oedd drwy ddeffroad politicaidd a newid statws Cymru fel coloni mewnol yr oedd ei hadnoddau naturiol yn cael eu rheibio gyda'r fantais leiaf a'r anrhaith mwyaf. Yn y modd yna yr ymgeisiais i gyfleu neges y chwith i werin wledig Ceredigion, a'i chysylltu â chwestiwn Cymru a'i dyfodol cenedlaethol. Ac yn ôl yr ymateb yn lolfa newydd orlawn y tafarn wedyn, fe aeth lawr yn bur dda.

Roedd rhyw fath o sail wedi'i gosod, a'r ddadl yn barod i'w chymhwyso ar draws yr etholaeth. Siomedig braidd oedd y canlyniad. Pedwerydd eto, serch bod pumed ymgeisydd y tro yma: Marilyn Smith dros y Blaid Werdd â 431 o bleidleisiau. Canran o 12.9 y cant ges i, a phleidlais nodedig o wael yng Ngogledd Penfro. Ond gan fod yr etholaeth wedi cynyddu yn ei maint, fe allai Robert Davies, 'yn asiant anhunanol a thriw, ddod ataf i cyn diwedd y cyfrif i ddweud ein bod ni wedi crafu heibio i'r 6,000. Digon i benderfynu rhoi cynnig arall arni y tro nesaf. Tebyg 'mod i wedi gwneud digon i sefydlu'n hunan fel un gwerth troi ato am gymorth pan fyddai angen sefyll yn erbyn effeithiau rhyw doriad neu'i gilydd.

IV Ymgyrch y Cwota Llaeth

Daeth un o'r cyfleoedd pwysicaf ym Mai 1984 pan aeth hi'n ben set ar gyllideb yr Undeb Ewropeaidd a buodd rhaid cyflwyno cwotâu cynhyrchu llaeth fel ffordd o gyfyngu ar wariant. Hyd y funud olaf roedd y Gweinidog Amaeth, Peter Walker, wedi bod yn annog ffermwyr i gynyddu'u cynnyrch, a nawr dyma'r fwyell lawr. Roedd amryw yn rhag-weld caledi wrth gwrdd â thaliadau yn sgil buddsoddi i gynyddu cynnyrch, a rhai'n wynebu methdaliad. Cododd cryn fwstwr, gyda Grŵp Gweithredu Ffermwyr Dyfed yn trefnu'r gwrthdystiadau.

Mi ges neges i gysylltu â rhyw John Howells, ffarmwr Garn-fach, Llanrhystud, cefnogwr i'r Blaid. Buan y des i i adnabod dyn go arbennig, un a chanddo radd mewn Astudiaethau Americanaidd, a thueddiadau i'r chwith gwleidyddol; cefnogwr cryf i streic y glowyr. Cyn bo hir roeddwn i'n mynychu cyfarfodydd y grŵp ac yn helpu gyda phropaganda'r ymgyrch. Mewn cyfarfod tymhestlog ym motél Nant-y-ffin, Clunderwen, y gwelais i John Howells ar ben cadair yn esbonio anghyfiawnder y cytundeb yr oedd Thatcher wedi'i wneud, a'r ffordd y byddai'n effeithio ar Gymru, a Dyfed yn arbennig, lle roedd 3,269 mas o 5,291 o gynhyrchwyr Cymru. I bob pwrpas roedd ein ffermwyr ni wedi cael eu gwahardd rhag dala lan â lefel cynnyrch yn Lloegr, tra bod Garrett Fitzgerald, trwy fygwth defnyddio'i feto, wedi ennill yr hawl i ffermwyr Iwerddon godi'u cynnyrch ymhellach.

Ac nid caledi i ffermwyr fyddai'r unig ergyd. Hawdd gweld y byddai'r gostyngiad yng nghrynswth y llaeth yn fygythiad i'r hufenfeydd, yn enwedig wrth i laeth gael ei gludo i hufenfeydd yn Lloegr a oedd yn fwy manteisiol i'r Bwrdd Llaeth yn rhinwedd eu cynhyrchion chwanegwerth. Ac wrth gwrs byddai cyflenwyr nwyddau i ffermwyr yn clywed y drafft wrth i'r rheini dorri'u costau.

Pan gwrddais i â Paul Higginson, gŵr o allu eithriadol ac un o arweinyddion y protestwyr, fe esboniodd fygythiad pellach. Serch mai addewid y Comisiwn Ewropeaidd oedd na fyddai cwotâu yn werthadwy, roedd hynny'n rhwym o ddod. Y tueddiad fyddai i gwota gael ei brynu gan y ffermwyr mwyaf ffyniannus, yn agos i'r trefydd mawr, y prif farchnadoedd. Gellid rhag-weld cwota, sef yr hawl i gynhyrchu, yn llifo mas o Gymru.

John Howells yn y cyfarfod yn Nant-y-ffin a awgrymodd gyntaf y dylai ffermwyr ddangos eu cefnogaeth i'r glowyr yn ogystal â'u dicter at y llywodraeth drwy ddanfon llwythi o laeth atyn nhw. Felly y gwnawd, nifer o droeon, fel rhan o'r gwaith cefnogi a oedd yn digwydd drwy ardaloedd gwledig y gorllewin, ymysg Pleidwyr a grwpiau radical eraill. Cadd un wraig ffarm a aeth gyda Llinos i ddelifro llwyth i Flaenrhondda dipyn o siom, serch hynny, o gerdded i neuadd a gweld glowyr a'u teuluoedd yn smocio ac yn yfed cwrw, a hithau'n disgwyl gweld arwyddion cyni. Daeth cynrychiolwyr y streicwyr i genhadu a chasglu yn y gorllewin a fwy nag unwaith buodd llond ford yn bwyta yn ein tŷ ni. Croeso cymysg a gawson nhw, rhaid cyfaddef: peth cefnogaeth, peth oerni, a pheth tafod am bydrwch ac am dynnu'r wlad i drybini.

Gan fod Undeb Amaethwyr Cymru yn cefnogi cyflwyno cwota fel offeryn llai bygythiol i ffermwyr Cymru na gostyngiad llym ym mhris llaeth, roedd rhaid diffinio nod i'r ymgyrch. Cytunwyd mai cael consesiwn arbennig, naill ai i Gymru neu i Ddyfed, ar linellau Iwerddon, yn rhinwedd difrifoldeb arbennig yr ergyd i wlad â llaeth yn elfen mor fawr yn ei heconomi, a'r caledi arbennig i ffermwyr. Cydweithiodd Grŵp Gweithredu'r Ffermwyr â'r Blaid i baratoi dogfen yn cyflwyno'r achos i'r Comisiwn, a threfnodd swyddfa ganolog y Blaid, mewn cydweithrediad â Hywel Ceri Jones ac Aneurin Rhys Hughes, cyfeillion da ym Mrwsel, y derbyniai'r Comisiynydd Amaeth ddirprwyaeth.

I Frwsel â ni felly, John Howells, Paul Higginson, Hywel Teifi Edwards, Dafydd Elis Thomas a finnau, a chwrdd, nid yn unig â Dalsager, y Comisiynydd Amaeth, ond hefyd â Sergio Ventura a oedd â chyfrifoldeb am laeth ac am y cwota. Fe gawson wrandawiad astud a chydymdeimladol. Hywel Teifi a ofynnodd y *killer question*. A oedd dirprwyaeth y DG wedi sôn am Gymru yn y trafodaethau, neu ofyn am driniaeth arbennig? Nac oedd. Gofynnais innau, a fyddai modd gwneud consesiwn yn awr? Roedd hynny'n bosibl, dywedwyd, ond byddai'n rhaid i lywodraeth y DG gyflwyno'r cais.

Mi ddaethon adref yn syth i gynhadledd arbennig i'r wasg ar faes y Royal Welsh. Roedd y lle dan ei sang a phawb yn llongyfarch y Blaid am gamu i fwlch yr oedd pawb arall wedi'i adael yn wag. Roedden nhw'n arbennig o falch o wybod bod M Ventura wedi cytuno i ymweld â Chymru i weld y sefyllfa drosto'i hunan. Roedd y Blaid wedi dechrau sefydlu'i hygrededd fel cynrychiolydd effeithiol i ffermwyr ac economi cefn gwlad, ac roedd y cysylltu symbolaidd rhwng y cefn gwlad a'r cymunedau glofaol yn cario arwyddocâd cenedlgarol.

V Amryw Ymgyrchoedd 1983–87

Drwy'r amryfal weithgareddau i gefnogi'r glowyr, yn nosweithiau codi arian, yn orymdeithiau ac yn ralïau, daeth aelodau'r Blaid i gysylltiad brawdol a chwaerol ag aelodau o'r Blaid Lafur. Yng Ngheredigion doedd y peiriant Llafur digywilydd o allgaeadol a fogodd y Gyngres dros Gymunedau Cymru yn ei babandod – am y gallai roi gormod o le i bleidiau eraill – ddim i'w weld, ac roedd chwerwder y brwydrau am addysg Gymraeg wedi'i anghofio. Yn yr undod yn erbyn Thatcher ac yn sgil yr hygrededd yr oedd y Blaid, a gweithgareddau Dafydd Êl yn arbennig, wedi'i ennill yng nghyfnod y streic, mi ges i 'y nhynnu i weithgareddau'r undebau a'r mudiad llafur.

Pasg 1986 er enghraifft, roeddwn i'n annerch gwrthdystiad ar brom Aberystwyth, wedi'i drefnu'n bennaf gan aelodau o'r Blaid Lafur, yn erbyn bomio Lybia. Pan aeth y llywodraeth ati i ddadreoleiddio'r bysys, mi ges chwarae rhan flaenllaw yn yr ymgyrch yn erbyn drwy annerch cyfarfodydd a mynd ar daith mewn bws ledled yr etholaeth.

Roedd y deunydd y byddwn i'n ei dderbyn yn gyson gan y Chwith Genedlaethol, a'i feddyliwr pennaf Emyr Wyn Williams, yn amhrisiadwy i fi wrth ddatblygu disgwrs gwleidyddol a allai uno gwerthoedd sosialaeth a'r mudiad cenedlaethol.

Mewn Gŵyl Lafur yn 1985 mi ellais i gyflwyno'r ddadl. Roedd Thatcher, meddwn i, wedi cyhoeddi rhyfel yn erbyn sosialaeth drwy ei rhaglen breifateiddio. Lleihau gwir ddewis oedd yr effaith, er enghraifft drwy hyrwyddo cartrefi preswyl preifat tra'n torri gwariant ar wasanaethau cymdeithasol. Roedd newidiadau trethiannol yn ffafrio'r cyfoethog ar draul y tlawd. Roedd pŵer y wasg asgell-dde yn ddirfawr ac ymdrechion y Torïaid i fygu barn ryddfrydig yn y BBC yn beryglus. Hyfrydwch i fi oedd y ffaith fod Plaid Cymru nawr yn cofleidio sosialaeth, yn pwysleisio rhyddid economaidd a chymdeithasol lawn cymaint â rhyddid cenedlaethol. Yr her i Lafur oedd iddi hithau gydnabod arwyddocâd cenedligrwydd Cymru a'r angen i gywiro anghyfiawnderau rhwng rhanbarthau a chenhedloedd yn ogystal â dosbarthiadau cymdeithasol. Drwy gydgyfarfyddiad dau draddodiad gwleidyddol felly, gallai cydweithio ar y chwith yn lleol, yn genedlaethol, ie ac yn Brydeinig hefyd, alluogi gwrthsafiad effeithiol yn erbyn Thatcheriaeth.

Ym mhen isa'r etholaeth, roedd preifateiddio Sealink, perchennog y gwasanaeth fferi o Abergwaun i Rosslare, yn creu agoriad i fyd yr undebau a dosbarth gweithiol effro yr ardal. Mi ges arweiniad amhrisiadwy gan Ieuan Wyn Jones ar sail ei waith arloesol yng Nghaergybi, a daeth yntau a Dafydd Êl i gyfarfod yna.

Roeddwn i'n cael y cydweithio yma ar draws ffiniau plaid a'r cyfle i rannu llwyfan gydag undebwyr llafur yn iachusol, ac yn dra addysgiadol. Roeddwn i'n cael blas ar gwmni'r brodyr a'r chwiorydd ar y chwith. Ond doeddwn i ddim yn gwbl naïf yn wleidyddol ychwaith. Roeddwn i wedi pennu goddiweddyd Llafur fel cam angenrheidiol yn y broses o gipio Ceredigion a Gogledd Penfro i Blaid Cymru, a roeddwn i, gan bwyll, yn ennill hygrededd gyda'r sectorau cymdeithasol yr oedd yn rhaid cael eu cefnogaeth nhw i gyflawni'r gamp honno, y math o bobl na fuasen nhw ddeng mlynedd ynghynt wedi breuddwydio pleidleisio i'r Blaid. Dywedodd un neu ddau o aelodau Llafur wrthyf i y bydden nhw'n treial perswadio'u plaid i beidio â mabwysiadu ymgeisydd yn yr etholaeth, a 'nghefnogi i.

Erbyn etholiad 1987 roedd modd pwyntio at drac-record go impresif ar faterion o bwys allweddol i'r etholaeth. Pwnc 'yn araith yn y cyfarfod mabwysiadu yn Theatr Felin-fach, Mawrth 1987, a'r rhifyn diweddaraf o'n papur propaganda *Y Blaid Heddiw,* oedd y ffordd yr oedd polisïau'r llywodraeth yn bygwth y pileri oedd yn cynnal holl economi a bywyd cymdeithasol yr etholaeth, a'r ffordd yr oedd y Blaid, ers etholiad 1983, wedi arwain y gwrthsafiad.

Ym maes y diwydiant llaeth roedden i wedi cyhoeddi dogfen arbennig ar ddyfodol hufenfa Felin-fach. Mi wyddwn o ffynhonnell fewnol fod gwir fygythiad i'r ffatri fynd yr un ffordd â hufenfa Tre Ioan gan mai nwyddau isel-eu-gwerth, ymenyn a phowdwr llaeth sgim, yr oedd yn eu cynhyrchu. Mi ges gynrychiolwyr y gweithlu a'r awdurdodau lleol at ei gilydd ac esbonio natur y bygythiad a'r unig obaith am achubiaeth, sef datblygu cynhyrchion newydd.

Sefydlwyd Pwyllgor Datblygu Hufenfa Felin-fach, a finnau'n cadeirio, i hyrwyddo argymhellion y ddogfen yr oedd ei syniadau'n tarddu o gyn-reolwr y ffatri, Gwynfryn Evans. Daeth cynrychiolwyr o'r Bwrdd Datblygu i gwrdd â ni a chytuno i chwilio am denantiaid amgen rhag ofn yr aethai hi'n waethaf waethaf. Roedd y gweithlu'n go amharod i dderbyn bod y ffatri mewn perygl, ond yn fuan wedi etholiad 1987, fe wireddwyd y darogan a chyhoeddodd Dairy Crest eu bwriad i gau, gan ddileu 120 o swyddi.

Yn ofer y protestiwyd ac yr es i a Davies y Fet ar ran y Pwyllgor i gwrdd â Geoffrey Barr, prif weithredydd Dairy Crest, yn Surbiton, ond doedd y gwaith ymlaen-llaw na'r amlygrwydd roedd e wedi'i gael ddim wedi bod yn ofer. Denodd y Bwrdd Datblygu denant newydd i'r ffatri a daeth ffarmwr lleol o argyhoeddiad a gweledigaeth, Edwin Davies, a David Ellis, cyfanwerthwr caws o Gaerdydd, i'r adwy ac agor hufenfa newydd sbon y drws nesaf i'r hen un. Ond wedi etholiad 1987 y dôi'r elw gwleidyddol am hyn i gyfeiriad y Blaid.

Yn ardal Aberystwyth roedd pethau'n edrych yn ddu ar un o brif sefydliadau'r ardal a'r genedl, y Fridfa Blanhigion Gymreig. At y Blaid y trodd y staff yna pan benderfynwyd, o ganlyniad i doriadau gan Gyngor Ymchwil Amaeth a Bwyd, i leihau'n ddirfawr nifer a maint y rhaglenni ym Mhlas Gogerddan. Roedd gwir berygl yr âi'r Fridfa i sbeiral dirywiad ac mai canoli'r gwaith i gyd yn sefydliad Hurley, Dyffryn Tafwys, fyddai diwedd y gân.

Awgrymais i i'r cyfarfod yn Swyddfa'r Blaid lle'r oedd gwyddonwyr Gogerddan yn mynegi'u pryderon fod hyn yn fater o arwyddocâd cenedlaethol ac y dylen ni alw Cynhadledd Genedlaethol i drefnu'r ymgyrch yn erbyn. Dechreuwyd ar y trefniadau ond o fewn dyddiau mi ges wybod bod yr AS, Geraint Howells, wedi achub y blaen. Cynhaliwyd cynhadledd lwyddiannus, Geraint yn y gadair a finnau yn y gynulleidfa. Ond tawelu wnaeth y gweithgareddau wedyn.

Mi es innau ati i gynnal cyfarfod cyhoeddus tra llwyddiannus, gydag un o wyddonwyr y Fridfa yn gyd-siaradydd â fi, ym Mhenrhyn-coch. Dafydd Êl wedyn yn dod i'r adwy drwy drefnu cyfarfod gyda phrif weithredydd y Cyngor Ymchwil yn ei bencadlys yn Llundain, a finnau'n cael mynd yn ei sgil e. Ar yr un pryd roedd Phil Williams wedi cyhoeddi dogfen bolisi ar ymchwil gwyddonol, gan baentio darlun alaethus o wendid Cymru yn y maes, a'r lefel isel o fuddsoddi mewn cymhariaeth â Lloegr a'r Alban. Mi gyfrennais innau erthygl hanner tudalen i'r *Cambrian News*, ar sail deunydd Phil a'r sefyllfa yn y Fridfa.

Cynhadledd Genedlaethol a Geraint yn y gadair neu beidio, roeddwn i'n gallu honni yn wyneb haul llygad goleuni, ac yn *Y Blaid Heddiw*, a fyddai'n cael ei ddosbarthu wrth y miloedd ar hyd yr etholaeth, mai'r Blaid, a'i hymgeisydd seneddol yn arbennig, bioedd y rôl arweiniol.

Un o brif bileri'r etholaeth oedd addysg prifysgol. Pan gollodd Pete Duncan, arbenigydd mewn astudiaethau Sofietaidd yn Aberystwyth, ei swydd o ganlyniad i doriadau yn haf 1985, fe ofynnodd ei gefnogwyr i fi annerch cyfarfod protest yng nghwâd yr hen Goleg. Mi ddywedais bod angen codi mwstwr yn erbyn y Coleg am y diswyddo ac y byddai hynny yn ei dro yn cryfhau eu braich nhw i wrthsefyll penderfyniad y llywodraeth a Chyngor Grantiau'r Prifysgolion yn eu hawydd i gontrolio cyllid a chwricwlwm fel ei gilydd.

Roedd y newidiadau arfaethedig yng nghyllido prifysgolion yn mynd i fod yn ddrwg i Aber a Llanbedr, ac i Gymru'n gyffredinol. Roedd y pwyslais newydd ar wobrwyo ymchwil a gwyddoniaeth, ac ar ddenu cyllid preifat, yn golygu y byddai toriadau o 12.3 y cant rhwng 1985 a 1990 yng Nghymru o'u cymharu â 6.7 y cant yn Lloegr. Er i lythyr oddi wrth Allan Shore ym Mhrifysgol Caerfaddon ataf i awgrymu bod rhan fawr o'r bai am hyn ar gysgadrwydd y sector yng Nghymru, roedd modd gwneud pwynt gwleidyddol cryf mewn datganiad i'r wasg: "Mae'r toriadau trychinebus yma'n brawf pellach bod rheolaeth ar Gymru gan wladwriaeth Brydeinig ganoledig yn bygwth angau i'n sefydliadau cenedlaethol a'n cymunedau lleol fel ei gilydd".

Yn ffodus roedd modd dadlau dros rywbeth mwy realistig-berthnasol nag annibyniaeth. Roedd y Blaid, erbyn hyn, yn dilyn gwaith manwl gan Emyr Williams, Phil Williams ac eraill, a chynhadledd arbennig yn Aberystwyth, yn annog sefydlu Senedd Gymreig (*Senate)* fel cam cyntaf cyfansoddiadol. Felly: "Mae sefydlu Senedd Gymreig a chanddi gyfrifoldeb am Addysg Uwch ac ymchwil gwyddonol yn fater o'r brys mwyaf."

Pan aeth awdurodau'r Coleg ati i leihau nifer y myfyrwyr yn y Celfyddydau a'r Dyniaethau mi'u cyhuddais i nhw o "ymosod ar gryfderau'r Coleg". Pan aethon nhw ati i sôn am gau adrannau, mi ddadleuais "na ddylid ymgymryd ag unrhyw resymoli o'r fath ond fel rhan o ddatblygiad Prifysgol Cymru yn sefydliad gwirioneddol genedlaethol". Fues i ddim yn brin o gyfleoedd i ddatblygu'r syniadau hyn mewn cyfarfodydd o'r ymgyrch *Town and Gown* yn Aber ac yn Llanbedr.

Roedd *Y Blaid Heddiw* yn gallu pwyntio at weithgareddau ymgyrchol eraill: gwarchod swyddi wrth ganoli'r gwasanaeth ambiwlans, gwrthwynebu lleihau nifer y gwelyau yn ysbyty Bronglais; yr ymdrech i fynd i waelod y llygru a oedd wedi digwydd ar ddŵr Llechryd ac effeithiau hynny ar iechyd; gwasgu am ddatblygu harbwr Abergwaun ar waethaf preifateiddio Sealink.

Un mater a barodd beth poen cydwybod, ac anniddigrwydd ymhlith aelodau'r Blaid, oedd y cydweithio â gweithwyr maes tanio Aber-porth wrth i'r Weinyddiaeth Amddiffyn gyflwyno 'contractoreiddio', ond gwerin Gymraeg godre Ceredigion oedd cyflogedigion yr 'RAE' ac roedden nhw wrth eu bodd yn cael ymgeisydd Plaid Cymru o'u tu wrth dreial diogelu'u swyddi.

Heblaw ymfalchïo yn ein heffeithioldeb a'n dyfalbarhad, roedd llenyddiaeth etholiad 1987 yn ceisio uniaethu'r Blaid â buddiannau'r bobl, gan ddryllio'r hen ddelwedd o leiafrif a oedd am eu llusgo nhw'n groes-graen i ryw baradwys ddiwylliangar. 'Plaid Cymru eich Plaid *Chi*' oedd y slogan; yn Saesneg, *'Help Plaid, Help Yourself'*.

Ond beth am hygrededd etholiadol y blaid a ddibennodd yn bedwerydd yn 1983? Rhaid sefydlu mai ras dau geffyl oedd hi. Graff digon ciwt felly'n dangos cynnydd y Blaid o ran nifer pleidleisiau er 1974, a gostyngiad serth ym mhleidlais Llafur. Dim bygythiad gan y Torïaid wrth gwrs. Cynog Dafis v Geraint Howells felly, y radical yn erbyn y ceidwadol, y mentrus yn erbyn y saff, neu rywbeth fel'ny.

Wrth ofyn i Ioan Williams, na wyddai beth oedd bod yn segur o fore gwyn tan nos, i fod yn asiant i fi, roeddwn i wedi cynnig fel abwyd y posibilrwydd o ddod yn ail. Cyn dydd yr etholiad roeddwn i'n ei theimlo hi'n ddyletswydd i ddweud wrtho nad oeddwn i ddim yn credu y gwnaen ni hi. 'Yn hypothesis i yw bod lliaws wedi bod ond y dim â bwrw'u pleidlais i'r Blaid yn 1987, ond bod grym arferiad a theyrngarwch i Geraint wedi'u hatal nhw yn y diwedd. Yn bedwerydd ddes i eto, ond o'r diwedd roedd yna wir gynnydd i'w weld: lan i 7,848, sef 16.2 y cant o'r bleidlais, a dim ond ychydig dros fil rhyngon ni a Llafur. Ond y tro hwn roedd yna ffactor arall i'w ystyried, sef dyblu pleidlais y Gwyrddiaid i 821.

VII Un Cynnig Arall

Wedi dod cyn belled doedd fawr o ddewis ond rhoi un cynnig arall arni. Fe fuodd yna sôn na fyddai Geraint yn sefyll eto. A'r maen tramgwydd ansymudadwy wedi'i symud, dyna'r cyfle i'r Blaid gymryd y llam enfawr i fuddugoliaeth. Codi o'r ymateb poblogaidd i ymgyrch 1987 yr oedd y syniad yma. "Daliwch chi ati, 'machgen i, r'ych chi siŵr o'i gwneud hi'r tro nesaf," oedd y neges gan amryw. Fe es i mor bell â threial darganfod bwriadau Geraint pan ddaeth e'n llywydd i achlysur yn Neuadd Talgarreg. Y neges, yn ddigon cyfeillgar, oedd, "Rwy'n mynd i sefyll un waith eto, a fe gei di wneud fel mynni di wedyn".

Nid ar chwarae bach yr oedd dygyfor ffyddloniaid y Blaid i'r math o ymdrech yr oedd yn rhaid wrthi er mwyn ennill pan ddôi'r etholiad nesaf, yn 1992 man pellaf. Wedi'r cyfan roedden nhw'r math o bobl a oedd eisoes hyd eu clustiau mewn dyletswyddau cymdeithasol a oedd yn dwyn mwy o ffrwyth amlwg na chanfasio o ddrws i ddrws.

Mewn areithiau i ganghennau roeddwn i'n fodlon cydnabod 'mod i'n gweld y cyfnod hyd at 1992 yn un anodd. Roedd Llafur fel pe baen nhw ar y pryd yn cael eu hact at ei gilydd, a byddai'r dyhead i gael gwared ar y Toriaid yn gyfryw fel y byddai'n anodd i bleidiau bach beidio â chael eu gwasgu. Wedi hynny, meddwn i, byddai pethau'n wahanol. Pe bai'r Toriaid yn ennill fe fyddai'n argyfwng cyfansoddiadol yn yr Alban a'r galw am senedd i Gymru ar gynnydd. Pe bai Llafur yn ennill (a dyna roeddwn i'n ei ddisgwyl), byddai'r amgylchiadau economaidd dyrys a etifedden nhw'n eu gwneud nhw'n amhoblogaidd tra byddai'n rhaid iddyn nhw gynnig senedd i'r Alban ac efallai, serch gelyniaeth Kinnock, rywbeth i Gymru. Y gamp i'r Blaid felly oedd adeiladu'i hygrededd a'i pherthnasoldeb (y gair yna eto), ennill peth tir etholiadol, a'i pharatoi'i hunan ar gyfer cyfleoedd y nawdegau.

Ond roedd 'na rai etholaethau lle roedd mwy na hynny'n bosibl. Y rheini oedd y rhai lle'r oedd gan y Blaid eisoes bleidlais gref; lle nad Llafur oedd y brif sialens; a lle roedd AS Democrat Cymdeithasol (nid Rhyddfrydwr) â marc cwestiwn uwch ben ei effeithioldeb gwleidyddol – Ceredigion a Gogledd Penfro mewn geiriau eraill – a byddai'r Blaid yn hollol wallgo pe na bai hi'n targedu'r sedd erbyn 1992.

Roedd yna dystiolaeth fod pethau'n symud i'n cyfeiriad ni. Roedd arsylwad o flychau pleidleisio etholiad Ewropeaidd yn yr etholaeth wedi dangos y Toriaid a'r Blaid yn ymgiprys am y lle cyntaf, pleidlais y Democratiaid wedi cilio'n ddramatig, Llafur sbel ar ôl, a dim ymchwydd mawr ym mhleidlais y Blaid Werdd, serch eu perfformiad rhagorol yn gyffredinol. Popeth i fynd amdano felly, a'r ffordd o'i gwneud hi oedd trwy lacho Llafur yn lefel ein gweithgarwch, o ran ymgyrchu, ar y stryd, mewn cyhoeddusrwydd, ac yn y wasg.

Mi gynigiais i fargen: y rhown i 'mhopeth i, a chanolbwyntio ar yr ymgeisyddiaeth, ochr-yn-ochr â 'ngwaith fel athro ac fel cadeirydd Cymdeithas Tai Cantref, dim ond iddyn nhw roi'u cefnogaeth yn ariannol ac ymarferol.

Cam go bwysig y cytunodd y Pwyllgor Rhanbarth ei gymryd oedd cyflogi Tudur Jones, trefnydd y Blaid yn Sir Gaerfyrddin, hanner ei amser yng Ngheredigion. Buodd Tudur yn fwy na chynorthwyydd diflino. Roedd gydag e feddwl gwleidyddol craff, yn athronyddol ac yn ymarferol. Dros y pum mlynedd nesaf fe fyddai'n trefnu'r gyfres cyfarfodydd a chynadleddau, ac yn sgriptio llawer o'r dogfennau, a fyddai'n allweddol i'n strategaeth wleidyddol ni.

Penllanw'r gwrthwynebiad i Thatcher, ac achos ei thranc gwleidyddol hi, oedd Ymgyrch Treth y Pen. Penderfynodd y Blaid yn ganolog wneud treth y pen yn ymgyrch o bwys, gan gynnwys peidio talu, er i benderfyniad y blaid seneddol i gadw o fewn y gyfraith siomi llawer.

Yng Ngheredigion aethon ni ati i drefnu cyfarfodydd cyhoeddus. 'Y mentor i wrth ymbaratoi oedd gŵr ifanc yr oeddwn i wedi sylwi arno'n traddodi araith hyderus a thra effeithiol mewn rali ar brom Aberystwyth, Simon Thomas. Wedi'n arfogi gan ei ddadansoddiad e mi fues yn siarad mewn cyfarfodydd o un pen o'r etholaeth i'r llall. Cymhedrol oedd y cynulleidfaoedd, ond roedd rhai newydd a dethol yn eu mysg, Ted a Fiona Brown yn Llanbedr er enghraifft, a Peter West a Bob Doyle yn Aberteifi, radicaliaid o Saeson dŵad.

Uchafbwynt y cyfan oedd gorymdaith a rali go gryf yn nhref Aberteifi, wedi'i threfnu gan y Blaid ond gyda gwahoddiad i'r pleidiau eraill. Daeth Chris

Simpson i gynrychioli'r Blaid Werdd, a rhywun ar ran y Democratiaid. Dim ymateb gan Lafur: roedd dydd cydweithio wedi dod i ben, a rhoddodd eu habsenoldeb arweinyddiaeth yr ymgyrch yn ein dwylo ni. "Siaradwch Saesneg," gwaeddodd rhywun arnaf i o'r cefn. "Gwnaf debyg iawn," meddwn i, "ond mi siaradaf i yn Gymraeg gyntaf." Aeth hwnna lawr yn dda. Bagad brith a ddaeth i Aberteifi: rhai cyplau ifainc o Gymry lleol, a nifer fwy o hipïaid lliwgar, cynifer ag i beri i un o selogion y Blaid awgrymu y byddai'n well i'n rhagolygon gwleidyddol i fi beidio â chael 'y ngweld yn y fath gwmni.

Doedd dim modd ennill yr etholaeth heb drawsnewid y sefyllfa yn Abergwaun. Daeth y difidend heddwch yn dilyn cwymp y llen haearn ag ergyd gordd i Abergwaun a chyfle gwleidyddol euraid i ni. Cyhoeddwyd yng Ngorffennaf 1991 y byddai dymp arfau Tre-cŵn ('Rhannodd y dymp a'r drôm bentir y sant...' meddai Waldo) yn cau erbyn Mawrth 1996, a 463 o swyddi yn cael eu colli. Roedd diweithdra yn Abergwaun eisoes yn 19 y cant ac yn ôl astudiaeth gan y cynghorau sir a dosbarth yn debyg o godi i 30–40 y cant o ganlyniad i'r cau.

Roedd yr anfodlonrwydd am gyflwr yr harbwr, a'r diffyg buddsoddi i gyflawni'r potensial mawr yr oedd pawb yn cytuno a oedd iddo, yn diwn gron mewn trafodaethau ar ddyfodol yr ardal. Yn 1987, a Sealink nawr mewn perchnogaeth breifat, cyhoeddon ni ddogfen dan y teitl *Harbwr Abergwaun – Galwad am Ddatblygu Cadarnhaol* yn seiliedig ar drafodaethau gyda'r undebau a gwybodusion yn y maes.

Ychydig o ddatblygu fuodd. Yn 1990 torrwyd 60 o swyddi er mwyn arbed costau. Erbyn hydref 1991 roedd hi'n ben set ar Stena, y perchnogion newydd, ac fe gyflwynon nhw gynllun i dorri'r gweithlu ymhellach, a 'rhesymoli' arferion gwaith. Roedd patrwm cyfarwydd y swyddi a'r ffiniau rhyngddyn nhw yn gorfod ildio i ofynion cystadleurwydd. Mi es i gyfarfod o'r gweithwyr yng nghlwb yr RMT, a'u cael nhw mewn hwyl filwriaethus. Ond yng nghyfarfod yr wythnos ganlynol roedd Colin Smith, eu cynrychiolydd undeb, yn datgan nad oedd gyda nhw ddim dewis ond derbyn telerau Stena. Roedd rhaid newid cyfeiriad, meddai fe wrtha i yn breifat, a phwyso am becyn adfywhau cynhwysfawr i'r cylch, nid gwrthwynebu'r anochel.

Er mwyn rhoi ffocws i ymdrech felly, fe drefnon ni seminar ddiwrnod yn Abergwaun, Tachwedd 1991, gyda chynrychiolwyr o'r WDA, y cynghorau, rheolydd yr harbwr, yr asiantaeth fenter leol, undebwyr llafur (gan gynnwys cynrychiolydd o undebau llafur Wexford), a siaradwyr yn cynnwys Phil Williams, Phil Cooke (athro prifysgol yng Nghaerdydd erbyn hynny) a Brian John. Finnau'n cadeirio'r cyfan. Lluniwyd dogfen, 'Y Ffordd Ymlaen i Abergwaun', ar sail y casgliadau a'i danfon at yr Ysgrifennydd Gwladol, David Hunt. Cawd cyhoeddusrwydd rhagorol. Cydlynwyd â Dafydd Wigley a gododd y mater yn y Senedd.

Wn i ddim faint o gysylltiad sy rhwng hyn oll a chyhoeddiad Hunt yn Ionawr 1992, ei fod am greu Tasglu arbennig i'r ardal, ond mae'n deg nodi i Geraint Howells sicrhau ymchwiliad gan y Pwyllgor Dethol Materion Cymreig. Fis Ebrill dyblodd y Blaid ei chefnogaeth yn Abergwaun i 10 y cant, digon i wneud gwahaniaeth arwyddocaol yng nghyfanswm y bleidlais; yn Crymych fe gawd 42 y cant.

Yn 1987 daeth y pwnc a oedd wedi bod yn gymaint testun pryder, a diddordeb i fi, i achosi trafferth gwleidyddol difrifol i'r Blaid. Yn Eisteddfod Genedlaethol Abergwaun roedd Llywydd y Dydd, Meredydd Evans, wedi lleisio'i ofid dwfn ynghylch effaith mewnfudiad ar gymunedau gwledig Cymraeg y Gorllewin. Pan gododd y bardd RS Thomas yr un pwnc mewn termau mwy cignoeth fe'i beirniadwyd e'n hallt gan Dafydd Elis Thomas, Llywydd y Blaid er 1984. Ond roedd RS Thomas a Merêd ill dau wedi cyffwrdd nerf tra sensitif, a phwnc a oedd yn gwasgu ar feddyliau pawb yr oedd dyfodol yr iaith, ac yn wir 'barhad ein hunaniaeth', ys dywedai JR Jones, yn fater o bwys iddyn nhw.

Mi allwn i weld yn glir yr angen i'r Blaid, yn hytrach na gwthio'r pwnc o dan y carped, arwain trafodaeth oleuedig a sylweddol arno fe. Hynny a gynigiais i i'r Cyngor Cenedlaethol, a chael y dasg o arwain gweithgor, gyda Dafydd Huws, Dafydd Iwan a Gwynfor Evans yn aelodau, i baratoi adroddiad manwl. Cadd y pamffled *Mewnlifiad: Ymateb i'r Her* ei gyhoeddi yng Ngorffennaf 1988, a'i lansio mewn cynhadledd i'r wasg, a Dafydd Êl yn bresennol. Yn ogystal â chynnig dadansoddiad ystadegol o fewnfudiad i Gymru ac ymdrech i ddisgrifio'r effeithiau, roedd y pamffled yn amlinellu argymhellion polisi ym meysydd yr economi, amaethyddiaeth, datblygu'r gweithlu, twristiaeth, tai a chynllunio, a'r iaith Gymraeg. Roedd e'n cloi gyda phwyslais cadarnhaol ar greu "synthesis o elfennau blaengar o'r boblogaeth fewnfudol a'r Cymry brodorol" ac yn galw am raglen addysgu i fewnfudwyr ar Gymru, ei hanes, ei thraddodiadau yn eu holl amrywiaeth, ei chyflwr a'i rhagolygon. Fe'i derbyniwyd yn ddigon cadarnhaol gan y cyfryngau.

Rhoddais i anerchiad i'r Chwith Genedlaethol ar y testun yng Nghynhadledd y Drenewydd fis Hydref. Roedd angen tri pheth, meddwn i, i daclo cwestiwn mewnfudiad: datblygu, gwarchod a chymhathu. Ofer fyddai unrhyw ymdrech i "amgylchynu ardaloedd ieithyddol â gwarchodfuriau cynllunio": yr effaith fyddai creu cymdeithas na fyddai pobl eisiau byw ynddi. Roedd datblygu wastad yn golygu cymryd risg, risg yr oedd yn rhaid ei gymryd. Dyw 'meddwl i ar hwnna ddim wedi newid.

Dosbarthwyd y pamffled yn helaeth a gwahoddwyd ymatebion. Mae'n werth nodi dau. Roedd Bwrdeistref Rhuddlan wedi rhoi ystyriaeth lawn i'r ddogfen yn eu Pwyllgor Cynllunio a Datblygu ac yn ei chroesawu fel "ymdrech synhwyrol i gadw a hyrwyddo Cymreictod drwy fesurau cadarnhaol". Roedden nhw am ganmol Plaid Cymru am ei chonsýrn a'i blaengaredd yn cynhyrchu'r ddogfen, a fyddai'n "ddylanwadol yn ei hawl ei hunan".

Kim Howells a luniodd ymateb yr NUM yn y De. Roedd y ddogfen wedi arwain at gryn drafodaeth yn yr undeb, meddai. "Mae pawb yma'n cydnabod bod cymeriad ein cenedl ni fel pe bai'n cael ei gyfwynebu ag ystod ehangach o fygythiadau i'w hunaniaeth nag ar unrhyw adeg ers y Chwyldro Diwydiannol." Roedd yr undeb am i ni gadw mewn cysylltiad parthed datblygiadau yn y dyfodol. Serch hynny, roedden nhw o'r farn mai "amhosibl fyddai i Gymru geisio cadw mewn aspic ryw syniad diwylliannol o'i hunan".

Rhwng popeth buodd cryn drafod ar y pwnc. Cynhaliodd Gwilym Prys Davies ddadl arbennig yn Nhŷ'r Arglwyddi ar gymunedau Cymraeg, a mewnfudiad oedd testun chwech allan o naw ysgrif yn rhifyn 1989 o *Contemporary Wales*. I raddau, a thros dro, roedd problem wleidyddol y Blaid wedi'i datrys, ond doedden ni ddim nes i'r lan ar y cwestiwn sybstantif.

Gwnaeth helynt mewnlifiad ddrwg i arweinyddiaeth Dafydd Êl, fel y gwnaeth e i Ieuan Wyn Jones 14 blynedd yn ddiweddarach. Erbyn hydref 1991 roedd Dafydd Wigley, a oedd yn cael ei gyfrif yn bâr saffach o ddwylo o lawer, wedi cymryd at Lywyddiaeth y Blaid am yr ail waith. Mi fues yn ei annog i wneud hynny.

VII Pact

Pan ddaeth Gwyrddni'n bwnc gwleidyddol o bwys ddiwedd yr wythdegau, mi roeddwn i wedi rhyw ymbaratoi ar ei gyfer e. Roedd 'y niddordeb mewn Ecoleg wedi cael ei danio gyntaf ddiwedd y chwedegau wrth wrando ar ddarlithiau Reith Syr Frank Fraser Darling. Fe baentiodd ddarlun digalon o fyd yr oedd hanfodion bywyd gwâr yn cael eu herydu gan ddiwydiannaeth draflyncus nad oedd yn hidio ffeuen am yr adnoddau naturiol yr oedd hi'n dibynnu'n llwyr arnyn nhw.

Wedyn, ddechrau'r saithdegau, dyma gyhoeddi *Blueprint for Survival* ynghyd â datganiad cefnogol wedi'i lofnodi gan restr o enwogion, yn cynnwys gwyddonwyr. Roedd y byd, meddai *Blueprint,* yn mynd ar ei ben i ddistryw. Elfennau'r argyfwng oedd dinistrio rhywogaethau, rheibio adnoddau naturiol – gan gynnwys y pridd – gorboblogi, a gwenwyno'r amgylchfyd gan lygredd nad oedd gan neb fawr o syniad am ei effeithiau pellgyrhaeddol. Rhaid mynd i'r afael â'r argyfwng drwy raglen o weithredu i wrthdroi'r tueddiadau drygionus a rhoi'r blaned ar lwybr cynaliadwy.

Fe fyddwch wedi nodi'r elfen o gollfarn foesol a oedd yn y senario, a'r apêl a allai fod ynddo i un a oedd wedi cael ei fagu yn sŵn gwerthoedd piwritanaidd. Ond roedd yna elfen arall a neidiodd o'r tudalen i'n ymwybyddiaeth i, sef casgliad yr awduron bod datganoli grym a phrosesau cynhyrchu, dosbarthu a defnyddio i gymunedau go hunangynhaliol, yn gwbl hanfodol yn y strategaeth i achub y blaned. O'r diwedd, meddwn i, dyma fframwaith athronyddol a strategol a oedd yn gyfan gwbl gefnogol i'r egwyddorion roeddwn i wedi'u hamsugno nhw o drafodaethau'r mudiad cenedlaethol yn ei holl agweddau; fframwaith i ddisodli holl yriant y byd modern tuag at ganoli ac unffurfioli a oedd yn bygwth y bychanfyd Cymreig a'i hunaniaeth. Roedd *Blueprint*, cofier, yn annog rhanbartholdeb ar draul ffanatigiaeth ac anghynhwysedd cenedlaetholdeb, ond mater i'w drafod ymhellach, meddwn i, oedd hynny.

Roeddwn i'n siomedig â'r diffyg ymateb i'r chwyldro syniadol hwn ymysg Cymreigyddion – nodweddiadol o'u mewnblygedd nhw, meddyliais i – ond mi wnes ryw gymaint i daenu'r weledigaeth newydd, er enghraifft yng ngholofnau *Tafod y Ddraig.*

Yn y cyfamser, dyma ddilyn datblygiad y mudiad gwyrdd yng ngholofnau cylchgrawn yr *Ecologist.* Sefydlu Plaid Ecoleg, a ddaeth wedyn yn Blaid Werdd yn dilyn llwyddiant rhyfeddol *Die Grünen* yn etholiadau'r Almaen, a'r mudiad cyfochrog Cyfeillion y Ddaear. Cyhoeddiadau'n llifo o'r wasg: adroddiad Clwb Rhufain, *Only One World* gan Ward a Dubos, llyfrau Americanwyr megis Paul Ehrlich a Barry Commoner, a *Can Britain Survive?*, wedi'i olygu gan Edward Goldsmith, prif ysgogydd y *Blueprint*. Yn 1975 paratoais i gynnig i Gynhadledd y Blaid, a gadd ei basio, ac yna'i anghofio, a rhaid cyfaddef mai presenoldeb parhaus yng nghefn y meddwl fuodd Gwyrddni i finnau am sbel go lew.

Wedyn, yn etholiadau 1983 a 1987, dyma ymgeisydd y Blaid Werdd, Marilyn Smith, yn wrthwynebydd i fi, ac yn dyblu'i phleidlais; profiad anghysurus. Roedd hi'n amlwg bod Gwyrddni ar ei godiad wrth i bryderon am yr haen osôn ac wedyn newid yr hinsawdd greu braw. Cyrhaeddodd y twf ei anterth ym Mhrydain gyda pherfformiad syfrdanol y Gwyrddiaid yn etholiadau Ewropeaidd 1989. Yng Nghymru chwalwyd gobeithion Plaid Cymru am dorri drwodd, wedi iddi'i hailddyfeisio'i hunan fel plaid bro-Ewropeaidd a rhedeg ymgyrch ragorol, gan y don werdd. Cael ein gwthio i bedwerydd safle mewn tair mas o bedair etholaeth a'n hachub rhag yr un dynged yn genedlaethol dim ond drwy ganlyniad cryf Dafydd Êl yn y Gogledd.

Rwy'n cofio gweld Phil Williams yn y cyfrif yn Abertawe mewn ymgom ddofn-gyfeillgar â Barbara McPake, ymgeisydd y Gwyrddiaid. Roedd Phil eisoes yn rhan o'r ddeialog rhwng y ddwy Blaid a fyddai'n arwain maes o law at ddatblygiadau pwysig.

Rywbryd yn 1988 cawd cyfarfod yng nghegin Crugeryr Uchaf rhyngof i a Syd Morgan, yn 'y marn i un o ffigyrau mwyaf arwrol Plaid Cymru, a Peter Keelan. Roedd Peter wedi cyflwyno papur i'r Pwyllgor Gwaith, nad oeddwn i erbyn hynny'n aelod ohono, ynghylch yr angen i feddwl tu fas i'r bocs er mwyn symud y *log jam* etholiadol. Rhaid bod yn barod i ystyried cydweithio trawsbleidiol meddai fe, gyda'r Democratiaid Rhyddfrydol efallai ac yn bendant gyda'r Gwyrddiaid, lle'r oedd cymaint o dir cyffredin.

. Pasiwyd penderfyniad i wahodd cynrychiolwyr Plaid Werdd Cymru i'r gynhadledd yn Ninbych yn hydref 1989. Drwy feddwl-agored Phil Williams roedd 'na barodrwydd i dderbyn critîc cyfeillgar Alun Williams o faniffesto'r Blaid yn 1987, 'Pam nad yw Plaid Cymru'n Wyrdd'. Roedd y drafodaeth fore Sul y gynhadledd yr un mor gyfeillgar, er i fi glywed beirniadu llym ar gael ein cysylltu â siort Brig Oubridge, un o drigolion Pentref y Tipis yn Nyffryn Tywi.

Sefydlwyd cydweithgor a fuodd yn cyfarfod dros flwyddyn ac a esgorodd, eto drwy weledigaeth ddychmyglawn Phil, ar ddatganiad polisi cynhwysfawr, yn seiliedig ar egwyddorion gwyrdd, a basiwyd gan Gynhadledd y Blaid yng Nghaerdydd.

Yn dilyn hynny penderfynodd y Pwyllgor Gwaith gymeradwyo trafodaethau ar lefel etholaethol i ystyried pacts etholiadol. Mi aethon ni ati o ddifrif yng Ngheredigion a Gogledd Penfro. Digwyddodd y cyfarfod anffurfiol cyntaf yn nhŷ Tim Foster, darpar ymgeisydd y Gwyrddiaid, ym Mhwllhobi, Llanbadarn, yn hydref 1990, rhyngof i a Tudur o'r Blaid a grŵp o Wyrddiaid yn cynnwys Chris Simpson. Mi amlinellais 'y mhererindod ysbrydol a 'nghyffes ffydd mewn materion Gwyrdd, ac fe'u derbyniwyd nhw'n gynnes. Ond cyfeiriodd Chris Simpson at rywbeth mwy ymarferol, sef y si bod yna bôl piniwn yn dangos y gellid ennill yr etholaeth y tro nesaf.

Gwir oedd y gair. Yn Awst 1990 cynhaliodd *Aber Research*, sef nifer o aelodau Plaid Cymru mewn disgéis, bôl anffurfiol ar strydoedd trefi'r etholaeth. O'r sampl o 246, roedd 28.7 y cant yn bwriadu pleidleisio i'r Democratiaid Rhyddfrydol, 22 y cant i Blaid Cymru, 19.5 y cant i Lafur, 13 y cant i'r Ceidwadwyr, a 7 y cant i'r Blaid Werdd. Hm! 22 y cant + 7 y cant = 29 y cant. Roedd 'na ystyriaeth arall. Siaradwyr Cymraeg oedd 91 y cant o gefnogwyr y Blaid, a dim ond 6 y cant ohonyn nhw oedd wedi'u geni y tu fas i Gymru. Gyda chyfran gynyddol o'r etholwyr yn fewnfudwyr, roedd angen gwneud rhywbeth ynghylch hwnna, ac roedd 50 y cant o gefnogwyr y Gwyrddiaid yn gweld Plaid Cymru yn ail ddewis.

"Ymlaen mae Canaan!" meddai pawb. Aethpwyd ati i drafod polisi. Cyfnewid dogfennau, trafod drafftiau, ac yn y diwedd gytuno, gan gynnwys cydnabyddiaeth bod rhwydwaith o heolydd da, yn enwedig i Aberystwyth ac Abergwaun, yn elfen hanfodol i ffyniant economaidd Gorllewin Cymru, fel yr oedd Phil yn y trafodaethau cenedlaethol wedi mynnu bod heol Gogledd-De o safon uchel yn hanfodol i undod y genedl. Roedd yna ewyllys i gytuno, a'r person allweddol oedd Ken Jones, gŵr mwyn, llym ei ddeall, mawr a chynnes ei empathi â Chymreictod a'r Gymraeg. Dro ar ôl tro y troais i ato am gymorth a chyngor a'i gael e'n gyfaill di-ffael. Ken a luniodd y llythyr i'r wasg ar-y-cyd oddi wrtha i a Tim Foster pan oedd cymylau Rhyfel y Gwlff yn crynhoi; ei deitl, 'Pa bris, baril o olew?'

Trampo'r etholaeth wedyn i werthu'r pact i'r ddwyblaid. Achlysuron cymdeithasol i adeiladu cyd-ddealltwriaeth rhwng arddulliau cymdeithasol-ddiwylliannol os nad diwylliannau gwleidyddol go wahanol. Ac wedyn y broses o gael cydsyniad o fewn y Blaid. Cyfres o gyfarfodydd i'r aelodau gael pleidleisio, a finnau'n cael esbonio ac annog cefnogaeth. Dangos y cydnawsedd a welwn i rhwng ideolegau'r ddwyblaid, a nodi twf y Blaid Werdd fel perchnogion gweledigaeth newydd hollbwysig. Yna'r cyfle etholiadol yng Ngheredigion a Gogledd Penfro. Gwendid y 'Democratiaid Cymdeithasol' (yr *SLD* oedd y label ddiraddiol roeddwn i'n ei hiwsio bob amser) a phoblogrwydd cynyddol y Blaid. Ond roedd angen "rhywbeth ychwanegol" i godi proffeil, sefydlu hygrededd a thynnu ar ffynonellau newydd o gefnogaeth megis mewnfudwyr a myfyrwyr addysg uwch. Cawd mwyafrifoedd cadarnhaol anferth gan y ddwy blaid.

Gwerthu'r cynllun i Bwyllgor Gwaith y Blaid wedyn mewn cyfarfod yn Ionawr 1991. Cawd cydsyniad, er bod yna gryn sgeptigiaeth. Wedi'r cyfarfod mi ges lythyr gan Dafydd Wigley yn dweud ei fod o'r farn i'r Pwyllgor Gwaith wneud camgymeriad, yn benodol wrth gymeradwyo'r disgrifiad 'Plaid Cymru – Y Blaid Werdd' ar bapur y balot. Roedd e'n poeni y gallai pact tebyg i'r un a oedd ar y gweill yng Ngwent "arwain at chwalfa" a chreu problemau mewn etholaethau lle byddai'r ddwyblaid yn sefyll yn erbyn ei gilydd. Hefyd, gallai problemau godi gydag adnoddau ariannol i grŵp y Blaid yn y Senedd pe bawn i'n ennill. Ei awgrym cyfaddawd e oedd defnyddio'r disgrifiad 'Plaid Cymru, cefnogaeth Werdd' neu 'Plaid Cymru-Gwyrdd'. O fewn Plaid Werdd Cymru roedd gwrthwynebiadau tebyg yn codi. Roedd cyfansoddiad y blaid honno'n gwahardd aelod o blaid arall rhag sefyll yn ei henw ond derbyniwyd cyfaddawd tebyg i un Dafydd Wigley. Y broblem wedi'i datrys.

Roedd datblygiadau tebyg yn digwydd yn y de-ddwyrain ac isetholiad ar y gweill yn Nhrefynwy. Ysgrifennais i at y Pwyllgor Gwaith yn annog y Blaid i beidio â sefyll yn erbyn ymgeisydd y Blaid Werdd, Mel Witherden. Yn ddiarwybod i fi, ysgrifennodd Helen Mary Jones, a oedd wedi gweithio ar y cytundeb yng Ngwent, i'r un perwyl. Cytunwyd, ond 277 o bleidleisiau (0.6 y cant), llai na Screaming Lord Sutch, gadd Mel.

Lansiwyd Ymgyrch Plaid Cymru a'r Gwyrddiaid mewn seremoni cyd-lofnodi cytundeb yng ngwesty'r Porth, Llandysul, yn Ebrill 1991 ac awd ar daith bws i lansio'r ymgyrch, y daflen (wedi'i sgriptio'n rhannol gan Dylan Iorwerth) a'r slogan 'Gyda'n Gilydd'. Y neges ganolog oedd yr angen am economi hoenus i'r gorllewin ar linellau ecolegol-gynaliadwy.

Dros y misoedd wedyn aethpwyd ati i roi cig ar y sloganau drwy gyfrwng cyfres o ddogfennau polisi. Lansiwyd y gyntaf, *Cyfle Newydd i'r Ffarmwr Ifanc,* yn Rali'r Clybiau, gan fynd â'r ymgyrch, fel roeddwn i'n ofni, i dir go anodd. Roedd Chris Simpson gyda fi, ac wedi'i blesio'n arw â'r croeso. Buodd y ffaith fod Peter Midmore, un o'r arbenigwyr gorau ar amaethyddiaeth a'r economi gwledig, yn aelod o'r Blaid Werdd ac yn gefnogydd brwd i'r pact, o fantais aruthrol i'r ymgyrch, ac yn gymorth mawr i Blaid Cymru ac i fi'n bersonol dros lawer o flynyddau.

Daeth y dogfennau eraill yn gyfnodol. Un ar botensial coed i greu incwm yng nghefn gwlad. Un arall ar lygredd ym Mae Ceredigion, a'i gysylltu â thwristiaeth. Roedd y deunydd ar gyfer hon wedi codi o gynhadledd arbennig ar Fae Ceredigion yr oedd y Blaid wedi'i chynnal yn Aberystwyth yn Nhachwedd 1991. Llanwyd Neuadd Arholiadau'r Hen Goleg â chynrychiolwyr o awdurdodau lleol a chynghorwyr bro ymysg eraill, a denwyd siaradwyr oddi wrth Greenpeace, Cymdeithas Cadwraeth y Môr, Asiantaeth yr Afonydd, y Cyngor Gwarchod Natur a'r Ymddiriedolaethau Bywyd Gwyllt. Daeth Phil Williams i grynhoi a diffinio'r prif gasgliadau.

Y ddogfen bwysicaf yn 'y ngolwg i oedd yr un ar ynni adnewyddol o waith Brian John ond wedi'i sgriptio eto, yn gelfydd iawn, gan Dylan Iorwerth. Dyma graidd y mater, fel y gwelwn i bethau: yr angen i drawsnewid ein dulliau o gynhyrchu ynni, medi'r gwynt a'r ffynonellau eraill ar batrwm gwasgarog, a gosod sylfaen newydd i economi cefn gwlad yr un pryd. Pwy allasai ragweld yr achosai prosiect mor oleuedig y fath ymrafael yn nes ymlaen?

Erbyn haf 1991 roedd pethau'n edrych yn addawol iawn. Ym mis Gorffennaf aeth *Aber Research* ati unwaith eto. Dangoswyd nad oedd y Blaid wedi colli dim tir o ganlyniad i'r pact, a bod 37 y cant yn bwriadu pleidleisio Plaid Cymru-Gwyrdd, gyda 32 y cant i'r DemRhyddiaid, 22 y cant i Lafur a'r bleidlais Dorïaidd yn colapsio i 9 y cant. Ystadegyn aruthrol ei arwyddocâd oedd bod 33 y cant o'r rhai oedd wedi'u geni y tu hwnt i Gymru am bleidleisio i fi, o'i gymharu â 4 y cant flwyddyn ynghynt.

Penderfynwyd rhyddhau datganiad i'r wasg yn cynnwys fersiwn llai optimistaidd o'r ffigyrau: 33 y cant i'r cydymgyrch a 35 y cant i'r DemRhyddiaid. Cariodd y *Cambrian News* y stori, yn cynnwys 'y ngeiriau i. "Mae sail gref cefnogaeth draddodiadol y Blaid yn awr yn cael ei hatgyfnerthu gan niferoedd cynyddol o bobl ddi-Gymraeg." Roedd honna'n neges bwysig ymysg Cymry di-Gymraeg y trefi yn ogystal â'r Saeson mewnfudol. Yna: "Mae angen atebion newydd i broblemau newydd. Cafodd yr etholaeth ei gwasanaethu'n dda ers bron ugain mlynedd gan blaid a wnaeth gyfraniad gwiw i warchod y traddodiadau o radicaliaeth ac annibyniaeth yr ydyn ni yn y rhan yma o Gymru yn eu trysori'n fawr. Rhaid i ni nawr wynebu her y dyfodol." Roedden ni am greu'r argraff bod disodli Geraint Howells yn anochel ac yn angenrheidiol, ond roeddwn i'n benderfynol na fydden yn ymosod arno fe. Fe wnaeth y Toriaid hynny gyda'u harchwaeth arferol at beth felly.

Daeth croes-gyrrent i ddarfu ar lif addawol pethau pan es i i sôn am y pact a'i bwysigrwydd mewn cyfarfod ymylol yng Nghynhadledd y Blaid Werdd yn Wolverhampton. Rhyw ddisgwyl deialog cwrtais, adeiladu consenws a diffinio'r tir cyffredin. Onid dyna hanfod gwleidydda gwyrdd? Yn y neuadd fawr, dyna lle'r oedden nhw, yn eistedd o amgylch byrddau, yn dod o hyd i'r consenws, ac yn adrodd 'nôl i'r llwyfan cyn symud yn drefnus i benderfyniad.

Nid felly yn y cyfarfod ymylol, er ein bod ni'n eistedd mewn cylch. Nid cynt nag yr oeddwn i a Mel Witherden wedi adrodd ein ffrâs nag y daeth ymosodiad ffyrnig ar yr holl ymdrech oddi wrth John Nicholson a Chris Busby o Wynedd. Y ffaith fod cyfarfodydd cynghorau bro yng Ngwynedd yn uniaith Gymraeg, gorfodi plant Saesneg i gael addysg Gymraeg, drygau cenedlaetholdeb, hiliaeth ac yn y blaen. Roeddwn i wedi clywed y dadleuon i gyd o'r blaen, ond erioed braidd mor fustlaidd ac i gyd ar yr un pryd. Ymdrech garbwl o amddiffyniad wnes i, a dim gwrthymosodiad. Mi es o'r cyfarfod ag amheuon yn cynhyrfu 'nhu fewn, ac yn diolch i'r nefoedd nad oedd y ddau yma'n byw yng Ngheredigion. Ymhen rhai blynyddau fe fyddai Busby'n cyrraedd Aberystwyth, a'r broses ddinistriol a fyddai'n datgymalu'r cydymgyrchu ar gychwyn.

VII Cyrraedd y Lan

Yn gynnar yn 1992, daeth Dafydd Wigley o hyd i ffynhonnell o arian a alluogodd y Blaid yng Ngheredigion i gyflogi Medi James yn drefnydd llawn-amser dros-dro. Roedd cael y talp amhrisiadwy yma o ymroddiad, trylwyredd, dycnwch, agoredd, positifrwydd, anwylder a sgiliau diplomatig i gydio yn nhrefniadaeth yr ymgyrch yn gweddnewid popeth. Ddeng mlynedd wedyn mi ges 'y mendithio â'i chymorth yn gynorthwyydd personol tra oeddwn yn Aelod o'r Cynulliad Cenedlaethol. Yn gefn iddi hi ac i fi roedd yna bwyllgor ymgyrchu o hen bennau profiadol a rhai'n meddu ar ddychymyg creadigol a syniadau gwreiddiol, a Iolo ap Gwynn, na ffaelodd e erioed gredu mai'r Blaid a enillai, yn asiant fel y graig. Daeth y peirianwaith i'w le, a gweithio fel watsh. Llenyddiaeth, canfaswyr, dosbarthwyr, cysylltwyr lleol ymhob cilfach. Y lansiadau, y stynts a'r ffotogyfleoedd yn cael eu paratoi.

Y Gwyrddiaid a roddodd gic-off bythgofiadwy i'r ymgyrch ei hun. Roedden nhw wedi denu Gwyrddyn mwyaf carismataidd Prydain, Jonathon Porritt, cyn-gyfarwyddydd Cyfeillion y Ddaear, i annerch cyfarfod yn Aberystwyth.

Mae'n rhaid mai Rhagluniaeth a drefnodd fod yr etholiad yn cael ei alw ddiwrnod neu ddau cyn y cyfarfod. Awd i groesawu'r dyn mawr o'r trên a'i gyrchu'n gyntaf i *Corners* am swper a chyfweliad â Dylan Iorwerth i *Golwg*. Cydgerdded wedyn i'r Hen Goleg. Anghofiaf i byth gerdded i mewn i Neuadd yr Arholiadau, a chael 'y nghroesawu â thon o gymeradwyaeth gan y dyrfa lond y lle. Araith groeso oedd gen i, a chyfle i egluro'r dod-ynghyd, grym a ffresni'r rhaglen i'r etholaeth, a'r cyfle i Geredigion a Gogledd Penfro arloesi drwy roi gyriant democrataidd y tu ôl i neges o arwyddocâd byd-eang. Porritt yn ymateb gyda'i awdurdod a'i haelioni ysbryd nodweddiadol. Roedd e'n eithaf beirniadol o amwysedd Plaid Cymru ar gwestiwn ynni niwclear (pwy friffiodd e ar hynny tybed?), ond roedd ei ddatganiad ei fod e "wedi dod i gefnogi'r ymgeisydd yma yn yr etholaeth hon" yn gwbl ddiamwys. Bore drannoeth daeth e ar gerddad o gwmpas y dref.

Niwl yn gymysg â rhai argraffiadau yw'r cof am wythnosau'r ymgyrch. John Howells ym mart Aberystwyth yn ffaelu credu'i glustiau wrth glywed ffarmwr gwritgoch o Gapel Bangor yn hyglyw-gyhoeddi mai i Blaid Cymru yr oedd e'n pleidleisio y *tro hyn*, rhan o'r swing a oedd yn dechrau magu nerth ac a fyddai'n cael ei gadarnhau yn hystings y ffermwyr. Colli'n natur â chefnogwyr wedi gweld cyfeiriad mewn taflen at 'y 'ngyrfa ddisglair' yn y Coleg. Gweithwyr yr ymgyrch yn dod i gwrdd â fi ble bynnag yr awn i.

Yn arbennig iawn, Sadwrn ola'r ymgyrch yn Aberystwyth. Ein pobl ni wedi meddiannu'n llwyr gornel Siop y Pethe, a'r cyhoedd yn tyrru aton ni am lenyddiaeth, posteri a sticeri. Geraint Howells, y clywais i mai ei ffordd o ganfasio oedd disgwyl pobl i ddod ato fe, nid eu cwrso nhw, yn sefyll ar ei ben ei hunan ar y pafin tu fas i Glwb y Rhyddfrydwyr. Erbyn canol dydd, cannoedd diddiwedd o sticeri sionc ymgyrch Plaid Cymru-Gwyrdd yn cerdded y strydoedd ar ddillad y cyhoedd. Roedd hi'n amlwg bod rhyw symudiad dramatig ar waith, ond wnaeth e fawr o argraff ar Bethan Kilfoil, gohebydd y BBC, a gwrthod wnaeth y corff hwnnw â danfon uned ddarlledu allanol i Aberaeron i'r cyfrif. Plaid Cymru'n mynd i foelyd Geraint Howells? Tynnwch y llall, plîs.

Diwrnod yr etholiad, wrth fynd o amgylch y bythau pleidleisio, roedd Llinos a fi wedi dod i'r un casgliad, serch bod presenoldeb cynrychiolydd o'r cyd-ymgyrch ym mhob bwth braidd, yn realiti mor drawiadol ag absenoldeb y Rhyddfrydwyr. Mi arhoson ni am rywbeth i'w fwyta yn Trefdraeth a phenderfynu peidio mynd i'r cyfrif yn rhy gynnar, rhag i ddiflastod y colli fod yn brofiad rhy estynedig. Gartref i Grugeryr gyntaf am seibiant, a chyrraedd Neuadd Goffa Aberaeron tua hanner awr wedi un ar ddeg.

Gyda'n bod ni'n cyrraedd top y staer, roedd hi'n amlwg 'mod i'n mynd i ennill. Roedd ewfforia cywasgedig gweithwyr y Blaid, wrthi'n casglu gwybodaeth am bob ward etholiadol, yn amlwg. Roeddwn innau am i'r llawr 'yn llyncu i. Roedd tad *Aber Research*, Gwyn Jenkins, a'i bâd a'i bensil yn ei law, eisoes yn darogan y sgôr. "Gwell i ti baratoi dy araith," meddai fe. "Teyrnged!"

Pan aethpwyd i'r llwyfan i gyhoeddi'r canlyniad, fuodd neb caredicach na mwy bonheddig na Geraint. Deulwyn, 'y nghyd-frawd-yng-nghyfraith, oedd y swyddog canlyniadau. Yn nyddiau caru, 'nôl yn y chwedegau, roedden ni'n dau wedi gwau breuddwydion am fuddugoliaeth i'r Blaid ac am y Gymru Rydd yn ddiddiwedd. Ar y llwyfan heno, roedd rhaid i Deulwyn fod yn gytbwys-ddiduedd.

Y diolchiadau confensiynol yn gyntaf, yna'r deyrnged: i Geraint, ac i draddodiad Rhyddfrydol Ceredigion a oedd yn cyrraedd diwedd ei oes anrhydeddus heno. Yna, nodi rhyfeddod y canlyniad, ac na allai dydd senedd i Gymru ddim bod ymhell mwyach. Daeth Geraint i ymateb. Fe gydiodd yn 'yn llaw i a dal ei afael ynddi tra buodd e'n siarad, yn union fel petai e'n trosglwyddo'r olyniaeth; a datgan ei hyder yntau y dôi senedd i Gymru'n fuan.

Fe wnaeth yr un peth yn union y tu fas, lle'r oedd y dyrfa'n orfoleddus. Ymysg yr holl ddwylo a gydiodd yn 'yn un i roedd un Maelgwyn, mab DJ Davies Pantyreryrod, yr ymgeisydd Llafur cyn dyddiau Elystan. Mi gytunon y buasai'n tadau ni, Llafurwyr eu dau, wrth eu bodd petaen nhw yma.

Mi ges 'yn llusgo 'nôl mewn wedyn ar gyfer cyfweliadau diddiwedd. Erbyn i fi ailymddangos roedd y sbort drosodd, ar wahân i weddill y nos ym mar Tafarn Glanyrafon, Talgarreg.

Nid chwarae o fuddugoliaeth oedd hi. Drwy Gymru roedd pleidlais y Blaid wedi codi 1.5 y cant. Roedd y cynnydd yng Ngheredigion a Gogledd Penfro yn 13.3 y cant, y gogwydd mwyaf o ddigon drwy Brydain. Tra bod Llafur wedi tyfu ar draul y DemRhyddiaid drwy Gymru, yng Ngheredigion fe orffennon nhw ar waelod y pôl, heb ennill nemor ddim tir. Roedd ein pleidlais ni wedi dyblu, o 16.2 y cant yn 1987 i 31.3 y cant yn 1992, ac roedd gyda ni fwyafrif dros y DemRhyddiaid o 3,193.

I'R GAETHGLUD: 1992–99

I Cychwyn

O BLYDI HEL. Beth uffern oedd hyn? Un peth oedd bod yn eilun i 'nghymrodyr gwiw, yn gyfrwng cyflawni gobeithion degawdau; yn llestr dyheadau delfrydgar cenedlaetholwyr a gwyrddiaid fel ei gilydd; yn broffwyd gweledigaeth gyffrous am Gymru werdd ymreolus. Peth arall oedd cael 'y nhrawsgludo i lannau Tigris – sori, Tafwys – i wynebu ffau llewod y Senedd, a threial delifro rhywfaint o'r syniadau ffansi yr oeddwn i wedi bod yn eu traethu gyda'r fath arddeliad. Roedd hynny'n go agos at fod y peth diwethaf roeddwn i mewn difrif ei eisiau.

Ond roedd ewfforia 'nghefnogwyr yn felys, yn chwyddo fyth i'r lan, ac yn heintus: taith y buddugwr o gylch yr etholaeth; parti dathlu yng ngwesty'r Plu (mangre aneirif bwyllgorau dros flynyddau'r hirlwm gwleidyddol); un arall, bythgofiadwy, yn neuadd Talgarreg; ac ymhen y rhawg, y siwrnai fws i Lundain a'r bonllefau cymeradwyaeth mewn rali orlawn yn y *Grand Committee Room* ddiwrnod agor y senedd. Dyma wobrau cysur, byrhoedlog mae'n wir, wrth i'r pentwr post, gofynion etholwyr a sefydliadau, a'r ceisiadau am gyfweliadau lanw 'nyddiau o fore gwyn tan nos.

Ffaelu deall roeddwn i na chlywen i rywbeth gan y Senedd: ble i fynd a phryd, beth oedd trefn y lle ac ati. Ond dim gair. Dros yr wythnosau cyntaf yn San Steffan mi fues yn crwydro'r coridorau fel pererin cyfeiliorn ac yn treial gwneud synnwyr o'r gweithgareddau yn y Siambr. Ac wedyn, ar benwythnos sawl wythnos yn ddiweddarach, dyma fi'n sylwi ar barsel, rhy drwchus i'w roi drwy'r bocs llythyron, yn gorffwys ar stiring-whîl hen gar oedd wedi'i barcio ar y clôs, un cwbl anaddas at ddefnydd dyn mor uchelfri ag Aelod Seneddol. Ynddo fe roedd pecyn cynhwysfawr o wybodaeth, popeth yr oedd ei angen i alluogi'r Aelod newydd i setlo ac i gyfrannu at waith y Senedd. Mi allwn i fod wedi darn-ladd y postman.

Rhwng popeth, rhyw fersiwn gymhedrol o uffern fuodd y flwyddyn gyntaf yn y Senedd ar ei hyd, digon i godi hiraeth am fyd cyfarwydd yr ystafell ddosbarth. Pan ges i'n rhoi ar bwyllgor sefydlog Mesur Morglawdd Bae Caerdydd, lle ces i 'mhrofiad cyntaf o lifeiriant amleiredd Rhodri Morgan, ac, i fod yn deg, ei feistrolaeth e ar fanylion, lwyddais i ddim i gyfrannu gair at y gweithgareddau. Fis Tachwedd hyd yn oed, pan ges i wahoddiad gan olygydd y *New Statesman* i eistedd o amgylch y ford ginio yn y *Gay Hussar* gyda grŵp dethol o ASau i drafod gwleidyddiaeth radical, agorais i ddim o 'mhen; yr unig gysur sy gen i yw bod Charles Kennedy lawn mor ddywedwst y diwrnod hwnnw.

Serch y pryder a'r swildod dychweledig llethol, fodd bynnag, doedd dim i'w wneud ond bwrw iddi gystal ag y gallwn i. Yn 'yn araith yn rali'r *Grand Committee Room* ar Fai 27, mi wnes jôc o'r ffaith mai un o Dalgarreg oedd AS cyntaf Ceredigion, ac mai'r gobaith oedd mai un o Dalgarreg fyddai'r olaf hefyd. Ffordd o ddweud bod hunanlywodraeth yn flaenoriaeth. Ond roedd Gwyrddni lawn cyn bwysiced, ac roedd arnaf i gyfrifoldeb unigryw i hyrwyddo'r efengyl honno, am y tro cyntaf mewn difrif yng nghoridorau grym.

II Gwyrddni

"Cadwch mewn cysylltiad â gweinidogion; rydych chi mewn sefyllfa arbennig iawn yn y senedd yma," meddai Michael Howard, Ysgrifennydd Gwladol yr Amgylchedd, yn garedig wrtha i yn un o'r coridorau hynny ryw noswaith. "Iawn," meddwn i, ond doedd gen i ddim syniad sut oedd gwneud. Â phwyso ac ymgyrchu yr oeddwn i'n gyfarwydd, a hynny fues i'n ei wneud dros y misoedd i ddod.

Sut oedd gwireddu'r ymrwymiad cyn-etholiadol i fod yn llais i Wyrddni yn San Steffan? Buodd dau berson go hynod yn 'y ngwregysu at y dasg.

Un o amodau'r pact oedd mai Gwyrddyn fyddai'r swyddog ymchwil ychwanegol a gâi Grŵp y Blaid yn sgil cynnydd yn nifer ei aelodau. Penodwyd Victor Anderson, economegydd gwyrdd tra galluog, cyfuniad trawiadol o'r diymhongar a'r cyndyn, yr egwyddorol a'r gwleidyddol graff. Dros y blynyddau buodd cyfraniad Victor i ddatblygiad y Blaid, o ran polisi a strategaeth, yn amhrisiadwy. Yn 1999 enillodd e sedd i'r Blaid Werdd ar Awdurdod Llundain a dod maes o law yn ymgynghorydd amgylcheddol i Ken Livingstone.

Alun Tomos, swyddog ymchwil y Grŵp, oedd y llall, mab gweinidog Capel y Wig Llangrannog gynt, cyn-ddisgybl i Llinos yn Ysgol Ramadeg Llandysul, rhannol ddall a phell ei welediad, calon-gynnes a brwd, gweithiwr lladd-nadredd os buodd un erioed.

Dyma'r tri ohonon ni'n cwnsela yn y ffreutur ryw fore ac roedd Alun yn byrlymu o syniadau. Gyrru'r amgylchedd i dop yr agenda seneddol drwy orlifo'r Papur Trefn (Rhaglen y Dydd y Senedd) â chwestiynau ysgrifenedig i ddechrau, a gosod cyfres o Gynigion Boreol (*Early Day Motions – EDMs*). Hynny a wnaethpwyd. Yn ddyddiol byddai pentwr o bapurau cwestiynau wedi'u llanw ar y 'nesg i gael eu llofnodi, a bant â nhw i'r *Table Office*.

Erbyn toriad yr haf roedd gweision sifil Adran yr Amgylchedd wedi cael llond bola ar hyn, a dyma friffio'r AS Ceidwadol newydd Michael Fabricant i osod cwestiwn ysgrifenedig yn gofyn beth oedd cost ateb cwestiynau Cynog Dafis. £80,000 oedd yr ateb, a bwriodd y stori dudalennau'r *Evening Standard*, gyda bob o lun o Fabricant a fi. Digon gwir ein bod ni wedi gor-wneud pethau braidd, ond o leiaf roedd 'y mhresenoldeb i'n hysbys, 'yn enw i'n perarogli ymysg y mudiadau amgylcheddol, ac arwyddocâd yr amgylchedd fel pwnc o bwys wedi'i amlygu. Ac ymysg y cyhoedd roeddwn i'n ennill clod fel un a oedd yn barod i dynnu blewyn o drwyn y Sefydliad.

Yr ail beth i'w wneud oedd sicrhau 'mod i'n siarad yn y Siambr bob cyfle posibl, ac roedd y cyd-destun yn ddelfrydol. Ymhen y mis byddai Cynhadledd y Cenhedloedd Unedig (CU) ar yr Amgylchedd a Datblygiad, 'Copa'r Ddaear' ("ein cyfle gorau, ein cyfle olaf efallai, i achub y ddaear", yn ôl Mustafa Tolba, Cyfarwyddydd Rhaglen Amgylchedd y CU), yn cael ei chynnal yn Rio de Janeiro. O fewn pythefnos i agor y Senedd roeddwn i wedi cynnal Cynhadledd i'r Wasg ar y cyd â Sara Parkin a Jean Lambert o'r Blaid Werdd, gosod EDM ac ysgrifennu at John Major a Michael Howard yn galw am ddadl seneddol cyn y gynhadledd ac yn diffinio deg o feini prawf i fesur ei llwyddiant hi. Y peth gwaethaf a allai ddigwydd yn Rio yn ôl Crispin Tickell, llysgennad Prydain i'r CU, oedd cynhyrchu ffydj glastwraidd a rhoi ffugargraff o lwyddiant.

Mi draddodais 'yn araith forwynol ar Fai 11 yn y ddadl ar Breifateiddio o dan Araith y Frenhines. Llusgais i Rio i'r ddadl drwy ddangos y cysylltiad rhwng preifateiddio rheilffyrdd ac effaith ddifrifol cludiant ar yr amgylchedd, drwy gynhesu global a newid hinsawdd yn arbennig.

Gan dynnu ar friff Victor mi ddadleuais fod llwyddiant economaidd y byd diwydiannol yn dibynnu ar sybsidi triphlyg: gan y gorffennol drwy'r adnoddau naturiol anadnewyddol roedden ni wedi'u hetifeddu a nawr yn eu traflyncu; gan genedlaethau'r dyfodol a fyddai'n dioddef o golli'r adnoddau hynny; a chan wledydd y Trydydd Byd, yr oedd eu hadnoddau hwythau'n cael eu hecsbloetio i borthi'n ffyniant ni ac a oedd yn dioddef yn anghymesur ddrwgeffeithiau'r difrod i'r amgylchedd.

Wrth agor y ddadl roedd William Waldegrave wedi cyflwyno'r achos dros breifateiddio mewn termau athronyddol. "Mae'r theori o wleidyddiaeth sydd â gwladoli'n ganolog iddi yn farw, ym Mhrydain ac ar draws y byd," meddai fe. Serch bod i'r theori honno "ddelfrydau dyrchafedig", roedd hi wedi methu. Roedd rhaglen y Llywodraeth yn cyhoeddi *sea-change* nad oedd y gwrthbleidiau, na'r rhai a oedd yn ysgrifennu am wleidyddiaeth o'r "hen bersbectif", wedi ei lawn ddeall eto. Geiriau proffwydol, beth bynnag a ddywed dyn am y theori y naill ffordd neu'r llall. A oedd e'n rhag-weld, fel nad oeddwn i, y byddai'r Prif Weinidog Llafur nesaf mor frwd ag yntau i gladdu sosialaeth?

Ta beth am hynny, cawd cyfle i fanylu ar 'y neges fach i, pan gytunodd y Llywodraeth ddechrau Mehefin i gael dadl rag-Rio, dim ond am nad oedden nhw'n barod am y ddadl fwriadedig ar gytundeb Maastricht.

Erbyn hyn roedd y Prif Weinidog yn pwysleisio'r angen i bawb fod yn 'realistig' eu disgwyliadau o'r Gynhadledd. Realistig? meddwn i wrth ddadlau bod Rio beth wmbredd yn fwy arwyddocaol na Maastricht, er pwysiced hwnnw. Pwy fath o realaeth oedd gohirio gweithredu brys i sefydlogi'r hinsawdd, neu alluogi gwledydd tlawd i feddiannu technoleg newydd er mwyn cynyddu'u ffyniant heb greu llanast amgylcheddol a difa'r bioamrywiaeth a oedd yn greiddiol i gynaliadwyedd? Doedd y Prif Weinidog, meddwn i, ddim wedi deall arwyddocâd y newid anferth yr oedd Rio i fod i roi cychwyn arno.

Mi'i cyhuddais i e hefyd o gilio rhag gweithredu effeithiol "mewn ymdrech ddesperet i gynnal y berthynas arbennig â'r Unol Daleithiau". Serch y cymhlethdodau a welai'r meddylgar ar bob tu, a'r ffaith mai'r UD, yn allyrru 25 y cant o garbon diocsid y byd gyda dim ond 4 y cant o'r boblogaeth, oedd pechadur penna'r blaned, i George Bush roedd y peth yn syml: "Ers hanner canrif, yr UD fu peiriant mawr twf yr economi global, ac felly y mae pethau'n mynd i barhau". *Plus ça change.*

Y casgliad y daeth Victor a finnau iddo yn dilyn Rio oedd bod y ddadl ddeallusol wedi'i hennill. Roedd Datganiad Rio ac Agenda 21 yn ddogfennau radical, trawsnewidiol o'u cymryd ar eu gair. Ond roedd y camau ymarferol y cytunwyd arnyn – ynghylch Newid Hinsawdd, Bioamrywiaeth, Fforestydd ac Anialeiddio – oll yn druenus o annigonol, i raddau helaeth oherwydd dylanwad yr UD. Yr unig gysur oedd y cytundeb i sefydlu proses reolaidd o adolygu'r cytundebau a chytuno ar gamau pellach.

Am weddill 'y nghyfnod yn y Senedd, canlyn Proses Rio, rhyw fath o syrcas rhyngwladol yn ymlwybro o fan i fan, fuodd rhan go lew o 'ngwaith ar yr hyn yr oedd Copa'r Ddaear, yn dilyn Bruntland, wedi'i fedyddio yn Ddatblygu Cynaliadwy.

Yn y ddadl ôl-Rio ches i ddim siarad, dim ond ymyrryd yn fyr ar lefarydd Llafur, Ann Taylor, i bwysleisio bod cyddwysedd carbon yn yr atmosffer eisoes yn beryglus o uchel. Ond mewn dadl ym mis Hydref ar raglen amgylcheddol yr Undeb Ewropeaidd (dyna'r teitl newydd a roddwyd arno gan Gytundeb Maastricht) mi gyhuddais y Llywodraeth, a'r byd datblygedig yn gyffredinol, o wneud gwawd o ddyheadau Rio oherwydd lefel bitw yr adnoddau roedden nhw'n fodlon eu clustnodi mewn cymhariaeth â'r gwariant anferth ar arfau rhyfel.

Fis yn ddiweddarach, mewn dadl ar Fuddsoddi, mi ges 'y nghyfle cyntaf i draethu ar ynni adnewyddol, a'i gysylltu ag economi Cymru. Roedd 75 y cant o allyriadau carbon diocsid, y prif nwy tŷ gwydr, yn dod o losgi tanwydd ffosil i gynhyrchu ynni. Wrth i'r 70 y cant o boblogaeth y byd a oedd heb drydan fynnu cael gafael ar y cyfleustra hwnnw – hollol hanfodol ar gyfer datblygiad – byddai'r galw amdano fe, yn ôl y darogan, yn cynyddu 265 y cant erbyn 2025. Effaith hynny, o gadw at ddulliau cynhyrchu cyfredol, fyddai cynnydd difrifol mewn allyriadau carbon, a'r gymuned fyd, drwy broses Rio, wedi datgan yr angen i leihau'r cyfryw allyriadau o 60 y cant. Pa flaenoriaeth fuddsoddi uwch a allai fod felly nag ynni adnewyddol?

Ac onid oedd yr hybarch Athro Phil Williams wedi dangos sut y gallai Cymru, yn rhinwedd ei hadnoddau aruthrol, fod yn ganolfan o bwys mewn maes cwbl allweddol i ddyfodol y byd, a chael elw economaidd sylweddol yn y fargen? Roedd angen strategaeth i roi'r broses ar waith ar frys. Roedd un peth yn sicr, sef y byddai llunio strategaeth o'r fath yn flaenoriaeth i Senedd Cymru pan fyddai honno'n cwrdd am y tro cyntaf yn 1999.

Ces i flas arbennig yn y ddadl hon yn ymosod ar Neil Kinnock a oedd yn noddwr i *Country Guardian* ac wedi ymrestru felly â'r rhai a oedd yn ffyrnig eu gwrthwynebiad i ddatblygu ynni gwynt ar dir. Ac yntau'n aelod o Gomisiwn yr Undeb Ewropeaidd (UE), a oedd wedi ymrwymo i raglen uchelgeisiol o ddatblygu ynni adnewyddol, roedd ei safle fe'n hollol *untenable*, meddwn i.

Dros y blynyddau nesaf mi fyddwn i'n pregethu efengyl Datblygu Cynaliadwy ar hyd a lled Cymru a Lloegr yn ôl yr alwad, o Brifysgol Manceinion i Glybiau Cinio Aberteifi a Chaerdydd, o gynhadledd flynyddol Cyfeillion y Ddaear neu *Neighbourhood Energy Action* i fyfyrwyr Adran Ddaearyddiaeth Abertawe, ac o aelodau'r Blaid Werdd yn Huddersfield i aelodau Capel y Morfa yn Aberystwyth a chyfarfod o Cytûn yn Llanbed.

Ar daith bregethu, mae'n help os oes gyda chi'r hyn y mae'r ôl-fodernwyr yn ei alw'n feta-naratif, math o fframwaith cynhwysfawr ar gyfer dehongli'r byd a diffinio mynegbyst clir ar gyfer byw a gweithredu. Rhywbeth fel a ganlyn oedd meta-naratif Datblygu Cynaliadwy yn 'y nghyrddau pregethu i.

Roedd hi'n dod yn gynyddol amlwg bod cyfeiriad presennol ein system economaidd ni, yn rhinwedd ei hecsbloetiad aruthrol o adnoddau naturiol a'i llygru mawr ac amryfath hi ar yr amgylchedd, yn anghynaliadwy. Roedd hyn yn galw i gwestiwn yn sylfaenol y dybiaeth bod cynnydd parhaus-gynyddol mewn pryniant nwyddau traul, peiriant twf yr economi, yn bosibl. Yn anad dim rhaid wynebu'r realiti ein bod ni'n byw mewn byd o allu cynhyrchu cyfyngedig.

Ar yr un pryd roedd y gagendor aruthrol mewn safon bywyd materol rhwng y byd datblygedig a'r 'Trydydd Byd' nid yn unig yn enbyd o anfoesol, ond yn rhwym o arwain at densiynau a gwrthdaro a fyddai'n peryglu lles pawb. Roedd 25 y cant o boblogaeth y byd yn traflyncu 75 y cant o'i adnoddau naturiol e, tra bod y 75 y cant arall yn dioddef amddifadedd difrifol ac yn cario pen trymaf baich y drwgeffeithiau amgylcheddol. Allai sefyllfa fel hon ddim parhau.

Fodd bynnag, byddai angen adnoddau deg planed, nid un (yn ôl Comisiwn Bruntland, rhagredegydd Rio), er mwyn delio â'r sefyllfa honno yn syml drwy i'r 75 y cant ymgyrraedd at lefel pryniant nwyddau traul 25 y cant. Trychineb ecolegol fyddai'r canlyniad.

Roedd dwy agwedd, yn fras iawn, ar yr ateb. Rhaid i'r byd datblygedig leihau'n ddirfawr ei impact ar yr amgylchedd (ysgafnhau ei 'ôl troed ecolegol'), yn rhannol trwy ddatblygu technolegau newydd, megis wrth gynhyrchu ynni, ac yn rhannol drwy feithrin gwerthoedd newydd, ei ddiddyfnu'i hunan o'i ddibyniaeth ar gonsiwmiad materol fel allwedd i ddedwyddwch. Yn ail, rhaid trosglwyddo i'r Trydydd Byd yr adnoddau a'r technolegau i'w galluogi nhwythau i greu ffyniant economaidd heb ddifrodi'r amgylchedd.

Yn ganolog i'r neges roedd yr argyhoeddiad nad oedd modd gwahanu cynnal yr amgylchedd naturiol oddi wrth gwestiwn cyfiawnder cymdeithasol. Roedd creu cymdeithas fwy cyfartal, ar y lefel genedlaethol, ranbarthol a byd-eang, yn hanfodol. Ymhlith y deg maen prawf a restrais i yn y Gynhadledd i'r Wasg cyn Rio roedd yr angen i ddiddymu dyled gwledydd y Trydydd Byd.

Enghraifft berffaith o anghynaliadwyedd ein bywyd a'n peiriant economaidd ni oedd twf symudoledd. Roedd y cynnydd enfawr mewn teithio – ar gyfer busnes, cymudo, hamddena – ar lawer ystyr yn rhyddfreinio'r unigolyn, yn ehangu gorwelion ac yn hyrwyddo cyd-ddealltwriaeth gydwladol. Ond roedd e hefyd yn llarpio adnoddau naturiol ac yn creu llygredd ar raddfa enfawr. Roedd y pris yn nhermau damweiniau marwol ac afiechyd a difa rhywogaethau yn annerbyniol o uchel. Roedd e hefyd yn canoli perchnogaeth ym myd busnes, gan drosglwyddo grym i gwmnïau trawswladol; ac yn y fargen roedd e'n gwanhau economïau lleol a hoen y cymunedau yr oedden nhw'n eu cynnal, ynghyd â'u nodweddion diwylliannol amrywiol. Yn y maes yma eto, roedd gwahanol agweddau ar yr ateb i'r broblem: arloesiadau technolegol i leihau impact amgylcheddol, ffafrio cludiant cyhoeddus yn hytrach na phreifat, a threfnu'r economi fel ag i leihau'r angen am gludiant fel y cyfryw.

Os oedd y math yma o siarad yn swnio'n bellgyrhaeddol o radical, roedd hynny'n unol â'r math o negeseuon yr oeddwn i'n eu clywed nhw gan bobl fel Maurice Strong, dyn olew llwyddiannus ac ysgrifennydd cyffredinol Copa'r Ddaear. Fyddai rhagor o reoliadau amgylcheddol ddim yn ddigon i achub y blaned, meddai hwnnw. Rhaid newid cyfeiriad, creu "newid sylfaenol yn ein systemau economaidd". Dro arall, soniodd Strong am ddatblygu cynaliadwy fel "shifft wareiddiadol sylfaenol".

Sut yn union yr oedd dod i ben â hynny? Rhan fawr o'r ateb oedd rhoi cymelliadau yn eu lle a fyddai'n ein gorfodi ni, yn unigolion ac yn sefydliadau, byd busnes yn enwedig, i fod yn ddarbodus gydag adnoddau naturiol ac i beidio tanseilio systemau cynnal bywyd ar y blaned drwy eu llygru nhw.

Pan es i i gyfarfod allweddol o Gomisiwn Datblygu Cynaliadwy y CU yn Efrog Newydd ym Mai 1994 y ces i 'mhrofiad cyntaf o ddiplomyddiaeth gydwladol, byd arcên o lobïo, rhwydweithio, bargeinio, cyfaddawdu a chytuno, wedi mynych ailddrafftio, ar union eiriad y cytundeb terfynol. Yn y cyfarfod terfynol, wedi'i gadeirio gan y Democrat Cristnogol o Almaenwr, Klaus Töpfer, roedd yr ailadrodd ar un neges yn drawiadol: rheidrwydd 'mewnoli costau amgylcheddol'. Dyna'r jargon am yr angen i beri bod pris nwyddau yn adlewyrchu'n well eu gwir gost, sef effeithiau pellgyrhaeddol eu darparu nhw ar yr amgylchedd, ffynhonnell pob ffyniant. Ystyr ymarferol hyn, yn syml iawn, oedd defnyddio'r system drethiant i yrru'r economi i gyfeiriad newydd. Hynny, a disodli twf economaidd fel y brif ffordd o fesur llwyddiant yr economi gan ryw fath o 'Fynegai o Les Economaidd Cynaliadwy' (*ISEW*).

Des i'n gynyddol argyhoeddedig mai i'r cyfeiriad yma yr oedd pethau'n symud, yn ddiwrthdro, pan ddaeth Comisiynydd Amgylchedd yr UE, y Groegwr Paleokrassas, i annerch Grŵp Amgylchedd y Senedd (PEG), yr oeddwn i'n is-gadeirydd arno. Roedd gan hwnnw bennod ym Mhapur Gwyn yr Undeb Ewropeaidd, *Twf, Cystadleurwydd a Chyflogaeth* ('Papur Gwyn Jacques Delors') yn gosod allan ei ddadl dros drethiant amgylcheddol er mwyn creu newid economaidd sylfaenol a fyddai mor arwyddocaol, meddai fe, â'r Chwyldro Diwydiannol ei hun. Stwff cryf, a chyffrous!

Os oedd yn yr holl neges yma awgrym go gryf o ddisgyblaeth y 'crys gwlanen', sachliain a lludw hyd yn oed, doedd hynny ddim yn hollol anghymeradwy gan fab y mans a oedd wedi dysgu'n gynnar bod ymddygiad cyfrifol a lles y lliaws yn bwysicach na hawddfyd, ac am yr angen, uwchlaw dim, i fyw'n ddarbodus. Ond nid i'r cyfeiriad ymgosbol yna yr oedd yr *NGOs* am fynd â'r ddadl.

Yn Nhachwedd 1994 fe gyhoeddodd Cyfeillion y Ddaear (CyDd) ddogfen bolisi go swmpus o'r enw *Working Future*. Neges honno oedd mai 'ennill ac ennill' fyddai rhoi'r agenda werdd ar waith. Byddai sectorau newydd megis ynni cynaliadwy a thechnolegau rheoli llygredd, buddsoddi mewn trafnidiaeth gyhoeddus ac yn y blaen yn gyrru twf yr economi ac yn creu elw a swyddi tra'n cyfyngu difrod i'r amgylchedd ac yn gwella ansawdd bywyd. Ym myd ffarmio, maes o ddiddordeb arbennig i fi, byddai hyrwyddo systemau organig a thalu ffermwyr am warchod bioamrywiaeth yn cryfhau economi cefn gwlad, yn cynnal y boblogaeth amaethyddol ac yn ffafrio'r ffarm deuluol.

Roedd hi'n amlwg bod cyfnod piwritanaidd y mudiad gwyrdd yn dirwyn i ben a bod yr amgylcheddwyr am ddod i ddealltwriaeth â byd busnes. Cyn bo hir, gofynnodd Adrian Wilkes, ysgrifennydd *PEG*, i fi ymaelodi â phwyllgor seneddol Comisiwn y Diwydiannau Amgylcheddol, corff oedd yn cynrychioli'r diwydiannau newydd oedd am weithio gyda graen gwyrddni a bachu'r cyfleodd masnachol a godai yn sgil y rheoliadau amgylcheddol a oedd yn llifo, yn arbennig o gyfeiriad Brwsel. Fel'ny y des i i gadw cwmni, ac yn gynyddol i edmygu, rhai o gapteniaid, a mwy o fosns, diwydiant. Yn nes ymlaen, fel is-gadeirydd, ac o 1997 ymlaen, gadeirydd Grŵp Ynni Adnewyddol a Chynaliadwy'r Senedd (PRASEG), mi fyddwn yn dod i ddeall mwy a mwy am fyd a oedd wedi bod yn ddieithr ac yn dra anghyfarwydd i fi.

Ond yn gyntaf rhaid bwrw cyfnod o brentisiaeth ym myd cyrchoedd seneddol. Fis Tachwedd 1992, daeth yr hynod Ron Bailey, trefnydd ymgyrchoedd y Blaid Werdd, i 'ngweld i. Cocni o'r iawn ryw oedd Ron, wedi ennill profiad ac enwogrwydd fel arweinydd ymgyrchoedd llwyddiannus dros sgwatwyr a'r digartref. Moel ei ben, gloyw ei lygaid, tra radical ei wleidyddiaeth, ymroddedig i godi'r eiddil gwan i fyny, mor ddi-ildio benderfynol o gael y maen i'r wal â Wynfford James yn nyddiau Cymdeithas yr Iaith gynt. Roedd gydag e gynnig i fi na allwn i ei wrthod, am fwy nag un rheswm, sef arwain cad i gael Mesur Cadwraeth Ynni drwy'r Senedd, ac i'r llyfr statudau.

A'r Toriaïd wedi rhoi TAW ar danwydd yn y cartref a'r angen yn daer i ddangos manteision gweithredu gwyrdd, roedd y pwnc yn un amserol. Byddai'r mesur, a oedd wedi'i ddrafftio'n barod, yn gorfodi pob awdurdod lleol i wneud arolwg o gyflwr cartrefi yn eu hardaloedd ac yna weithredu cynlluniau i leihau eu defnydd o ynni, a thrwy hynny eu hallyriadau o nwyon tŷ gwydr a llygreddau, o hyd at 30 y cant. Byddai'r buddion yn amlweddog ac yn sylweddol: gwella cysur ac iechyd y trigolion, helpu i gadw adeiladau mewn cyflwr da, hybu busnes, creu swyddi a gwneud lles i'r amgylchedd naturiol. Ennill, ennill, ennill, ys dywedai CyDd, a oedd am noddi'r mesur ar y cyd â'r Blaid Werdd a grŵp seneddol Plaid Cymru.

Roedd Ron Bailey yn feistr corn ar waith y Senedd, ei chynllwynion yn gymaint â'i threfn. Yn gynnar yn y broses fe ymgynghreiriodd â meistr arall ar y gelfyddydd ddu, Andrew Warren o Gymdeithas Cadwraeth Ynni, sefydliad yn cynrychioli buddiannau masnachol busnesau yn y maes. Cyfuniad dansherus, yn ystyr orau'r gair.

Erbyn i fi gyflwyno'r mesur i'r Senedd yn Chwefror 1993 o dan y Rheol Deg Munud, yn dilyn Cynhadledd i'r Wasg i lansio'r ymgyrch, roedd y gwaith o ddygyfor cefnogaeth a rhoi pwysau ar y Llywodraeth eisoes ar waith. Cefnogwyr yr ymgyrch, aelodau'r Blaid Werdd a CyDd yn bennaf, yn pwyso'n ddidostur ar eu hASau i lofnodi'r EDM a oedd yn datgan cefnogaeth i'r mesur ac yn cadw'i le, o wythnos i wythnos yn ddi-dor, ar y Papur Trefn, drwy ddenu mwy a mwy o enwau. Doedd ASau a wrthodai lofnodi yn y lle cyntaf *ddim* yn cael llonydd.

Doeddwn innau'n cael dim llonydd chwaith. Ddau o'r gloch y bore ar Fehefin 26, roeddwn i ar 'y nhraed yn y gyfres o ddadleuon gohiriad (*'adjournment debates'*) ddiwedd y tymor yn ailadrodd y bregeth. Erbyn hynny roedd 350 o ASau wedi llofnodi'r EDM, a llu o fudiadau amgylcheddol a dyngarol, ynghyd â 110 o gynghorau lleol a'r Sefydliad Tai, wedi datgan cefnogaeth. (Y noson honno, gyda llaw, a dim mwy na hanner dwsin yn y siambr, y traddodwyd yr araith seneddol rymusaf ond odid a glywais i erioed, gan y Tori hen-ffasiwn Patrick Cormack, heb damaid o nodyn ar bapur, ar gywilydd anymyriad milwrol Prydain i atal y lladdfa yn Sarajefo. Ac onid oedd cannwyll 'yn llygad i, Gwenllian, ar fin mynd i Slofenia am flwyddyn i weithio gyda ffoaduriaid o Bosnia?)

Y Demrhyddiad Alan Beith a gododd faton Mesur Cadwraeth Ynni pan ddaeth ei enw o'r het ym malot hydrefol y mesurau preifat, ond doedd gen i ddim dewis ond dilyn pob cam o'r broses, gan ofalu rhoi'r drafodaeth yng nghyd-destun ymrwymiadau'r Llywodraeth trwy gytundebau Rio.

Erbyn i'r Chwipiaid fynd ati'n fwriadol i ladd y mesur fis Ebrill 1994 drwy osod lliaws o welliannau a threfnu siaradwyr (Ian Duncan Smith yn eu mysg) i wastraffu amser, roeddwn innau wedi cael cyfnod o addysg wleidyddol o'r radd flaenaf. Ar anogaeth Andrew Warren, mi ges flas yn 'yn araith gloi ar restru'r ASau Toriaidd a oedd wedi llofnodi'r EDM ond a ildiodd wedyn i bwysau'r Chwip. Fuodd Ron Bailey a'i helgwn yntau ddim yn brin o roi gwybod am y brad i bapurau lleol yr aelodau rheini.

Gan wybod nad oedd dim ffaelu i fod i Ron, mi rybuddiais y byddai'r mesur 'nôl ar yr heol fis Tachwedd. "Gawn ni weld bryd hynny a feiddith y Llywodraeth ei sabotajo fe'r ail waith!" ebe fi. Na feiddien oedd yr ateb. Mabwysiadodd Diana Maddock, Demrhyddiad arall, y mesur ac fe gwblhaodd hwnnw, wedi'i addasu a'i ail-labelu i achub wyneb y Llywodraeth, ei rawd yn Nhŷ'r Cyffredin ar Fawrth 3, 1995.

Ddiwedd y mis hwnnw, mi lwyddais i gael dadl ohiriad ar Newid Hinsawdd, wythnos cyn Cynhadledd Berlin ar Gonfensiwn Rio. Yn ogystal â phwysleisio difrifoldeb y bygythiad a gwasgu ar y Llywodraeth i gymryd camau penodol yn y gynhadledd, mi ymosodais i ar y defnydd o ddadansoddiad cost-a-budd yn y trafodaethau rhyngwladol ar effaith economaidd gweithredu i wrthweithio newid yr hinsawdd. Yr ymhoniad anhygoel, ar sail cynhyrchiant economaidd, oedd bod bywyd Americanwr yn werth deg gwaith cymaint â bywyd Bangladeshi, ac y dylid ystyried hynny wrth gymryd penderfyniadau. "Yn ôl y fethodoleg hon," ebe fi, "mae'r Maldives, sy'n gartref i 177,000 o bobl, yn werth llai na Dinas Llundain, a rhan helaeth o dir amaethyddol Bangladesh – a fyddai'n diflannu dan y môr drwy effaith newid hinsawdd – yn werth llai nag un ffatri geir Americanaidd."

Mi ymosodais ar yr un feddylfryd mewn dadl ar sefydlu Asiantaeth yr Amgylchedd fis Mehefin, a llwyddo i gael gan John Gummer i ddatgan wrth ateb cwestiwn llafar tua'r un adeg, "Mae hi'n gwbl glir i fi fod unrhyw fywyd yn gyfwerth [as worthy as] un arall". Fwy nag unwaith, yn breifat ac yn gyhoeddus, mi glywais Gummer, mab i offeiriad a phabydd o argyhoeddiad, yn mynegi ei ddicter ynghylch agwedd yr Unol Daleithiau ar Newid Hinsawdd.

III Y Cwestiwn Cenedlaethol

Rhag ofn eich bod chi'n cydymdeimlo â barn 'y nghyd-bleidiwr seneddol a ddywedodd yn sbengllyd braidd pan gyhoeddais 'yn llwyddiant yn cael dadl ar Newid Hinsawdd, "Fe ddywedi di rywbeth sy'n berthnasol i dy etholaeth yn y lle 'ma ryw ddydd". A chwedyn gwell i fi dreial dangos nad oedd y brathiad bach yna'n gwbl deg.

Tra 'mod i'n canlyn gwyrddni roedd Dafydd Wigley a Ieuan Wyn Jones, ymysg pethau eraill, wrthi'n taro'r fargen gyda Llywodraeth John Major ynghylch cytundeb Maastricht a'r consesiynau i Gymru a enillwyd yn y broses sy'n cael ei disgrifio'n go lawn yn *Dal Ati* Dafydd Wigley. 'Y nghyfraniad pwysicaf i at hyn oedd pario gyda Trystan Garel-Jones, y cellweiryn clyfar o Langennech, cwbl wawdlyd o wlad ei wreiddiau, a fuodd yn bennaf cyfrifol am lywio'r mesur drwy'r Senedd.

Elfyn gadd ei roi'n gyfrifol am y Gymraeg, a'r mesur Iaith yn benodol, gan wneud enw iddo'i hunan fel pwyllgorddyn seneddol manwl a galluog. Safbwynt y grŵp, yn dilyn ymresymiad Dafydd Wigley a'r mudiadau iaith, oedd bod y mesur yn annerbyniol am nad oedd e'n datgan cydraddoldeb y Gymraeg â'r Saesneg yn ddiamwys nac yn rhoi hawliau clir i'w siaradwyr hi.

Arall oedd 'y mhwyslais i, yn dilyn ymresymiad *Maniffesto* cynta'r Gymdeithas a'r gwaith roeddwn i wedi'i wneud ar Gymdeithaseg Iaith, sef yr angen am gynllunio ieithyddol rhagweithredol i hyrwyddo defnydd o'r iaith ym mhob agwedd ar fywyd. O'r safbwynt yna, doedd y mesur, â'i ymrwymiad clir i hyrwyddo'r Gymraeg, i sefydlu bwrdd statudol i'r pwrpas hwnnw, â'i ddatganiad y dylai awdurdodau cyhoeddus drin y Gymraeg 'ar sail o gydraddoldeb â'r Saesneg' yn ddim llai na chwyldroadol. Pwysleisio'r angen am adnoddau digonol a'r ewyllys gwleidyddol i wireddu potensial di-ben-draw y mesur a wnes i yn nadl y Trydydd Darlleniad.

Rwy'n edifar hyd heddiw i fi gydsynio â'r penderfyniad rhyfedd i gerdded drwy'r Lobi Na, serch y *realpolitik* diamheuol y tu ôl iddo. Mae'n rhaid bod ein penderfyniad ni wedi porthi camgymeriad trychinebus Cymdeithas yr Iaith yn ymgyrchu yn erbyn Bwrdd yr Iaith a phwysleisio'n barhaus iawnderau ieithyddol a deddfwriaeth yn hytrach na mynnu strategaeth adfywio wedi'i gweithredu'n rymus a'i chyllido'n ddigonol.

Mi ges innau 'nghyfle i agor ffrynt ar y cwestiwn cenedlaethol mewn dadleuon ar Addysg, yn arbennig Ddeddf Addysg 1993. Pan ddaeth y mesur gerbron Tŷ'r Cyffredin yn Nhachwedd 1992, mi ymosodais arno fel ymdrech i ddadddemocrateiddio'r gyfundrefn addysg drwy annog a chefnogi ysgolion i optio am statws grant-uniongyrchol (GU), a throsglwyddo'r cyfrifoldeb am gyllido ysgolion yn gyfan gwbl ymhen amser i Gyngor Cyllido na fyddai'n gyfrifol i neb ond yr Ysgrifennydd Gwladol. Hyn oll yn nannedd gwrthwynebiad y farn addysgol a chyhoeddus yng Nghymru.

Os buodd enghraifft o'r angen am senedd i Gymru er mwyn gwrthsefyll polisïau gelyniaethus a dewis llwybr Cymreig democrataidd, dyma hi. Yn y ddadl agoriadol honno y llwyddais i i gael llefarydd Llafur ar y pryd, Paul Murphy, i led-gytuno. "Yr ateb i'r cwangos 'ma," ebe fe, "yw llywodraeth ranbarthol gan bobl Cymru, gan fod democratiaeth, ar ba lefel bynnag, yn werthfawr."

Dros gyfnod o ryw dri mis wedyn y ces i 'medydd tân seneddol cyntaf mewn difrif fel aelod o'r pwyllgor sefydlog ar y Mesur Addysg. Roedd treial gwneud synnwyr o'r papurau gwelliannau, rhai'n las ac eraill yn wyn, a'r papurau dirgel eraill hynny ar y ford rhwng y meinciau, a'u rhestri o ffigyrau anesboniadwy ('banciau' o welliannau fel y deallais i wedyn) yn brofiad hunllefus. Roedd gan y tîm aelodau Llafur, a'r DemRhyddiad Don Foster, ymchwilwyr yn eu tywys nhw a'u porthi â deunydd areithiau. Doedd gen i neb, heblaw arbenigedd diamheuol Iorwerth Morgan UCAC a Ioan Bowen Rees ar ben draw'r ffôn yn achlysurol. Mi dreuliais oriau dirifedi yn llywio'n ffordd drwy'r dryswch, heb sôn am baratoi deunydd i'r drafodaeth. (Roedd y meincwyr cefn Torïaidd yn pasio'r amser yn llofnodi cardiau Nadolig.)

Mae'n wir bod y chwip Torïaidd Andrew McKay yn hynod o glên, am drefnu i fi gael cyfle i gyfrannu i'r trafodaethau yn ôl 'y nymuniad. Ond wedi i fi gytuno yn ysbryd brawdgarwch a synnwyr cyffredin i bario gyda Wyn Roberts, ac i'r Chwip Llafur sylwi ar y symudiadau, mi ges wybod beth oedd ymlaen. Nid craffu'n fanwl, gymal wrth gymal, ar gynnwys y mesur oedd pwrpas Llafur ond gwastraffu amser, blino gweinidogion y Llywodraeth hyd at ludded llwyr, tanseilio morâl Llywodraeth Major a sigo'i gallu i fwrw ymlaen â'i rhaglen. Ac o ddeall y bwriad, doedd dim dewis, gan 'mod i'n llwyr wrthwynebus i holl fwriad y mesur, ond cydweithio â Llafur, cyfrannu fel y gallwn i, a chyrraedd 'nôl i'r fflat yn Hammersmith, noswaith ar ôl noswaith, mor hwyr â dau y bore.

Roeddwn i'n bles o gael gan Wyn Roberts gydnabod y byddai cyfrifoldeb ar Fwrdd yr Iaith i hyrwyddo addysg Gymraeg, er i'r rôl allweddol yna gael ei hesgeuluso am flynyddau wedyn. Mi gyfrennais, gyda chymorth Jocelyn Davies, aelod gwerthfawr o'r Cynulliad Cenedlaethol erbyn hyn, i'r gwaith o gryfhau'r ddarpariaeth i blant dyslecsig, a chael dadl benodol ar roi cyllid cyhoeddus i ysgolion a chwricwla amgen, megis rhai Rudolf Steiner. Ac mi ddes allan o'r pwyllgor gydag ochenaid o ryddhad, yn teimlo 'mod i o'r diwedd yn dechrau deall gwleidyddiaeth real.

Doedd hi ddim yn anodd wedyn i ddatblygu'r drafodaeth ar addysg er mwyn dangos rheidrwydd senedd ddeddfwriaethol. Nid yn unig yr oedd Llywodraeth heb gydsyniad democrataidd yng Nghymru yn gorfodi diwygiadau annerbyniol ac amherthnasol arnon ni, ond roedd hi'n gwneud hynny mewn ffordd gwbl anghyfrifol a gwastraffus: drwy sefydlu dwy gyfundrefn gyfochrog o ysgolion cyhoeddus, rhai awdurdodau lleol a rhai grant-uniongyrchol, i gystadlu â'i gilydd ar delerau annheg i'r blaenaf o'r ddwy, tra'n gorfodi toriadau ar Awdurdodau Addysg Lleol (AALl). Creu anhrefn er mwyn dwyn eu bwriad i ben ar y slei. Mewn araith yn Eisteddfod Genedlaethol 1995, mi'u cyhuddais i nhw o ymddwyn yn fwy tebyg i fudiad anarchaidd chwyldroadol na llywodraeth gwlad.

Es i â'r ymgyrch seneddol i'r priffyrdd a'r caeau drwy ddanfon holiadur at bob pennaeth ysgol yng Nghymru i ofyn eu barn am bolisi'r llywodraeth a chael bod y mwyafrif aruthrol yn elyniaethus. Digon hawdd felly daflu honiad Wyn Roberts mai'r sefydliad addysgol, nid yr ysgolion eu hunain, a oedd yn gwrthwynebu 'nôl yn ei wyneb.

I'r gors yr aeth ymdrechion y Torïaid. Mewn dadl ar eu Papur Gwyn *Hunanlywodraeth i Ysgolion* yn Hydref 1996, mi nodais mai 17 o ysgolion GU mas o 2,088 a oedd yng Nghymru, ar ôl "blynyddau o gocso, cymhellion a chyllido tyn i AALlau". Ond roedd eu bwriad i yrru'r agenda yn ei flaen yn ddi-ildio. Mi drois y ddadl yn erbyn cynlluniau Llafur ar gyfer datganoli yng Nghymru. "Beth ddigwyddith os daw Llywodraeth Dorïaidd 'nôl i rym ddechrau'r 21 ganrif wedi ymrwymo i gwblau'r broses?" gofynnais i. "Beth wnaiff Cymru bryd hynny, a dim ond Cynulliad anneddfwriaethol Llafur i'w hamddiffyn hi?"

Bron mor gywilyddus, fel y gwelwn i bethau, oedd penderfyniad y Torïaid i gyflwyno system dalebau er mwyn marchnadeiddio addysg feithrin, o fewn misoedd i etholiad cyffredinol, a Llafur wedi ymrwymo i wrthdroi'r system gyda'u bod nhw'n dod i rym. Gwario sylweddol, fel y gwelwyd, i ddim pwrpas. Roedd adroddiad gan Bwyllgor Dethol Materion Cymreig, y des i'n aelod ohono yn Hydref 1994, wedi rhybuddio ynghylch hynny.

Yn sgil trafferthion ariannol yng Ngholeg Addysg Bellach Ceredigion, gofynnais i am ymchwiliad gan y Pwyllgor i addysg bellach. Roedd yr holl dystiolaeth yn pwysleisio'r ansefydlogrwydd, y gwastraff a'r darparu amhriodol yr oedd marchnadeiddio'r sector, gyda chystadlu a dyblygu darpariaeth rhwng colegau a dosbarthiadau chwech ysgolion â'i gilydd, wedi'i achosi. Enghraifft arall o ddiwygiadau'r Torïaid yn niweidio darpariaeth effeithiol, a chyfle i bwyso am sefydlu system addysg drydyddol integredig.

Roedd dyfodiad John Redwood i'r Swyddfa Gymreig yn 1993, ei broffil asgell-dde yn gymaint â'r ffaith na wyddai fe ddim am Gymru, heb sôn am gynrychioli etholaeth Gymreig, yn dweud y cyfan am y diffyg democrataidd. Penderfynodd y grŵp, a Redwood yn broffwyd anymyrraeth a gwario cyhoeddus isel, ac yn Ewro-sgeptig ar ben y cyfan, neilltuo'n dadl arbennig flynyddol ni ym Mehefin 1993 i bolisi datblygu rhanbarthol.

A oedd yr Ysgrifennydd Gwladol yn cefnogi defnyddio gwario cyhoeddus i wasgaru ffyniant i bob rhan o'r Deyrnas ac i Gymru'n enwedig, ac i bwyso am gryfhau'r cronfeydd strwythurol Ewropeaidd a chael statws Amcan 1 i Gymru? Ac a oedd e'n cydnabod mai cenedl yn meddu ar ei rhanbarthau ei hun, pob un â'i hanghenion, oedd Cymru? Gan wybod mai Na oedd y gwir ateb, dyna rai o'r cwestiynau a roddais i ar blat Redwood wrth agor y ddadl.

Fis Tachwedd y flwyddyn honno, cafwyd dadl ar adroddiad y Pwyllgor Cyfrifon Cyhoeddus ar lygredigaeth yn Asiantaeth Ddatblygu Cymru (ADdC). Ges i flas arbennig ar ymosod ar yr awgym mai'r ffordd o rwystro peth felly oedd cael Saeson o Loegr yn aelodau o'r bwrdd. Llais y meddylfryd colonial Seisnig yn ei rym, meddwn i. Ond nid mwy o goloniaeth roedd ei angen ar Gymru, eithr "democratiaeth, atebolrwydd, polisïau datblygu sy'n dyrchafu ein traddodiadau cymdeithasol a diwylliannol ni". Dim ond hunanlywodraeth a allai roi hynny inni.

Rhoddodd gwrthodiad y Swyddfa Gymreig i sefydlu gweithgor i lunio Strategaeth Ddatblygu Cynaliadwy i Gymru fel rhan o ymateb y DG i Rio (yn wahanol i Swyddfa'r Alban), y cyfle i fi gysylltu'r cwestiwn cenedlaethol â gwyrddni. Llwyddais i i gael dadl ohiriad arbennig er mwyn dangos rheidrwydd galluogi Cymru i ymateb yn gadarnhaol i sialens fwyaf y cyfnod, fel y gwelwn i bethau, ac er mwyn dangos methdaliad cywilyddus llywodraethu Cymru dan oruchwyliaeth Redwood.

Maes arall lle'r oedd cyfle i ddatblygu'r ddadl oedd polisi cartrefu. Ddechrau'r nawdegau roedd y symiau aruthrol o arian cyhoeddus a oedd yn cael eu harllwys, heb brawf modd, yn aml i lanw pocedi'r da eu byd, yn sgandal ac yn siambls. Ar yr un pryd roedd prinder adnoddau difrifol ar gyfer cynnal-a-chadw tai cyngor, a llu o dai preifat oedrannus, yn y Cymoedd yn enwedig, yn para mewn cyflwr tra dirywiedig. Yng Ngorffennaf 1994 fi a agorodd ddadl arbennig y Blaid i ddangos sut yr oedd prynu pleidleisiau ac obsesiynau ideolegol y Torïaid yn camddefnyddio adnoddau ac yn gadael gwir ofynion Cymru heb eu hateb.

Roedd y casgliad fel tiwn gron: yr angen am hunanlywodraeth er mwyn osgoi llanast polisïau anaddas a datblygu rhai perthnasol i'n gwir anghenion ni.

Fel hyn y rhoddais i'r peth mewn un ddadl: "Mae'r dasg o gyrraedd Cymru ymreolus yn cael ei hwyluso'n feunyddiol gan wrthwynebiad y Llywodraeth i hynny. Bob tro y maen nhw'n agor eu cegau, maen nhw'n cryfhau'r achos dros hunanlywodraeth".

IV Helyntion Etholaethol

O wythnos i wythnos ffrenetig yng Ngheredigion a Gogledd Penfro, doedd dim modd byw, symud a bod yn nyfodol y Gymru ymreolus. Dyletswydd gyntaf AS yw carco'i etholaeth a'i etholwyr, ac mae arno fe gyfrifoldeb i'w ddilynwyr ac iddo fe'i hunan i oroesi y tu hwnt i'r etholiad nesaf. Rhaid dangos nad tân siafins oedd buddugoliaeth 1992.

A finnau'n cynnal dwy gymhorthfa yr wythnos, fore dydd Llun a nos Wener, daeth bagad gofalon unigolion a chymunedau i gael eu prosesu drwy'r dictaffon neu esgor ar weithredu mewn cyfarfod neu ymyriad seneddol. Byddai dydd Sadwrn yn mynd yn ras wyllt o un pen o'r etholaeth i'r llall a'r Sul i glirio'r pentwr papur ar ddesg y stydi. Gwyliau hir pan fyddai'r Senedd ar gau ddywedodd rhywun? Tynnwch y llall. Rwy'n cofio'r ochenaid o ryddhad wrth setlo yn y cerbyd dosbarth cyntaf a dianc 'nôl i Lundain ddiwedd Hydref ar ôl toriad yr haf.

Roedd y galwadau o gyfeiriad Abergwaun, lle'r oedd David Hunt wedi sefydlu'i Dasglu i ymateb i argyfwng yr economi, yn llyncu amser diddiwedd. Dirprwyaethau, cyfarfodydd, teithiau i Iwerddon, dogfennau strategaeth, awgrymiadau diddorol a bisâr am greu swyddi gan hwn-a-hon-a'r-llall, ac ymyriadau i gadw rhai eraill rhag diflannu.

Doedd dim dewis ond cyfrannu o ddifrif at y broses, serch y sgeptigiaeth gynyddol ynghylch gwir ymroddiad y Swyddfa Gymreig wrth i'r adnoddau ariannol gael eu hailgylchu a chamau allweddol yn y broses gael eu gohirio. *"More of a task-farce than a task-force"*, meddai'r Cynghorydd Lloyd Evans. (Licwn i roi ar gof a chadw, serch hynny, i fi gael Gwilym Jones, gweinidog yn y Swyddfa Gymreig, yn ddyn cydwybodol, strêt a chynorthwygar gydol yr amser y bues i'n ymwneud ag e.)

Daeth cyfle i brofi gwerth newid gwleidyddol yn sgil y fargen a drawyd gyda llywodraeth Major i gael Cytundeb Maastricht drwy'r Senedd. "Beth am Amcan 1?" meddwn i wrth 'y mhâr Trystan Garel-Jones yn y Lobi Ie ryw noswaith, yng nghwmni Ieuan Wyn Jones. "Gwell na hwnnw," meddai Trystan gydag awch gynllwyngar yn ei lygaid. "Interreg!" Gallai'r Llywodraeth sicrhau y byddai adnoddau sylweddol y gronfa hon o gyllid datblygu Ewropeaidd ar gael i'r ffin forol rhwng Cymru ac Iwerddon, er mantais nid-chwarae i economi Sir Benfro.

Gwych! Cynhadledd i gyhoeddi'r newyddion da yn y Royal Oak, Abergwaun, a stori ffafriol yn y wasg. Plaid Cymru yn delifro'r gwds yn unol â'i haddewidion etholiadol. Clod ar bob tu, heblaw gwenwyn Llafurwyr Cymru.

Wedyn yr amryfusedd sy'n ddieithriad yn digwydd: y Comisiwn yn cyhoeddi map Interreg, a De-orllewin Cymru a De-ddwyrain Iwerddon ddim arno fe. Lobïo ar bob lefel: Cyngor Sir, Cyngor Dosbarth, cwestiynau seneddol, llythyron, galwadau ffôn, taith i Frwsel gyda Ieuan a gweld Landaburu, y Basgwr o Gomisiynydd Rhanbarthol. Ieuan a finnau'n cwrdd ag olynydd Trystan yn y Swyddfa Dramor, David Heathcote-Amery. "Rydyn ni wedi gwneud ymrwymiad ac mae'n rhaid i ni'i anrhydeddu fe," meddai hwnnw, ac yn y diwedd fe wnaethon. Wn i ddim hyd y dydd heddiw beth oedd tu ôl i'r dryswch.

Buodd y cyllid Ewropeaidd yn ddefnyddiol o ran meithrin cysylltiadau ag Iwerddon, ac erbyn hyn, yn sgil statws Amcan 1, mae e'n arian sylweddol. Wydden ni ddim ar y pryd, wrth gwrs, na'r awdurdodau lleol na'r cyhoedd ychwaith, nad oedd cyllid Ewropeaidd mewn gwirionedd yn ychwanegol o gwbl. Phil Williams a Gareth Wyn Jones a ddinoethodd y sgandal honno adeg sefydlu'r Cynulliad. Ond mi dalaf i swllt i chi fod Trystan yn gwybod drwy'r amser. Bargen fach go simpil gawson ni am helpu Cytundeb Maastricht drwy'r Senedd.

"Mae'n dda'ch gweld chi yn Aberystwyth am dro," meddai rhywun yn ystod y cyfnod Penfroaidd yma. Daeth digon o gyfle i gywiro'r anghydbwysedd.

Ddiwedd 1993, cyhoeddodd yr Arolwg Daearegol (y BGS) eu bwriad i gau'u swyddfa yn Aberystwyth, gan ddileu nifer o swyddi ymchwil gwerthfawr a lleihau ymhellach y lefel isel o weithgarwch y Sefydliadau Ymchwil gwyddonol yng Nghymru. Sefydlu gweithgor ymgyrchu; dirprwyaeth at Wyn Roberts i geisio'i ymyrraeth a sicrhau contractau yng Nghymru i'r BGS; cwrdd â'r prif weithredydd yn San Steffan a'i gael i atal y fwyell am gyfnod; yn y diwedd llwyddo i gadw presenoldeb bychan yn Aberystwyth gyda chydweithrediad y Brifysgol.

Ddiwedd 1994, dyma'r Swyddfa Gymreig yn penderfynu defnyddio'u bwyell eu hunain drwy symud y rhan o'r Adran Amaethyddol a oedd ym mhlas Trawsgoed i Gaerdydd er mwyn arbed ceiniog neu ddwy. Colli 60 o swyddi da o gylch Aberystwyth. Yr holl rigmarôl eto: arwain gweithgor ymgyrchu, paratoi dogfen, sicrhau adroddiadau yn y cyfryngau, pwyso ar y Gweinidog i wrthdroi'r penderfyniad. Ofer fuodd y cyfan, ond achoswyd cryn embaras i'r Swyddfa Gymreig a sefydlu ar gyfer y dyfodol y ddadl dros i Aber fod yn bencadlys amaethyddiaeth Cymru.

Rhyfedd fel mae'r argyfyngau'n pentyrru; rhyfedd y disgwyl i'r AS fod ym mlaen pob cad.

Y tir yn symud o dan y cartrefi yn Llandudoch, eu gwerth nhw ar y farchnad yn colapsio, a'r pentref cyfan am gyfnod fel pe bai dan fygythiad. Perswadio Gwilym Jones i ddod i weld y difrod. Cyfarfodydd crac yn y neuadd a phawb eisiau bwrw'r bai ar rywun arall. Adroddiad y peirianwyr yn dangos y ffordd ymlaen. Angen cyllid ychwanegol i'r Cyngor Sir i dalu am waith peirianegol drudfawr. O'r diwedd y broblem yn cael ei datrys.

Llifogydd ofnadwy yn Aberteifi, a phobl y Mwldan yn dioddef colledion a pherygl. Angen buddsoddi helaeth mewn is-adeiledd newydd. Rhagor o chwilio am ffynonellau cyllid.

Y *Sea Empress* yn mynd ar y creigiau yn Sir Benfro yn Chwefror 1996, y llanast rhyfeddaf i amgylchedd a bywyd gwyllt a thwristiaeth, a physgota mewn trwbl. Araith seneddol yn y Ddadl Gŵyl Ddewi ac ymchwiliad arbennig gan y Pwyllgor Dethol. Pwyso am iawndal digonol a chollfarnu'r methiant i ddysgu gwersi o longddrylliadau tanceri blaenorol. Bachu ar y cyfle i ddisgrifio polisi ynni Plaid Cymru a gwneud y cysylltiad â Datblygu Cynaliadwy.

Perygl i ddyfodol maes tanio Aberporth yn sgil arbediadau effeithlonrwydd ym maes polisi milwrol. Cwrdd â Jonathan Aitken y Gweinidog Amddiffyn (*"I'm a listening minister"*) ac arwain dirprwyaeth i gyflwyno tystiolaeth i'r Pwyllgor

Dethol ar eu hymweliad nhw â'r safle, gydag ysbrydion pleidwyr y gorffennol, Waldo yn arbennig, yn pipo'n ddrwgdybus dros 'yn ysgwydd i.

Erbyn canol 1995, roedd hi'n edrych fel petai marchnadeiddio'r gwasanaeth iechyd yn bygwth dyfodol Ysbyty Bronglais Aberystwyth, un o Ysbytyau Cyffredinol lleiaf Prydain. Y perygl oedd y gallai'r Ymddiriedolaeth fynd i sbiral o ddirywiad: diffyg buddsoddi yn arwain at golli contractau, cwtogi gwasanaethau, gostwng incwm ac yn y blaen. Rhaid osgoi creu hinsawdd o banic a allai ynddo'i hun wneud drwg; ond rhaid hefyd fod yn effro i fygythiad. Aeth dadansoddiad manwl o'r sefyllfa, ar ffurf llythyr, at y Gweinidog, Rod Richards, a lluniais i erthygl ar y pwnc i'r *Cambrian News*. Mi sefydlais berthynas weithiol gadarnhaol â Phrif Weithredydd yr Ymddiriedolaeth.

Yna ym Medi 1996, mi elwais gyfarfod cyhoeddus i esbonio 'mhryderon a sefydlu Gweithgor Gwasanaethau Ysbyty Ceredigion gyda chynrychiolwyr o'r gweithlu ac o'r Cyngor Sir a'r Cyngor Iechyd Cymunedol. Erbyn i fi gael dadl ohiriad ym mis Tachwedd, roedd yr argyfwng ariannol gynddrwg fel bod yr Awdurdod Iechyd a'r Ymddiriedolaeth wedi ffaelu cytuno ar delerau contract. Ymhen y mis roedd yr Awdurdod yn cyhoeddi sut yr oedden nhw am dorri £11 miliwn dros bedair blynedd, drwy leihau nifer yr ymddiriedolaethau a chau rhwng wyth a deunaw o ysbytyau cymunedol. "Dyma reoli argyfwng yn rhith strategaeth," meddwn i mewn dadl seneddol bellach ddechrau 1997.

A'r etholiad cyffredinol yn agosáu, doedd hi ddim yn anodd sgorio pwyntiau gwleidyddol yn erbyn y Torïaid, a lawn cymaint yn erbyn Llafur a oedd wedi ymrwymo i gadw at dargedau gwariant y Torïaid am o leiaf dair blynedd pe baen nhw'n ffurfio llywodraeth. Ond diogelu'r gwasanaeth oedd bwysicaf. Yn raddol llaeswyd yr argyfwng ariannol, diogelwyd dyfodol Bronglais, ac o'r diwedd gwelwyd adeiladu'r estyniad newydd hirddisgwyliedig. Leiciwn i gredu 'mod i wedi cyfrannu at hynny. Ond buodd rhaid derbyn cau ysbyty cymunedol Aberaeron, lle'r oedd Mam wedi derbyn gofal tyner dros wythnosau olaf ei bywyd.

Profiad eithriadol ddiflas i fi fuodd gweld, yn yr etholaeth a'r tu hwnt, dwf yr ymgyrch yn erbyn ynni gwynt. Wedi ystyried yr opsiynau'n ofalus, a chymryd cyngor gan arbenigwyr, a Phil Williams yn enwedig, roedd hi mor glir â'r dydd i fi bod codi tyrbinau gwynt ar dir ar raddfa sylweddol yn anhepgor mewn strategaeth ynni gynaliadwy. Beth a allai fod yn lanach na chynhyrchu trydan heb alldynnu, heb gludo, heb brosesu, heb losgi, heb lygru dim? Beth allai fod yn fwy cyffrous na'r peiriannau gosgeiddig hyn yn medi'r gwynt er defnydd a chysur i'r ddynoliaeth?

Yr hyn a'n sobreiddiodd i oedd gweld parodrwydd pobl i lyncu camwybodaeth a phropaganda du *Country Guardian* mor barod, caniatáu eu cipio i ryw fath o hysteria torfol hunangyfiawn. Mi welais i'r peth mewn cyfarfod cyhoeddus yn neuadd Talgarreg yn Nhachwedd 1994 a cheisio dod â rheswm a goleuni i'r drafodaeth. A finnau'n go siŵr o 'mhethau, roeddwn i'n dam siŵr nad oeddwn i'n mynd i ildio ar fater mor dyngedfennol, er gwaethaf rhybuddion y gallwn i ddioddef yn etholiadol. Dangosodd canlyniad etholiad 1997, gan gynnwys wardiau ar gyrion ffermydd gwynt, pa mor ddi-sail yr oedd y pryderon hynny.

O bob argyfwng, yr un a dorrodd ar Fawrth 20, 1996, oedd y gwaethaf, wrth i'r Ysgrifennydd Gwladol Iechyd, Stephen Dorrell, gyhoeddi o'r *despatch-box* ei fod wedi derbyn tystiolaeth gadarn y gallai BSE mewn gwartheg gael ei drosglwyddo i bobl. Doedd dim amdani ond rhoi pob gewyn ar waith i warchod amaethyddiaeth yn awr ei hargyfwng gwaethaf o fewn cof. Rwy'n ymfalchïo yn y rôl a chwaraeodd grŵp ASau y Blaid yn hyn, a chyflawnwyd cryn dipyn.

Ond wrth edrych 'nôl nawr, mae dyn yn gweld mai dechrau gofidiau oedd hi. Erbyn 1997 roedd cynhyrchwyr llaeth bach a chanolig, y math o bobl yr oeddwn i wedi mawrygu'u pwysigrwydd ac ennill eu cefnogaeth, yn gwerthu'u buchesi i dorri'u colledion o ganlyniad i ostyngiad serth yn y pris a chodiad yn y tâl casglu. Am sawl blwyddyn dwysaodd y wasgfa: gwerth lloi yn colapsio yn sgil BSE, cryfder afresymol y bunt yn erbyn yr ewro yn lleihau prisoedd a chymorthdaliadau. Pris ŵyn yn disgyn i'r gwaelod yn dilyn cyfnod llewyrchus a helpodd i achub y sefyllfa ar ôl BSE. Agwedd elyniaethus Llywodraeth Prydain tuag at gymorth ariannol Ewropeaidd yn lluddias y potensial ar gyfer datblygu dulliau mwy amgylcheddol-gynaliadwy o ffarmio. Ac ar ben popeth arall, dyfeisiadau technolegol yn diwydianeiddio amaethyddiaeth ac yn disodli pobl a chydio maes wrth faes ar raddfa eang.

Ddechrau'r nawdegau roeddwn i wedi rhag-weld bygythiadau a'r angen am newidiadau radical. Ond ddychmygais i erioed gymaint fyddai'r chwalfa. Ar yr un pryd mae dyfeisgarwch a chyndynrwydd y rhai a oroesodd, a ffynnodd ac a arallgyfeiriodd yn destun balchder a rhyfeddod.

V Ysgariad

Math gwahanol o helynt a arweiniodd at ddryllio'r pact gwleidyddol a oedd wedi bod yn ffactor mor arwyddocaol ym muddugoliaeth 1992.

Ar y cychwyn, aeth y cydweithio yn ei flaen yn wych. Roeddwn i'n cwrdd yn gyson â Jean Lambert yn San Steffan a chadd Victor Anderson ei benodi'n ymchwilydd yn dilyn argymhelliad Plaid Werdd Ceredigion a Gogledd Penfro (PWCGP). Cafwyd seiat holi gwyrdd yng Nghynhadledd y Blaid, a Jean Lambert, Ken Jones a Victor yn cymryd rhan. Ces innau annerch cynhadledd y BW yn Wolverhampton. (Tipyn o ddiflastod fan hynny, serch hynny, oedd cael gwybod bod Sara Parkin, un o'r arweinyddion, yn ymddiswyddo am ei bod "wedi'i gorfodi i'r casgliad bod y Blaid Werdd yn liabiliti i wleidyddiaeth werdd".)

Yn yr etholaeth sefydlwyd cyd-bwyllgor o'r ddwyblaid i gydlynu polisïau ar y lefel leol. Fis Mawrth cyhoeddwyd y llyfryn *Tua'r Dyfodol Gwyrdd Cymreig*, sef casgliad o'r dogfennau a oedd wedi'u lansio ar gyfer ymgyrch 1992. Yn Eisteddfod Genedlaethol 1993, cyhoeddodd gweithgor Iaith a Diwylliant y cyd-ymgyrch lyfryn yn rhestru mudiadau a sefydliadau Cymraeg er gwybodaeth i fewnfudwyr. Mewn etholiadau lleol fe gefnogodd y ddwy blaid eu hymgeisyddion ei gilydd a daeth y Blaid Werdd o fewn ychydig i ennill eu sedd Cyngor Sir gyntaf yng Nghymru.

Fodd bynnag, erbyn 1994 roedd y stormydd yn crynhoi. Symudodd Chris Busby, gwrthwynebydd digymrodedd i'r cytundeb ers y cychwyn, i fyw yn Aberystwyth. Yn Chwefror 1993, roeddwn i a Phil Williams wedi cwrdd ar ran Pwyllgor Gwaith y Blaid â Busby a Richard Bramhall, hwythau'n cynrychioli Plaid Werdd Cymru, i archwilio posibilrwydd cytundeb etholiadol ar gyfer etholiad Senedd Ewrop ym Mehefin 1994. Fuon ni ddim yn hir yn deall nad oedd obaith yn y byd.

Wedyn daeth y newyddion bod Busby wedi'i ddethol yn ymgeisydd Ewropeaidd i'r Gwyrddiaid yn etholaeth y Canolbarth a'r Gorllewin. Buodd e'n ymosod ar 'yn record seneddol i yn y wasg heb ymgynghori â PWCGP.

Fe gewch chi farnu pa un a oedd bai arnaf i am yr hyn wnes i nesaf. Mi benderfynais ofyn i Jonathon Porritt, a oedd wedi datgan cefnogaeth frwd i'r pact a'i holl weithredoedd, a wnâi e ddatganiad o gefnogaeth i Marc Phillips, ymgeisydd Ewropeaidd y Blaid yn etholaeth y Canolbarth a'r Gorllewin, a chyda'r eangfrydedd a oedd mor nodweddiadol ohono, fe gytunodd. Fel a ganlyn yr oeddwn i'n rhesymu: roeddwn i'n credu bod modd i Marc (a Wigley yn y Gogledd) fynd â hi, dim ond i ni gael sbarc ychwanegol i'r ymgyrch. Yn ail, roeddwn i'n teimlo, wedi i fi wneud ymdrech deg i gael cytundeb â'r BW, mai 'nyletswydd i oedd gwneud popeth posibl dros ymgyrch y Blaid, a fyddai'n rhoi pwyslais arbennig ar faterion gwyrdd. Yn drydydd, roeddwn i'n gwybod gymaint o wrthwynebiad oedd yna i ymgeisyddiaeth Busby o fewn y BW.

Cytunodd Jonathon a finnau ar ddyfais, sef cael gan aelod o BWCGP ysgrifennu ato yn gofyn ei gyngor. Daeth Peter Midmore i'r adwy. Yn ei lythyr at Jonathon meddai fe: "Mae gyda ni ymgeisydd y mae ei wrthwynebiad i bacts etholiadol â Phlaid Cymru yn adnabyddus...Tacteg recio pur yw ei ymgeisyddiaeth e." Yn ei ateb, a gadd ei ryddhau i'r cyfryngau ar 31 Mai, 1994, mynnodd Jonathon mai cytundeb CGP oedd "un o'r pethau gorau a ddigwyddodd i'n mudiad ni ers blynyddau". "Gwleidyddiaeth gwneud ystumiau," oedd gwrthod y cyfle am gytundebau pellach. "Dylid dathu'r cynnydd cyson a diffuant [ar bolisïau gwyrdd] sy'n digwydd o fewn Plaid Cymru."

Yn ail parchus, ar 25.4 y cant, y daeth Marc Phillips yn yr etholiad ar Fehefin 9, gyda Busby ar 2 y cant; a Dafydd Wigley'n cyrraedd 33.8 y cant tu ôl i 40.8 y cant Joe Wilson yn y Gogledd. Yn y cyfrif yn Hwlffordd, mi fues yn ddigon gwirion i gyfaddef i Busby mai fi oedd wedi trefnu ymyriad Jonathon Porritt. O hynny allan fe aeth ati'n fwy penderfynol fyth i danseilio'r pact, gan fanteisio ar rai o nodweddion ecsentrig democratiaeth ei blaid i wneud hynny.

Ym Medi 1994, datganodd Pwyllgor Gwaith y Blaid Werdd eu bod yn "croesawu'n perthynas arbennig â Cynog Dafis AS ac yn gobeithio y pery", a'u bod nhw'n "parchu trefniant PWCGP a Phlaid Cymru". Ond Chris Busby a'i gyfaill Molly Scott oedd yn cynrychioli Cymru ar Gyngor Rhanbarthau'r Blaid Werdd. Gwadu unrhyw berthynas a wnaeth y corff cyfochrog hwnnw, a 'ngorchymyn innau i beidio â defnyddio'r disgrifiad Plaid Cymru-Gwyrdd. Bygythiwyd diarddel Jonathon Porritt (a gyhoeddodd yn ddifloesgni yn yr *Independent* pa mor gyfan gwbl ddiedifar oedd e am gefnogi ymgyrch Marc Phillips) ac Alun Williams o'r

Blaid. Yn Ebrill 1995, cadd Chris Simpson ei ddiarddel o'r Blaid Werdd am fod â'i lun ar lenyddiaeth y cyd–ymgyrch etholiadau lleol.

Yn yr etholaeth roedd pethau'n dechrau mynd yn flêr iawn. Ffurfiodd Chris Busby a thri chyd-weithiwr Plaid Werdd Aberystwyth, yn dilyn balot o aelodau Plaid Werdd Ceredigion ym Mehefin 1994 pan bleidleisiodd 50 yn erbyn 5 dros barhau'r pact. Safodd Busby mewn isetholiad lleol yn erbyn ymgeisydd Plaid Cymru a chael 11 pleidlais, ag Einion Gruffudd dros y Blaid yn ail. Pan ddaeth etholiadau'r Cyngor Unedol ym Mai 1995, roedd y cyd-ymgyrch yn dal yn ei le, ond daeth ymgeiswyr Plaid Werdd Aberystwyth i'r maes. Penderfyniad Cyngor y Rhanbarthau i roi cydnabyddiaeth swyddogol i Blaid Werdd Aberystwyth a roddodd y *tin-hat* ar bethau. Roedd aelodau'r Blaid yng Ngheredigion, a finnau yn eu plith nhw, yn prysur golli amynedd.

Mi awgrymais i Ken Jones, Alun Williams ac eraill y dylid, drwy gytundeb a chan ddatgan balchder am a gyflawnwyd, ddirwyn y pact i ben. Hynny a wnaethpwyd, a'i gyhoeddi mewn cynhadledd i'r wasg yng Ngwesty'r Talbot ar Orffennaf 3.

Mewn llythyr ataf i dywedodd Jonathon Porritt ei fod yn "anghredadwy o drist", yn ei chael hi'n anodd "diodde'r syniad bod popeth a wnaethoch chi i hyrwyddo syniadau gwyrdd yn cael ei wobrwyo mewn ffordd mor anniolchgar a meddyliol-grebachlyd". Meddai datganiad Plaid Werdd Cymru: "Mae'r hunllef hir ar ben. O'r diwedd mi allwn fwrw ymlaen ag ymgyrchoedd y Blaid Werdd yn rhydd o bêl-a-chadwyn cenedlaetholdeb". Daeth nodyn gan etholydd o ffarmwr llwyddiannus a diwylliedig: "Rwyf newydd glywed am dy ysgariad â'r Gwyrddiaid. Llongyfarchiadau. Cofion cynnes."

Yn Ebrill 1996, datganodd Plaid Werdd Ceredigion "ei chefnogaeth i Cynog Dafis yn yr etholiad nesaf", gan nodi i fi fod yn "eithriadol o weithgar ar faterion amgylcheddol", yn ddiflino 'yn ymdrechion "dros economi lleol cynaliadwy a ffyniannus" a bod gen i "integriti personol". Ac roedd gen i gynnig hael Jonathon Porritt i helpu gydag ymgyrch yr etholiad hwnnw, pan ddôi e, yn saff o dan 'y ngwregys.

Y gwir plaen, os trist, oedd y byddai 'mywyd gwleidyddol innau yn symlach o'r hanner o hynny ymlaen. Nid bychan o dasg yw cadw capiau dwy blaid yn gywir. Y dasg yn awr oedd bwrw ymlaen â'r gwaith o wyrddio Plaid Cymru, a bachu ar y cyfle am y gefnogaeth wleidyddol a ddôi yn sgil hynny.

VI Gwyrddio'r Blaid

Fe fyddwch chi wedi nodi fod y gwaith wedi cerdded ymhell eisoes, ac nid drwy 'nylanwad i yn unig. O ran datblygu polisi, Phil Williams oedd yr arloeswr mawr, a finnau yn ôl 'yn arfer yn fwy na pharod i feddiannu ac addasu ar gyfer y neges gyhoeddus ei syniadau fe ac eraill, a Victor yn amlwg yn eu mysg.

Mae cyllideb amgen y Blaid a gyhoeddwyd yn Nhachwedd 1993 yn enghraifft dda o'r modd yr oedd y Blaid yn gallu defnyddio syniadau gwyrdd i gyfleu proffil distinctif. Wele bwyslais ar gadwraeth ynni, cludiant cyhoeddus, cyfyngu twf mewn traffig a chyflwyno tâl am ddefnyddio ffyrdd, taliadau amaeth-amgylcheddol, cefnogaeth i Agenda 21 lleol, helaethu ynni adnewyddol, treth ar allyrru carbon a llygredd, ochr-yn-ochr â chynyddu cymorth i'r Trydydd Byd a mwy o gefnogaeth i fusnesau bach. A allai CyDd ddwedyd yn amgenach?

Roeddwn i'n arbennig o awyddus i argyhoeddi Dafydd Wigley o ddilysrwydd yn ogystal â defnyddioldeb etholiadol y persbectif gwyrdd. Fe gofiwch am ei sgeptigiaeth ynghylch cytundebau etholiadol, ond wedi i'r pact ddod yn ffaith phrofais i ddim ond cefnogaeth. Mwy na hynny, gwnaeth ei barodrwydd i fynd i'r afael ag egwyddorion cynaliadwyedd, ei allu i amsugno'r cyfan mor rhyfeddol o rwydd, a'i grebwyll wrth ei addasu i ofynion strategaeth a pholisi'r Blaid argraff fawr arnaf i. Fe ddaeth i lansiad *Working Future*, dogfen bolisi arloesol CyDd, a oedd yn cael ei arwain nawr, wedi ymadawiad Jonathon Porritt, gan Charles Secrett. Cyflwyniad pwysig arall y daeth e iddo gyda fi oedd un y *think-tank* IPPR a *Cambridge Econometrics,* ar drethi amgylcheddol.

Fis Awst 1994, a'r Senedd ar gau, daeth Dafydd i gwrdd â fi ym mwyty Gannets yn Aberystwyth. Roeddwn i wedi paratoi sawl tudalen o nodiadau iddo, awgrymiadau ar gyfer ei araith lywyddol yng nghynhadledd flynyddol y Blaid yn Llandudno. Fe bocedodd ei gopi o'r nodiadau yn frwd o werthfawrogol. Roedd ganddo yntau syniad pwysig yr oedd e am gael 'y nghyngor yn ei gylch, sef y dylai'r Blaid lansio cynllun uchelgeisiol o fuddsoddi cyhoeddus, wedi'i gyllido'n rhannol o gynnydd sylweddol mewn trethiant, i ddatrys problem diweithdra, gyda golwg arbennig ar ardaloedd o ddirywiad diwydiannol megis Cymoedd y De. Phetrusais i ddim rhag ei annog i fwrw ymlaen â'r syniad. Yn haf 1995, fe lansiwyd *100,000 o Atebion* yn brif flaengaredd polisi'r Blaid.

Cyn dyfod y gynhadledd, cadd Dafydd ddrwg go ddifrifol i'w gefn o ganlyniad i gael ei fwrw i'r llawr gan blisman wrth iddo gyrraedd Tŷ'r Cyffredin ar gyfer pleidlais. Buodd rhaid iddo fe ymatal am gyfnod rhag y rhuthr gweithgarwch sy'n nodweddu'i gymeriad tymhestlog-aflonydd e. Bues i bron â chael haint pan awgrymodd e mewn galwad ffôn y gallwn i draddodi'r araith lywyddol yn ei le! Ond fe a ddraddododd yr araith, wedi cael cyfnod anarferol o feddwl ac astudio deunydd megis eiddo'r *New Economics Foundation*, a chyfansoddi gofalus.

Roedden ni'n byw, meddai fe, mewn cyfnod o wleidyddiaeth radical tebyg i'r chwedegau, Mandela wedi'i ethol yn Llywydd De Affrica a chymod rhwng Israel a Phalesteina. Rhaid i'r Blaid hithau fod ar y blaen yn hyrwyddo gweledigaeth newydd o'r dyfodol.

"Mae terfyn," meddai fe, "ar adnoddau'r hen ddaear hon … ac un o flaenoriaethau pennaf ein hoes yw'r rheidrwydd i newid ein cyfundrefn economaidd i ffwrdd o'r ffwlbri sy'n diystyru'r ffactorau hyn." Rhaid disodli'r obsesiwn â thwf economaidd gan bwyslais ar ansawdd bywyd. Dros ddeng mlynedd o gynnydd cyson mewn incwm-y-pen, roedd cynnydd mawr wedi digwydd mewn, er enghraifft, digartrefedd, trais yn erbyn pobl, a rhestri aros am driniaeth ysbyty, tra bod defnydd o gyffuriau yn lledu fel pla. Ac roedd y cynnydd cyfartalog mewn incwm "yn cuddio'r cynnydd aruthrol mewn tlodi ochr-yn-ochr â chynnydd anfoesol mewn cyfoeth".

Doedd dim modd osgoi'r ymhlygiadau i bolisi economaidd. Fe ddyfynnodd o adroddiad diweddar gan y Comisiwn Brenhinol ar Lygredd Amgylcheddol: "Bydd rhaid i ni newid yn radical ein systemau economaidd a chyllidol er mwyn gwarchod deunyddiau cyfyngedig a ffynonellau ynni darfodedig".

Her y cyfnod yng Nghymru oedd gweithredu "strategaeth ddatblygu cynaliadwy sy'n cydblethu cyfrifoldeb amgylcheddol, cydwybod cymdeithasol, diogelwch cymunedol ac amrywiaeth ddiwylliannol".

Roedd effaith yr araith yn ysgubol. Roeddwn innau ar ben 'y nigon. Yn y galeri roedd Ken Jones, gwrw'r Blaid Werdd yng Ngheredigion, yn ei ddagrau.

Daeth cynnal yr amgylchedd yn thema ganolog yn ymgyrchu'r Blaid. Yn Ionawr 1996, trafododd y Pwyllgor Gwaith bapur polisi a strategaeth gan Victor yn seiliedig ar dair C: Cyfiawnder Cymdeithasol, Cymru Ymreolus a Chynaliadwyedd.

Wrth i etholiad seneddol 1997 agosáu roedd y gwynt ar y chwith blaengar fel pe bai'n chwythu'n gryf i'r cyfeiriad yma, ac roedd Jonathon Porritt unwaith eto yng nghanol y darlun. Erbyn hyn roedd e a Sara Parkin, y ddau wedi ymddieithrio oddi wrth y Blaid Werdd, wedi lansio *Forum for the Future* er mwyn dod â chynaliadwyedd i'r brif ffrwd drwy ddatblygu datrysiadau ymarferol i'r sialensau amgylcheddol mawr. Roedd *Forum* yn un o'r partneriaid mewn clymblaid drawiadol y llwyddodd Porritt i'w ddwyn at ei gilydd o dan y pennawd *Real World* gyda'r bwriad yn arbennig o ddylanwadu ar y drafodaeth erbyn etholiad 1997, ac wedyn ar bolisi'r llywodraeth newydd. Ymysg y dros 30 o fudiadau yn y glymblaid roedd CyDd, elusennau Trydydd Byd megis Oxfam, Cymorth Cristnogol a CAFOD, Cymdeithas y Cenhedloedd Unedig, Sefydliad Polisi Diweithdra a'r Cynghrair Tlodi, a Siarter 88. Wedi proses hir o ymchwil, cyd-drafod a drafftio fe gyhoeddwyd eu llyfr *The Politics of the Real World* yn haf 1996.

Galw roedd e am fodel amgen o gynnydd economaidd a chymdeithasol i ddisodli'r un a ddominyddodd ail hanner yr ugeinfed ganrif. Yn hytrach na rhoi blaenoriaeth i dwf economaidd, rhaid dyrchafu amcanion ehangach megis cynnal yr amgylchedd, lleihau anghyfartalrwydd a thlodi, a chynyddu ac ailddosbarthu cyflogaeth a gwaith, yn flaenoriaethau ynddyn nhw eu hunain. Cyfrifoldeb llywodraethau oedd ymyrryd i liniaru tuedd y farchnad a globaleiddio i "ddadwreiddio cymunedau a dinistrio diwylliannau sefydledig". Elfen hanfodol yn hyn oll oedd adfywiad democrataidd.

Yn benodol roedd *Real World* yn galw am raglen o fuddsoddi cyhoeddus ac ailddosbarthu cyfoeth wedi'i chyllido o drethiant cynyddgar, gyda symudiad cryf tuag at drethi amgylcheddol. "Trethiant yw'r ffi y mae'n rhaid ei thalu i fod yn aelod o gymdeithas wâr." O arwyddocâd arbennig i fi roedd yr alwad ddigyfaddawd, mewn Siarter o Ddiwygio Cyfansoddiadol, am "eu seneddau'u hunain i Gymru a'r Alban fel cenhedloedd gwahanol o fewn y Deyrnas Gyfunol".

Pan es i i Lundain yn lle Dafydd Wigley i annerch rali orlawn *Real World* yn Nhachwedd 1996, doedd hi ddim yn anodd i fi bwyntio at y cydnawsedd trawiadol rhwng eu maniffesto nhw a rhaglen y Blaid. Yn ganolog i hyn roedd *100,000 o Atebion* yr oedd Dafydd Wigley wedi ei gyflwyno mewn dadl ohiriad yn y Senedd ar Orffennaf 10.

Roedd holl naws a chyfeiriad *Real World* yn sylfaenol wahanol i'r neges a oedd i'w chlywed o gyfeiriad Llafur Newydd, ac mi welwn i gyfle i'r Blaid ennill tir drwy bwysleisio'r gwahaniaeth, ymosod ar Lafur Newydd, a'n cyflwyno'n hunain fel

Y Teulu

Y 'praidd bychan' yng ngardd y Mans, Aberaeron, 1941-42. Mam a Nhad, David, Jean.

Priodi, Calan 1964: Megan Kitchener Davies, Gareth Miles, Nia merch Jean, Gwerfyl.

Llinos ac Arthur adeg helynt y cofrestru, 1965.

Bedyddio Gwenllian, 1971. Cefn: Eluned Jones, Mam, Iorwerth Jones. Blaen: Rhodri (nai Llinos), Rolant, Arthur, Lleucu (nith Llinos).

Ein teulu ni o flaen Crugeryr Uchaf, 2000: Rolant, Arthur, Llinos, Gwenllian.

Priodas Ruddem, Calan 2004. Cefn: Catrin, Jo, Rolant, Carolina, Arthur a Leire, Richard. Blaen: Megan, Ainhoa, Gwenllian a Caradog, Llinos.

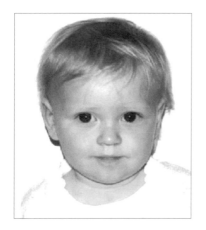

… a'r ddwy newydd: Mali a Mair.

Cerdded Clawdd Offa, 2000.

Talgarreg

Llwyfan Neuadd Talgarreg. Y ddrama Michael tua 1965. Elidir Beasley, Janice Ffarm, Eilir Ffosdenle, Eirlys Bryngolau, (yn eistedd), Eirwyn Penffynnon, Arwel Pant-swllt. Y ddwy ferch fach – Lynwen Glyneryr a Siân Ffatri.

Tafarn Glanyrafon, noson buddugoliaeth 1992: Ronnie Pledrog, Vi Ffarm, Dai Ffarm, David, Hefina a Derrick Crugeryr Isaf, Eleri Davies.

Priodas Gwenllian, Awst 1998: David a Hefina Crugeryr Isaf, Mrs Whitfie Vi Ffarm, Mari Llygad-yr haul, Dai Ffarm.

Dal pen rheswm gydag Eirwyn 'Pont-siân', tua 1989.

Cegin Crugeryr, y noson cyn ymadael, Mawrth 2001: Derrick Crugeryr Isaf,
Llinos, Dwynwen (wyres Derrick), Arwel Gwardafolog, Dorian (ŵyr Derrick).

Gwleidydda ac ati

Taflen etholiad 1983 – Wdig, Abergwaun yn gefndir.

Neuadd yr Hen Goleg Aberystwyth, Mawrth 16 1992: gyda Jonathon Porritt a Chris Simpson.

Gwyrddiaid a Phleidwyr ynghyd ar ôl buddugoliaeth 1992: Tim Foster, Alun Williams, ?, Chris Simpson, Susie Searle, Russell Davies, Medi James, Paul O'Leary, Philip Davies, Gwyn Jenkins, Iolo ap Gwynn.

Gyda chefnogwyr o flaen Senedd y DG, Ebrill 1992.

Pregethu: Rali Deddf Iaith Caerdydd, 1992.

Pregethu: ar ôl cyfrif etholiad 1987.

Pregethu: Cynhadledd y Blaid.

Pregethu ar y plant: Ffair Werdd Trefdraeth, tua 2000.

Dai Llanilar yn pregethu: Cyfarfod Mabwysiadu Etholiad 1997.

Gwesty'r Marine Aberystwyth, Noson y Refferendwm, 1997: Siôn Jobbins, Arwel ('Rocet') Jones, Eilir Llwyd, Richard Owen.

Derbyn i'r Orsedd, Llanelli, 2000.

Wedi ymddeol, gyda Gwynfor.

gwir gynrychiolyddion gwleidyddiaeth gynyddgar. Cyfle, a dyletswydd hefyd.

Sut i ddefnyddio'r Senedd i'r pwrpas yma? Mi lwyddais i berswadio cyfarfod ar-y-cyd y Blaid a'r SNP i ddefnyddio'n slot blynyddol ni ar gyfer dadl ar y pwnc. Hynny a fuodd ar Fawrth 10, 1997. Ond siomedig o ddiffocws, a chlaear hefyd, yn enwedig ar gwestiwn trethiant, oedd araith agoriadol Maggie Ewing.

Wrth gloi, mi dreiais i gyflwyno'r ddadl yn ei grym, gan ddangos sut yr oedd y ddwy blaid fawr yn cystadlu â'i gilydd i dorri gwario cyhoeddus a threthi, a Gordon Brown wedi ymrwymo i gadw at lefelau gwariant y Torïaid am o leiaf dair blynedd. Fe olygai hynny doriadau difrifol yng nghyllideb y Swyddfa Gymreig, ac felly mewn gwasanaethau a buddsoddi. Yn y consensws Llafur-Tori, roedd "gwario cyhoeddus yn cael ei weld yn beth problematig a beichus". Mi ddyfynnais olygyddol y *Guardian*: "Mae'n beth ofnadwy i gyfaddef na chyflwynith Llafur mo'r achos moesol a gwleidyddol dros ailddosbarthu heblaw ar gyrion eithaf amddifadedd cymdeithasol". Yr hyn a oedd yn amlwg, meddwn i, oedd "cyd-ymdoddi o'r ddwy blaid fawr ar bolisi cymdeithasol ac economaidd" o ganlyniad i awydd Llafur i ddwyn seddau oddi wrth y Torïaid yn Lloegr.

Boicotio'r ddadl a wnaeth ASau Llafur, a chwympo'n gwbl fflat, yn rhannol oherwydd gochelgarwch yr SNP, a wnaeth yr ymdrech i groeshoelio Llafur Newydd am fisio pwynt cynaliadwyedd a bradychu craidd eu cenhadaeth wleidyddol.

VII Y Blaid ar i Fyny?

Gydol y nawdegau roedd hi fel pe bai'r gwynt ideolegol a gwleidyddol yn ein hwyliau ni.

Wrth annerch rali Cynhadledd y Blaid yn 1993 mi gyfeiriais at y ffordd yr oeddwn i, weithiau o'r cyfeiriadau mwyaf annisgwyl, yn cael "gwrando ar 'y mhregeth 'yn hunan cyn i fi gael cyfle hyd yn oed i godi 'nhestun", gymaint yr oedd y consensws fel pe bai'n symud tuag at ein safbwynt ni. Pwysleisiais i'r angen i ni ddeffro i'r cyfle gwych a oedd i ni, tra'n derbyn y cyfrifoldeb mawr a oedd yn dod yn ei sgil e hefyd. Roedd hyn yn cynnwys ymgyrchu'n gwbl ymroddedig, ond yn ogystal gipio'r tir uchel deallusol drwy ddatblygu polisi mewn ffordd newydd a chreu'r strwythurau i alluogi cannoedd o bobl i gyfranogi yn y broses yna. "Mae yna wagle gwleidyddol yng Nghymru y mae cyfrifoldeb arnon ni i'w lanw e".

Roedd arweinyddiaeth rymus a phoblogrwydd rhyfeddol Dafydd Wigley yn help i gredu y gellid gwneud hynny.

Roedd yna arwyddion o gynnydd mewn cefnogaeth etholiadol megis yn y Rhondda lle cipiodd Jill Evans ac eraill seddau ar y Cyngor. Ac am gyfnod buodd Janet Davies o'r Chwith Genedlaethol gynt yn arwain Cyngor Taf-Elái yn dra llwyddiannus. Er mai graddol oedd y cynnydd roedd digon o hyd i gadw'r ysbryd i fyny. Yn etholiadau lleol 1995 roedd gan y Blaid fwy o ymgeisyddion nag erioed, ac etholwyd 25 y cant ohonyn nhw. Mesur y mynydd yr oedd angen ei ddringo, serch hynny, oedd mai Llafur fyddai'n rheoli'r mwyafrif mawr o'r siroedd newydd a bod 75 y cant o'u hymgeiswyr nhw wedi'u hethol.

Gofynnodd Dafydd Wigley i fi gynrychioli'r Blaid seneddol yn isetholiad Islwyn (Chwefror 2, 1995), yn dilyn ehediad Neil Kinnock i nyth dyrchafedig y Comisiwn Ewropeaidd. Y nod oedd cadarnhau honiad y Blaid mai hi oedd ail blaid Cymru, ac roedd gyda ni ymgeisydd ddelfrydol yn Jocelyn Davies, y des i'w pharchu'n fawr wrth i fi dreial gweithredu fel *minder* iddi. Ddaethon ni i ben â chyrraedd y nod, gan ddod yn ail ar 12.7 y cant o'r bleidlais, ond heb gymaint â gwlychu traed Don Touhig Llafur ar 69.2 y cant, ac yn is lawer na Phontypridd (25.5 y cant) yn 1989 a Chastell Nedd (23.3 y cant) yn 1991. Serch hynny helpwyd i osod sail canlyniadau rhyfeddol 1999 yng Ngwent, pan etholwyd Brian Hancock, Jocelyn a Phil Williams i'r Cynulliad.

Roedd prinder gweithwyr ar gyfer yr isetholiad yn brawf pellach i fi nad oedd y Blaid ei hun yn tyfu yn gymesur â'r gefnogaeth ddichonol a oedd iddi. Dyna pam roeddwn i wedi cyflwyno papur i'r Pwyllgor Gwaith yn Llanwrtyd y Gorffennaf cynt yn cymell cychwyn yr ymgyrch ricriwtio a alwyd wedi hynny yn Ymgyrch 2000. Roedd rhaid dangos parodrwydd y Blaid, meddwn i, i amsugno ystod ehangach o aelodau yn ogystal â chynyddu'r nifer, a gwneud hynny drwy'n cyflwyno'n hunain fel plaid a oedd am ei haddasu'i hunan i'r dasg o arwain bywyd gwleidyddol Cymru wrth i ni symud dros gyfnod y nawdegau tuag at fesur o ymreolaeth genedlaethol.

Lansiwyd Ymgyrch 2000, gyda thaflen wedi'i llunio gan newyddiadurydd proffesiynol, ym Medi 2004. Roedd y cynlluniau'n uchelgeisiol a gwnaethpwyd ymdrech lew i'w cyflawni nhw. Cyfrannodd yr ymgyrch, dwyf i'n amau dim, tuag at wefru gweithgarwch, a chyflawnwyd cryn dipyn, ond methiant yn y pen draw fuodd yr ymdrech i ddyblu'r aelodaeth a gosod y Blaid ar blatfform newydd o ran adnoddau a threfniadaeth. Rhaid i fi dderbyn 'yn siâr o'r cyfrifoldeb am y methiant hwnnw.

Para i lethu'r ymdrechion i frasgamu ymlaen wnaeth y diffyg arian parhaus. "Methwyd yn llwyr â chyflawni'r penderfyniad i godi £30,000 ychwanegol erbyn diwedd 1994," yn ôl adroddiad y Trysorydd ymroddgar Conrad Bryant i Bwyllgor Gwaith Ionawr 1995, ac yn Ebrill 1996 roedd e'n teimlo nad oedd gydag e ddewis ond ymddiswyddo.

Serch hynny, roedd yna feddwl strategol trwyadl yn digwydd, a gweledigaeth bragmataidd eglur o'r hyn y gellid ei gyflawni yn ystod y nawdegau. O edrych 'nôl nawr mae'r Cynllun Pum Mlynedd a fabwysiadodd y Pwyllgor Gwaith yn ei gyfarfod strategol arbennig yn Harlech yn Ionawr 1995 yn un trawiadol. Diffiniodd hwnnw nifer o amcanion: ennill senedd etholedig i Gymru erbyn 2000 a sefydlu'r Blaid yn blaid lywodraeth gredadwy; bod yn blaid fwyafrifol mewn nifer o gynghorau, gan dargedu'r Rhondda, Cynon a Rhymni yn arbennig, yn ogystal â Gwynedd; cadw pedair sedd yn yr etholiad seneddol nesaf a cheisio cipio Caerfyrddin; a chael o leiaf un sedd yn Senedd Ewrop yn 1999.

Ymdrech arwrol selogion, sgiliau gwleidyddol a dycnwch diarbed swyddogion ac arweinwyr y Blaid, safleoli goleuedig a chywir, a bri Dafydd Wigley fel arweinydd carismataidd a barodd i gymaint o'r weledigaeth yna gael ei chyflawni. Ond roedd y seiliau ar hyd yr amser, wrth i Ymgyrch 2000 fynd i'r gwellt, yn parhau yn simsan.

Cripiodd cyfran y Blaid o'r bleidlais genedlaethol lan o 9 y cant yn 1992 i 9.9 y cant yn 1997, y tu ôl i'r DemRhyddiaid (12.3 y cant) a'r Torïaid (19.6 y cant). Ond cipiwyd yr ail safle yn rhwydd o ran nifer yr ASau, gyda dau Ddem-Rhyddiad a dim un Tori. Yng Ngheredigion (roedd Gogledd Penfro wedi'n gadael ni) cododd canran y bleidlais o 31.1 y cant 1992 i 41.6 y cant.

VIII Croesi'r Trothwy: Y Llwybr i'r Refferendwm

Ni chofiaf i ddim sawl mis a oedd wedi mynd heibio ar ôl etholiad 1992 pan ddaeth Ron Davies at y pedwar ohonon ni wrth y ford yn Ystafell Fwyta'r Aelodau (bwyd da a gwin hyfryd am bris rhesymol) yn Nhŷ'r Cyffredin a chyhoeddi ei fod e am gydweithio â ni i gael maen datganoli i'r wal. "Cydweithio â'r 'cenedlaetholwyr' hyd yn oed?" meddwn i. "Gyda'r 'cenedlaetholwyr' yn enwedig," meddai Ron, yr oedd ei weld strategol gymaint yn drech na'n un i. Dyna gychwyn y cyd-ddeall a wnaeth lwyddiant 1997 yn bosibl.

Rhan o'r cyd-ddeall, wrth gwrs, oedd y byddai'r Blaid yn sefydlu pellter rhwng ei pholisi hi a'r hyn y gallai Ron berswadio'i blaid ei hun i'w fabwysiadu. "Does gyda chi ddim syniad; mae e fel rhyfela'n y ffosydd," meddai fe wrthon ni un noswaith yn Lobi'r Aelodau pan ddanodais i iddo fe ddiffygion y math o Gynulliad yr oedd Llafur yn fodlon ei roi i Gymru. "Ond os down ni i ben â hyn, bydd pennod newydd yn agor yn hanes Cymru, ac wedyn mi gawn ni feddwl am y cam nesaf." Gallai awgrym rhy gynnar o gefnogaeth gan y Blaid i gynulliad anneddfwriaethol Llafur fod yn gusan angau i obeithion Ron.

Aeth Dafydd Wigley ati i ddiffinio safbwynt y Blaid mewn termau radical iawn, a'i gyhoeddi mewn pamffled sylweddol, *Cymru Rydd mewn Ewrop Unedig*, a gyhoeddwyd ym Medi 1995. Galwodd am sefydlu fel cam cyntaf senedd ddeddfwriaethol gyda 100 o aelodau yn gyfrifol i gychwyn am holl feysydd cyfrifoldeb y Swyddfa Gymreig ac yn fuan wedyn am "agweddau o waith y Swyddfa Gartref, y Trysorlys a pholisi diwydiannol". Ar ben pum mlynedd "byddai gan y Senedd yr hawl i ofyn [sic!] am bwerau llawn [dros] bopeth a oedd yn aros yn San Steffan nad oedd erbyn hynny wedi ei drosglwyddo i Frwsel". Os ei dweud hi! Doedd hi ddim yn anodd i Ron wedyn ymosod yn watwarus ar Dafydd yng Nghynhadledd Brydeinig Llafur: "*Get real, Dafydd!*" oedd y gytgan.

Doedd dim amheuaeth nad oedd trôedigaeth Ron i ryw fath o genedlaetholdeb Cymreig yn real ac angerddol, ond fe wyddai'n iawn sut i ddehongli'r weledigaeth yn nhermau'r *zeitgeist* ac i dynnu ei gyd-bleidwyr anfoddog gydag e. Wele ddyfyniad o erthygl yn yr *House Magazine* yn Chwefror 1994: "Bydd ffyniant Cymru i'r dyfodol yn annatod glwm wrth Ewrop. Yn wleidyddol ac economaidd bydd rhanbarthau Ewrop yn ffocws sylw a gweithgarwch, a rhaid i Gymru hyderus, ddeinamig gael ei hunaniaeth a'i llais annibynnol ei hun".

Bryd hynny roedd gydag e bob rheswm i fod yn obeithiol, ag arweinydd ei blaid, John Smith, yn gweld seneddau i Gymru a'r Alban yn "fusnes anorffenedig" yr oedd yn rhaid ei gael e i fwcwl. Erbyn haf 1994, roedd Smith wedi marw a Blair yn ei le. Pan gyhoeddodd hwnnw, am ba reswm bynnag, yn haf 1996, y byddai'n rhaid cael refferenda yn y ddwy wlad, heuwyd cymhlethdod ac ysictod yn rhengoedd gwladgarwyr.

Pan ysgubodd Llafur Newydd i rym ym Mai 1997, y cwestiwn i ni oedd sut i weithredu er cael pleidlais Ie heb gael ein sugno i ddadl ymrafaelus ynghylch cynigion llawn-tyllau plaid arall yr oedd posibilrwydd clir y gellid eu gwrthod yn y refferendwm.

Roedd holl angst profiadau 1979 – y Blaid yn cael ei huniaethu â pholisi Llafur a'i haelodau'n ymgyrchu drosto yn nannedd gwrthwynebiad cynddeiriog aelodau blaenllaw'r blaid honno; trychineb y gosfa o bleidlais Na; ac yna'r ymrafael wrth i'r sawl a oedd wedi anghymeradwyo strategaeth y Blaid ddannod hynny – roedd y cyfan hyn yn dod 'nôl fel haid o fwcïod i ddrysu meddyliau a rhwystro eglurder pwrpas. Mae adroddiad Ned Parish o ranbarth Caerdydd i Bwyllgor Gwaith Mehefin yn enghraifft dda. Ar ôl llawer o ddadlau twym meddai fe, a rhai yn galw am ymgyrchu'n agored dros beidlais Ie, barn y mwyafrif mawr oedd "eu bod nhw am sicrhau bod Plaid Cymru yn ei phellhau ei hun o'r ymgyrch Lafur hon".

Mae'n deg dweud bod y blaid seneddol hithau mewn cyfyng-gyngor. Roedd Ieuan Wyn Jones a finnau fodd bynnag yn unfarn y byddai'n rhaid i'r Blaid gefnogi pleidlais Ie a bod angen rhoi ei hadnoddau a'i phobl ar waith, neu byddai'r unig gyfle a ddôi yn ein cenhedlaeth ni, am byth efallai, i sefydlu egin-wladwriaeth Gymreig yn cael ei golli. Yr unig gwestiynau oedd sut a phryd. Mewn cyfarfod arbennig o'r grŵp seneddol i ystyried y ffordd ymlaen mi awgrymais i mai'r cam cyntaf oedd dod i gysylltiad â'r Ymgyrch Ie, a chyda Peter Hain a oedd wedi ei roi yn gyfrifol am ymgyrch refferendwm Llafur.

Fi gadd y dasg o drafod gyda Hain. Roeddwn i wedi sefydlu *rapport* pur dda ag e drwy sgyrsiau cyfeillgar ar y trên rhwng Castell-nedd a Paddington (onid oedd gydag e dŷ yn Resolfen lle'r oedd Nhad wedi gweinidogaethu?) ac yn y Senedd. Fe gawson ni'n cyfarfod cyntaf yn ei swyddfa breifat e am saith y nos, Mai 21. Roedd grŵp y Blaid, ebe fi, yn falch mai fe oedd yn y swydd, ac er gwaetha'n anfodlonrwydd difrifol ni â chynigion Llafur ("yr unig sioe yn y dref," meddai Peter) roedden ni'n daer dros bleidlais Ie. Ond cyn y gallen ni roi'n hysgwyddau ni dan y baich, roedd rhaid i ni gael sicrwydd bod Llafur o ddifrif, ac na welen ni ailredeg 1979.

Deall yn iawn, meddai Peter, ond doedd dim amheuaeth ynghylch ymrwymiad Llafur. Roedd Blair wedi'i roi yn y swydd gyda siars i gael pleidlais Ie, ac roedd gan Peter gyllideb ac addewid y byddai'r Prif Weinidog yn cymryd rhan yn yr ymgyrch. "Ond wnawn ni mohoni heb eich cefnogaeth chi," meddai fe. "Mae'n pobl ni wedi anghofio sut i ymgyrchu." Fe soniodd am ei edmygedd o integriti a brwdfrydedd aelodau'r Blaid yng Nghwm Nedd. Mi rois syniad iddo fe o'r ffordd y gwelwn i'r Blaid yn ymlwybro, ac awgrymodd e ein bod ni'n dod i gysylltiad â Leighton Andrews o'r Ymgyrch Ie amhleidiol yr oedd Kevin Morgan yn gadeirydd arni.

Cwrddodd Ieuan a finnau yn fuan wedyn â Leighton Andrews mewn bwyty Eidalaidd yn Nhreganna. Awgrymodd yntau ein bod ni'n ymgysylltu ag Andrew Davies, trefnydd Ymgyrch Ie, Llafur, er mwyn cydlynu gweithgareddau. Ieuan a wnaeth hynny, a mynd ati i gyd-drefnu'r ymgyrch ganfasio ffôn a fuodd yn allweddol i gael pleidlais Ie.

Rywbryd tua'r amser hyn mi drefnais sgwrs gyda Richard Livesey yn ystafell de yr aelodau. Rhoddais i ar ddeall iddo fe ein bod ni'n benderfynol o gael y Blaid i ddod allan dros yr Ymgyrch Ie, ac awgrymu y gallen ni, y DemRhyddiaid a'r Gwyrddiaid, gyhoeddi datganiad ar y cyd ar yr adeg iawn. Roedd cynhesrwydd ei werthfawrogiad a'i gefnogaeth i'r syniad yn nodweddiadol ohono. "Cynog, gallai hyn fod yn bwysig – yn bwysig i Gymru," meddai fe. Lansiwyd y datganiad yn ddiweddarach yn rhan o amserlen digwyddiadau Ymgyrch Ie.

Y gamp nesaf oedd symud y Blaid tuag at benderfyniad i gefnogi. Un pryder, yr oeddwn i'n ei rannu, oedd y byddai datgan ac ymgyrchu yn rhy gynnar ac yn rhy frwd yn peri i wrthwynebwyr datganoli o fewn Llafur bortreadu'r prosiect fel cynllwyn y cenedlaetholwyr, ac i'r claear laesu dwylo. Yr ail bryder oedd y byddai cefnogaeth y Blaid yn cysylltu datganoli ym meddwl y cyhoedd ag eithafiaeth. Dyna feddylfryd y saithdegau yn 'y marn i: methu gweld sut yr oedd y Blaid wedi llwyddo i drawsnewid y canfyddiad ohoni'i hunan dros yr wythdegau a'r nawdegau.

Pryder Dafydd Wigley oedd y gallai ymgyrchu'n agored dros bleidlais Ie ein cysylltu ni eto â methiant trychinebus, ac na chodai'r Blaid fyth dros yr ergyd. 'Yn ateb i oedd bod yna bleidlais Ie ar gael, dim ond ei chyrchu hi; y gallai pleidlais Na fod yn ergyd farwol i Gymru fel cenedl; ac y byddai i'r Blaid gael y bai am fethiant am ei bod hi wedi gwrthod cefnogi yn ddigon i'w chladdu hithau.

Cadw'i phellter o argymhellion Llafur, yn ddigon dealladwy, a fynnai'r Blaid drwy fis Mai a mis Mehefin, gan gefnogi galwad Dafydd am refferendwm amlddewis. Yng Nghwestiynau Cymru yn y Senedd ar Orffennaf 16, mi gyfeiriais at lansio deiseb y Blaid dros gydraddoldeb â'r Alban. Cynhaliwyd taith seiclo o Fachynlleth i Gaerdydd, a Phil Williams yn marchogaeth a'i lygaid yn pefrio i groeso di-gamera-deledu ym Mharc Cathays.

Roedd hi'n bwysig bod y gynhadledd arbennig yn Aberystwth ar Fehefin 6 yn cytuno ar gyfeiriad, ond di-lun a diarweiniad a welwn i'r drafodaeth. Mi wnes i ymdrech i greu eglurder drwy annerch o'r llawr ar y gwahanol opsiynau a'u hymhlygiadau.

Yr unig opsiwn credadwy yn 'y marn oedd fel a ganlyn: bod y Blaid yn parhau â'i hymgyrch ei hunan am y tro; yna, pan fyddai ymgyrch Llafur yn dechrau 'rowlio' ac ar ôl cyhoeddi'r Papur Gwyn (y byddai'n rhaid ei gribo am ddeunydd cadarnhaol), a chynnal Cyngor Cenedlaethol arbennig, ein bod ni'n datgan ein cefnogaeth i'r Ymgyrch Ie dros Gymru amhleidiol. Os mai pleidlais Na a gaen ni, fe allen feio gwendid cynigion Llafur. Os Ie, gwych. Y naill ffordd neu'r llall fe allen barhau â'n hymgyrch dros gydraddoldeb â'r Alban.

Y dynesiad yna a aeth â hi, a chytunwyd bod rhyddid i aelodau weithio'n breifat dros yr Ymgyrch Ie yn y cyfamser. Eisoes roedd Ieuan wrthi'n trefnu'r canfasio ffôn, gyda chyllideb o £35,000 wedi'i chlustnodi i'r gwaith.

Cyflwynodd Dafydd gynnwys y Papur Gwyn *Llais i Gymru* i'r Pwyllgor Gwaith ar Orffennaf 23 a derbyniwyd drafft o gynnig roeddwn i wedi'i baratoi i'w roi o flaen y cyfarfod arbennig o'r Cyngor y Sadwrn canlynol. Fe fyddid yn ceisio cefnogaeth y gynhadledd i ran gynta'r cynnig, a oedd yn "annog pobl Cymru i bleidleisio Ie yn Refferendwm mis Medi". Cytunodd y Llywydd i gloi'r ddadl ar y rhan yna. "Canllawiau...i lywio rôl y Blaid a'i haelodau yn ystod yr ymgyrch" oedd yn yr ail ran, yn cynnwys ailddatgan yr alwad dros gydraddoldeb â'r Alban ond yn cymell gweithio o fewn Ymgyrch Ie dros Gymru sy'n "ymgyrchu ar *yr egwyddor* o sefydlu corff etholedig democrataidd i Gymru".

Wedi'r holl betruso ac ymdroi, drwy lywio sgilgar a geiriad gofalus, roedd y gamp wedi'i chyflawni, a'r Blaid wedi cymryd y penderfyniad cywir.

Haws penderfynu gweithio dros Ymgyrch Ie dros Gymru na gwneud hynny. Wedi dychwelyd o wyliau yn Ffrainc, mi es i, ynghyd â Dafydd Williams, ati yn swyddfa genedlaethol y Blaid i dreial cydlynu ymdrechion aelodau'r Blaid ar hyd a lled y wlad gyda gweithgareddau'r Ymgyrch. Pa weithgareddau? oedd y cwestiwn. Disgwyl yn ofer, a disgwyl eto, am y llenyddiaeth addawedig i'w dosbarthu gan ein gweithwyr eiddgar ni. Diwedd y gân, ddechrau Medi, fuodd sgriptio taflen ein hunain, ei rhuthro drwy'r wasg, a'i dosbarthu. Yn ei adroddiad i Bwyllgor Gwaith mis Hydref, dywedodd Ieuan mai "trychinebus oedd Ymgyrch Ie dros Gymru a'r Blaid Lafur" yn y priffyrdd a'r caeau, er iddyn nhw lwyddo wrth ddelio â'r cyfryngau. Ffaelu â dod i'r fei a wnaeth tair taflen addawedig Llafur.

Roedd Dafydd Wigley wedi'i gweld hi'n dod. Yng Ngwynedd, cymerodd y Blaid yr ymgyrch drosodd, gan gyhoeddi llenyddiaeth o safon uchel yn enw Plaid Cymru "ar ran Ymgyrch Ie dros Gymru". Buodd y 64.1 y cant a bleidleisiodd Ie yng Ngwynedd yn dyngedfennol i'r canlyniad cenedlaethol.

Ffoniodd pobl y Blaid ryw 40–50,000 o etholwyr o saith canolfan. Rhwng popeth y rhyfeddod yw bod y Refferendwm wedi'i ennill, yn enwedig wedi i farw Diana roi sbrag yn yr olwyn ac ysgogi sbloet wythnos o Brydeinrwydd y buodd yn rhaid, yn gwbl groes i'r graen, ledymgrymu iddi.

Af i ddim i'ch diflasu chi drwy ddisgrifio emosiynau rhyfeddol y noson fawr, dim ond nodi i Jeremy Turner dorri'n sbectol wrth 'y nghofleidio i yn y Marine yn Aberystwyth. Wrth yrru i gynhadledd Cymdeithas y Cynghorau Lleol (Cymru-a-Lloegr) yn Llandrindod y dydd Sadwrn wedyn roeddwn i'n gweld tirwedd Powys mewn goleuni gwahanol. Roedd cysgod y goncwest wedi cilio, a'r llethrau yn pelydru gobaith.

IX Safleoli a Pholisi

Roedd hi mor amlwg â haul ar bost i fi fod croesi trothwy datganoli yn creu sefyllfa gwbl newydd i'r Blaid. O fod yn gynrychiolydd sialens radical i Brydeindod, math o wenynen ffyrs ar ystlysoedd meirch y prif bleidiau, cyfuniad diddorol o fudiad protest a *think tank* theoretig, deiliad grym ysbeidiol a thiriogaeth-gyfyngedig mewn llywodraeth leol, rhaid ei thrawsnewid hi'n blaid a allai ymgiprys am rym mewn cyd-destun gwirioneddol genedlaethol. I hyn, roedd angen dau beth yn arbennig, yn ogystal â chodi'r gêm drefniadol ac etholiadol: safleoli a pholisi.

Mewn sgwrs am hyn gyda Dafydd Êl a Ieuan yng ngherbyd bwyta'r trên rhwng Paddington a Chaerdydd tua diwedd 1997, addewais i lunio 'datganiad safleoli' a allai argyhoeddi'r bobl bod metamorffosis y Blaid ar waith.

Daeth drafft cyntaf *Safiad Plaid Cymru* i Bwyllgor Gwaith yn Nhrefeca (ble arall, dywedwch?) Chwefror 14, 1988, ac oddi yna, ar led-newydd wedd, i'r Cyngor Cenedlaethol ar yr 28ain. Plaid Cymru ar flaen y gad yn y symudiad byd-eang tuag at gydwladoli yn ogystal ag arwain "ymdaith genedlaethol", proses bellgyrhaeddol o gymryd cyfrifoldeb cynyddol ac ennyn hyder, nid llam diadlam i annibyniaeth. Cyfiawnder cymdeithasol, a chynnal yr amgylchedd a chynhwysedd ethnig-ddiwylliannol yn ganolog i'r prosiect. A'r Blaid yn "gwahodd cymorth a chefnogaeth y sawl sy'n rhannu'r weledigaeth" yna er mwyn ei helpu yn yr "her fwyaf" a wynebodd hi erioed, a'i hamcan o "gipio, neu o leiaf rannu, grym yn ein Cynulliad Cenedlaethol".

Mewn dogfen gysylltiedig yn amlinellu themâu ar gyfer etholiad y Cynulliad, ychydig dros flwyddyn bant, mi resymais fel a ganlyn: "Mae dadansoddiad ystadegol yn awgrymu na ddylai ennill 8 o seddau yn y Cynulliad fod yn ormod o gamp. Gyda thwf sylweddol fodd bynnag gellid ennill, dyweder, rhwng 12 ac 17 aelod." Er mwyn cyflawni senario mor uchelgeisiol â'r ail, byddai'n rhaid parchu'r "pryderon am genedlaetholdeb eithafol a chwalu'r Deyrnas Gyfunol [a'r] canfyddiad mai rhywbeth sy'n perthyn i leiafrif ieithyddol/cenedlatholgar yw Plaid Cymru". Mi gyflwynais "fframwaith syniadol" ar yr un llinellau â *Safiad Plaid Cymru* a allai gyflawni hyn, ac ar yr un pryd, gadarnhau natur anturus cenhadaeth y Blaid.

Daeth sialens i'r persbectif pragmataidd yma (goleuedig ddwedwn i) oddi wrth Stephen Cornelius a Dyfan Jones a oedd am ddisodli'r cyfeiriad at hunanlywodraeth fel proses neu daith gyda chyfeiriadau at annibyniaeth a statws cenedl-wladwriaeth sofran yn Ewrop. Tebyg 'y mod wedi mynd gam yn rhy bell wrth gynnwys y geiriau, "Mae diwedd y genedl-wladwriaeth yn y golwg"!

Fodd bynnag, 'yn syniadau i fuodd yn sail i'r cynnig a ddaeth gerbron y Gynhadledd Wanwyn ac mi fues yn eu hyrwyddo nhw mewn seminarau i ymgeiswyr dros y misoedd dilynol.

Roedd posibilrwydd bod mewn grym ar ryw ffurf hefyd yn golygu dynesiad newydd at bolisi: nid polisi ar gyfer propaganda yn unig, ond ar gyfer ei weithredu. Roedd syniadau diddorol yn llifo o gyfeiriad y Sefydliad Materion Cymreig, dan arweiniad ysbrydoledig John Osmond a Geraint Talfan Davies. Rhaid i'r Blaid hithau ddethol o blith y rhain, dyfeisio'i syniadau ei hunan, a datblygu rhaglen lywodraeth radical a chredadwy.

Roedd Dafydd Wigley wedi rhoi Ieuan yn gyfrifol am ymgyrch 1999, ac mi ymgymerais innau â datblygu rhaglen bolisi yn rhan annatod o'r ymgyrch honno, gan ymgynghori â Simon Thomas y Cyfarwyddydd Polisi ac yna, yn yr hydref, ei olynu yn y swydd ar y ddealltwriaeth mai fe a fyddai'n ysgrifennu'r maniffesto. Ffurfiwyd gweithgor i gwrdd yn fisol; a chafwyd arian i gyflogi Lila Haines, Gwyddeles rugl ei Chymraeg ac economegydd, a Fflur Roberts, newydd raddio mewn Hanes o Gaergrawnt, yn ymchwilwyr. Mi aethon ati'n ddiwyd, gan sylweddoli'n gynyddol gymaint o broblem oedd aneglurder ynghylch pwerau'r Cynulliad a chymaint o gamp, beth bynnag, yw llunio rhaglen lywodraeth o ddifrif, wedi'i chostio. Penllanw'r broses oedd cyfarfod deuddydd dwys-orlawn yng ngwesty'r Porth, Llandysul, yn Ionawr 1999, i dynnu'r cyfan at ei gilydd mewn pryd i ddod â drafft o faniffesto i'r Cyngor Cenedlaethol ddiwedd Chwefror.

Roeddwn i wedi cwrdd â Dafydd Wigley yn San Steffan ddiwedd yr hydref ac awgrymu y dylai fe roi cyfres o areithiau allweddol ar brif feysydd polisi, yn seiliedig ar yr ymchwil a oedd ar waith. O ran sylwedd a chynulleidfaoedd, o Wynedd i Went, bu'r gyfres yn llwyddiant mawr. O ran cael y cyfryngau i roi sylw i rywbeth mor boring â rhaglen lywodraeth, roedd hi'n stori wahanol, un y gwelais i ei hailadrodd droeon wedyn.

Rhyddhawyd cyfres o ddogfennau polisi swmpus wrth i'r etholiad nesáu. Fy marn i yw y gallai maniffesto 1999, serch ei ddiffygion, fod wedi rhoi synnwyr cyfeiriad cryf i lywodraeth gyntaf Cymru, rhywbeth a fuodd yn gyfan gwbl ar goll yng ngofal Llafur. Roedden nhw'n rhy fisi yn ymladd eu rhyfel cartref mewnol yn dilyn cwymp Ron Davies.

Digwyddodd y drasiedi bersonol a gwleidyddol enbyd yna ym mis Tachwedd 1998. Does ryfedd yn y byd i Ron gracio pan wnaeth e. Ers iddo ddod yn gysgod-Ysgrifennydd Gwladol i Gymru roedd e wedi gweithio'n ddiarbed. Rhyfel yn ffosydd Llafur i gael rhyw fath o undod o blaid datganoli. Ymgyrch i gael Cymru ddi-Dori yn etholiad 1997. Llywio Mesur Refferendwm Cymru drwy'r Senedd. Yn syth mewn i ymgyrch y refferendwm wedyn a dim sôn am wyliau haf. Llywio Mesur Llywodraeth Cymru drwy'r senedd gan ddioddef cyfarthiadau sbengllyd y corgwn o wrthwynebwyr ar ei feinciau cefn, a gwrando'n barchus ar gyfraniadau'r meinciau gyferbyn. Ar ben popeth, gorfod ymladd am arweinyddiaeth Llafur yng

Nghymru wedi i Rhodri Morgan ei herio fe.

Dyma wleidydd cyflawn: delfrydgar ond â'i draed ar y ddaear; gweledigaeth strategol ond meistrolaeth ar y manylion; ymladdwr stryd galluog ei fanwfro ond agored ei feddwl, yn rhydd o gulni sectyddol; ysbrydolydd ei weision sifil; sosialydd asgell chwith a ymaflodd yn achos Cymru; un o fawrion y genedl. Un nam bach, y cydiodd ei elynion a helgwn y wasg felen ynddo i'w erlid a'i ddinistrio.

Collais i ei ddatganiad ymddiswyddo yn Nhŷ'r Cyffredin, ond mi ysgrifennais ato. Oni bai am ras Duw, meddwn i, a'r lwc o fod yn ddigymysg heterorywiol, wele finnau hefyd. Mi ddisgrifiais y teimlad llethol o golled yr oeddwn i yn ei brofi. "Mae'ch cyfraniad chi wedi bod yn eithriadol, yn unigryw. Dros y cyfnod diwethaf mae'ch eangfrydedd a'ch awydd i gynnwys, wedi mireinio ansawdd gwleidydda a thrafodaeth boliticaidd. Ergyd chwerw i chi, ac i lawer ohonon ni, yw na ellwch ddod yn Brif Ysgrifennydd cyntaf disglair Cymru". Mi ymbiliais arno fe i beidio â chefnu ar wleidyddiaeth ei genedl ei hun. Buasai'n well iddo fe'n bersonol pe bai e wedi anwybyddu'r cyngor. Ond roedd breuddwyd cyd-gyfarfod ffrwythlon sosialaeth a chenedlaetholdeb Cymru eto'n fyw. Roedd hi'n rhy gynnar i sylweddoli bod cwymp Ron Davies wedi rhoi'r farwol i'r freuddwyd honno.

X Rhagor o Wyrddni

Beth bynnag am ddiwedd y pact, roedd Ron Bailey ar 'y ngwar i o hyd, y tro yma gyda'r Mesur Lleihau Traffig, pwnc mwy heriol o beth wmbredd na chadwraeth-ynni-yn-y-cartref. Mi gyflwynais Fesur Rheol Deg Munud ym Mai 1995. Ddiwedd y flwyddyn, cydiodd y DemRhyddiad, Don Foster, yr oeddwn i wedi ymwneud cryn dipyn ag e ym maes polisi addysg, yn y mesur pan ddaeth e i'r lan o falot y mesurau preifat. Drwy ddirfawr lobïo, ac yn erbyn cefndir o brotestiadau parhaus-feiddgar yn erbyn codi heolydd newydd, daeth fersiwn o'r mesur hwnnw, yn berthnasol i awdurdodau lleol yn unig, i'r llyfr statudau jest cyn etholiad 1997. Mi fues yn aelod o bwyllgor sefydlog y mesur ac yn ei gefnogi drwy bob cam.

Yna, ddiwedd 1998, mi fues innau'n ddigon anffodus i ennill lle yn y balot, a serch 'y mhryderon am agwedd etholwyr a chefn gwlad tuag at y syniad o osod targedi i ostwng traffig ffyrdd, rhaid oedd mentro. Eto roedd yr holl broses o bwyso ar ASau a gwasgu ar wynt y Llywodraeth yn ddidostur. Roedd cefnogaeth yn dod o bob cyfeiriad gan gynnwys, yn ddiddorol iawn, Gymro o feddyg yn ysbyty Great Ormond Street, Ian Roberts, a wyddai o brofiad proffesiynol am effaith ddifaol y cynnydd arswydus yn nhraffig ffyrdd ar iechyd a diogelwch plant.

Mi sefydlais berthynas weithiol ddigon da gyda'r Gweinidog Cludiant Glenda Jackson, ac roedd John Prescott wedi cyhoeddi ei benderfyniad i ffafrio cludiant cyhoeddus ar draul y car, ond roedd y Llywodraeth yn benderfynol o ddileu o'r mesur unrhyw ymrwymiad digyfaddawd i osod targedi cyn cytuno iddo. Barn Charles Secrett o Gyfeillion y Ddaear a finnau a gweddill y cefnogwyr oedd mai gwell cael cydnabyddiaeth o'r angen i leihau traffig ffyrdd ar y llyfr statudau na cholli popeth.

Ymlaen yr aethpwyd felly drwy gyfnod y pwyllgor. Roedd cefnogaeth y Toriaid ymhell o fod yn ddiogel a buodd eu llefarydd Christopher Chope yn malu awyr yn ddiddiwedd i wastraffu amser. Ond gyda chefnogaeth y Tori hynaws Peter Bottomley, cyn-Weinidog Cludiant, cyfeiriwyd y Mesur 'nôl i siambr Tŷ'r Cyffredin (*Report Stage*) ar Chwefror 27.

Roedd hi'n amlwg erbyn hyn mai arafu popeth er mwyn rhwystro'r Mesur Hela rhag cael amser oedd y gêm. Roeddwn i'n fwy na pharod i gydweithredu yn hynny, ac mi ddes i ddealltwriaeth ddefnyddiol gyda'r chwip David Maclean. Fe gwblhaodd y mesur ei daith, yn Nhŷ'r Cyffredin, mewn cyflwr go sbaddedig, ar Ebrill 24.

Roedd 'y niddordeb yn y ddiplomyddiaeth gydwladol ym mhroses Rio ar gynnydd. Llwyddais i ddod â grŵp o ASau o gyffelyb fryd at ei gilydd i gydweithio er mwyn pwyso ar Lywodraeth Prydain i fabwysiadu agwedd gadarnhaol tuag at y broses a chadw at unrhyw ymrwymiadau a wnaen nhw. Daeth cyfle i roi trefn ar y cydweithio yma drwy gyfrwng mudiad Ewropeaidd a chydwladol o seneddwyr o'r enw GLOBE, y mynychais i gynhadledd wedi'i threfnu ganddi ym Mrwsel ym Mawrth 1998. Ymysg aelodau cyntaf GLOBE UK, grŵp seneddol y bues i'n gyfrifol am ei sefydlu, a dod yn gadeirydd arno, roedd asgellwyr chwith megis Alan Simpson a Jeremy Corbyn, Joan Ruddock, cyn-arweinydd CND, Joan Walley, David Chaytor a Tony Conlon, DemRhyddiaid yn cynnwys Norman Baker a Matthew Taylor, a'r cyn-Weinidog yr Amgylchedd o Dori, Tim Yeo.

Mi gawson ni hwyl ar gydlynu ceisiadau am ddadleuon gohiriad, wedi'u hamseru'n addas, ar ddatblygiadau diplomyddol o bwys: ar Ail Uwchgynhadledd y Ddaear ym Mawrth 1997, ar bolisi ynni yn sgil Kyoto yn Ebrill 1998, ar y Cytundeb Cydwladol ar Fuddsoddi (*MAI*) a fyddai wedi grymuso llaw'r corfforaethau rhyngwladol yn erbyn gallu llywodraethau i warchod safonau amgylcheddol a lles gweithwyr oni bai i Lionel Jospin, Prif Weinidog sosialaidd Ffrainc, ei sabotajio. (Fi, gyda llaw, a gododd mater yr *MAI* gyntaf yn y Senedd ym Mehefin 1997, mewn cwestiwn llafar i Claire Short, newydd ei phenodi yn Weinidog Datblygu Rhyngwladol, a hynny yn dilyn e-bost oddi wrth Gareth Wyn Jones.)

Roeddwn i'n llai ples pan aethpwyd i gyfeiriad canolbwyntio ar beirianneg genetegol mewn dadl gan Joan Ruddock: enghraifft o adweithio greddfol yn erbyn datblygiad gwyddonol a allai wneud mwy o les nag o ddrwg i'r amgylchedd.

Dro arall fe drefnwyd cynhadledd fawr yn y Grand Committee Room; Will Hutton yn y gadair, Michael Meacher, Gweinidog yr Amgylchedd a gwerthfawrogwr mawr o ymdrechion GLOBE UK, yn annerch, a'r rhyfeddol Aubrey Meyer, cyn-fiolinydd o fri rhyngwladol a neilltuodd ei amser i redeg ymgyrch un-dyn o blaid Crebachu a Chyd-gwrdd (*Contraction and Convergence*), fformiwla a ddyfeisiodd e'i hunan i symud y byd tuag at lefel gynaliadwy o allyriadau nwyon tŷ-gwydr ar sail o gyfartalrwydd global y pen. Mabwysiadodd GLOBE Grebachu a Chyd-gwrdd ar lefel Ewropeaidd a rhyngwladol ac mi siaradais i o'i blaid yn nadl ohiriad Jeremy Corbyn ar bolisi ynni.

Buodd Tony Blair yn hir cyn cyflawni addewid maniffesto ei blaid i sefydlu Pwyllgor Awdit Amgylchedd i fonitro, ar yr un llinellau â'r Pwyllgor Cyfrifon Cyhoeddus, berfformiad y Llywodraeth ar gynaliadwyedd amgylcheddol, ond pan wnaeth e, mi ddes yn aelod, ar ôl cyfnod cymharol fyr ar y Pwyllgor Dethol ar Addysg. Gwnaeth y pwyllgor waith rhagorol a thrwyadl yn datblygu argymhellion polisi a dal y Llywodraeth i gyfrif.

Ym Mehefin 1998, mynychodd aelodau'r pwyllgor Gynhadledd GLOBE yn Ärhus, Denmarc, a gadd ei gynnal i gyflwyno her i gynhadledd o weinidogion llywodraethau Ewrop dros yr wythnos ganlynol. Gofynnwyd i fi, ar ran GLOBE UK, annerch ar weithredu seneddol dros ddatblygu cynaliadwy. Yr allwedd, ebe fi ar sail 'y mhrofiad, oedd cydweithio agos rhwng seneddwyr, wedi'u trefnu ar draws llinellau plaid, a'r NGOs amgylcheddol. Mi ddisgrifiais y technegau seneddol ac ymgyrchol yr oeddwn i a GLOBE UK wedi'u defnyddio, a'r cysylltiadau yr oedden ni wedi'u sefydlu â gweision sifil ac arbenigwyr. Gallai GLOBE Ewrop a GLOBE Cydwladol ddatblygu'n rhwydwaith fyd-eang o seneddwyr i ddilyn proses Rio a gwasgu ar eu llywodraethau i fod yn gadarnhaol eu hymateb i'r broses honno.

Roedd pethau'n dechrau symud o ddifrif yn y Senedd pan berswadiais i nifer o'r NGOs i roi arian i gyflogi aelod staff llawn-amser i drefnu gwaith GLOBE UK. Ond tua'r adeg yma y ces i 'ngwneud yn gyfrifol am ddatblygu polisi'r Blaid ar gyfer y Cynulliad ac ymhellach, 'y mherswadio i gynnig 'yn enw fel ymgeisydd. (Geraint Howells yn pwyso arnaf i yn y caffeteria ryw amser cinio i sefyll wnaeth yr argraff fwyaf arnaf i: "dim gwamalu nawr, mae dy eisiau di yna!")

Pan ddywedais i wrth Ron Bailey fod hyn yn golygu na allwn barhau i arwain GLOBE UK, fe gwympodd ei wep e fel na weloch chi erioed sut beth. Ond roedd crafangau blydi Cymru'n dirdynnu 'mron a doedd dim dewis.

Daeth yr ardderchog David Chaytor i'r adwy fel cadeirydd GLOBE UK. Tua'r adeg yma buodd rhaid i Lywydd GLOBE Ewrop a Rhyngwladol, Tori rhadlon o ASE, ymddiswyddo pan gadd e ei ddal ym meddiant pornograffi homorywiol wrth ddod drwy'r cystoms. Rhyfedd y'n gwnaed!

XI Ennill mewn Steil

Rwy'n cofio cwrdd â Rhodri Morgan yn brasgamu o Lobi Ganolog y Senedd â'i wyneb fel storm, a Llew Smith a Don Touhig yn sefyll ar ganol llawr y Lobi yn wên o glust i glust. Roedd y peiriant rhwystro-Rhodri ar waith ac Alun Michael druan ar ei ffordd i fod yn arweinydd Llafur Cymru a Phrif Ysgrifennydd y Cynulliad Cenedlaethol. Aelod cyffredin o'r Blaid Lafur wedyn yn dod ataf i yn stesion Castell-nedd i fynegi ei ddiflastod am weithrediadau'i blaid ei hun. Roedd Llafur yn mynd i drobwll o ymrafael mewnblyg, heb freuddwydio y byddai yna bris gwleidyddol i'w dalu.

Ond roedd yr hinsawdd yn newid a realiti'n shifftio: cyffro cenedlaetholdeb Cymreig yn yr aer; neges y Blaid yn gall ac yn apelgar; Dafydd Wigley ben ac ysgwyddau'n uwch na phob arweinydd arall; Ieuan Wyn Jones yn rhoi trefniadaeth wych ar waith; ac am y tro cyntaf ddigon o arian i redeg ymgyrch rymus.

Roedd hygrededd y Blaid erbyn hyn yn ddiamheuol. Brith atgofion.

BT'n noddi'r Gynhadledd Wanwyn, lle roeddwn i'n traddodi'r araith agoriadol ar Osod Seiliau'r Gymru Newydd a Dafydd Wigley yn traethu ar

Baratoi ar gyfer Llywodraeth Gyntaf Cymru.

Cyrraedd carnifal a garddwest o ryw fath, yng nghwmni Helen Mary a Jill Evans, yn Burry Port a chwrdd â Glenys Kinnock ac Ann Garrod, ymgeisydd Llafur Llanelli, yn gadael. "Maen nhw wedi cael llond bola o wleidyddion," medden nhw. Ninnau'n mynd mewn i'r maes ac yn cael croeso cynnes.

Cyrraedd, jest mewn pryd, gynhadledd-i'r-wasg ola'r Blaid yng Ngwesty Dewi Sant ym Mae Caerdydd (dim ond y gorau) a rhannu llwyfan gyda Dafydd Wigley o flaen cynulleidfa orlawn o newyddiadurwyr a diplomyddion tramor.

Roeddwn i'n gwybod mai gobaith gwan (ond gobaith, serch hynny, yn ôl Dafydd Trystan) a oedd gen i i ennill sedd yn y Cynulliad Cenedlaethol o restr rhanbarth y Canolbarth a'r Gorllewin. Ond ar yr un rhestr yr oedd Alun Michael druan hefyd. Penderfynodd tactegwyr y Blaid gyflwyno'r ail bleidlais yn y rhanbarth honno fel dewis: rhwng wy addod Tony Blair a dyn cwbl amlwg ei ymroddiad i achos Cymru.

Mi es i'r cyfrif drannoeth yr etholiad yn Aberaeron gyntaf a gweld Elin Jones yn hwylio i fuddugoliaeth dros Geredigion. Dros y radio daeth y newydd fod y Blaid wedi cipio Islwyn. Gwych, anhygoel, ond pechod am Phil Williams nad oedd obaith iddo mwyach gael sedd. Wedyn hanes y Rhondda, ond Ron Davies wedi llwyddo i wrthsefyll y don a chadw Caerffili.

Roedd rhaid i Iolo ('yn asiant i eto fyth) a fi adael am Hwlffordd i ddal cyfrif y rhestr. Cyrraedd yno mewn pryd i weld Roy Llewelyn yn ffaelu ennill Gorllewin Caerfyrddin a De Penfro o drwch blewyn. A chwedyn roedd gobaith i fi o hyd. Sylwi ar dwr bach tra gofidus o Lafurwyr, gydag Alun Michael a Nick Ainger yn y canol. Bryn Parry-Jones wedyn yn gwneud syms y rhestr. Serch bod Llafur wedi colli Llanelli a Dwyrain Caerfyrddin i'r Blaid, dim ond ei gwneud hi wnaeth Alun Michael. Ar yr ail bleidlais, mewn rhanbarth a oedd yn cynnwys cadarnleodd deheuol Llafur a Phowys, roedd y Blaid wedi cael 84,554 o bleideisiau a Llafur dim ond 53,842. Cyhoeddodd Bryn Parry-Jones 'mod i wedi ennill sedd yn y Cynulliad Cenedlaethol.

Mi yrron ni'n anghrediniol 'nôl am Aberaeron. Dros y ffôn symudol daeth llais cyffrous Victor yn estyn ei longyfarchion fe a Lila a Fflur. "Sawl sedd sy gyda ni?" medden i. "Un-deg-pedair?" "Un deg saith," ebe Victor. Blydi hel!

Roedd pethau'n orfoleddus yng Ngwesty'r Plu, Aberaeron.

GWLAD YR ADDEWID

I Seremoni

Y MATEB CADARNHAOL a ges i gan Alun Michael, sbel cyn etholiad y Cynulliad, i'n awgrym i y dylid comisiynu darn addas gan un o'n cyfansoddwyr ifainc ni – Geraint Lewis neu Pwyll ap Sion dyweder – ar gyfer y seremoni agoriadol. Ac mi awgrymais i Dafydd Williams, cynrychiolydd y Blaid ar y pwyllgor trefnu, fod angen sicrhau côr cerdd dant a pharti cydadrodd da, a naws wladgarol i'r eitemau.

Fe ddisgynnodd y gwlith yn drwm yn Llandâf ar Fai 26, 1999. Cydganu geiriau Lewis Valentine, un o dri Penyberth. Gwrando wedyn ar gerdd dant Côr Merched y Garth a chydadrodd gwefreiddiol plant Aelwyd Llanystumdwy, 'Yna gwelais nef newydd a daear newydd... ' Fel pe bai hynny ddim yn ddigon, dyma gôr y Cwmni Opera Cenedlaethol yn nes ymlaen yn Neuadd y Cynulliad yn canu trefniant godidog Geraint Lewis o 'Gân y Tair Brenhines', T Gwynn Jones. 'Ymadawiad Arthur', maniffesto-ar-gerdd cenedlaetholdeb yr ugeinfed ganrif. 'Byw yno byth mae pob hen obeithion, Yno, mae cynnydd uchel amcanion, Ni ddaw fyth i ddeifio hon ... ' Gwell ei gadael hi fan yna.

Gyda'r math yna o ffics yn cwrso drwy'r gwythiennau, roedd hi'n bosibl godde'r teulu brenhinol yn mynd trwy'u pethau yn y Siambr, a'r Llywydd yn anystwyth-foesymgrymu.

Wrth i ni eistedd i ginio yn yr Amgueddfa Genedlaethol, dyma Glyn Davies, yn wên radlon glust-i-glust, at ein bwrdd ni, grŵp o Aelodau'r Blaid. 'Gaf i fod yn aelod o Blaid Cymru, jest am heddiw?' meddai fe.

Roedd e wedi'i deall hi wrth gwrs. Statws eilradd i'r Alban? Pwerau cyfyngedig? Dim hawl i ddeddfu? Pa wahaniaeth am hynny heddiw? Onid oedd

Cymru wedi cychwyn, o'r diwedd, ar ei hymdaith? Ac onid ni, yn anfesuradwy fwy na neb arall, a oedd wedi taer-chwennych gweld y dydd? Ein Cynulliad *ni* oedd hwn; oni bai amdanon ni, fuasai fe ddim yn bod. Pwy allai ddymuno'i lwyddiant e yn fwy na ni? Ac roedd pobl Cymru, drwy bleidleisio droson ni mewn niferoedd na welwyd eu bath, wedi dangos mai felly hefyd yr oedden nhw'n gweld pethau.

II Consensws a Gwrthdaro

Y cwestiwn cyntaf mewn dogfen ymgynghori ymysg aelodau a changhennau'r Blaid cyn etholiad 1999 oedd, 'Pa flaenoriaeth a ddylai ACau Plaid Cymru ei rhoi i sicrhau bod y Cynulliad yn cyflawni cymaint â phosibl o fewn cyfyngiadau ei alluoedd ar y naill law, a galw am gynyddu'r galluoedd hynny ar y llaw arall?' Roedd yr ymatebion yn llethol o blaid y gyntaf o'r ddwy flaenoriaeth, tra'n cymeradwyo ar yr un pryd mai ennill cydraddoldeb â'r Alban fyddai'r amcan cyfansoddiadol tymor-byr.

Roedd hi'n amlwg bod traed aelodau'r Blaid yn gadarn ar y ddaear, a'r dyhead yn gryf am weld ymdrech gynta'r genedl i'w llywodraethu'i hunan yn llwyddo. Roedd y neges i'r ACau yn ddigamsyniol, a fuodd yna erioed garfan o bobl yn fwy ymwybodol na ni o sialens cael ein hunain yn brif wrthblaid mewn Cynulliad a chanddo 'lywodraeth' leiafrifol. Sut oedd gwneud y gorau o'r cyfle, a rhoi hwb ymlaen i ymdaith y genedl?

Y syniad gwreiddiol, wrth gwrs, oedd mai'r Cynulliad cyfan, 'corff corfforaethol' Deddf Llywodraeth Cymru, fyddai'n llywodraethu, ond bod y broses seneddol, yn dilyn trafod eang, wedi darparu ar gyfer trosglwyddo pwerau'r Cynulliad i'r Prif Ysgrifennydd, ac yntau wedyn i weinidogion ei Gabinet. Realiti llywodraeth seneddol felly yn llechu yng nghragen y Corff Corfforaethol.

Mewn llythyr cynnes o longyfarch ataf i, meddai John Elfed Jones, cadeirydd y gweithgor a oedd wedi llunio'r rheolau sefydlog, "Mae'r cyfrifoldebau'n arswydus o drwm ac rwy'n mawr obeithio y gall pob plaid roi o'r neilltu ddogma dibwys eu plaid a chanolbwyntio ar gyd-lywodraethu er budd Cymru gyfan. Yn sicr mae'r strwythur yno i ganiatáu i hynny ddigwydd. Trefniant corfforaethol gyda chyfrifoldeb corfforaethol yw'n Cynulliad ni". Y berthynas anesmwyth rhwng y weledigaeth ddelfrydgar yna a gofynion llywodraethu effeithlon a realiti ymwneud pleidiau gwleidyddol â'i gilydd a fyddai'n gorwedd o dan gymaint o weithgareddau blwyddyn gyntaf hunanlywodraeth, neu 'ddatganoli', i roi iddi ei henw swyddogol.

Beth bynnag oedd rheswm Alun Michael dros beidio ffurfio clymblaid rhwng Llafur a'r DemRhyddiaid, dwy'n amau dim nad oedd ei awydd e i hyrwyddo "gwleidyddiaeth gynhwysol newydd" a "chytundeb rhwng pleidiau ac ar bolisïau" yn ddigon didwyll.

Roedd ymateb Dafydd Wigley i'r ple hwnnw yn yr eisteddiad cyntaf yn gwbl gadarnhaol. Fe alwodd am "ddynesiad newydd i wleidyddiaeth, gan weithio o fewn ein gwerthoedd cydweithredgar a democrataidd gwych fel cenedl" a'r angen i osgoi'r "safiadau gwrthwynebgar diffrwyth" a oedd wedi niweidio enw da gwleidyddiaeth yn ynysoedd Prydain. Dynesiad grŵp Plaid Cymru, meddai fe, fyddai profi a herio polisïau'r Llywodraeth o bryd i'w gilydd, "nid i'w tanseilio nhw ond yn hytrach i'w gwneud nhw'n fwy derbyniol ac effeithiol".

Buodd y grŵp wrthi'n treial llunio darlun clir o'r ffordd drwy ddryswch y pwrpasau croesdynnol a oedd yn ein hwynebu ni. Erbyn yr hydref roedden ni wedi cytuno ar Gynllun Strategol i'w gyflwyno i'r Pwyllgor Gwaith. Ymysg y rhestr amcanion yr oedd: gweithio'n adeiladol gyda Llywodraeth Cymru er gwella ansawdd bywyd y bobl, yn enwedig y mwyaf difreintiedig; herio'r Llywodraeth yn ôl yr angen, yn enwedig ynghylch unrhyw amharodrwydd i iwsio pwerau'r Cynulliad yn llawn; dygyfor y dadleuon dros bwerau ychwanegol, a chydraddoldeb â'r Alban; datblygu agenda bolisi rymus ar gyfer rhaglen i Lywodraeth. Ac yn goron ar yr holl ymdrechion, dod yn Blaid Llywodraeth yn 2003.

Yr hyn na chadd ei grybwyll yn y cynllun oedd bwriad pellach y grŵp, ar anogaeth Dafydd Wigley yn arbennig, i ddefnyddio pob cyfle posibl i yrru lletem i ganol y Blaid Lafur, rhwng Llafur Cymru a Llafur Llundain, ac o fewn Llafur Cymru rhwng yr asgell 'genedlaetholgar-Gymreig' a'r asgell unoliaethol. Pwrpas hynny fyddai crynhoi cefnogaeth wleidyddol o blaid set o bolisïau penodol-Gymreig a thrwy hynny roi ystyr i fodolaeth y Cynulliad a chyfeiriad a momentwm i ddatganoli. Byddai 'strategaeth y lletem' yn ddylanwadol yn ein hymdrechion dros gryn amser. Prif wers wleidyddol yr hanes rwyf i ar fin ei adrodd, serch hynny, yw i'r strategaeth honno fethu'n drychinebus.

Doedd cymhlethdodau fel hyn yn poeni dim ar y ddwy blaid arall. Mynegodd Rod Richards ei ddirmyg llwyr at wleidyddiaeth gynhwysol a mabwysiadu'r rhethreg gyfwynebol galed a oedd yn dod yn naturiol iddo fe. Arddull ddigon tebyg, os llai cignoeth o dipyn, a nodweddodd ei olynydd Nick Bourne yn ei dro. Yn y sesiwn gynta'n deg, ac Alun Michael a Dafydd Wigley yn athronyddu am ddull newydd o wleidydda, herio'r Cynulliad i brofi'i werth drwy godi'r gwaharddiad ar bîff-ar-yr asgwrn wnaeth Rod Richards. Chwarae'r gêm bopiwlistaidd drwy annog gwaharddiad ar gnydau GM yng Nghymru wnaeth y DemRhyddiaid; y Toriaid yn cefnogi, a'r pleidiau eraill yn cael eu llusgo i'r un trywydd gwrth-wyddonol trist. Buodd Mike German wrthi'n cwiblan ynghylch priodoldeb trosglwyddo cyfrifoldebau'r Cynulliad i'r Prif Ysgrifennydd – enghraifft gynnar o'r tactegau cyfleolaidd-rhwystrol a fyddai'n ei arwain e ymhen ychydig dros flwyddyn i glymblaid â Llafur.

Ymatal rhag sgorio pwyntiau ar faterion fel hyn oedd greddf grŵp y Blaid. Mewn dadl gan y Toriaid ar bîff-ar-yr-asgwrn ddiwedd Mai, apelio am gonsenswm dros weithredu'n gyfrifol a chynnal ymchwiliad pwyllgor a wnaeth Ieuan Wyn Jones, a hynny a orfu.

Roeddwn i wedi adnabod cyfle yn gynnar iawn i hyrwyddo polisi gwahanol i Gymru, a 'gyrru'r lletem' i Lafur, yng nghynlluniau Llywodraeth San Steffan i sefydlu system rheoli perfformiad i athrawon a oedd ynghlwm wrth godiad cyflog sylweddol a oedd ar gynnig ar y pryd i athrawon. Roedd y proffesiwn yng Nghymru yn unfarn wrthwynebus i gynnwys mesuriad o berfformiad disgyblion yn y system newydd, a Llafur Newydd yn Llundain yn gwbl benderfynol o wneud.

Yng nghwestiwn cynta'r sesiwn gwestiynau cyntaf ar Fai 19 mi bwysais i am i'r Pwyllgor Addysg dan 16 "lunio argymhellion amgen ar gyfer patrwm Cymreig a allai ennill cefnogaeth eang". Neilltuon ni ddadl arbennig gynta'r Blaid, ar Fehefin 16, i'r pwnc. Gareth Jones a agorodd, yn rymus-ddadansoddol, a finnau'n crynhoi. Mi allen fod wedi trechu'r Llywodraeth a thynnu gwaed y prynhawn hwnnw, ond yn y gred bod cael elfennau cynyddgar Llafur o'n plaid yn bwysig i gael y maen i'r wal, mi atalion ein pleidlais ar welliant a liniarodd ein cynnig ni rywfaint. Camgymeriad yn ddiau oedd gwneud hynny, ond daliwyd ati.

Pasiodd y pwyllgor benderfyniad yn erbyn talu athrawon yn ôl perfformiad disgyblion a chael cyngor cyfreithiol mai'r Cynulliad ddylai fod â'r hawl i benderfynu.

Fis Mawrth 2000, yn dilyn penderfyniad Blunkett i ddelio â'r mater o dan bwerau heb eu datganoli, a'r sôn ar led y byddai'r adnoddau i gyllido'r codiadau cyflog yn cael eu hatal pe na bai'r Cynulliad yn plygu i'r drefn, cynhaliodd y Blaid ail ddadl ar y pwnc. Wrth gloi, mi ddadleuais fod yr achos yma'n brawf ar ewyllys gwleidyddol Llafur yng Nghymru ac yn Llundain, ac ar hygrededd Rhodri Morgan (a oedd wedi disodli Alun Michael ers mis) yn benodol; ac yn esiampl berffaith o'r diffygion sylfaenol yn y system ddatganoli oedd ohoni. Pasiwyd cynnig y Blaid "na ddylai cyflogau athrawon fod yn gysylltiedig â pherfformiad disgyblion" o 30 pleidlais i 0, gyda'r grŵp Llafur yn ymatal. Roedd y pwynt democrataidd wedi'i wneud yn rymus ddigon, ond roedd yr ymgais i sefydlu gwahanrwydd polisi a chadarnhau asgwrn cefn Llafur Cymru wedi ffaelu, fel y ffaelodd ymdrech NUT Cymru i herio penderfyniad Blunkett drwy arolwg barnwrol yng Ngorffennaf 2000.

Doedd gan grŵp y Blaid fawr o awydd chwarae'r gêmau cyfleolaidd a oedd mor amlwg at ddant y Torïaid a'r DemRhyddiaid. Materion o arwyddocâd strategol i ddyfodol y genedl oedd yn ein denu ni. Erbyn Medi 1999, roedd gyda ni dîm o ymchwilwyr galluog i'n cefnogi ni yn y gwaith yma, a'r grŵp wedi cytuno i dop-sleisio'n lwfansau personol er mwyn talu amdano.

Ddiwedd Tachwedd er enghraifft, pan ddaeth cyfle am ddadl hanner awr ar bwnc o 'newis i, mi ddewisais 'Tuag at Drafnidiaeth Integredig' a phwysleisio'r angen i'r Cynulliad allu cynllunio gwasanaethau rheilffyrdd yn ogystal â heolydd, a galw am "hyrwyddo undod cenedlaethol a'r economi Cymreig mewnol trwy wella cysylltiadau o fewn Cymru, yn enwedig rhwng y Gogledd a'r De". (Mi draddodais 'yn araith seneddol olaf o fewn ychydig ddyddiau mewn dadl ar y Mesur Trafnidiaeth.)

Digon di-bwynt ar un olwg oedd y ddadl a agorodd Alun Michael ym mis Rhagfyr ar Ddelwedd Cymru, ond roeddwn i'n ei gweld hi fel cyfle i gael y Cynulliad yn gyfan i danysgrifio i'r math o weledigaeth yr oedd Maniffesto'r Blaid 1999 wedi rhoi mynegiant iddo: Cymru'n "ymddwyn fel cenedl sy'n awchu am gymryd cyfrifoldeb" am ei bywyd ei hunan; yr angen i fachu'r cyfle i fod ar y blaen ym maes technolegau amgylcheddol; ymroddiad i ddadeni diwylliannol fel rhyw fath o furum yn natblygiad hunaniaeth genedlaethol newydd gynhwysol; hwb newydd i adfywiad y Gymraeg.

Yn bwysicach na dim mi bwysleisiais yr angen i greu ymysg ein hieuenctid ni ganfyddiad newydd o Gymru fel gwlad o anturiaeth a dyfeisgarwch nad oedd ymadael â hi yn angenrheidiol er mwyn lledu adenydd ac anelu'n uchel. Mi alwais am sefydlu prosiect cenedlaethol i ddadansoddi a deall canfyddiadau pobl ifainc o Gymru ac ystyried sut y gellid creu amgylchiadau a fyddai'n eu hannog nhw i ymroi i'r dasg o "greu dyfodol cenedlaethol llewyrchus".

Roedd Alun Michael a Llafur yn gyffredinol fel pe baen nhw'n derbyn y math yma o rethreg yn ddigon cadarnhaol a derbyniwyd gwelliant y Blaid am "y cynnydd mewn hunanhyder cenedlaethol a'r dymuniad cyffredinol i Gymru gymryd mwy o gyfrifoldeb dros y penderfyniadau sy'n effeithio ar fywyd ei phobl a chynaliadwyedd ei chymunedau".

Tua diwedd 1999 yr esgorodd y gwasanaeth sifil a'r cabinet ar *Gwell Cymru*, dogfen bolisi gorfforaethol i'w thrafod a'i mabwysiadu – dyna'r syniad – gan y Cynulliad fel corff corfforaethol. Danfonodd Ieuan Wyn Jones gopi ataf i fel cydlynydd polisi gyda chais am gyngor ar sut i'w drin e. 'Yn ymateb pendant i oedd y byddai i grŵp y Blaid ymuniaethu â'r ddogfen gyfan yn ein clymu ni i mewn i raglen llywodraeth Lafur, ac na ddylid ar unrhyw gyfrif wneud hynny. Fodd bynnag, mi awgrymais y gallai fod 'na rywbeth i'w ennill o negodi newidiadau i eiriad y Rhagymadrodd, a oedd yn cynnwys datganiad o weledigaeth.

Dyma Edwina Hart, gwleidydd medrus a di-lol, a chanddi ymroddiad diamheuol i gydweithio trawsbleidiol, yn ymateb ar unwaith drwy hela Matthew Quinn a Michael Trickey i drafod gyda fi. Erbyn diwedd y dydd, roedd y datganiad gweledigaeth yn cynnwys ymroddiad i "hyrwyddo ein hunaniaeth unigryw ac amrywiol, a manteision dwyieithrwydd", a gwneud Cymru'n wlad lle byddai "pobl ifainc am fyw a gweithio". Roedd y rhagymadrodd ehangach yn ymrwymo i gomisiynu astudiaeth o Fagloriaeth Gymreig; sefydlu fframwaith gynllunio genedlaethol i hyrwyddo datblygu cynaliadwy, ac achub ar gyfleoedd ym meysydd ynni cynaliadwy, gwastraff a thechnoleg glân; cryfhau presenoldeb Cymru yn Ewrop; a rhaglen i adolygu'r fframwaith o gyrff cyhoeddus cenedlaethol. Cymerodd grŵp y Blaid, gyda chymorth y tîm ymchwilwyr, ran lawn a chwbl gadarnhaol yn yr ymgynghori ar y ddogfen gyflawn.

Pan ddaeth *Gwell Cymru* gerbron y Cynulliad llawn yn Ebrill 2000, pleidleisiodd grŵp y Blaid o blaid cynnig yn "cymeradwyo'r weledigaeth, y blaenoriaethau a'r gwerthoedd" yn y rhagymadrodd, gan nodi'n unig raglen fanwl y llywodraeth. Ymataliodd y DemRhyddiaid a phleidleisiodd y Toriaid yn erbyn. Derbyniodd Llafur welliant y Blaid yn galw am "ymchwiliad buan o'r graddau y gall y Cynulliad yn effeithiol gysylltu datblygu polisi, deddfwriaeth a gweithredu er mwyn prysuro cynigion ar gyfer gwella": côd am symud tuag at fodel seneddol gyflawn o lywodraethu.

Ym maes polisi iechyd, gwelwyd esiampl o wleidyddiaeth gonsensws, a Dai Lloyd yn chwarae rôl arweiniol yn y penderfyniad i sefydlu ail ysgol feddygol ar gampws prifysgol Abertawe.

Yr enghraifft orau o'r dynesiad cynhwysol oedd y trafodaethau rhwng Dafydd Wigley, Phil Williams ac Edwina Hart ar gyllideb gynta'r Cynulliad, a oedd i'w chytuno'n derfynol yn Chwefror 2000. Yn nadl Rhagfyr 1999 ar y gyllideb ddrafft cyflwynodd Phil restr siopa'r Blaid – yn cynnwys sefydlu banc datblygu menter, cysylltiad rheilffordd De-Gogledd, arian ychwanegol i'r Gymraeg, ymgyrch recriwtio athrawon, profion llygaid am ddim, a phosibilrwydd cynllun mynediad i ffermwyr ifainc – a chanmol Edwina am ymateb yn gadarnhaol "yng ngwir ystyr y cynhwysedd a ddathlon ni yn ein seremoni agoriadol".

Roedd Edwina hithau yn ei sylwadau agoriadol wedi rhico'r ffordd yr oedd y dull newydd yma o gynhrychu cyllideb yn "hyrwyddo cynhwysiant, atebolrwydd a chonsensws yn ein mysg ni". Pwrpas yr ymarfer, meddai hi, oedd "helpu Cymru fel cenedl… gan osod gwahaniaethau arbennig naill ochr i ddelifro blaenoriaethau allweddol nid yn unig i Blaid Cymru ond i aelodau o'r Blaid Lafur ac eraill."

Ond roedd 'na bryf ym mhren y gyllideb a fyddai maes o law yn tynnu gwleidyddiaeth gonsensws yn gandryll o'n cylch ni, sef y diffyg darpariaeth ariannol ar gyfer y Rhaglen Amcan 1. Meddai Edwina: "Esboniodd Phil yn glir y rhesymau pam nad aiff cwestiwn y cronfeydd strwythurol i ffwrdd… Dyna safbwynt anrhydeddus ac mae e'n safbwynt yr ydyn ni fel llywodraeth leiafrif yn ei lawn ddeall." Nid felly yr oedd ei Phrif Ysgrifennydd hi'n gweld pethau. Ond bydd rhaid dychwelyd at y pwnc yma isod.

Fel grŵp, fe ymlafnion ni i gael cydbwysedd priodol rhwng consensws a gwrthbleidiaeth finiog ond adeiladol.

Yn Nhachwedd 1999 daeth y ddadl ar raglen ddeddfwriaethol y

Llywodraeth, ac mi gyhoeddon ni *Gynllun Gweithredu i Gymru 2000,* sef set o argymhellion manwl ar draws yr holl feysydd polisi. Ac fe gafwyd cefnogaeth i'n gwelliant pragmataidd-flaengar ni "yn galw ar yr Ysgrifennydd Gwladol a'r Prif Ysgrifennydd i geisio sicrhau y bydd yr holl fesurau seneddol sy'n effeithio ar swyddogaethau a chyfrifoldebau'r Cynulliad yn cael eu drafftio yn y fath fodd ag i ganiatáu i'r Cynulliad weithredu'i ddarpariaethau gyda'r hyblygrwydd mwyaf posibl, ac i ddatblygu polisi yn y meysydd perthnasol mewn modd sy'n adlewyrchu orau farn y Cynulliad ac anghenion pobl Cymru." Erbyn 2003–04 byddai Comisiwn Richard yn annog rhywbeth tebyg fel cam tuag at sefydlu senedd ddeddfwriaethol a Rhodri Morgan yn ei gyflwyno fel ffordd o osgoi'r dewis radical-synhwyrol.

Ar y llaw arall roeddwn innau'n ddigon parod i gollfarnu'n llym. Mi gondemniais y Datganiad o Egwyddorion ar y Sgîm Datblygu Cynaliadwy (yr oedd Deddf Llywodraeth Cymru yn mynnu bod y Cynulliad yn ei baratoi) fel "cymysgedd o'r hunanamlwg, yr ystrydebol a'r bland; datganiad diddrwg-didda cwbl annigonol fel fframwaith i weithredu". Yr hyn roedd ei angen oedd fframwaith gynllunio a fyddai'n rhoi cefnogaeth bendant i gynlluniau megis pwerdy bio-ynni y Bontnewydd ar Wy, a thrydan dŵr yn Nyffryn Dyfi.

Roeddwn i eisoes yn gweld arwyddion y dôi Datblygu Cynaliadwy yn nwylo'r amgylcheddwyr cadw-pethau-fel-y-maen-nhw a'r bagad hedd-a-llonydd yn offeryn i rwystro datblygiadau blaengar, a Llywodraeth Cymru, heb na rhaglen bolisi na strategaeth gyhyrog, yn cael ei chwythu yn llwfr gyda phob gwynt. Cadd 'yn ofnau gwaethaf eu cadarnhau wrth i'r misoedd a'r blynyddau lithro heibio.

Wrth edrych 'nôl nawr, mae'n anodd gweld synnwyr strategol yn rôl y Blaid yn helynt Christine Gwyther, yr Ysgrifennydd Amaethyddiaeth. Roedd yr undebau yp-in-arms am ei phenodiad o'r cychwyn cyntaf am ei bod hi'n llysieuydd, ac roedd 'na ganfyddiad, yn gam neu'n gymwys, nad oedd hi'n atebol i'r swydd. Mor gynnar â chanol Medi roedd y Toriaid, yn nodweddiadol o ymosodgar, wedi neidio i gynnig pleidlais o gerydd arni hi. Gwrthododd y Blaid gefnogi, a chafwyd ei chefnogaeth hi i gyflwyno cynllun prosesu lloi unig-swydd i Gymru, fel ffordd o laesu rhyw gymaint ar argyfwng byd amaeth.

I ddechrau rhoddodd Ms Gwyther ar ddeall ei bod hi'n hyderus y gellid cyflwyno cynllun felly o dan hawliau'r Cynulliad, a chymerodd dau ASE Llafur y clod am sicrhau hynny ym Mrwsel. Darganfod wedyn ei bod hi wedi'i chamarwain ac nad oedd Fischler, y Comisiynydd Amaeth, yn fodlon cymeradwyo'r cynllun wedi'r cwbl. Ar Hydref 9, cyflwynodd grŵp y Blaid gynnig o gerydd yn erbyn Ms Gwyther. Cyflwynodd hithau amddiffyniad hyderus a llawn-ysbryd o'i gweithredoedd ond pasiwyd y cynnig drwy fwyafrif y gwrthbleidiau.

Anwybyddodd Alun Michael y bleidlais, a chadw Ms Gwyther yn ei swydd. Crynswth canlyniad y sgarmes bitw yma oedd dinoethi gwendid y gwrthbleidiau a'r Cynulliad fel corff, a chryfhau braich yr aelodau Llafur hynny a oedd fwyaf gelyniaethus i'r Blaid a'r hyn roedd hi'n ei gynrychioli. Dyna beth oedd 'gyrru'r lletem' yn y ffordd leiaf deheuig posibl.

Erbyn yr hydref, serch hynny, roedd y grŵp yn teimlo'i fod e o'r diwedd yn dechrau cael hwyl ar bethau ac yn cyflawni'r math o amcanion yr oedd y Blaid wedi'u diffinio i ni, ar ôl cyfnod cychwynnol digon sigledig, a'r ddwy wrthblaid arall yn bachu ar bob cyfle am gyhoeddusrwydd rhad. Ond ar lefel ddyfnach roedd 'na ysictod. Yn gynyddol roedd y namau mawr ym model y Cynulliad o lywodraethu yn dod i'r amlwg, ac yn eu plith y cymysgu parhaus, gan y wasg a'r cyhoedd, a'r gwleidyddion eu hunain, rhwng Llywodraeth a Chynulliad. Ac roedd gwrthbleidiaeth adeiladol y Blaid, ei chwilio parhaus am gyfleoedd i ddylanwadu er daioni, yn ei gwneud hi'n anodd i ni ymwadu ag unrhyw gyfrifoldeb am weithrediadau Llafur mewn llywodraeth. Roedd datganoli, y prosiect a oedd yn cael ei uniaethu â'r Blaid yn fwy na neb, yn prysur golli hygrededd, a ninnau gydag e. Roedd hi'n gynyddol amlwg ein bod ni fel plaid yn cael y gwaethaf o bob byd.

Ac roedd 'na gymylau eraill yn crynhoi. Yn gynnar yn Rhagfyr, buodd rhaid i Dafydd Wigley gymryd cyfnod o seibiant, a thriniaeth ar y galon. Ddaeth e ddim yn ôl i'r tresi yn llawn tan ganol Chwefror, a thrwy hynny fe fuodd yn absennol ar adeg pan oedd mawr angen ei brofiad a'i arweiniad strategol. Roedd helynt Amcan 1 yn adeiladu i uchafbwynt, a dyddiau Alun Michael fel Prif Ysgrifennydd yn dirwyn i ben. Roedd hi'n anodd iawn rhag-weld sut y byddai digwyddiadau'n troi, a sut y gellid dylanwadu arnyn nhw er budd y prosiect cenedlaethol.

III Pwyllgora

Fel prif chwip, Ieuan oedd yn gyfrifol o'r cychwyn am drefnu gwaith y grŵp. Pan ffoniodd e fi i ofyn p'un fyddai orau gen i, bod yn llefarydd ar addysg neu'n gadeirydd pwyllgor, mi atebais ei bod hi'n hen bryd erbyn hyn, wedi hir flynyddau o wleidyddiaeth bwyso, i fi dderbyn baich cyfrifoldeb, a chymryd cadeiryddiaeth. Roedd 'yn ymateb i'n darlunio'n berffaith y syniad y byddai modd i'r Blaid, yn enwedig drwy'r pwyllgorau, nid yn unig ddylanwadu, ond bod yn gyd-gyfrannog yn y broses o benderfynu ar bolisi.

Nid cyfle i'w golli oedd hwn, fel y gwelen ni bethau. Dyna i chi Phil Williams, prif grëwr polisi'r Blaid dros dri degawd, yn ymuno â'r Pwyllgor Datblygu Economaidd yn gyforiog o syniadau ac arbenigedd. Fe fwriodd e ei hunan i'r gwaith o lunio strategaeth datblygu'r economi a pharatoi rhaglen weithredu Amcan 1 gydag awch; a buodd y pwyllgor hwnnw'n cwrdd yn ddiddiwedd, yn ystod toriad haf 1999, er enghraifft. Does gan ddyn ddim ond gobeithio fod y sylwedd a gasglwyd ynghyd, a'i nithio, yn cyfiawnhau'r draul enfawr ar amser ac egni gweision cyhoeddus.

Gyda rhaglen Llafur fawr iawn yn fwy nag addasiadau o bolisïau San Steffan, mi welen ni gyfle i ddechrau ysgrifennu rhaglen bolisi adeiladu cenedl ar y llechen lân. Ac i gychwyn roedd Alun Michael yn ddigon bodlon gwrando. Roedd y pwyllgorau'n bwysig "nid yn unig yn nhermau atebolrwydd ... ond hefyd yn nhermau datblygu a hyrwyddo polisi", meddai fe yn sesiwn lawn Mai 18, 1999.

Yn 'y nghyfarfod cyntaf fel Cadeirydd gyda Tom Middlehurst yr Ysgrifennydd Cabinet a'r gweision sifil, dyna oedd y naws. Roeddwn i'n awyddus i sefydlu perthynas agored-gydweithredgar â Tom, ac fe ymatebodd yntau'n gwbl gadarnhaol. Pan wthiais i am gynnwys hyrwyddo'r Iaith Gymraeg yn gynnar yn y rhaglen waith, fe 'nghefnogodd e fi yn erbyn gwrthwynebiad y prif was sifil.

O gyfarfod cynta'r pwyllgor ar Fehefin 23, 1999, roedd yna deimlad o anturiaeth, o awydd i weithio'n adeiladol, i osgoi cyfwynebiad diffrwyth. Fel hynafgwr cymharol, a chanddo gryn brofiad o waith pwyllgor a senedd, roedd gen innau'r hygrededd i hyrwyddo'r math yna o ddynesiad.

Y model a oedd gen i mewn golwg oedd Pwyllgorau Dethol Tŷ'r Cyffredin, yr oedd eu gwaith wedi gwneud cryn argraff arnaf i. Gyda chefnogaeth clerc tra galluog ac ysgrifenyddiaeth, ac yn ôl yr angen ymgynghorydd arbenigol, byddai'r cadeirydd yn arwain ei ph/bwyllgor fel tîm: "hela fel pac", yng ngeiriau John Horton, Cadeirydd y Pwyllgor Awdit Amgylcheddol.

Roedd hynny'n golygu cyfeiriad a ffocws clir, yn ogystal â pharodrwydd i chwilio am gonsensws. Ac ar ôl llywio un cyfarfod derbyn-tysiolaeth cwbl ddigyfeiriad, a phob aelod yn chwilio am rywbeth i'w ddweud a dilyn ei drywydd ei hunan, mi ddywedais wrth 'y nghlerc nad oeddwn i'n mynd i ganiatáu peth felly eto.

Mewn Pwyllgorau Dethol, byddai'r Clerc yn paratoi brîff cryno o'r materion allweddol a rhestr o gwestiynau a fyddai'n cael eu dosbarthu rhwng yr aelodau mewn rhag-gyfarfod, gan sicrhau ffocws clir i'r holi a rhyddid yn ogystal i aelod unigol, ar sail hynny, i ddilyn ei drywydd ei hunan. Gan nad oedd unrhyw arwydd o wasanaeth clercyddol felly yng Nghynulliad Cenedlaethol Cymru, doedd dim amdani ond gwneud y gwaith 'yn hunan orau y gallwn i, gan dynnu ar dystiolaeth ysgrifenedig y tystion a oedd wedi'i pharatoi ymlaen llaw. Roedd e'n waith beichus, ond mi ddaliais ati tan i unoliaeth pwrpas a chonsensws fynd yn shindrins ar ganol yr ymchwiliad polisi i Addysg Uwch, trobwynt o ddigwyddiad y bydd rhaid ei drafod yn fanwl isod.

Ond mewn un peth yn arbennig roedd pwyllgorau'r Cynulliad yn gwbl wahanol i Bwyllgorau Dethol San Steffan, sef ym mhresenoldeb Gweinidog y Llywodraeth (neu 'Ysgrifennydd' i roi iddo'r teitl gwreiddiol) fel aelod cyflawn ohonyn nhw. O'r dechrau'n deg roeddwn i'n anfodlon ar hyn. Sut oedd gwneud gweinidog yn atebol i bwyllgor yr oedd e/hi ei hunan yn aelod ohono? Sut oedd modd sicrhau na fyddai cyd-bleidwyr y gweinidog yn carfannu o'i gylch e er mwyn ei arbed rhag archwiliad trwyadl neu ymosodgar? Ym Mhanel y Cadeiryddion mi ddadleuais dros i'r gweinidog newid ei le a mynd i ben draw'r ford yn ystod sesiynau craffu ar ei waith, ond gwrthodwyd y syniad.

Doedd dim amdani ond gwneud y gorau o'r cysyniad y tu ôl i'r trefniadau, sef y byddai'r gweinidog yn cael ei dynnu i fewn i'r consensws y byddai'r pwyllgor yn ei saernïo: felly y byddai gwleidyddiaeth gynhwysol yn cael ei hyrwyddo, a'r gwrthbleidiau'n gallu dylanwadu mewn difrif ar bolisi llywodraeth. Dim ond am 'y mod i a Tom Middlehurst wedi penderfynu sefydlu cydymddiriedaeth a gwneud go ohoni y llwyddwyd cystal.

Mewn un maes polisi, roedd gan Lafur rywbeth amgen na llechen lân i'w gynnig. Cyn sefydlu'r Cynulliad roedd Peter Hain wedi cynnull gweithgor arbennig (*ETAG*) i ystyried ailstrwythuro Addysg a Hyfforddiant Ôl-16 er mwyn hyrwyddo cydweithrediad ac effeithlonrydd a lleihau'r dyblygu a'r gwastraff yr oedd 'na deimlad bod marchnad gystadleuol y Torïaid wedi'u creu. Etifeddodd y Cynulliad adroddiad go fanwl ar law *ETAG*, gyda siars i benderfynu sut i symud ymlaen. Roedd hi'n anochel y byddai hyn ar ben rhestr blaenoriaethau'r pwyllgor.

Doedd y pwyllgor ddim yn fodlon bod yn ddim ond *rubber-stamp* i argymhellion *ETAG*; roeddwn innau o'r farn y byddai'n rhaid ailwyntyllu'r dadleuon o fewn fframwaith ddemocrataidd-agored y Cynulliad. Aethpwyd ati i alw tystion a'u holi dros gyfres o gyfarfodydd o Fehefin hyd Dachwedd.

Ar unwaith daeth yr aelodau dan bwysau lobïo dwys: dros gadw'r Cynghorau Hyfforddiant a Menter (CHM); gan Gydffederasiwn Diwydiant Prydain (y *CBI*) yn erbyn ailstrwythuro fel ymarfer datgymalus a fyddai'n gwanhau llais busnes ac yn annibennu'r paratoadau ar gyfer delifro rhaglen Amcan 1; gan undebau'r athrawon a oedd yn gweld bygythiad drwy integreiddio cyllido i ddosbarthiadau chwech ysgolion, yn enwedig ysgolion Cymraeg. Roedd gan ddwy brif blaid y Cynulliad ymrwymiadau polisi o blaid argymhellion *ETAG* eisoes a gwrthsafwyd y pwysau.

Serch hynny, roedd Tom Middlehurst am dderbyn cyfaddawd a gynigiwyd gan CMH a'r *CBI*, sef rhoi i Fyrddau Rhanbarthol y Cyngor Cyllido Cenedlaethol arfaethedig gyllidebau dirprwyedig a rhyddid helaeth wrth eu gwario. Trechwyd yr ymdrech yna gan gyfuniad o grŵp y Blaid (Elin Jones, Jocelyn Davies a finnau) ac elfennau o fewn y Blaid Lafur, yn eu mysg Alun Pugh a Val Feld, a derbyniodd Tom ddyfarniad y pwyllgor. Dyna enghraifft berffaith o realiti rhannu grym, un o'r ychydig a ddigwyddodd.

Gwelwyd yr amwysedd ynghylch statws argymhellion pwyllgorau wrth i'r adroddiad ddod gerbron y Cynulliad llawn yn Ionawr 2000: cynnig wedi'i eirio gan y weithrediaeth, Tom yn rhoi rhagarweiniad byr, finnau'n cyflwyno'r adroddiad yn fanwl, a Tom wedyn yn crynhoi'r ddadl. Roedd y llwybr a arweiniodd at sefydlu ELWa wedi'i agor, er gwell neu er gwaeth.

Roeddwn i'n benderfynol ers cyn sefydlu'r Cynulliad o wrthsefyll y perygl real, gyda Llafur mewn grym a Ron Davies wedi'i ddisodli, y gallai polisi i'r Iaith Gymraeg gael ei wanhau yn sgil datganoli. Roedd hi'n hollol amlwg i fi bod angen sefydlu momentwm cryf o blaid twf yr iaith, ac y byddai ffaelu â gwneud hynny yn ystod blynyddau cyntaf hunanlywodraeth yn danfon signal tra negyddol i ganol bywyd cyhoeddus.

At bwy y trown i i roi pethau ar waith ond at Fwrdd yr Iaith, yr oedd ei gadeirydd Rhodri Thomas yn hen gymrodor o ddyddiau Cymdeithas yr Iaith ac yn meddu ar feddwl strategol cryf ac ymroddiad diamheuol i'r achos?

Ar Orffennaf 7, cydsyniodd y pwyllgor â'n awgrym i y dylid comisiynu gan y Bwrdd ddogfen yn gosod allan sefyllfa a rhagolygon y Gymraeg, ynghyd â chyfrif o "flaenoriaethau er sicrhau cynnydd yr Iaith a chreu Cymru ddwyieithog". Awgrymais i yn breifat i Meirion Prys Jones y byddai pwyslais ar dyfu addysg Gymraeg yn briodol.

Gwnaeth swyddogion y Bwrdd eu gwaith yn broffesiynol ac wedi iddyn nhw roi tystiolaeth lafar, fe basiodd y pwyllgor benderfyniad yr oeddwn i wedi'i ddrafftio yn nodi "bod rhaid i gyflawni tasg mor uchelgeisiol â chreu Cymru wirioneddol ddwyieithog olygu strategaeth gydlynus, gyda thargedau o'r math a ddisgrifiwyd yn nogfen y Bwrdd". Nid yn unig hynny, fe ddatganodd y pwyllgor ei fod "yn cefnogi'n gryf y nod o greu Cymru ddwyieithog fel nod cenedlaethol cyraeddadwy, ac am weld gweithredu strategaeth effeithiol er sicrhau cyflawni'r nod".

Cefnogodd yr aelodau Llafur, Christine Chapman, Alun Pugh (Marc 1), ac yn enwedig y meddylgar, gwladgarol, ansectyddol John Griffiths, y cynnig yn gynnes.

Pan gafwyd, o'r diwedd, a than bwysau diddiwedd gan grŵp y Blaid, ddadl yn amser y Llywodraeth ar yr iaith yn haf 2000, fe gynhwyswyd y geiriad uchod ym mhenderfyniad y Cynulliad llawn, a alwodd am adolygiad polisi llawn gan y Pwyllgorau Diwylliant ac Addysg. Roedd y llwybr a arweiniodd at *Iaith Pawb* wedi'i agor. Ac, a 'mod i'n dweud hynny, fe ellid yn hawdd iawn fod wedi methu gwneud.

Y pwyllgor ac nid fi, ar anogaeth Elin Jones os cofiaf i'n iawn, a fynnodd ein bod ni'n ymgymryd ag adolygiad polisi ar y Celfyddydau a Diwylliant cyn bwrw i mewn i Addysg Uwch, sef yr hyn yr oedd y prif was sifil Richard Davies yn pwyso amdano. Mae'n bosibl mai'r nyth cacwn a gododd Cyngor y Celfyddydau gyda'u penderfyniad i 'resymoli' maes theatr-mewn-addysg oedd un ffactor ysgogol, ond doedd dim angen sbardun felly, does bosibl, ym mlwyddyn gyfan gynta'r Gymru Newydd, i ystyried sut y gallai polisi diwylliannol gyfrannu at adfywiad cenedlaethol. Buodd Tom Middlehurst yn ddigon call i gomisiynu ei ymchwiliad ei hunan i Gyngor y Celfyddydau a'i strategaeth ddrama, gan adael i'r pwyllgor gymryd golwg fwy cyfannol ar bethau.

O ystyried y cythrwfl y byddai trafod hunaniaeth a gwahanrwydd Cymreig yn ei achosi flwyddyn yn ddiweddarach, mae'n drawiadol i'r pwyllgor gytuno i "atgyfnerthu hunaniaeth genedlaethol a statws rhyngwladol Cymru" gael ei roi ar ben rhestr y cylch gorchwyl, a oedd yn cynnwys hefyd "hyrwyddo cynhwysiant cymdeithasol a dinasyddiaeth weithgar", "gwella ansawdd bywyd i unigolion a chymunedau" a "phwysigrwydd y diwydiannau creadigol i gyflogaeth".

Roeddwn i'n obeithiol bod modd dod o hyd i gydnawsedd rhwng y cwestiwn cenedlaethol a chyfiawnder cymdeithasol drwy greu gweledigaeth ddemocrataidd, a phwyslais ar gelfyddyd a fyddai'n dehongli realiti bywyd Cymru ac wedi'i gwreiddio yn y gymdeithas. Doedd hynny ddim yn ddigon i gadw Huw Lewis, AC Merthyr, y byddwn yn dod i'w adnabod e'n go lew gyda hyn, rhag mynegi'i ddrwgdybiaeth ddwys am y cyfeiriad at "atgyfnerthu hunaniaeth genedlaethol" pan es i adrodd i'r Pwyllgor Addysg Dan 16 am ein cynlluniau.

Mynnais i gael ymgynghorydd arbenigol ar gyfer yr adolygiad, a chadd y creadigol-dalentog Ceri Sherlock ei benodi o restr fer eithriadol o gryf. Mi gawson swper gyda'n gilydd yn y Topo Gigio a chael ein bod yn cyd-rannu gweledigaeth wlatgar-ddemocrataidd am y sîn gelfyddydol.

Roedd mawr angen ei gefnogaeth e. Pan ddaeth y rhestr tystion darpariaethol o gyfeiriad y gwasanaeth sifil, doedd dim sôn am na Chymdeithas Cerdd Dant, na Barddas, na Chymdeithasau Alawon Gwerin na Dawnsio Gwerin chwaith. "Anweledig!" ys dywedodd Ceri. Yn nes ymlaen mynnodd cyfarwyddydd cwmni dawns (genedlaethol) *Diversions* wrth y pwyllgor na welai fe ddim gwahaniaeth rhwng Cymru ac Awstralia, ond ches i ddim o'r presenoldeb meddwl i nodi bod aborijinis Cymru yn wyn. Ond dyna ni, roedd lle i werthfawrogi'r ffaith fod yr Urdd a'r Eisteddfod Genedlaethol yn gynwysedig yn y rhestr.

Cywirwyd peth ar y diffygion, a chafwyd pobl megis Peter Lord ac Euros

Lewis (o theatr Felin-fach) i roi tystiolaeth. Fe deithiodd y pwyllgor i Gaerfyrddin a Llandudno a Llanfair-ym-Muallt, ac mi fues innau a Ceri ar stad Pen-rhys yn y Rhondda ac mewn ysgolion. Roedd y diddordeb yn fywiog, ac ymarferwyr proffesiynol y celfyddydau yn dangos eu mawr hyfedredd fel gwleidyddion.

Wedi proses hir a throfaus, a thrwy ddirfawr ymdrech a diplomyddiaeth, fe gytunwyd ar adroddiad erbyn hydref 2000. Roeddwn i wedi llwyddo i gael derbyniad, gyda chefnogaeth John Griffiths yn arbennig, i ddiagram o byramid fel ffordd o fynegi'r angen i'r sefydliadau cenedlaethol (y Cwmni Opera, y Gerddorfa, *Diversions*) gael eu hadeiladu ar seiliau cymdeithasol cadarn, gan dynnu ar, a bwydo i mewn i fywyd creadigol y genedl; ac o ddangos pwysigrwydd buddsoddi yn y gwreiddiau, i ryw raddau ar draul y gwariant aruthrol ar y 'banerlongau' bondigrybwyll a oedd hyd y gwelwn i yn trigiannu byd cwbl ysgaredig oddi wrth y gymdeithas a oedd yn eu noddi nhw mor hael. Mi ddarganfyddais er enghraifft mai 23 y cant o chwaraewyr y Gerddorfa Genedlaethol a oedd yn Gymry yn ôl unrhyw ddiffiniad.

Rhan o arwyddocâd diagram y pyramid oedd yr angen i greu marchnad lafur a llwybrau gyrfaol cenedlaethol yn y celfyddydau fel mewn meysydd eraill. Fe ddiflannodd un darn yr oeddwn i wedi'i ysgrifennu am wahanrwydd diwylliannol Cymru o sawl drafft o'r adroddiad cyn i fi lwyddo i'w angori fe yn y fersiwn derfynol (3.15–3.22: yn werth cael pip).

Pan ddaeth yr adroddiad, *Diwylliant Cytûn*, gerbron y Cynulliad llawn, ddechrau 2001, doedd dim amwysedd am ei statws e. Ei 'nodi' a wnaethpwyd. Erbyn hynny roedd y Coalisiwn mewn grym a phawb wedi anghofio am benderfynu ar-y-cyd.

IV Cefnu ar Fabilon

Pan ysgrifennodd etholydd ataf i ym Mehefin 1999 yn mynegi'i bryder ynghylch 'y ngallu i i gynrychioli Ceredigion yn effeithiol yn San Steffan a minnau'n Aelod Cynulliad rhanbarthol hefyd, mi geisiais i gyfiawnhau'n sefyllfa a nodi y byddwn i'n ei adolygu ddiwedd y flwyddyn.

Wrth i'r amser fynd ymlaen, a dim sicrwydd am etholiad cyffredinol tan 2002, roeddwn i'n cael ymdopi â'r ddwy swydd yn gynyddol amhosibl. Roedd baich cadeiryddiaeth pwyllgor yn drwm; roeddwn i'n gyfrifol am ddatbygu polisi ac am ei gydlynu o fewn y Cynulliad; ac roedd gen i ranbarth helaeth, yn ymestyn o Aberdaugleddau i Lanrwst ac o Aberystwyth i'r Gelli Gandryll i ryw gynrychioli.

Nid yn unig hynny, ond roedd Elfyn Llwyd yn cael ei adael yn amlach na pheidio i gynnal caer y Blaid yn San Steffan. "Anodd yw crisialu fy siom a'm syndod at yr holl sefyllfa," meddai fe mewn llythyr at ei dri cyd-AS. Roedd gen i bob cydymdeimlad ag e.

Serch y gallai hynny achosi embaras i Dafydd a Ieuan, ac er bod amheuon mawr ymysg rhai o aelodau'r Blaid yng Ngheredigion, mi benderfynais ymddiswyddo o San Steffan, gan achosi isetholiad. Gallwn i ddadlau bod amgylchiadau Ieuan a Dafydd yn wahanol, a nhwythau'n cynrychioli'r un etholaethau yn Llundain a Chaerdydd. A mi wyddwn i fod dewis da o olynwyr i fi yng Ngheredigion.

Roedd y bwriad i ddisodli Alun Michael o'r Brif Ysgrifenyddiaeth yn gynnar yn Chwefror erbyn hyn yn go sicr, a doedd wybod sut yr effeithiai hyn ar y farn gyhoeddus. Rhaid i'r isetholiad fod drosodd cyn hynny. Roedd hynny'n golygu cael 'y nghais am 'Gantrefi Chiltern' neu 'Faenoriaeth Northsea' i Ganghellor y Trysorlys erbyn Ionawr 5, ac i'r gwrit gael ei gyhoeddi drannoeth i gael isetholiad ar Chwefror 2. A finnau a Llinos ein dau ynghanol dos ddrwg o'r ffliw, hynny a wnaethpwyd.

Y Sadwrn canlynol roedd y Pwyllgor Gwaith yn cwrdd ac mi es yn syth o fan'ny ddiwedd y prynhawn i gynhadledd ddewis Ceredigion yn Nhyglyn Aeron lle cadd Simon Thomas ei ddewis yn ymgeisydd. Ymhen llai na mis fe fyddai'n Aelod Seneddol, gyda 42.2 y cant o'r bleidlais, y DemRhyddiaid wedi adfer eu cefnogaeth i 23 y cant a Llafur â dim ond 14.4 y cant.

Yn ystod yr ymgyrch gosododd rhai o 'nghyfeillion seneddol yn GLOBE UK Gynnig Boreol "yn nodi ymddiswyddiad Mr Cynog Dafis o'r Tŷ hwn ar bwynt o egwyddor ac yn talu teyrnged i'w waith yn y tŷ hwn a thramor, yn enwedig ym maes datblygu cynaliadwy byd-eang ac yn y DG, ac fel cadeirydd sylfaenu GLOBE UK". Diolch o galon, gyfeillion, er mai llwyth gwaith yn fwy nag egwyddor a gymhellodd yr ymddiswyddiad. Doedd rhai o ASau Llafur Cymru, a Jackie Lawrence yn arbennig, ddim yn teimlo mor raslon. Fe osodon nhw welliant i'r cynnig yn gresynu at y ffaith 'mod i'n sbarduno isetholiad bythefnos cyn cyhoeddi rhestr etholiad newydd.

Roedd y pwynt yn un teg, ond ynghylch hanfod 'y mhenderfyniad rwy'n sicr i fi wneud y peth iawn. Cadd Ceredigion AS amser-llawn o'r safon ucha'n deg; llaeswyd y baich gwaith cwbl afresymol ar Elfyn yn y Senedd; lansiwyd gyrfa wleidyddol Simon Thomas, gŵr ifanc y mae'n anodd gorfesur ei botensial fel gwleidydd; ac mi ellais innau gysgu'r nos a chanolbwyntio ar 'y nyletswyddau yn y Cynulliad, lle'r oedd y sefyllfa wleidyddol yn dod yn fwy dyrys wrth i'r wythnosau fynd heibio.

Roeddwn i wedi mynd i'r Senedd yn anfoddog, ac yn llawn rhagfarnau cenedlaetholgar yn erbyn y lle. Ar y cyfan mi lwyddais i beidio cael 'y nenu gan ei swyngyfaredd hi ac roeddwn i'n falch (mwy na heb) o gael dianc.

V Y Disodli: Amcan 1, Alun Michael a Rhodri Morgan

Buodd yna lawer o sôn yn ystod ymgyrch etholiad 1999 am 'arian cyfateb' i raglen Amcan 1, sef y cyllid yr oedd yn rhaid wrtho fe er mwyn gallu tynnu ar y symiau sylweddol ar gyfer datblygu'r economi a fyddai ar gael o'r cronfeydd strwythurol Ewropeaidd (£1.2 biliwn dros saith mlynedd).

Dro ar ôl tro fe ddyrnodd Dafydd Wigley y neges adref: oni bai bod Llywodraeth Prydain yn darparu arian cyfateb, yn ôl ysbryd y cronfeydd strwythurol, byddai'n rhaid dod o hyd i adnoddau felly o gyllideb y Cynulliad ei hun, a hynny ar draul gwasanaethau craidd megis addysg a'r economi. Cododd Dafydd y pwnc yn un o gyfarfodydd cynta'r Cynulliad mewn cwestiwn i Alun Michael, ond doedd gan hwnnw ddim ateb heblaw ailadrodd addewid Tony Blair na fyddai fe'n "gollwng Cymru lawr".

Ond fel y daeth yn amlwg drwy waith anhygoel Phil Williams, roedd y broblem yn fwy sylfaenol na hynny. Pe bai profiad y gorffennol yn cael ei ailadrodd, fyddai'r cyllid Ewropeaidd *ei hunan* mewn gwirionedd yn ddim ond rhith: doedd dim unrhyw warant y byddai'r arian hynny'n ychwanegol o gwbl i'r gyllideb graidd. Roedd Gareth Wyn Jones wedi dangos mai felly roedd pethau ym maes rhaglenni Ewropeaidd megis Tir Cymen, yr oedd y Comisiwn Ewropeaidd i fod i gwrdd â hanner eu cost ond a oedd mewn gwirionedd yn cael eu cyllido'n gyfan gwbl mas o'r gyllideb Gymreig.

Heb unrhyw amheuaeth dyma gwestiwn cwbl dyngedfennol, o ran sylwedd ac o ran propaganda. Gwladwriaeth Prydain drwy ryw fath o gonsuriaeth gyfrifyddol yn dwyn arian yr oedd Ewrop wedi'i glustnodi i'r gwaith o godi safon byw a pherfformiad yr economi yng Nghymru, a thrwy hynny'n creu problem ariannol enbyd i'r Cynulliad yn ei fabandod.

Allai ymgyrchu ar hyn ddim llai na bod yn brif flaenoriaeth i'r Blaid, ac roedd hefyd yn ffitio i strategaeth y lletem. Sut na ellid gorfodi Llafur Cymru, a Llafurwyr Cymreig-eu-hanian, i ymrestru dros fuddiannau eu cenedl yn hytrach nag amddiffyn polisi anghyfiawn gan Lywodraeth Lafur yn San Steffan?

Rhowd cic-off digon effeithiol i'r ymgyrch drwy ddadl arbennig y Blaid yng Ngorffennaf 1999, er bod tueddd yn gyson i eglurder y stori gael ei golli mewn ymrafaelion am gymhlethdodau cyfrifyddol. Wedi hynny, fe fuodd y cwestiwn yn diwn gron. Danfonwyd llythyr yn amlinellu'r dadleuon at gynghorau a chyrff cyhoeddus yn yr hydref, ac yn ei araith lywyddol yng Nghynhadledd y Blaid gwnaeth Dafydd Wigley hi'n glir y byddai grŵp y Blaid yn trin y cwestiwn fel mater o hyder yn Alun Michael. Y Cynulliad fel corff a oedd â'r hawl i benodi a diswyddo'r Prif Ysgrifennydd.

Yr unig beth a allai ei achub fyddai i Lywodraeth y DG, a'r Canghellor yn benodol, ddatgan y sicrhaen nhw y byddai cyllid Amcan 1 a'r cronfeydd strwythurol eraill (llai o lawer) yn ychwanegol i gyllideb graidd y Cynulliad. Drwy fethu â gwneud hynny, gan ddatgan yn ddiddiwedd nad oedd hynny'n bosibl tan i ganlyniadau'r Adolygiad Cyffredinol ar Wariant (y CSR bondigrybwyll) gael eu cyhoeddi yng Ngorffennaf 2000, fe adawodd Blair a Brown i Alun Michael druan hongian ar y lein ddillad yn gwbl ddiymgeledd.

Roedd y goelbren wedi'i bwrw ar gyfer Chwefror 9, 2000, drannoeth y ddadl ar gyllideb y Cynulliad pan fyddai'r dystiolaeth ynghylch presenoldeb neu absenoldeb y cyllid Ewropeaidd mewn du-a-gwyn.

Y cwestiwn oedd, beth wedyn?

Mewn trafodaeth yn gynnar ar ôl toriad yr haf, dywedodd Dafydd Wigley wrtha i ei fod e wedi dod i'r casgliad mai'r unig ffordd o roi datganoli 'nôl ar y cledrau oedd drwy ffurfio clymblaid rhwng Llafur a'r Blaid, ac efallai'r DemRhyddiaid yn ogystal. Mi ddywedais wrtho 'mod innau wedi dod i'r un casgliad. Roedd Ieuan yntau, er yn llai pendant efallai, yn symud i'r un cyfeiriad.

Ddwywaith buodd Ieuan a finnau, dros fwyd yn yr Armless Dragon (gydag Adam Price yn bresennol) yn trafod y posibilrwydd gyda Kevin Morgan, cadeirydd Ymgyrch Ie dros Gymru, a addawodd drosglwyddo'r neges i Rhodri Morgan. I

Kevin roedd disodli Alun Michael yn hanfodol er mwyn achub y 'prosiect' yr oedd e'n credu mor angerddol ynddo: buodd e'n ymbil yn daer arnon ni i beidio gwanio yn ein bwriad.

A oedd modd argyhoeddi grŵp y Blaid a'r Pwyllgor Gwaith bod angen strôc ddychmyglawn o'r math a rhoi sylwedd i'r dyhead am goalisiwn coch-gwyrdd yr oedd rhai ohonon ni wedi gobeithio amdano gyhyd? Yn ail, a oedd modd yn y byd i ddenu Llafur i'r cyfryw bartneriaeth?

Testun tristwch yw'r ffaith fod Dafydd Wigley yn absennol oherwydd salwch yn ystod y cyfnod yma, er iddo gymryd rhan mewn un cyfarfod estynedig arbennig a gynhaliwyd yn swyddfa cwmni Prysg nid nepell o Dŷ Gwynfor.

Yn y cyfarfod hwnnw mi ddadleuais i y byddai parhad llywodraeth leiafrifol yn dwysáu'r dadrithiad a holl bwrpas datganoli; tra byddai clymblaid yn galluogi sefydlu cabinet cryf a gweithredu rhaglen bolisi bwrpasol ac ynddi elfennau pwysig o bolisi'r Blaid. Pe bai Llafur yn gwrthod y cynnig, fe fyddai hynny ynddo'i hunan yn *coup* bropagandyddol o bwys.

Dadleuodd Dafydd, Ieuan, Phil ac Owen John Thomas yn gryf o blaid, ond roedd ysbryd sectyddiaeth ac ansicrwydd yn gryf ymysg eraill, a methwyd â chael mwyafrif o blaid. Pan gyflwynodd Ieuan y cwestiwn i'r Pwyllgor Gwaith tua'r un adeg, heb gymaint o argyhoeddiad ag y byddwn i wedi dymuno, rhaid i fi ddweud, pleidleisiodd mwyafrif yn erbyn.

Roeddwn i'n cael y diffyg gweledigaeth eang, yr anallu i feddwl yn ddychmyglawn-feiddgar, a'r cilio rhag unrhyw risg, a hynny ar adeg o argyfwng cenedlaethol, yn eithriadol o rwystredig.

Ar yr un pryd roedd 'na amheuon mawr ynghylch Rhodri Morgan fel Prif Ysgrifennydd credadwy. A oedd yna bosibilrwydd arall? Hyn, a'r syniad am goalisiwn, oedd pwnc y trafod pan gwrddais i â Ron Davies tua diwedd 1999 dros bryd o fwyd ym mwyty'r Wharf ar Lanfa'r Iwerydd. Ar ôl ei holl anffodion, gan gynnwys ei ddisodli o gadair y Pwyllgor Datblygu Economaidd, lle roedd e wedi bod yn ddraenen ddidostur yn ystlys Alun Michael, roedd Ron wedi rhoi trefn ar ei fywyd, yn eithriadol o heini o gorff ac yn gwbl raselaidd ei feddwl.

Roedd e wrth ei fodd, meddai fe, â phopeth roedd e'n ei glywed o gyfeiriad aelodau'r Blaid. Roedd e'n gyfan gwbl gefnogol i'r syniad o goalisiwn, naill ai heb neu gyda'r DemRhyddiaid. Ond tra'n llwyr gymeradwyo'r bwriad i ddisodli Alun Michael, roedd ei rybudd e'n daer y byddai Rhodri Morgan yn drychineb fel Prif Ysgrifennydd.

A oedd unrhyw bosibilrwydd y gallai Ron gymryd y rôl, ac ailgydio yn y broses yr oedd e wedi'i harwain drwy'r camau cyntaf mor fedrus? Oedd efallai, jest. Beth pe bai'r gwrthbleidiau yn cynnig ei enw e, a'i gwneud hi'n glir nad oedd Rhodri'n gymeradwy? Y cyfan roedd ei eisiau'n ychwanegol oedd i nifer o Lafurwyr ei gefnogi. Fyddai gan y grŵp Llafur fawr iawn o ddewis ond derbyn, a gellid mynd ati i ffurfio'r llywodraeth goalisiwn newydd.

Cawd dau gyfarfod pellach, a Ieuan yn bresennol, yr ail ohonyn nhw yng Nghrugeryr, cyn i resymeg oer ein gyrru ni i'r casgliad na chymrai Llafur mo'u cyfarwyddo yn y modd yma. Rhoddwyd y ffidil yna yn y to, ond rwy'n dal, o bryd i'w gilydd, i ddychmygu sut y gallai pethau fod pe baen ni wedi mentro ar antur mor anhygoel o feiddgar. Ar hyd yr amser, wrth gwrs, roedd bytheiaid y wasg yn llechu ac yn gwylio'u cyfle i rwystro Ron rhag cael ei ddwylo yn agos i unrhyw awenau.

Yn y ddadl ar y gyllideb ar Chwefror 8, meddai Phil Williams, "Mae'r gyllideb hon yn ddigywilydd o anghyfiawn… Byddwn ni'n atal ein pleidlais arni hi heddiw a mynegi'n hanfodlonrwydd dwfn drwy bleidlais o ddiffyg hyder yfory".

Drannoeth, Ieuan oedd yn agor y ddadl, gan mai newydd ddychwelyd i'r tresi yr oedd Dafydd. Roedd Alun Michael, yn gyndyn hyd y diwedd, wedi paratoi ystryw a allai, fel y credai fe, ei achub e, sef rhoi llythyr ymddiswyddiad dirybudd i'r Llywydd cyn y bleidlais, gan fwriadu i'r grŵp Llafur alw blŷff y gwrthbleidiau drwy ei ailgynnig drannoeth. Cadwodd Dafydd Êl ei ben yn feistrolgar. Erbyn diwedd y prynhawn roedd hi'n glir bod Alun Michael wedi colli cefnogaeth ei grŵp ei hun, ac fe gerddodd Rhodri Morgan idd ei deyrnas ar y trydydd cynnig.

Mae o leiaf ddau hypothesis ynghylch penderfyniad Blair i flocio ail gynnig Rhodri Morgan am yr arweinyddiaeth drwy annog Alun Michael i'r swydd. Y cyntaf yw ei fod e am luddias unrhyw duedd i ddatganoli a chenedlaetholdeb Cymreig rhag magu momentwm, drwy roi'i ufudd was, minimalist o ddatganolwr, yng ngofal pethau. Dyna'r lein yr oedd hi'n siwtio'r Blaid i'w rhoi ar led yn ystod ymgyrch 1999. Yr ail yw ei fod e'n bryderus y byddai Morgan, yr oedd e eisoes wedi gwrthod swydd iddo fe yn ei lywodraeth, yn gwneud smonach o bethau: am achub datganoli roedd e mewn geiriau eraill. Rwy'n tueddu'n gryf at yr ail o'r ddau hypothesis.

Roedd araith Rhodri Morgan ddiwrnod ei ethol yn Brif Ysgrifennydd ar Chwefror 15, yn rhagweladwy o siomedig. Doedd ganddo fe ddim rhaglen bolisi i'w chyflwyno, a welon ni ddim arwydd o hynny weddill y cyfnod cyn sefydlu'r llywodraeth goalisiwn yn yr hydref.

Yr hyn a gafwyd oedd y math o wamalrwydd ffug-werinaidd a fabwysiadodd fel marc ei arweinyddiaeth. Fe ddisgrifiodd ei araith agoriadol fel " 'y ngweithred gyntaf yng nghrys Cymru gydag *armband* y capten". Onid oedd e wedi gwireddu'r hen air, 'tri chynnig i Gymro'? Ha, ha. Nod amgen y Cymry fel cenedl meddai fe oedd pwyslais ar "y werin nid y crachach": y werin a oedd "yn gosod gwleidyddiaeth rywle tua'r pum-deg-seithfed safle yn rhestr eu diddordebau". Roeddwn i'n gwingo wrth wrando arno fe.

Gwir, roedd 'na galondid yn ei gyfeiriad at y *Catch 22* Cymreig: os oeddech chi am ddod ymlaen roedd rhaid i chi gefnu; a bod rhaid i ni "ddatrys y broblem yna yng Nghymru". Ond pan gododd dadl ffyrnig ynghylch yr union fater flwyddyn yn ddiweddarach, bradychu'r cyfle i ddangos arweiniad wnaeth Morgan, a phandro i'r elfennau mwyaf adweithiol-wrthGymreig yn rhengoedd ei blaid.

Siaradodd Dafydd Wigley yn gynnes gadarnhaol wrth longyfarch y Prif Ysgrifennydd newydd. Fe awgrymodd y gallai'r llywodraeth newydd gyflwyno yn flynyddol raglen lywodraeth y gellid ei thrafod gyda'r pleidiau eraill, er mwyn cael yr undod mwyaf posibl wrth ei gweithredu. "Rwy'n gobeithio," meddai fe, "y gwelwn ni'r llwyddiant y mae'n cenedl ni'n dyheu amdano ac sydd mor angenrheidiol i sicrhau llwyddiant y Cynulliad." Roedd Dafydd yn dal i ddefnyddio iaith gwleidyddiaeth gynhwysol.

Ond siomedig fuodd ymateb Morgan i gynnig y Blaid, gan nad oedd coalisiwn ar y ford, i ddod i ddealltwriaeth er mwyn cyflawni'r llwyddiant yna, ar wahân i barodrwydd o leiaf i gydnabod problem ychwanegedd cyllid Amcan 1, i frwydro dros hawliau Cymru yn y mater hwnnw, ac i gryfhau annibyniaeth Swyddfa'r Llywydd. Doedd e ddim yn fodlon ymrwymo i ofyniad canolog y Blaid, sef i sefydlu cynhadledd arbennig o dan nawdd y Llywydd i ystyried pwerau a model llywodraethu'r Cynulliad.

Efallai bod dau beth yn werth eu nodi am arweinyddiaeth Morgan dros y misoedd nesaf. Fe benderfynodd arddel y term 'gweinidog' yn lle 'ysgrifennydd' a chael sioc ei fywyd pan ddeallodd e mai'r cyfieithiad priodol o *First Minister* oedd 'Prif Weinidog'.

Yn ail, fe fwriodd gynllun adeilad newydd y Cynulliad i'r pair a chreu amheuaeth fawr am ei ddyfodol. Roedd ei reddfau popiwlistaidd yn ei wneud e'n ddrwgdybus o'r cychwyn o gynllun cyffrous Richard Rogers. Oni bai am gadernid a sgiliau rheoli Edwina Hart, a'r ffaith i grŵp y Blaid ddal ei dir ar y pwnc, er gwaethaf amheuon rhai, fyddai'r adeilad newydd ddim wedi cael ei adeiladu, a byddai rhaid i Gynulliad Cenedlaethol Cymru bara i gwato yn erchyllbeth pensaernïol Tŷ Crughywel. Buasai arwyddocâd symbolaidd hynny, yn 'y marn i, yn rymus o negyddol. Rwy'n ymfalchïo yn y rôl a chwaraeais i yn y stori fach annibwys yma.

VI Llywyddiaeth y Blaid

Er i Dafydd Wigley gael gwellhad llwyr yn dilyn mân-lawdriniaeth ym mis Rhagfyr, a dod 'nôl i'r tresi erbyn canol Chwefror, 'y nheimlad i oedd ei fod e ymhell o fod ar ei orau, ac yn brin o'r egni anhygoel a oedd wedi arfer ei nodweddu e. Doedd e erioed wedi cilio oddi wrth lwyth gwaith, ond yn amgylchiadau newydd datganoli, roedd yr hyn yr oedd gofyn iddo ei wneud yn awr, fel y gwelwn i bethau, yn gwbl afresymol.

Roedd e'n llywydd ar blaid a oedd yn anterth ei llwyddiant, ag arni fawr angen ei harwain drwy gyfnod o addasu go radical er mwyn manteisio ar ei chyfle a'i chyfrifoldeb newydd. Roedd y Blaid hefyd yn wynebu sialens etholiad San Steffan a oedd debycaf o ddigwydd yn 2001, a'r angen yn glir i brofi nad grawn unnos oedd llwyddiannau 1999. Serch y byddai'n sefyll i lawr o San Steffan bryd hynny, Dafydd, â'i sgiliau ymgyrchu gwych, oedd yr un amlwg i arwain yr ymgyrch honno. Roedd e'n AS ac yn AC dros ei etholaeth, ac yn treial treulio o leiaf beth amser yn San Steffan yn ogystal â bod yn amlwg yng ngwaith y Cynulliad ei hunan.

Ar ben popeth arall roedd e'n arwain grŵp o 17, prif wrthblaid y Cynulliad, yr oedd angen i'w aelodau fe fod ar flaenau'u traed ddydd ar ôl dydd, eu pynciau ar flaenau eu bysedd ac yn effro i symudiadau tactegol, gan gadw mewn cof y nod o ddod yn brif blaid y Cynulliad yn etholiad 2003. Doeddwn i ddim yn teimlo bod y grŵp yn perfformio gystal ag y gallai fe.

Doedd dim arwydd bod Dafydd yn ystyried addasu ei lwyth gwaith. Buodd Ieuan a finnau, cyd-weithwyr agos iddo fe dros y blynyddau yn San Steffan, ac yn awr yn y Cynulliad, yn trafod y sefyllfa, a sut i ymlwybro. A ddylen ni geisio barn aelodau eraill y grŵp? Yn bendant na, medden ni; byddai hynny'n llechwraidd ac yn cael ei weld, yn gwbl ddealladwy, fel cynllwyn. Ym mis Ebrill 2000 fe wnaethon ni drefniadau i gwrdd â Dafydd yn ystafell arweinydd y grŵp gyda'r nos.

Os cofiaf i'n iawn, fi a dorrodd y garw. Mi roddais ar y bwrdd beth oedd sail ein pryder, ac awgrymu'n syml y dylai Ieuan gymryd at arweinyddiaeth y grŵp, fel roedd e wedi gwneud dros gyfnod absenoldeb Dafydd. Gallai'r trefniadau hyn aros yn eu lle tan etholiadau San Steffan, er mwyn galluogi Dafydd i ganolbwyntio ar arwain y Blaid ac ar yr ymgyrch seneddol a oedd ar ddod. Gadawyd pethau ar hynny a chytunwyd i gwrdd eto ymhen yr wythnos.

Yn yr ail gyfarfod aethpwyd dros yr un tir, a'r un awgrym. Ond roedd Dafydd, yn ôl ei arfer, yn meddwl ymlaen. Doedd hi ddim ond yn iawn, meddai fe, iddo fe gael bod yn glir am y dyfodol. Beth am y cyfnod wedi etholiad San Steffan? Nid mater i Ieuan na finnau wrth gwrs oedd penderfynu hynny.

Dyna'r pryd yr yngenais i eiriau nad oedden nhw i fod yn y sgript o gwbl. "Wel, Dafydd," meddwn i, "efallai y dylet ti dderbyn y posibilrwydd na fyddi di'n parhau'n Llywydd y Blaid ar ôl y flwyddyn nesaf." Rwy'n difaru hyd y dydd heddiw i fi yngan y geiriau, ond roeddwn i'n gwirioneddol gredu bod yr impetws wedi mynd mas o arweinyddiaeth Dafydd, a'i bod hi'n bryd i Ieuan, yr unig ymgeisydd credadwy arall, i gael ei gyfle.

Syrthiodd gwedd Dafydd yn weladwy, ond fe ymadawon â'n gilydd yn hollol gyfeillgar. Byddai yntau yn ystyried pethau ymhellach.

Symudodd pethau'n fuan wedyn. Yn nes ymlaen yn yr wythnos roedd Dafydd yn cwrdd â'i arbenigydd calon. Cadd y grŵp wŷs i ddod i Landudno i gwrdd â Dafydd, ac yn swyddfa etholaeth Gareth Jones, fe ddarllenodd ddatganiad i ni ei fod e, ar gyngor meddyg, yn rhoi'r gorau i arweinyddiaeth y grŵp a Llywyddiaeth y Blaid.

Rhoddwyd trefniadau ar waith ar gyfer ethol llywydd. Awgrymodd mwy nag un i fi y dylwn i 'y nghynnig 'yn hunan, ond roeddwn i eisoes wedi ymrwymo i gefnogi Ieuan, a pheth bynnag, a bod yn onest, roeddwn i'n cilio rhag derbyn y math yna o gyfrifoldeb.

Erbyn diwedd Gorffennaf roedd Ieuan wedi'i ethol yn Llywydd gyda mwyafrif llethol dros Helen Mary Jones a Jill Evans ac yn fuan wedyn fe aildrefnodd ei gysgod-gabinet.

Traddododd Dafydd ei araith olaf fel arweinydd grŵp yn y Cynulliad yng Ngorffennaf 2000. Roedd Edwina Hart newydd wneud datganiad ynghylch canlyniad yr Adolygiad Cyffredinol ar Wariant a chyhoeddi y byddai symiau ychwanegol sylweddol ar gael i'r Cynulliad ar gyfer y rhaglenni Ewropeaidd – yr enwog 'Barnett+'.

Meddai Dafydd, "Heb fodolaeth y Cynulliad, nid oes amheuaeth na fydden ni ddim wedi cael buddugoliaeth yn y frwydr hon". Canmol y Cynulliad roedd Dafydd am wneud. I ba raddau yr oedd y fuddugoliaeth allweddol hon yn ganlyniad defnyddio o'r gwrthbleidiau eu cyhyrau gwleidyddol yn helynt Alun Michael does neb a ŵyr ond Tony Blair a Gordon Brown. Yr hyn sy'n sicr yw y gallen nhw, petaen nhw wedi ewyllysio hynny, fod wedi achub ei groen e.

Erbyn i'r Cynulliad ailgyfarfod yn yr hydref, roedd Llafur a'r DemRhyddiaid wedi cytuno i ffurfio llywodraeth glymblaid. Roedd holl naws y gweithgareddau ar fin newid.

VII Clymblaid

Daeth y cyhoeddiad am y coalisiwn o fewn dyddiau i Ieuan rybuddio cyfarfod estynedig o grŵp y Blaid yn Llandrindod fod y peth yn anochel. Erbyn canol mis Hydref roedd Rhodri Morgan wedi cyhoeddi aelodau newydd ei Gabinet, a oedd yn cynnwys Mike German fel Gweinidog Datblygu Economaidd a Dirprwy Brif Weinidog, Jenny Randerson yn Weinidog Diwylliant a'r Iaith Gymraeg, a Jane Davidson yn Weinidog Addysg a Dysgu Gydol Oes.

Roedd Tom Middlehurst wedi ymddiswyddo mewn protest yn erbyn ffurfio'r coalisiwn, ac mi ysgrifennais ato yn mynegi gwerthfawrogiad o'i ymddygiad cadarnhaol a diddichell dros gyfnod ein cydweithio ni. Roedd 'y mywyd i fel cadeirydd pwyllgor ar fin newid yn sylfaenol.

Hefyd fe gyhoeddwyd rhaglen bolisi'r 'llywodraeth bartneriaeth' newydd, honno'n tynnu'n helaeth ar ddeunydd o faniffesto 1999 y DemRhyddiaid, ffrwyth gwaith yr egnïol-alluog Gareth Jones, eu cyfarwyddydd polisi nhw, a oedd wedi gwneud gwaith o safon uchel dros y Sefydliad Materion Cymreig. (Dros doriad y Nadolig, cyn cwymp Alun Michael, roeddwn i wedi cael cyfarfod gyda Gareth Jones a Chris Lines yn nhafarn y Plough, Rhos-maen, ger Llandeilo, i archwilio tir cyffredin mewn polisi gyda golwg ar ffurfio coalisiwn.)

Mi drefnais i'n tîm ymchwilwyr fynd â chrib fân drwy *Rhoi Cymru'n Gyntaf* er mwyn i grŵp y Blaid fod mewn sefyllfa i gadw llygad barcud ar ddelifrad y rhaglen gan y weithrediaeth newydd, ac er mwyn dangos fod gyda ninnau raglen amgen. O hyn ymlaen fe fyddai hi'n anoddach i gyhuddo Llywodraeth Cymru o fod â llechen lân lle dylai fod yna raglen bolisi, a hefyd i ysgrifennu unrhyw beth ar y llechen honno.

Roedd Ieuan yn benderfynol o symud y pwyslais, yn yr amgylchiadau newydd hyn, i wrthbleidiaeth glir, gan roi heibio unrhyw syniad o wleidyddiaeth gynhwysol. Y ffaith amdani oedd nad oedd dim dewis arall. Yn y sesiwn gwestiynau gyntaf o dan yr oruchwyliaeth newydd, dyma Dafydd Êl yn ffanfferu'r teitl, "Arweinydd yr Wrthblaid" wrth alw Ieuan, ac yn disgrifio Nick Bourne fel "Arweinydd y Ceidwadwyr Cymreig". Roedd y Llywydd yn bwrw ymlaen â'i genhadaeth bersonol yntau o symud y Cynulliad yn gynyddol tuag at fodel o lywodraethu seneddol confensiynol.

O'r cychwyn, mabwysiadodd Ieuan arddull fwy cyfwynebol SanSteffanaidd yn ei wrthdrawiadau wythnosol, amlach weithiau, â Rhodri Morgan, gan dynnu ar yr holl fatri o driciau trefnyddol megis pwyntiau o drefn er mwyn cyflawni'r rôl wrthbleidiol yn effeithiol. Fe fyddai'n paratoi'n ofalus, ac fe sefydlodd ei hygrededd fel arweinydd yn burion. Ond o ran meddwl ar ei draed, storio ffeithiau yn ei ben a'u galw i gof yn ôl yr angen, a dod o hyd i'r ymadrodd bachog (yn Saesneg, ond yn bendant ddim felly yn Gymraeg), roedd Morgan yn gryn gamster, a go anfynych y byddai Ieuan yn ei lorio fe'n llwyr.

Fe gynyddodd tuedd grŵp y Blaid i ddewis pynciau dadl a allai beri anesmwythyd i Lafur a dwyn elw etholiadol i ni. Cafwyd mwy nag un ddadl ar y cynllun iawndal i'r glowyr er enghraifft a dwy ar y mwstwr oedd wedi codi yn sgil y *tick-box* bondigrybwyll ar ffurflen Cyfrifiad 2001.

Yn absenoldeb Gareth Jones dros gyfnod o salwch, buodd yn rhaid i fi gymryd at y llefaryddiaeth, a roeddwn i'n awyddus i hoelio'r Llywodraeth ar gwestiwn y setliad ariannol i ysgolion a oedd yn achosi teimladau cryfion ymysg athrawon.

Roedd Phil, gyda'i hud-a-lledrith cyfrifyddol arferol, wedi cynhyrchu ystadegau i ddangos bod y bwlch rhwng gwario y pen ar addysg yng Nghymru a Lloegr – rhyw £600 miliwn dros dair blynedd – yn cyfateb bron yn union i'r diffyg yng nghyllid y cronfeydd strwythurol Ewropeaidd o ganlyniad i ddiffyg ychwanegedd cyflawn ac arian cyfatebol. Dyna gymhariaeth flasus dros ben. Gwadu bod y fath beth â bwlch gwario yn bod a wnaeth Jane Davidson, gan brofi unwaith eto (meddwn i) mai amddiffyn polisïau Llafur San Steffan oedd blaenoriaeth Llafur Cymru, nid cynrychioli buddiannau eu gwlad eu hunain.

Mi'i ces i hi ar y rhaffau yn go lew fis Mawrth, 2001, yn sgil *tip-off* gan y sector Addysg Uwch, mai 0.6 y cant o godiad a fyddai ar gael iddyn nhw ar gyfer 2002 (toriad mewn termau real) er bod 5.4 y cant o godiad wedi'i ddarparu yn y llinell gyllideb. Y sector, a finnau, yn camddeall meddai Ms D, ond buodd rhaid i'r Cyngor Cyllido symud yn go handi i gywiro'r diffyg.

Rwy'n falch o allu galw i gof, serch hynny, na roeson ni'r gorau i gyflwyno cynigion polisi blaengar a chredadwy yn ystod y cyfnod yma. Yn gefn i hynny roedd gyda ni gyfres o ddogfennau polisi sylweddol wedi'u comisiynu gan arbenigwyr mewn cydweithrediad â fi ac uned bolisi'r Blaid o dan oruchwyliaeth Lila Haines. Cafwyd, er enghraifft, ddogfen ragorol ar Gwricwlwm Cenedlaethol i Gymru gan yr Athro Richard Daugherty, un arall ar y Proffesiwn Athrawon gan David Egan a chan Dyfan Jones ar feichiau biwrocrataidd mewn ysgolion. Trafodaeth 'awyr las' wedyn gan Gwynn Pritchard ar wasanaeth darlledu cenedlaethol. Yn nes ymlaen, a chynlluniau'r coalisiwn i ailstrwythuro'r gwasanaeth iechyd o dan y lach, fe gyhoeddon ni ddogfen wych gan yr Athro Siobhan McClelland o Brifysgol Morgannwg ar bolisi iechyd.

At ei gilydd, serch hynny, llugoer-feirniadol neu watwarus oedd agwedd llefaryddion y coalisiwn, a'r Torïaid hefyd, at y blaengareddau rhagorol yma. Erbyn hyn, cael yr afael drechaf ar eich gwrthwynebydd oedd perwyl trafodaethau'r Cynulliad. Aeth y Blaid hithau, ac aelodau'r grŵp, yn gynyddol sgeptigaidd am y syniad o wrthbleidiaeth adeiladol.

Doedd pethau ddim yn rhwydd ar y llywodraeth glymblaid. Daeth argyfwng Clwy'r Traed a'r Genau i lyncu amser ac adnoddau, a rhoi pwysau mawr ar y Gweinidog Carwyn Jones a ddaeth drwy'r tân, serch hynny, yn groeniach. Daeth cyfres o ddatganiadau am golli swyddi mewn gweithgynhyrchu, sylfaen economi Cymru.

Ond yr hyn a anharddodd y fenter yn fwy na dim oedd helynt Mike German, ac yn arbennig driniaeth Rhodri Morgan ohono.

Fis Mai 2001, fe gyfeiriodd Cyd-bwyllgor Addysg Cymru (CBAC) adroddiad arbennig gan gwmni Bentley-Jennison ar weithgareddau Uned Ewropeaidd CBAC at yr heddlu i ystyried a fyddai erlyniad troseddol yn briodol. Roedd yr adroddiad, y daeth copi ohono fe i'n dwylo ni, yn dra beirniadol o'r ffordd yr oedd yr Uned Ewropeaidd wedi gweinyddu prosiectau a oedd yn tynnu ar gyllid y Comisiwn. Roedd perygl real y byddai'n rhaid i CBAC, corff cenedlaethol o'r pwysigrwydd mwyaf nad oedd heb ei broblemau ariannol go ddifrifol, dalu cymaint â miliwn o bunnau 'nôl i'r Comisiwn Ewropeaidd. Pennaeth yr Uned yn ystod y cyfnod dan sylw oedd Mike German, a oedd yn awr, fel Gweinidog Datblygu Economaidd, yn gyfrifol am redeg cynllun Amcan 1 a'r cronfeydd strwythurol eraill.

Ar ôl astudio'r dogfennau, 'y marn i, a dderbyniwyd gan y grŵp, oedd nad oedd dim dewis amdani ond galw ar i Mike German sefyll i lawr o'i swydd yn y cabinet tan i'r holl ymchwiliadau gael eu cwblhau.

Hynny a fuodd ddechrau'r haf, a rhygnodd y saga gymhleth, amheus ac annymunol, gan gynnwys cwynion am ymgysylltu amhriodol â'r heddlu er mwyn prysuro'u hymchwiliadau, ymlaen tan i'r penderfyniad gael ei wneud yn gynnar yn 2002 nad oedd yna ddigon o dystiolaeth yn erbyn Mike German i gyfiawnhau erlyniad. Serch hynny, rhaid fuodd i CBAC ad-dalu cyfran fawr o'r cyllid Ewropeaidd 'nôl i'r Comisiwn.

Drwy gyfnod neilltuad dros-dro German, ailgymerodd Morgan at y swydd datblygu economaidd yr oedd wedi mynnu ei chadw wedi iddo fe ddod yn Brif Weinidog drwy wanwyn a haf 2000. Wedi hir ddisgwyl terfyn ymchwiliadau'r heddlu a Gwasanaeth Erlyn y Goron, aeth y pwysau'n drech na Morgan a buodd rhaid iddo benodi Andrew Davies yn Weinidog Datblygu Economaidd yn Chwefror 2002. Diwedd y gân fuodd i Mike German ddisodli Carwyn Jones fel Gweinidog Datblygu Economaidd, a chael cyfrifoldeb am 'Gymru a'r Byd' a dychwelyd yn Ddirprwy Brif Weinidog yn y fargen.

Mae hi'n anodd gorbwysleisio gymaint o ansefydlogi a fuodd ar bolisi datblygu economaidd o ganlyniad i gamdrafod Rhodri Morgan ar y gwaith – cyfnod o fisoedd wedi cwymp Alun Michael pan oedd y Prif Weinidog hefyd yn gyfrifol am yr economi, rhyw naw mis wedyn gyda Mike German yn cymryd ati (ac yn ôl Phil Williams yn dechrau cael rhyw drefn ar bethau); wedyn Rhodri Morgan yn cymryd y swydd 'nôl i'w ofal ei hunan o haf 2001 tan i Andrew Davies ei chymryd yn Chwefror 2002. Hyn oll pan oedd y gwaith tyngedfennol o lunio strategaeth economaidd genedlaethol a phenderfynu ar sut i wario symiau mawr o arian Ewropeaidd yn digwydd. Does ryfedd gymaint y dadrithiad o golli cyfle mor hanesyddol.

Cymysg yw'r dyfarniad ar lwyddiant ymdrechion y DemRhyddiaid i roi cyfeiriad i'r llywodraeth glymblaid. Bradychwyd yr ymrwymiad i beilotio Bagloriaeth Gymreig drwy gyfaddawdu ar hanfod y cysyniad. Fe fethodd eu hymrwymiad nhw i warchod ysgolion bach gwledig ag achub un ysgol y gwn i amdani. Camgymeriad mawr oedd eu cydsyniad nhw i ailstrwythuro trychinebus Jane Hutt ar y Gwasanaeth Iechyd. Ar y llaw arall, roedd cyflwyno Grant Dysgu'r Cynulliad i roi cymorth ariannol i fyfyrwyr addysg uwch a phellach yn gryn gamp. Tebyg bod sefydlu Cyswllt Ffermio wedi bod yn fanteisiol.

Coron eu hymdrechion, fodd bynnag, oedd eu dylanwad yn sefydlu Comisiwn Richard a gyflawnodd wrhydri wrth argymell sefydlu senedd ddeddfwriaethol i Gymru. Nid arnyn nhw y mae'r bai bod Rhodri Morgan a Llafur Cymru wedi bradu'r fath gyfle mor waradwyddus.

Mae dyn yn diflasu wrth feddwl sut y byddai pethau wedi bod heb barodrwydd y DemRhyddiaid i gymryd y risg gwleidyddol o fynd i glymblaid gyda Llafur.

VIII Cefndeuddwr

Chlywais i ddim o gyfweliad Seimon Glyn ar *Radio Wales* ddechrau 2001, ond pan ges i'r hanes roeddwn i'n gwybod y byddai hi'n stori fawr. Roedd y sôn yn gryf fod y mewnlifiad, yn sgil cyflwr y farchnad dai, eto ar gerdded wedi degawd o ataliad. Roedd hi eisoes yn 'y meddwl i, a finnau'n gyfarwyddydd polisi, i fynd i'r afael â'r pwnc – wedi etholiad San Steffan.

Rhoi llais wnaeth Seimon Glyn i *angst* diymadferth-dafotrwym caredigion y Gymraeg yn wyneb argyfwng eu bychanfyd diwylliannol. Serch iddo fe ddefnyddio rhai ymadroddion ag arnyn nhw sawr rhagfarn, y bachodd y cyfryngau a gelynion cenedlaetholdeb arnyn nhw gydag awch, roedd gen i empathi naturiol, os nad cydymdeimlad llwyr, â Seimon Glyn.

Mewn cyfarfod yn Nhŷ Gwynfor fe fuodd 'na sôn am ei ddiarddel, am ei ddisgyblu, ac am sut y gellid 'cau'r drafodaeth lawr' er mwyn yr ymgyrch etholiadol. Mi wyddwn i nad oedd modd, ac na ddylid, mygu trafodaeth ar bwnc mor astrus-arwyddocaol, ac y byddai diarddel neu ddisgyblu yn anghyfiawn ac yn hunan-niweidiol.

Welais i ddim o ymosodiad Glenys Kinnock ar *Question Time*, na Dimbleby yn tynnu papur rhag-gynlluniedig y dyfyniad o'i boced, na methiant Ieuan i ddelio â'r pwnc. Dywedodd un o'i etholwyr e wrtha i yn Nhafarn y Rhos, Sir Fôn, nos drannoeth, cyn cyfarfod o brifathrawon yr oeddwn i wedi mynd yna i'w annerch, fod ei galon yn gwaedu dros Ieuan wrth wylio'r rhaglen.

Roedd hi'n amlwg i fi nad oedd dim dewis gan y Blaid, fwy nag yn 1987, ond gafael yn y pwnc yn onest, yn gydymdeimladol ac yn oleuedig. Yn y cyfarfod yn Nhŷ Gwynfor mi gynigiais gwrdd â Seimon Glyn er mwyn cytuno datganiad cyhoeddus a allai ailsefydlu hygrededd y Blaid ymysg ei chefnogwyr craidd tra'n diogelu ei henw da fel plaid gynhwysol-flaengar, gwbl wrth-hiliol, ymysg y gwybodusion a'r cyhoedd.

Erbyn y cyfarfod hwnnw yn swyddfa etholaeth Aberaeron, roeddwn i wedi paratoi datganiad dau dudalen i'w gyflwyno i'r Cyngor Cenedlaethol fis Chwefror a'i ryddhau i'r cyfryngau. Cafwyd trafodaeth gyfeillgar-ddiffuant a chytunodd Seimon Glyn i'r datganiad, serch ei amheuon am y cyfeiriad at "hawl pobl i symud ac i fyw pa le bynnag y mynnan nhw o fewn yr Undeb Ewropeaidd" ac y byddai "unrhyw ymdrech i gyfyngu ar hyn yn annerbyniol ac yn rhwym o fethu". Fe dderbyniwyd y datganiad 'Ymfudiad yng Nghymru Wledig' gan y Cyngor.

Roedd Seimon Glyn wedi'i ddyrchafu'n ryw fath o eicon ymysg llawer o garedigion y Gymraeg, ond wnaeth e ddim lles i'w hunan drwy ei ymosodiad ciaidd ar Ieuan yng nghyfarfod sefydlu Cymuned, na'r bygythiad y gallai fe ystyried sefyll yn erbyn ymgeisydd y Blaid mewn etholiad. Buodd rhaid ei ddwyn o flaen y Pwyllgor Gwaith, yn un o'r cyfarfodydd mwyaf emosiynol-rwygiadol y bues i ynddo erioed, ond cymodi a wnaethpwyd, a'r Blaid yn profi, nid am y tro cyntaf, gryfed ei greddf i gynnal ei hunoliaeth.

Ond roedd 'na ysictod yn ei rhengoedd hi. Fe wyddai Helen Mary Jones am y drwg a wnaeth y ddadl i enw da'r Blaid, er mor gwbl anghyfiawn hynny, ymysg lleiafrifoedd ethnig. Soniodd Jocelyn Davies wrtha i am ei phryder hi ac eraill ynghylch y canfyddiad o wrth-Seisnigrwydd. Ac mi welais Janet Ryder, mewnfudwraig, Pleidwraig bybyr, yn cerdded mas o brif fynedfa'r Cynulliad yn ei dagrau.

Fe achosodd ymrwygo'r Blaid lawenydd nid-esgus yn rhengoedd Llafur Cymru. Bron na allwn i glywed yr ochenaid o ryddhad yn eu mysg wrth i'r 'cenedlaetholwyr', yr oedd eu cyfraniad i waith y Cynulliad wedi bod mor annisgwyliadwy o adeiladol a gwâr a blaengar, fel pe bai'n dangos eu gwir liwiau. Chollon nhw ddim cyfle i daflu parddu hiliaeth ac eithafiaeth ar y Blaid a'r mudiad cenedlaethol.

Os ydych chi am brofi blas eu bustl, yn ddeallus, yn ddetholus-dreiddgar ac yn rhethregol feistrolgar, darllenwch araith y cymhleth-angerddol Richard Edwards i'r Cynulliad ar Fawrth 29, 2001. Dyma ymosodiad ffyrnig a chyfleolaidd ar y mudiad cenedlaethol wedi'i wisgo yn nillad parch gwrthrychedd ddadansoddol, gwrth-hiliaeth ac argyhoeddiad moesol. Darllenwch 'yn ymateb gofalus, aneffeithiol braidd, innau i'r ddadl. Mae'n loes i fi orfod dweud i Edwina Hart hyd yn oed ffaelu â gwrthsefyll rhyw gymaint o apêl y band-wagen yn y ddadl yma.

Os gwnaeth unrhyw fudiad ymdrech fwy dilys i ymateb yn adeiladol i'r helynt na Phlaid Cymru, ddes i ddim ar ei draws e. Gofynnodd Ieuan i Dafydd Wigley a Janet Davies arwain tasglu ar gwestiwn cartrefi yn y cefn gwlad. Cynhyrchwyd adroddiad trwyadl-broffesiynol a chynhaliwyd dadl am ei argymhellion yn y Cynulliad.

Fe ymwelodd Elwyn Vaughan a finnau â Gaeltacht Iwerddon a chynnal cyfres o gyfarfodydd â'r awdurdodau yno. Mi baratois innau adroddiad manwl am yr hyn y gellid ei ddysgu o'r profiad Gwyddelig a'i gyflwyno i'r Fforwm Polisi.

Ddechrau wythnos yr Eisteddfod Genedlaethol fe lansiwyd dogfen go gynhwysfawr 'Yr Iaith Gymraeg a'i Chymunedau' yr oeddwn i wedi'i pharatoi. Bwydodd y gwaith yma drwyddo i ddwy ddogfen bolisi ar 'Adfywiad yr Iaith Gymraeg' ac ar 'Gynllunio, Economi a Thiriogaeth' (gan Colin Williams) a lansiwyd flwyddyn yn ddiweddarach, ac i faniffesto'r Blaid at etholiad 2003.

I raddau helaeth fe adferwyd hygrededd y Blaid ymysg ei chefnogwyr craidd, ond roedd drwg wedi'i wneud i'r gefnogaeth ehangach. Pan ddaeth canlyniadau arolwg ar y colli tir a ddioddefodd y Blaid yn ei chadarnleoedd yn etholiad 2001 i law, fe welwyd mai ymysg y di-Gymraeg a'r mewnfudwyr yr oedd y gefnogaeth wedi cilio. Fe gollwyd Môn.

Yn gyfochrog â'r stori ddiflas uchod, roedd saga anniben yr adolygiad polisi ar Addysg Uwch, y ces i'r fraint arteithiol o'i gadeirio fe, yn ymagor.

Pan gychwynnodd yr adolygiad ym mis Hydref 2000, roedd gen i nifer o syniadau ynghylch yr hyn roeddwn i'n gobeithio'i gyflawni ac y gellid o bosibl gael consensws arnyn nhw, serch bod lle i ofni y byddai aelodau Llafur y pwyllgor, a oedd yn cynnwys Huw Lewis, Janice Gregory a Lorraine Barrett yn ogystal ag Alun Pugh, yn debyg o fod yn llai 'sampa' na'r cyfeillion yn yr hen bwyllgor, a'r Gweinidog Jane Davidson yn sicr o fod yn fwy o bolitisian o dipyn na Tom Middlehurst.

Mae'r syniadau hynny ar gof a chadw gen i ar ddwy ochr dalen a roddais i o dan drwyn Jane Davidson yn haf 2001, pan oedd Gareth Jones yn absennol oherwydd salwch, a finnau'n gorfod arwain dros grŵp y Blaid yn ogystal â chadeirio mor ddiduedd ag y gallwn i. Mi fues yn cwnsela cryn dipyn gyda Phil Williams ar hyd y daith.

I ddechrau, mi welwn i gyfle i gyflawni peth o fusnes anorffenedig Goronwy Daniel a oedd wedi ceisio, ddiwedd yr wythdegau, i ddatblygu Prifysgol Cymru yn gorff gwirioneddol ffederal, gydag elfen arwyddocaol o gynllunio canolog a chydweithio rhyng-sefydliadol er mwyn goresgyn problemau maint-bychan cynifer o sefydliadau addysg uwch (SAU) Cymru. Wedi mynychu seminar gan Addysg Uwch Cymru (AUC) ar 'Ragwelediad Cymreig: Prifysgolion yn y Dyfodol' fis Medi, roedd hi'n edrych yn debyg i fi fod rhybudd Goronwy Daniel yn 1988 yn fwy gwir nag erioed, sef bod y peryglon i holl SAU Cymru "yn ddifrifol ... os na chydweithredan nhw i gwrdd â sialensau'r oes bresennol".

Hunan-fudd Caerdydd ac Abertawe, a'u bygythiad i gefnu ar Brifysgol Cymru, a sabotajiodd ymdrechion Goronwy Daniel. Ond ers dechrau'r nawdegau roedd bodolaeth Cyngor Cyllido Addysg Uwch Cymru (CCAU) wedi newid popeth, fel y pwysleisiodd Phil i fi. Fe allai Caerdydd ac Abertawe gerdded mas o'r brifysgol genedlaethol debyg iawn, ond allen nhw byth â chefnu ar CCAU, a oedd yn dal llinynnau'r pwrs. A chwedyn roedd y mecanwaith yn bod i greu system addysg uwch-genedlaethol wirioneddol, â'i sefydliadau mewn perthynas o rwydweithio cydweithredgar agos â'i gilydd, am y tro cyntaf. Fel'ny y gwelwn i ystyriaethau codi cenedl ac effeithlonrwydd academaidd yn dod ynghyd.

Blaenoriaeth arall oedd cael cydnabyddiaeth o leiaf i'r angen i SAU Cymru ddenu cyfran uwch o lawer o fyfyrwyr Cymru. Ar wahân i'r SAU galwedigaethol megis Morgannwg a Chasnewydd roedd y gyfran yn druenus o isel. Dyma obsesiwn oes yn dod i'r amlwg, fel y gwnaeth e droeon mewn cyfraniadau i ddadleuon ar yr economi, datblygu cynaliadwy ac addysg a hyfforddiant. Yn ystod helynt Seimon Glyn, mi ddadleuais dros shifftio pwyslais y drafodaeth o fewnfudiad, nad oedd modd gwneud cymaint â chymaint i'w reoli, i allfudiad, y gellid, o leiaf mewn theori, wneud llawer iawn iddi ei atal e.

Y cysylltiad a welwn i rhwng y cwestiwn cenedlaethol fan hyn ac agenda Llafur o ehangu mynediad oedd y sgôp i gryfhau'n sylweddol y cysylltiadau rhwng SAU a'u cymunedau, a'r broses o'u hadfywhau. Roeddwn i wedi lleddrefnu, yn y ciw cinio ryw ddydd, i gael sgwrs â Huw Lewis, y gwyddwn i'n iawn am ei ddrwgdybiaeth e o'r cwestiwn cenedlaethol, er mwyn archwilio posibilrwydd cydsyniad, ond esgeulusais i wneud y trefniadau. Gymaint y mae gweithrediadau bychain di-nod, neu'r methiant i'w cyflawni nhw, yn cyfrif yn y broses wleidyddol.

Roeddwn i'n benderfynol hefyd o sicrhau ymrwymiad i helaethu darpariaeth Gymraeg yn y sector. Roeddwn i'n gweld sgôp yma i gyflwyno cysyniad y Coleg Ffederal Cymraeg yn esiampl dda o'r math o gydweithio rhyngsefydliadol yr oedd Goronwy Daniel wedi'i gefnogi.

Mewn perthynas â'r ddau bwynt olaf, mi feddyliais ar unwaith am gael tystiolaeth gan Dafydd Glyn Jones, a oedd i fi yn cynrychioli disgleirdeb deallusol Cymraeg ar ei fwyaf llachar yn ogystal â dycnwch anhygoel ac argyhoeddiad eirias.

Roeddwn i wedi gobeithio cael David Egan, Athro Addysg yn Athrofa Addysg Prifysgol Cymru Caerdydd, yn ymgynghorydd arbenigol. Gofalodd y mwyafrif Llafur mai Les Hobson, Dirprwy-brifathro Prifysgol Morgannwg a gadd ei benodi a buodd rhaid i finnau amddiffyn y penodiad yn wyneb y nyth cacwn drwgdybus a gododd o gyfeiriad y sefydliad addysg uwch. Gwnaeth Les Hobson ei waith yn drylwyr-systematig a chydwybodol, ond tecnocrataidd oedd ei ddynesiad a doedd ganddo fe ddim affliw o syniad am, nac empathi at, y cwestiwn cenedlaethol.

Bwriwyd ymlaen yn drefnus ddigon â'r gwrandawiadau, ag AUC wedi sefydlu gweithgorau arbennig i ymateb i gyflwyniadau'r tystion arbenigol, bron y cyfan ohonyn nhw o Loegr. Roeddwn i'n gymharol bles bod pethau'n symud i'r cyfeiriad iawn.

Yna, ar brynhawn bythgofiadwy Mai 17, fe ymddangosodd Dafydd Glyn Jones, ochr-yn-ochr â chynrychiolwyr Bwrdd Addysg Gymraeg y Brifysgol, o flaen y pwyllgor. Roedd datganiad llafar Dafydd yn gwbl ddidramgwydd, a thir cyffredin rhyngddo fe a phobl y Bwrdd yn dod i'r golwg.

Ond roedd e wedi cyflwyno tystiolaeth ysgrifenedig ar ffurf casgliad o ysgrifau yr oedd e wedi'u hysgrifennu drwy gyfnod ei ymgyrchu dros Goleg Ffederal Cymraeg. Roedd y rheini yn herfeiddiol, yn finiog ddychanol ac yn drymlwythog o eironi. Gall y darllenydd sydd am olrhain yr hanes droi at 'yn ysgrif i yn *Barn* Gorffennaf-Awst 2000. Digon yw dweud yma bod y camddeall a'r camliwio ar sylwedd tystiolaeth Dafydd Glyn gan y grŵp Llafur, a'u ceffyl blaen Huw Lewis yn arbennig, mor hurt-grotesg ag yr oedd e yn warthus o anghyfiawn.

Gymaint oedd dicllonedd Huw Lewis fel iddo yn y fan-a'r-lle roi cynnig gerbron y pwyllgor y dylid "dileu dogfennaeth Papur 5 o unrhyw ystyriaeth… y dylai'r pwyllgor beidio â chymryd unrhyw sylw pellach ohono; mae hi islaw ein hintegriti i wneud hynny". Fe wrthodais roi'r cynnig i bleidlais, ond mi gynigiais gwrdd â Huw Lewis, ynghyd â Lorraine Barrett a Janice Gregory, i drafod eu pryderon nhw.

Daeth y clerc Chris Reading a phennaeth adran y pwyllgorau, Marie Knox, i'r cyfarfod, ac mi ges eu cefnogaeth lwyr i wrthsefyll unrhyw ymdrech i sensro tystiolaeth Dafydd. A gadael naill ochr holl gwestiwn rhyddid llafar, gwnaeth y ddau, Saeson digymysg o darddiad, hi'n glir na welen nhw ddim byd gwrthun ("*offensive*") yn nhystiolaeth Dafydd. Yn nes ymlaen fe wrthsafodd Marie Knox yn gadarn awgrym Jane Davidson y dylid cael proses o ffiltro tystiolaeth i sicrhau ei bod hi rywsut yn gymeradwy.

Roedd cynnig nesaf Huw Lewis, a ddaeth gerbron cyfarfod nesa'r pwyllgor ar Fai 23, yn datgan na fyddai dogfennau Dafydd Glyn "yn cael eu cynnwys yn y dystiolaeth a gâi ei chrynhoi ar gyfer ein trafodaethau terfynol" ac yn galw ar yr ymgynghorydd arbenigol i beidio cynnwys y papur fel tystiolaeth. Yn dilyn cyngor y clerc mi ddyfernais mai yn y cyfarfod nesaf y câi'r cynnig ei drafod, a phleidleisio arno.

Nid heb gryn ymdrech a threfnu ar 'yn rhan i y cododd yr adwaith yn erbyn symudiad Huw Lewis. Mi ges gefnogaeth wych gan Dafydd Elis Thomas, a chan John Marek fel cadeirydd panel y cadeiryddion. Mi apeliais yn breifat am gymorth Edwina Hart. Ysgrifennodd Kevin Morgan lythyr hallt i'r *Western Mail*. Llofnododd nifer sylweddol o academyddion lythyr yn gresynu at yr ymdrech i sensro. Daeth llythyr nerthol gan Derec Llwyd Morgan. Dadansoddodd John Osmond y digwyddiadau yn un o gyhoeddiadau Sefydliad Materion Cymreig. Cyhoeddodd Ned Thomas erthygl rymus yn *Planet*. Dros doriad yr haf mi gyhoeddais innau, yn gwbl amhriodol i gadeirydd tybiedig ddiduedd, ysgrif go ymosodgar yn *Barn*.

Rhwng cyfarfodydd Mai 23 a Mehefin 13, mi roddais ar ddeall i'r Gweinidog y byddwn i'n ymddiswyddo pe bai cynnig Huw Lewis yn pasio. Tebyg ai o wybod hynny y cyflwynwyd cynnig newydd yn gresynu at beth o eiriad Dafydd Glyn, ac yn datgan y byddai'r pwyllgor yn "llwyr anwybyddu y farn oddrychol yn y papur, gan ffocysu'n unig ar yr argymhelliad sybstantif, yn briodol o drwyadl a gwrthrychol".

Roedd colyn sensoriaeth wedi'i dynnu, a digon wedi'i ennill i fi beidio ag ymddiswyddo, ond mi welwn i gynsail peryglus yn cael ei osod drwy fod y pwyllgor, ymhell cyn diwedd y trafod, yn pasio barn elyniaethus ar eitemau o dystiolaeth. Dros y bwrdd brecwast mewn gwesty yn Belffast, lle roedd y pwyllgor ar ymweliad, mi argyhoeddais y Tori Jonathan Morgan o ddilysrwydd y pwynt, serch ei fod yntau mor ddirmygus â neb o dystiolaeth Dafydd Glyn.

Roedd y DemRhyddiad Eleanor Burnham, yr oeddwn i wedi dod yn hoff iawn ohoni, yn glir ei gwrthwynebiad i lein y grŵp Llafur. Ond ar y bws rhwng y maes awyr a Chaerdydd fe glustfeiniodd cynorthwyydd personol Jane Davidson ar sgwrs rhwng Eleanor a fi. Ganol dydd drannoeth, diwrnod y pwyllgor, dyma Eleanor yn drallodus ar y ffôn. Roedd hi wedi dod dan bwysau annioddefol. Yng nghyfarfod y prynhawn fe siaradodd, yn ddewr, yn erbyn y cynnig, a phleidleisio o'i blaid e. Daliodd Jonathan Morgan at ei air. Pasiwyd y cynnig o chwech i bedwar.

Y siomedigaeth fwyaf i fi oedd ymddangosiad Alun Pugh Marc 2. Yn ystafell y wasg mi welais ddatganiad ganddo fe o dan y pennawd, '*First Seimon Glyn, now Dafydd Glyn*'. Roedd e wedi ymuno â'r helgwn. Pan ofynnodd *Golwg* am sylwadau Rhodri Morgan, roedd y rheini yn gwbl *inane*. Roedd e'n meddwl fod papur Dafydd Glyn yn un "od iawn. Hynny yw, fi ddim mo'yn bod yn bersonol i Dafydd Glyn Jones, ond oedd e'n gwneud i fi feddwl am Saunders Lewis." Wel, inyff sed! Go brin y gwyddai Morgan fod Dafydd Glyn yn un o'r awdurdodau pennaf ar SL.

O hynny ymlaen, roedd y gobaith am ddeialog gall ar ben. Mewn sesiynau caeëdig i dreial cytuno prif themâu'r adroddiad, gwrthwynebodd y Grŵp Llafur unrhyw gyfeiriad at ddenu mwy o fyfyrwyr o Gymru i SAU eu gwlad. Roedd yr agwedd at addysg Gymraeg yn llugoer ac at Goleg Ffederal yn elyniaethus. Welwn i ddim gobaith am adroddiad cytunedig. Ond rhoddodd Jane Davidson ar ddeall i fi ei bod hi'n awyddus i sicrhau hynny.

Mewn cyfarfod arbennig mi gyflwynais iddi restr o "syniadau allweddol" fel sail bosibl i gytundeb. Yn eu mysg roedd y geiriau: "Y dylai fod atal llif yr ifainc talentog o Gymru i dderbyn AU yn cael ei gydnabod fel problem, ac y dylid siarsio CCAU, ar y cyd ag eraill, i lunio strategaeth i annog cyfran arwyddocaol uwch o fyfyrwyr Cymru i dderbyn AU yng Nghymru." Mi adewais y cyfarfod yn glir 'y meddwl fod y Gweinidog wedi ildio, ac ar gorn hynny, mi gyfarwyddais i'r clerc i gynnwys deunydd ar y pwnc yn y drafft adroddiad.

Pan ddaeth y drafft yna gerbron y pwyllgor yn yr hydref roedd collfarn Huw Lewis ac eraill yn ddeifiol galed, a'r Gweinidog yn fud. Ymddiriedais i fyth wedyn yn Jane Davidson; roedd y berthynas rhyngon ni wedi torri lawr yn llwyr.

Buodd yn rhaid i grŵp y Blaid fodloni ar gynnwys eu cefnogaeth i'r polisi yma ac i Goleg Ffederal fel gwelliannau gwrthodedig yng nghwt yr adroddiad. Fe fyddai'n well o lawer pe baen ni wedi gwrthod â thanysgrifio i'r adroddiad yn ei grynswth. Rhyddhad mawr i fi maes o law fuodd i Gareth Jones gymryd cadeiryddiaeth y pwyllgor yn rhan o aildrefnu'r cysgod-gabinet. O hyn ymlaen, mi allwn ddatgan 'y marn yn ddiflewyn-ar-dafod.

Newidiodd perthynas Llafur â'r Blaid yn sylfaenol yn sgil digwyddiadau 2001. Roedd strategaeth y lletem, a'r gobaith am greu bloc gwyrdd-goch, wedi methu'n llwyr. Nid ni ond Llafur a yrrodd y lletem, yn ddwfn, rhyngddi hi a'r gymuned Gymraeg, ac a'r mudiad cenedlaethol. Does dim amheuaeth nad elwodd Llafur yn etholiadol, ond roedd y pris yn un uchel: pwysleisio'r gwahaniaethau a chadarnhau'r rhaniadau sy'n sigo cymaint ar yr ewyllys i godi cenedl yng Nghymru. Mae'n anodd maddau i'r sawl a ganiataodd i hyn ddigwydd, ac i Rhodri Morgan yn enwedig.

IX Tanseilio

Does fawr o gyfiawnder ym myd gwleidyddiaeth. Fe berfformiodd Ieuan yn gwbl gredadwy ar lawr y Cynulliad ac mewn cyfweliadau cyfryngol dro ar ôl tro. Fe fyddai'n gwneud ei waith cartref yn ofalus. Buodd ei araith lywyddol yng Nghynhadledd y Blaid 2001 (y ces i ran yn ei chyfansoddi) yn llwyddiant ysgubol. Fe allai ar adegau dueddu i fod yn benstiff, ond at ei gilydd fe ddangosodd barodrwydd canmoladwy i gymryd cyngor er mwyn adeiladu ar ei gryfderau a chywiro'i wendidau.

Ond roedd cysgod *Question Time* yn para i'w lethu e, a'r ymosodiadau arno fe o bob cyfeiriad drwy haf 2001 yn giaidd ac yn gyson. Buodd colli Môn yn etholiad cyffredinol y flwyddyn honno yn ergyd iddo, er mai'r wers amlwg oedd mai wedi iddo fe sefyll lawr y digwyddodd hynny.

Doeddwn i byth yn peidio â rhyfeddu at y ffordd y llwyddodd e i ddal y pwysau. Ond dyna'r math o ddyn yw e. Adnabyddais i erioed wleidydd mor ymroddedig, mor drylwyr, mor driw i'w gymrodyr, mor gyndyn, mor wydn, mor glir ei annel, mor barchus o fanylder ac ymarferoldeb, mor gyfan gwbl broffesiynol yn yr hyn roedd e'n ei gweld fel uchel-alwedigaeth. 'Y mhrofiad dros gyfnod hir o'r rhinweddau pwysig yma a barodd i fi ei gefnogi e i'r llywyddiaeth a thrwy gyfnod ei arweinyddiaeth o grŵp y Cynulliad. Doedd gen i ddim amheuaeth na wnâi e Brif Weinidog Cymru cwbl gredadwy.

Ar y llaw arall does dim modd gwadu rhai gwendidau: diffyg ystwythder athronyddol a chwimder mewn dadl, a thuedd at y gorochelgar. Mae'n bosibl, yn oes y pacedu a'r PR nad oedd Ieuan ddim yn nwydd digon gwerthadwy. I fi, a gadd ei fagu i barchu'r sylwedd a dirmygu'r arwynebol, mae hwnna'n fwy o gompliment na dim byd arall.

Roedd prif ohebydd y *Western Mail* yn y Cynulliad, Clive Betts, yn ei ffansïo'i hunan fel tipyn o awdurdod ar y mudiad cenedlaethol yn ei holl agweddau. Onid oedd e wedi bod yn aelod gweithgar o'r Blaid ac yn olygydd y *Welsh Nation* wythnosol ddechrau'r saithdegau, ac onid oedd e wedi ysgrifennu llyfr digon treiddgar ar y Gymraeg yn ei chadarnleoedd, *Culture in Crisis*? Roeddwn i wastad wedi cael perthynas adeiladol iawn â Clive, ac fe gyhoeddodd ysgrif ar helynt Dafydd Glyn Jones a fuodd o gryn gymorth.

Ond yn haf 2001, fe fuodd yn pedlera yn ei golofnau stori fod yna gynllwyn ymysg grŵp y Cynulliad, a chymaint â naw o'r aelodau yn ei gefnogi, i ddisodli Ieuan fel arweinydd ac ailorseddu Dafydd Wigley. Profwyd drwy holi manwl nad oedd dim byd agos i naw wedi mynegi unrhyw anfodlonrwydd am Ieuan, er i rai yn sicr gyfleu teimladau felly i Clive. Does fawr o amheuaeth chwaith nad oedd Clive yn cael ei borthi gan aelodau o'r Blaid o'r tu hwnt i'r Cynulliad. Datganodd Dafydd Wigley nad oedd ganddo unrhyw fwriad o ddychwelyd i'r arweinyddiaeth a'i fod yn cefnogi Ieuan, ond fe barhaodd y *Western Mail* i roi sylw amlwg i'r hyn a oedd, i raddau helaeth iawn, yn ffuglen.

Cawd cyfarfod arbennig o'r grŵp ac fe draddododd Dai Lloyd o'r gadair siars gystwyol am deyrngarwch ac undod, ac am gefnogaeth i Ieuan, mor llym ag a glywais i erioed.

Yng Ngorffennaf 2001, cytunodd dirprwy-olygydd y *Western Mail,* Alastair Milburn, i gyhoeddi llythyr gen i yn gwrth-ddweud ei honiadau. Ond pan ffacsiais i lythyr deifiol ond cwbl deg ato, yn codi amheuon am safon newyddiaduraeth Clive, fe wrthododd ei dderbyn e. "A oeddech chi mewn difrif," meddai fe, "yn disgwyl i fi gyhoeddi'r fath ymosodiad fitriolig ar aelod o'n staff i? ... Rwy'n fodlon i chi wrth-ddweud y stori, ond nid yn y dull personol yma". Un peth a ddysgais i yw bod newyddiadurwyr yn amharod iawn i odde'r math o ymosodiadau y maen nhw'n fwy na pharod i'w harllwys i gyfeiriad eraill. Ond roedd Milburn yn sylweddoli ei fod e ar dir sigledig fel y gwelodd Karl Davies a finnau pan aethon ni i gwrdd ag e yn ei swyddfa.

Ar Ionawr 15, 2002, fe gymhellodd Karl Davies grŵp y Blaid i derfynu unrhyw gydweithio â Clive Betts, drwy beidio â rhyddhau datganiadau iddo fe, na'i wahodd i gynadleddau i'r wasg. Gofynnodd y grŵp i Karl lunio canllawiau ar gyfer delio â'r sefyllfa ac i ymgynghori â grwpiau San Steffan a'r Senedd Ewropeaidd. Chofiaf i ddim beth a ddigwyddodd wedyn, ond yn bersonol roeddwn i wedi hen golli amynedd a wnes i fawr iawn â Clive wedyn.

Roedd gan y Blaid neges gref a chlir ar gyfer etholiad 2001, yr etholiad San Steffan cyntaf wedi datganoli. Ers dechrau 2000 ac isetholiad Ceredigion roeddwn i wedi datblygu dadansoddiad, yn seiliedig ar waith Phil, Victor Anderson a Lila Haines, o'r ffordd yr oedd polisïau llywodraeth Llafur Newydd yn tanseilio ffyniant a hyfywedd Cymru.

Drwy wrthod codi gwario cyhoeddus (am dair blynedd gyntaf eu cyfnod), drwy ddibynnu ar lefel llog yn hytrach na threthu'r cyfoethog i reoli chwyddiant, drwy wasgu ar bensiynau a budd-daliadau, roedd Prydain yn mynd yn gymdeithas fwyfwy anghyfartal, yn gymdeithasol ac yn rhanbarthol. Roedd yr agwedd at y cronfeydd strwythurol ac amaethyddol Ewropeaidd, a'r amharodrwydd i adolygu fformiwla Barnett yn ychwanegu at y darlun o lywodraeth a oedd yn gwbl ddibris o anghenion Cymru. Pam y dylai unrhyw ddinesydd Cymreig gefnogi plaid yr oedd ei pholisïau mor niweidiol idd eu gwlad? A pha ddadl a allai fod yn erbyn cefnogi plaid a oedd yn bod, ar lefel San Steffan, i gynrychioli buddiannau, a gwerthoedd, Cymru yn ddilestair.

Roedd gyda ni argymhellion hollol synhwyrol ar gyfer cryfhau polisi rhanbarthol a chreu cymdeithas decach, a'r rheini wedi'u cyllido â chynnydd mewn trethi i'r cyfoethog a fyddai hefyd yn tynnu peth o'r gwres allan o'r farchnad gartrefi. Cafwyd lansiad llwyddiannus-argyhoeddiadol i'r Maniffesto yng ngwesty'r Hilton.

Fe wnaethpwyd defnydd da o ddadleuon arbennig y Blaid yn y Cynulliad i gyflwyno'r dadansoddiad a'r feddyginiaeth, yn enwedig wrth i argyfwng gweithgynhyrchu, asgwrn cefn economi Cymru, ddod o dan bwysau oherwydd cryfder y bunt, llogau cymharol uchel a globaleiddio.

Ond roedd yr ymgyrchu cyhoeddus dan gysgod parhaus y cyhuddiadau o eithafiaeth a hiliaeth, a Paul Starling yn y *Welsh Mirror* yn cyflawni'i swydd-ddisgrifiad, a mwy na hynny, gyda'i ysgrifeniadau croch-hysterig.

Roedd hi'n bosibl dehongli canlyniad etholiad 2001 fel llwyddiant drwy gymharu'r canlyniadau ag etholiad San Steffan 1997, yn hytrach na phenllanw 1999. Roedd canran pleidlais y Blaid yn ôl y gymhariaeth yna wedi codi o 9.9 y cant i 14 y cant, trwch blewyn o flaen y DemRhyddiaid, ac roedd y gloyw Adam Price wedi ennill Dwyrain Caerfyrddin a Dinefwr, lawen chwedl. Ond roedd Môn wedi'i cholli i Lafur. Ac roedd Glyn Davies yn go agos i'w le pan ddywedodd e wrtha i y buasai cymhariaeth â 1999 wedi bod yr un mor ddilys. Y ffaith amdani oedd bod hyrfa llwyddiant y Blaid wedi'i harafu os nad ei hatal.

X Eto Fyth: yr Iaith Gymraeg

Pan fynegodd Huw Lewis ei amheuaeth a ddylid treulio amser y pwyllgor yn cynnal adolygiad polisi ar ddyfodol y Gymraeg, ac yn enwedig ynghylch defnyddio ymadroddion tra phroblematig megis 'gwrthdroi shifft iaith', roedd gen i (a finnau'n dal am gyfnod eto yn y gadair) ateb parod iddo fe. Ufuddhau roedden ni i orchymyn y Cynulliad llawn yn haf 2000, a oedd hefyd (gyda llaw) wedi pasio'n unfrydol benderfyniad "yn cefnogi'n gryf greu Cymru ddwyieithog fel nod cenedlaethol cyraeddadwy, ac am weld gweithredu strategaeth effeithiol er sicrhau cyflawni'r nod". Roedd Tom Middlehurst wedi datgan yn ddifloesgni nad oedd "unrhyw lywodraeth yn San Steffan erioed wedi bwrw'i thaith i gyrraedd y fath amcanion diamwys o blaid dwyieithrwydd yng Nghymru" a bod "rhaid i ni roi'n harian lle roedd ein cegau ni" yn y mater yma. Ond, wedi ymrafaelion 2001, doeddwn i ddim yn hyderus am y canlyniadau.

Fodd bynnag, roedd Llafur hithau wedi cael ei chlwyfo gan yr ymrafaelion hynny. Doedd gyda nhw ddim i'w ennill o gadarnhau ymhellach eu henw fel gelynion yr iaith a'r mudiad cenedlaethol, ac roedd yr asgell bro-Gymreig erbyn hyn – Carwyn Jones, Ron Davies, Peter Law ac eraill – wedi penderfynu ymladd 'nôl. Yn raddol fe ffrwynwyd Huw Lewis ac aeth sgeptigiaeth eraill – Lorraine Barrett yn nodedig yn eu plith – drwy broses hollol ddilys o newid yn eu hagweddau.

Rwy'n siŵr i Delyth Evans, yr oedd ei chefnogaeth i'r Gymraeg yn ddwfn-ddiamheuol, ac a roddwyd yn gyfrifol fel Dirprwy-weinidog Diwylliant am yr adolygiad, chwarae rôl ganolog yn hyn. Gwnaeth parodrwydd Jennie Randerson y Gweinidog Diwylliant hithau i feistroli'r maes a bwrw'i choelbren o blaid yr iaith, gryn argraff arnaf i. O fewn y grŵp Torïaidd gwnaeth Glyn Davies waith allweddol.

Roeddwn i'n bryderus braidd am safon y dystiolaeth y byddai 'mudiad yr iaith' yn ei gyflwyno, ac ar un adeg fe fynegodd Rhodri Glyn Thomas, a lywiodd yr adolygiad yn hynod o ddeheuig o gadair y Pwyllgor Diwylliant, ei bryder ynghylch y safon. Doedd 'yn ymdrechion i i hyrwyddo sefydlu mudiad iaith newydd ddim wedi dwyn ffrwyth, ond yn dilyn cyfarfod gyda Cefin Campbell, Heini Gruffudd, Dylan Phillips, Heather Gregory a Llinos Dafis, fe roddwyd trefniadau ar waith i godi arian i gyflogi person penodol, a chanddo gryn arbenigedd yn y maes, i ddatblygu'r agenda bolisi ac i gydlynu'r cyflwyniadau. Aeth y cynllun yna i'r gwellt pan gadd y gŵr ifanc dan sylw swydd ym Mwrdd yr Iaith.

Fodd bynnag, gydag amser fe dderbyniwyd tystiolaeth o ansawdd uchel, er enghraifft gan Fwrdd yr Iaith, Rhieni Dros Addysg Gymraeg a Mentrau Iaith Cymru. Daeth Nick Gardner, gwneuthurwr polisi ar adfywio'r Fasgeg, o Ewscadi i esbonio'r hyn a oedd ymlaen fan'ny. Daeth pentwr o dystiolaeth ysgrifenedig, gan gynnwys 'Ymostyngiad gan y Democratiaid Rhyddfrydol Cymru'.

Roedd Eirlys Pritchard Jones, yr oeddwn wedi'i hannog i ymgeisio i fod yn ymgynghorydd arbenigol, yn foddion rhy gryf i'r grŵp Llafur, ond wrth gefnogi Dr Catrin Redknap fe sicrhawyd gwasanaeth ac arbenigedd llawn cystal. Rhannwyd cylch gorchwyl yr adolygiad rhwng y Pwyllgor Diwylliant a'r Pwyllgor Addysg, gyda Gareth Jones yn cymryd at gadeiryddiaeth yr ail.

Roedd peth ansicrwydd yng ngrŵp y Blaid ynglŷn â pharodrwydd i gytuno i adroddiad cytunedig, a thuedd ymysg rhai i wneud deddf iaith newydd yn bwynt sodlau-yn-y-tir. Mi ddadleuais i'n gryf, ac yn llwyddiannus, y byddai'n colli'r cyfle i rwydo Llafur, a'r pleidiau eraill, i gonsensws cadarnhaol ar bolisi adfer y Gymraeg yn gamgymeriad hanesyddol, a fyddai hefyd yn cadarnhau ymhellach ym meddwl y cyhoedd mai mudiad iaith yn y bôn oedd y Blaid. Erbyn hynny roedd gyda ni ddogfen bolisi gynhwysfawr i'n helpu ni wrth ddiffinio'n safbwynt.

Serch hynny, pan ddaeth drafft cyntaf adran addysg yr adroddiad o flaen y Pwyllgor Addysg, fe gytunodd Helen Mary Jones a finnau y byddai rhaid datgan yn glir nad oedd e'n dderbyniol. Y diffyg pennaf oedd absenoldeb unrhyw strategaeth genedlaethol i hyrwyddo twf addysg Gymraeg. Dadl Jane Davidson oedd mai mater i awdurdodau lleol oedd y maes.

Mi luniais 'yn rhestr siopa o ofynion allweddol, fe gytunodd Helen a finnau ar gyfres o welliannau, a buodd rhaid i Davidson ildio. Serch hynny roedd ei gwrthwynebiad hi, ac aelodau eraill o'i grŵp, i gynyddu'n sylweddol nifer yr ysgolion Cymraeg yn amlwg. Ffaelais i yn 'yn ymdrech i gryfhau'r frawddeg, "Dylai strategaeth er mwyn hwyluso'r gwaith o ehangu [model yr ysgolion Cymraeg dynodedig] fod yn seiliedig ar archwiliad cynhwysfawr o'r galw" drwy roi "Dylai *fod yna* strategaeth..." yn lle'r geiriau cychwynnol. Ond roedd Dr Catrin Redknap wedi cynnwys y geiriau "Cydnabyddir rôl holl bwysig ysgolion cyfrwng Cymraeg dynodedig ... wrth gyflwyno dwyieithrwydd yn y pedair sgil ieithyddol i bob disgybl" yn y testun, a buodd rhaid bodloni ar hynny.

Dangosodd Davidson trwy benderfyniadau yn yr ail Gynulliad mai ei bwriad hi yw arafu gymaint â phosibl dwf yr union sector a yrrodd y cynnydd mwyaf mewn gwybodaeth a defnydd o'r Gymraeg. Diflas oedd gorfod aildwymo dadleuon y chwedegau a'r saithdegau yn ymgyrchoedd Ceredigion a Dyfed, a'u hanelu nhw, eto fyth, at yr un blaid wleidyddol.

Canlyniad yr holl waith oedd adroddiad cynhwysfawr a oedd yn ymrwymo i strategaeth integredig i greu Cymru ddwyieithog drwy gynyddu defnydd o'r Gymraeg ymhob agwedd o fywyd. Roedden ni wedi llwyddo y tu hwnt i bob disgwyliad. Does gen i ddim rhithyn o amheuaeth ynghylch cywirdeb ein penderfyniad ni i gefnogi adroddiad cytunedig.

Dagrau pethau yn 'y marn i yw na welwyd mudiad yr iaith yn dygyfor ei hadnoddau mewn ymgyrch gref dros weithredu'r polisïau a amlinellwyd wedi hynny yn *Iaith Pawb*. Ond mae llawn cymaint o fai arnaf i ag ar neb arall am hynny.

XI Paratoi am Lywodraeth

Wrth gyfiawnhau 'mhenderfyniad i adael San Steffan ddechrau 2000, mi ddywedais wrth Ieuan 'y mod i am ganolbwyntio ar dri pheth: datblygu'n rôl yn aelod rhanbarthol dros y Canolbarth a'r Gorllewin; bod yn gadeirydd pwyllgor effeithiol; a datblygu rhaglen lywodraeth y Blaid erbyn Cynulliad 2003. Mi esgeulusais y gyntaf yn go ddifrifol; mi wnes 'y ngorau glas gyda'r ail; ac mi weithiais yn ddiarbed wrth y drydedd.

Yn *Maen i'r Wal* (t. 139) mae Dafydd Wigley'n disgrifio'r "ias oer yn mynd i lawr fy nghefn" drannoeth etholiad 1999 wrth wynebu'r posibilrwydd mai "ni fyddai'r blaid fwyaf yn y Cynulliad". "Gwyddwn," meddai fe, "nad oeddem yn barod am hynny."

Roeddwn i'n hollol benderfynol y byddai gan y Blaid o leiaf raglen bolisi i'w gwneud hi'n barod i arwain llywodraeth Cymru yng Nghynulliad 2003.

Am ychydig roedd hi'n edrych fel pe bai'r shifft hir-ddisgwyliedig yng ngwleidyddiaeth Cymru yn dechrau digwydd: trosglwyddo arweinyddiaeth y traddodiad radical Cymreig o ysgwyddau Llafur i'r Blaid, fel yr oedd e wedi cael ei drosglwyddo ddechrau'r ugeinfed ganrif o'r Rhyddfrydwyr i Lafur. Roedd digon o dystiolaeth ar ffurf arolygon barn i gyfiawnhau cynnal y ffydd yma drwy gydol y Cynulliad cyntaf, ac fe lwyddon i gau'n llygaid i dystiolaeth isetholiadau (Dwyrain Abertawe ac Ogwr, er enghraifft), ac i raddau etholiad San Steffan 2001, a oedd yn adrodd stori wahanol.

Wrth annerch y Fforwm Polisi newydd a oedd wedi'i sefydlu yn dilyn etholiad 1999, mi bwysleisiais y gwahaniaeth rhwng polisi ar gyfer propaganda a pholisi i'w weithredu mewn grym. Roedd lle nid dibwys i'r cyntaf, wrth gwrs, ond rhaid yn awr ganolbwyntio ar yr ail. Amlinellais i amserlen ar gyfer datblygu syniadau a chytuno ar raglen lywodraeth mewn da bryd, ac mi osodais i'r gwaith cartref i'r llefaryddion.

Waeth i fi gyfaddef na pheidio i fi gael yr hir-ddisgwyl am argymhellion gan aelodau'r Fforwm, gyda rhai eithriadau, yn brofiad rhwystredig ar y naw. Onid oedd gan bob un ohonyn nhw amserlen orlawn fel ACau, yn eu hetholaethau ac yn y Cynulliad, ac ymrwymiad hefyd i ysgogi a chefnogi gwaith y Blaid ei hunan? Mi ges i'n hunan, gyda chymorth diflino pennaeth tîm ymchwil y Cynulliad, Lila Haines, yn gorfod rhoi trefn ar bolisi, mewn ymgynghoriad â'r llefaryddion, ac arbenigwyr yn eu meysydd a oedd yn fodlon cyfrannu.

Daeth y newyddion y byddai'r Comisiwn Etholiadol yn cyfrannu swm sylweddol iawn o arian i bleidiau gwleidyddol ar gyfer datblygu polisi, ac wedi hir ddisgwyl wrth i Lywodraeth San Steffan ohirio rhoi'r *go-ahead*, fe gafwyd adnoddau yng ngwanwyn 2002 ar gyfer Uned Bolisi yn Nhŷ Gwynfor, gyda staff amser-llawn o bedwar. O'r diwedd roedd modd proffesiynoli proses gwneud polisi'r Blaid.

Aethpwyd ati i ymgynghori a chomisiynu astudiaethau gan arbenigwyr cyfeillgar ar draws y meysydd polisi yn ogystal â gwneud gwaith ein hunain. Lluniwyd dogfennau swmpus ar bynciau megis yr economi, addysg, cludiant, a dulliau o godi cyllid cyfalaf y tu hwnt i gyfyngiadau benthyca'r Trysorlys. Yn yr holl waith yma, y graig y byddwn yn pwyso arni yn fwy nag un oedd Eurfyl ap Gwilym, cyn-Gadeirydd y Blaid, llym ei ddeall, manwl ei wybodaeth, didostur ei ddadansoddiad ond amyneddgar ei gritîc.

Er gwaethaf pob rhwystredigaeth, yn raddol mi welwn i elfennau rhaglen lywodraeth radical ond credadwy yn ymffurfio. Ddechrau 2003 mi fues yn ei thrafod gyda phennaeth gwasanaeth sifil y Cynulliad, Jon Shortridge, a chael cadarnhad fod y prif elfennau, yn nhermau adnoddau a phwerau, yn 'wneuthuradwy'.

Daeth y gwaith pwysicaf, a oedd yn darparu ffrâm ar gyfer cymaint o'r elfennau eraill, oddi wrth Gareth Wyn Jones ac Einir Young o Brifysgol Bangor. Argymell roedden nhw benodi nifer o 'beuoedd' datblygu trefol i fod yn ffocws i fuddsoddi ac i ddatblygiad economaidd a chymdeithasol. Gosodwyd y syniad cyffrous yma o fewn fframwaith y saith rhanbarth economaid yr oedd Phil Williams yn eu hargymell. Byddai strategaeth gynllunio a chludiant yn eu tro yn hwyluso datblygiad y rhanbarthau a'u canolfannau trefol a'u cydio ynghyd mewn rhwydwaith genedlaethol a allai wrthweithio tynfa glannau Merswy a Hafren a chadarnhau undod y genedl. Stwff cryf. Apelgar hefyd mi feddyliais, wrth i bawb achwyn (nid yn gwbl deg bob amser) bod Caerdydd yn llarpio'r adnoddau i gyd.

Y siom fawr oedd diffyg diddordeb y cyfryngau yng nghynnwys y blaengareddau polisi yma a fuodd yn cael eu lansio'n gyfnodol yn ystod 2002.

Yn ystod ei ymgyrch ar gyfer y llywyddiaeth, fe gyhoeddodd Ieuan ei fod yn benderfynol o gael diffiniad clir o nod cyfansoddiadol pen-draw Plaid Cymru. Roedd datganiad herfeiddiol Dafydd Wigley yn ystod ymgyrch 1999 nad oedd y Blaid erioed wedi ceisio annibyniaeth i Gymru wedi bwrw'r cwestiwn cyfansoddiadol yn ôl i'r pair.

Arnaf i a Jocelyn Davies, llefarydd cyfansoddiadol y Blaid, y disgynnodd y cyfrifoldeb o wireddu addewid Ieuan. Paratoais i, yn dilyn trafodaethau gyda Jocelyn a Richard Rawlings, ac yn sgil dogfen gan Richard Wyn Jones, amlinelliad o ymdaith ddichonol Cymru tuag at hunanlywodraeth gyflawn, a'i gyflwyno i'r Cyngor Cenedlaethol ar ffurf cyfres o ddiagramau. Ar adegau mi ges i'r teimlad bod yn well gan lawer (ond nid y mwyafrif) o aelodau'r Blaid freuddwydio am y Gymru Rydd fel paradwys ddychmygol yn hytrach nag ymwneud â'r broses gymhleth-anniben o ymlwybro drwy brysgwydd y realiti gwleidyddol.

Wedyn arweiniais i ddwy seminar, mewn ystafell yng ngwesty Bae Caerdydd, gyda Jocelyn, Richard Rawlings, Jill Evans, Richard Wyn Jones a Dafydd Trystan, a chyn-aelod tra galluog y mae'n rhaid iddo fod yn ddienw am ei fod e'n aelod o wasanaeth sifil y Cynulliad. Roedd y broses yn gwbl gyfareddol, ond roedd hi'n dod yn gynyddol amlwg fod y syniad mai'r nod pen-draw oedd i Gymru gymryd ei lle yn rhyw Ewrop ddychmygedig o ranbarthau a chenhedloedd bychain – Ewrop y can baner – yn mynd ar goll yn y niwl. O leiaf roedd aelodaeth wladwriaethol gyflawn o'r Undeb Ewropeaidd, os yn ymddangos yn hen-ffasiwn ac yn afrealistig o uchelgeisiol, yn glir. Doedd y drafodaeth ddim yn dilyn y trywydd yr oedd Ieuan, na finnau chwaith, wedi ei rag-weld.

Lluniwyd dogfen, *Tuag at Statws Cenedlaethol Llawn: Camau ar y Daith*, a chrynodeb ohoni, i'w dosbarthu ddechrau 2001 i ganghennau, rhanbarthau ac aelodau'r Blaid, mewn proses a oedd yn siampl o ymgynghori democrataidd. Erbyn diwedd Ebrill roedd nifer fawr o ymatebion wedi dod i law, a'u dadansoddi, ac adroddiad manwl ar yr ymgynghori wedi'i lunio.

Y casgliadau oedd bod cefnogaeth lethol o fewn y Blaid i'r "dynesiad esblygol i hunanlywodraeth"; bod yna gytundeb y byddai "sefydlu senedd ddedfwriaethol yn gam mawr ymlaen"; y dylai Plaid Cymru bob amser bwyso am ddatganoli pellach, gam wrth gam, "ar sail ystyriaethau pragmataidd"; ac y dylai Cymru ymgyrraedd at aelodaeth gyflawn o'r Undeb Ewropeaidd petai'r bobl yn cefnogi hynny drwy refferendwm. Cyfuniad felly o'r pragmataidd a'r tra uchelgeisiol.

Y cam nesaf oedd cyflwyno cynnig yn seiliedig ar hyn oll i Gynhadledd y Blaid yng Nghaerdydd 2001. Mewn ymdrech i barchu'r hen draddodiad o fewn y Blaid o ymwrthod â'r term 'annibyniaeth', o Saunders Lewis i Gwynfor a Dafydd Êl a Dafydd Wigley a Ieuan Wyn Jones, mi ddefnyddiais i derm Phil Williams, 'statws cenedlaethol llawn' i ddisgrifio'r nod pen-draw.

Mi ges i'n synnu, a 'nghythruddo hefyd, pan ddaeth Phil i'r rostrwm i watwar ei derm ei hunan a chefnogi gwelliant i'w ddisodli ag 'annibyniaeth'. Fe ffromodd Phil yntau, yn ddigon dealladwy, pan ddanodais i iddo yn 'yn araith grynhoi na fuasai fe wedi cyfleu ei wrthwynebiad i fi na'r Pwyllgor Gwaith na'r Fforwm Polisi, yr oedd e'n aelod ohono, cyn hyn. Beth bynnag mi lwyddais, a 'mod i'n dweud hynny, i swingio'r gynhadledd yn erbyn y gwelliant. Mynnodd Jocelyn a fi, serch hynny, ein bod ni'n derbyn gwelliant yn ychwanegu 'sedd yn y Cenhedloedd Unedig' i'r cynnig, a hynny yn erbyn dymuniad Ieuan.

Mi wyddwn i'n iawn, wrth gwrs, bod statws cenedlaethol llawn yn gyfystyr yn gyfreithiol, os nad yn athronyddol ac ymarferol, ag annibyniaeth. Roeddwn i'n mawr obeithio na fyddai arweinyddiaeth y Blaid fyth eto yn gwadu'r term hwnnw; welwn i ddim rheswm pam y dylen nhw, cyhyd â'i bod hi'n glir mai rhywbeth i ymgyrraedd ato yn y dyfodol go bell oedd hynny.

Fe dderbyniodd cynhadledd arbennig ar gyfansoddiad y Blaid yn Llanelwedd eiriad newydd i'r cyntaf o Amcanion yr oeddwn i wedi'i ddrafftio: 'Hyrwyddo cynnydd cyfansoddiadol Cymru, gyda'r nod o ennill Statws Cenedlaethol Llawn o fewn yr Undeb Ewropeaidd'. Go dda fan'na!

Pan ddaeth hi'n bryd i'r Blaid gyflwyno tystiolaeth i Gomisiwn Richard ddechrau 2003, roedd y gwaith cartref wedi'i wneud a gwaith cymharol fach oedd hi i fi lunio'r ddogfen. Llwyddodd y Blaid Lafur, yn gwbl bisâr, i gael cydsyniad y Comisiwn i beidio cyflwyno tystiolaeth tan ar ôl etholiad San Steffan, ac ar ôl dyddiad penodedig derbyn tystiolaeth.

Erbyn dechrau 2003 roeddwn i'n hyderus fod gyda ni raglen bolisi flaengar, gynhwysfawr a chredadwy i'w gwerthu i'r genedl. Ond rhwng popeth, ni chlywodd y genedl fawr ddim amdani.

XII 2003

Yn Ionawr 2002, mi gyflwynais bapur ar 'Neges Ymgyrch Gynulliad 2003' i gyfarfod estynedig o Grŵp y Cynulliad yn Llandrindod. Y dewis sylfaenol, meddwn i, oedd rhwng rhedeg ymgyrch ochelgar ac ymgyrch gyffrous. Wedi i'r Blaid dreulio cymaint o 2001 ar y droed ôl, roedd hi'n amlwg i fi mai'r ail oedd yr unig ddewis gwerth-chweil. Y slogan a oedd gen i mewn golwg oedd 'Trawsnewid (neu 'weddnewid'?) Cymru'.

Byddai hyn yn dod â'r economi i'r canol ar adeg pan oedd swyddi gweithgynhyrchu yn cael eu colli wrth y miloedd ar draws y wlad; ac roedd gyda ninnau gorff o bolisi apelgar yn y maes. Fe ellid cwmpasu argyfwng y gwasanaethau cyhoeddus a'r angen am fargen ariannol deg i Gymru o fewn yr un thema. Fe ellid ei gysylltu hefyd â'r alwad am 'senedd go-iawn' ar adeg pan oedd polisi cyfansoddiadol Llafur yn chwalfa embárasing, a'n polisi ninnau yn gwbl glir a synhwyrol.

Byddai apêl gref i wladgarwch yn sail i'r cyfan tra oedd Llafur yn gyforiog o hang-yps ar gwestiwn hunaniaeth a balchder cenedlaethol. Byddai'r ymgyrch yn ei hanfod yn un gadarnhaol, ond roedd 'na hen ddigon o sgôp ar gyfer y math o ymgyrchu negyddol a oedd mor hoff gan rai.

Fe dderbyniwyd yr argymhellion yn lled frwd gan y grŵp, ac roedd 'na deimlad o ryddhad bod modd i ni o'r diwedd ddechrau ymgyrchu'n gadarnhaol-hyderus ac ymosodol. Pe baen ni'n llwyddo'n etholiadol, gwych. Ond o leiaf mi fydden yn gallu ymfalchïo yn ein hymgyrch, ac mi fydden wedi ysbrydoli llawer, o bosibl recriwtio aelodau newydd, ac yn sicr ailwefreiddio'r aelodaeth gyfredol a'n cefnogwyr o werth a chyffro ein cenhadaeth.

O fewn wythnosau fe daflodd y Pwyllgor Gwaith fforchaid o ddom i ganol y flodeudorch ddeniadol yma drwy basio penderfyniad "mai neges allweddol ... ymgyrch etholiad 2003 fydd gwrthod preifateiddio Llafur Newydd o wasanaethau cyhoeddus".

Pan gwrddais i â Ieuan ar ôl y cyfarfod (roeddwn i, mwyaf y cywilydd i fi, wedi mitsio er mwyn cael diwrnod ymlaciedig gyda Llinos) roeddwn i'n ffaelu credu 'nghlustiau. Plaid a oedd am ei chyflwyno'i hun yn arweinydd llywodraeth amgen, yr oedd ganddi hi gorff o bolisi i ymfachïo ynddo, yn penderfynu seilio'i hymgyrch ar thema mor ymylaidd a negyddol, tra bod miloedd o bobl yn colli'u swyddi mewn gweithgynhyrchu, a chymunedau'n gwegian! A phan oedd Rhodri Morgan, yn fedrus er yn ddigon disylwedd, wedi diffinio "dŵr coch clir" rhwng Llafur Cymru a Llafur Newydd! Anodd credu.

Dros yr wythnosau a'r misoedd nesaf mi leisiais 'y ngwrthwynebiad i'r penderfyniad, ond yn lle ymladd 'y nghornel yn galed a threial ei wrthdroi e, mi wnes y camgymeriad, dealladwy mae'n debyg, o chwilio am lwybr canol er mwyn diogelu undod. Rwy'n gwrido wrth ailddarllen nawr rai o'n ymdrechion i i ddiffinio neges yn nhermau'r cyfaddawd yr oeddwn i'n gobeithio'i sefydlu. A pham ddiawl mai fi oedd yn gorfod gwneud hyn? Cyfarwyddydd polisi oeddwn i, nid sbin-feddyg na chyfarwyddydd cyfathrebu. Doeddwn i ddim hyd yn oed yn aelod o bwyllgor ymgyrch 2003, er i fi gael 'y ngalw i ambell i gyfarfod.

Buodd rhaid ailwampio'r Maniffesto, a dod â'r gwasanaethau cyhoeddus i'r pen blaen yn lle'r economi a datblygiad, gan sigo holl rym ei resymeg e. Pan ymddangosodd hwnnw yng ngwanwyn 2003, roedd hyd yn oed y teitl 'Trawsnewid Cymru' wedi diflannu.

Serch hynny roedd gen i job o waith yr oedd yn rhaid ei wneud. Ar gais y Pwyllgor Gwaith, mi ddes i ag uned bolisi'r Blaid ac ymchwilwyr Grŵp y Cynulliad at ei gilydd yn un tîm i gynhyrchu nodiadau manwl i ymgeiswyr a deunydd i'r ymgyrch. Un o'r tasgau a osodais iddyn nhw ac i fi'n hunan oedd llunio cyfres o fini-ddogfennau y gellid eu lansio drwy fisoedd cyntaf 2003 a hyd at yr etholiad. Pwyllgor Gwaith neu beidio, Trawsnewid Cymru oedd y thema gysylltiol.

Ond fe ddewisodd y Blaid ymgyrchu ar welyau ysbyty, cymorth yn y cartref, profion llygaid am ddim, mwy o blismyn ar y stryd a phethau cyffelyb. Cadd Martin Shipton yn y *Western Mail* hwyl anghyffredin ar ddangos cyn lleied o wahaniaeth oedd yna rhwng arlwy'r gwahanol bleidiau. Roedd arbenigrwydd grymus neges y Blaid wedi diflannu'n llwyr.

Rhaid cyfaddef nad oes sicrwydd y byddai unrhyw un wedi talu sylw pe bai'n syniadau i wedi cael eu derbyn. Daeth rhyfel Irac i ddominyddu'r newyddion, a chwestiwn llywodraeth Cymru a'r etholiad yn cael ei hwpo'n ddiseremoni i gilfach bellaf diddordeb y cyfryngau torfol. Rwy'n gwybod i swyddogion cyhoeddusrwydd y Blaid dynnu gwallt o'u pennau wrth dreial gwerthu storïau i'r wasg a'r darlledwyr.

Yng nghyfarfod Grŵp y Cynulliad yn Llandrindod yn Ionawr 2002, fe fuwyd yn trafod sut i gyhoeddi'r ffaith na fyddai Phil Williams na finnau, na Dafydd Wigley o bawb, yn sefyll yn etholiad 2003. Fe benderfynwyd ceisio cyfyngu'r damej drwy gael cynhadledd i'r wasg ar-y-cyd i ni'n tri.

Mae'n sicr i'r stori wneud niwed sylweddol i ddelwedd y Blaid a'r canfyddiad o'i hygrededd etholiadol hi. Mewn erthygl rymus yn y *Western Mail* dadleuodd Toby Mason fod ein penderfyniad ni'n tri i sefyll lawr yn brawf ein bod ni wedi rhoi'r gorau i unrhyw syniad o ffurfio llywodraeth yn 2003. '*Losing men of Stature leaves Plaid in free fall*' oedd y pennawd.

Roeddwn i wedi gwneud yn glir i Dafydd pa mor bwysig yr oedd hi ei fod e'n parhau yn AC dros Sir Gaernarfon, ond erbyn dechrau'r flwyddyn roedd e wedi penderfynu yn erbyn. Yna, erbyn yr haf, roedd y wasg yn cario'r stori ei fod e wedi ailfeddwl ac yn ystyried cyflwyno'i enw i'r ail safle ar restr y Gogledd.

Mi welwn i beryglon mawr yn hyn. Go brin, rhesymais i, y gellid ennill ail aelod ar restr y Gogledd heb golli un o'r etholaethau, ac roedd 2001 wedi profi nad oedd Môn yn ddiogel. Byddai'r cyfryngau a'r pleidiau eraill yn glafoerio am y stori: Wigley *versus* Jones am le yn y Cynulliad, a Llywydd y Blaid yn wynebu sialens arall eto, angheuol o bosibl, idd ei arweinyddiaeth. Mi gyfleais i 'mhryder i Dafydd ar lythyr, ond wn i ddim a gadd hynny unrhyw ddylanwad ar ei benderfyniad i beidio sefyll.

Mae'n deg nodi iddo yntau ddadlau ei bod hi'n berffaith bosibl ennill ail sedd ar y rhestr heb fforffedu etholaeth. Hynny hefyd a ddadleuodd Owen John Thomas, yn gwbl ddiffuant yn ôl ei arfer, pan fuon ni'n trafod y sefyllfa ryw brynhawn.

Mi dreuliais ddyddiau lawer yn ymgyrchu gyda Geraint Davies yn y Rhondda dros yr wythnosau cyn yr etholiad. Er gwaethaf ymdrechion glew Geraint, yn dilyn pedair blynedd o waith diflino yn y Cynulliad ac ar y cyngor, ac er gwaetha'r ffaith i Pauline Jarman a'i thîm wneud llwyddiant rhyfeddol a dyfeisgar o redeg Rhondda-Cynon-Taf, roedd y sgrifen yn fwyfwy clir ar y mur. Cyn ddiflased â dim oedd ansawdd y trafod ar garreg y drws. Dim ymwybod am gwestiynau strategol na dewisiadau gwleidyddol sylfaenol. Polisïau'r pleidiau? Sosialaeth, ddywedodd rhywun? Dim sôn. Dom cŵn, fandaliaeth a'r ffaith fod y glaswellt heb ei dorri: dyna lefel y disgwrs. Fe rybuddiodd un gŵr deallus fi mai'r stori yr oedd Llafur yn ei thaenu oedd mai Cymru annibynnol fyddai effaith ethol y Blaid, ac mi ges gadarnhad o hynny fwy nag unwaith. Roedd rhubanau ar ddrysau'r tai yn arwyddo cefnogaeth i'r milwyr yn Irac yn frith.

Roedd carreg yn 'yn stumog i drwy'r amser, a welwn i fawr o obaith y cadwen ni'r Rhondda. Ond doeddwn i ddim yn disgwyl y byddai pethau cynddrwg. Roedd 'na bryder am Gonwy, ond roedd Llanelli yn saff, does bosibl; ac roedd lle i fod yn obeithiol am ymgyrch gampus Llyr Hughes Griffiths yn Ne Penfro a Gorllewin Caerfyrddin.

Mi dreuliais noson yr etholiad yn y stiwdios radio a theledu yn cyfaddef fod pethau'n ddrwg tra'n cynnig dehongliad mor gadarnhaol â phosibl. Fe ddaeth yn amlwg y byddai Grŵp y Blaid yn y Cynulliad yn gostwng o 17 i 12. Buasai hynny yn ganlyniad calonogol yn 1999. Ond ar ôl ewfforia'r flwyddyn honno a'r gobeithion am dorri drwodd, doedd e fawr iawn gwell na thrychineb.

Cerddodd Jocelyn a finnau gyda'n gilydd tua'n fflatiau drwy strydoedd gwag Caerdydd am bedwar o'r gloch y bore, yn ceisio cysuro'n gilydd. Roedd yr ymdeimlad o fethiant yn llethol. Roedd holl ymdrechion pedair blynedd yn sarn. Ond sut oedd Ieuan yn teimlo tybed?

Pan ddaeth Medi James, a oedd wedi 'nghynnal ym mhob peth drwy gynifer o ymgyrchoedd, i'r tŷ yn Llandre ail trannoeth yr etholiad, fe dorrodd yr argaeau. Wyddwn i ddim sut roedd ei hwynebu hi.

XIII Dim Dychweliad

Cyn pen ychydig ddyddiau roedd Ieuan wedi gorfod ymddiswyddo o'r Llywyddiaeth. Roedd hi'n argyfwng ar arweinyddiaeth y Blaid ac fe gododd y syniad nad oedd rhaid i Lywydd y Blaid ac arweinydd Grŵp y Cynulliad fod yr un person.

Gofynnodd Elen ap Gwyn, hen ffrind, a Simon Thomas, a ystyriwn i swydd Llywydd. Dim o'r fath beth meddwn i. Roedd Dafydd Wigley wedi gofyn i fi unwaith ryw flwyddyn cyn sefydlu'r Cynulliad a awn i am y swydd pe bai e'n sefyll lawr. Doeddwn i erioed wedi 'ngweld 'yn hunan mewn rôl arweiniol felly, oedd yr ateb.

Wedyn daeth Elin Jones a Jocelyn ar 'y ngwar i, ac mi addewais y meddyliwn i am y peth dros y pen-wythnos, a Llinos a finnau yn aros gyda Rolant a'i deulu yn Walthamstow. Yn rhannol o ddyletswydd, ac yn rhannol oherwydd y fflatro ar 'y nhipyn balchder, mi gytunais, ac o stesion Amwythig brynhawn Sul mi ffoniais i Elin i ddweud y byddwn i'n cyhoeddi'n ymgeisyddiaeth ddydd Mercher.

Ddechrau'r wythnos dyma Dafydd Iwan yn cyhoeddi'i ymgeisyddiaeth yn y wasg; roedd amryw wedi pwyso arno yntau, gan gynnwys Elen ap Gwyn wedi i fi wrthod. Drwyddi hi y ces i'r neges fod Dafydd yn awgrymu cyfarfod. Efallai bod posibl sefydlu partneriaeth effeithiol: finnau'n Llywydd ac yntau'n parhau yn Is-lywydd.

Roeddwn i wedi gosod allan berwyl a blaenoriaethau 'yn llywyddiaeth ddamcaniaethol i ar bapur, ac mi gyflwynais i hwnnw i Dafydd pan gwrddon ni ymhen wythnos ym Mhort Meirion. Trwch blewyn, os hynny, o wahaniaeth oedd rhwng ein syniadau ni. Mi ddes o'r cyfarfod yn obeithiol am bartneriaeth. Ond daeth llythyr, cwrtais a manwl, oddi wrth Dafydd ymhen tridiau yn datgan ei fod am sefyll, yn rhannol am fod ei gefnogwyr yn pwyso arno i wneud. Y Sadwrn yna, cwrddon ni â'n gilydd yn angladd syfrdanol-annisgwyl Phil Williams.

Roedd 'y nghefnogwyr innau, grŵp o bleidwyr pybyr-ddeallus Aberystwyth, a'n cadfridog Elin Jones, yn benderfynol na ddylwn innau ar gyfrif yn y byd dynnu 'nôl. Erbyn hynny roeddwn i wedi magu hyder y gwnawn i lywydd llwyddiannus, a bod gen i neges, a'r cysyniad o godi cenedl yn ganolog iddi, a allai helpu i roi'r Blaid 'nôl ar lwybr twf a llwyddiant. ("Mae eisiau iddyn nhw gredu ei fod e'n rhywbeth *mawr*," meddai Jocelyn.) Roeddwn i'n cael digon o arwyddion cefnogaeth gan hwn-a-hon-a'r-llall i 'nghymell ymlaen.

Trefnwyd yr ymgyrch, sefydlwyd y wefan a gwnaethpwyd rhyw gymaint, ond ddim digon, i adeiladu rhwydwaith o gefnogwyr ymhob cwr o'r wlad. Datganodd nifer o bleidwyr amlwg o 'mhlaid.

Mi dreuliais wythnos yr Eisteddfod yn annerch cyfarfodydd a chanfasio cefnogaeth, ond Dafydd a gipiodd y penawdau gyda'i sylwadau esgeulus braidd am fewnfudwyr i Gymru – yr un hen bwnc yn ymwthio eto i'r blaen. Mi ges innau gyfarfod tra chadarnhaol gydag arweinwyr Cymuned.

Mi adroddais wrth 'y ngrŵp ymgyrchu ar ôl yr Eisteddfod 'mod i wedi 'mhlesio â'r ymateb ar y maes. Stori wahanol oedd gan Elin ddi-dderbyn-wyneb. Lachiad oedd y darogan meddai hi: yr actifyddion ar y cyfan o 'mhlaid i, ond trwch yr aelodaeth, yn enwedig yn Arfon, yn sicr o gefnogi Dafydd. A'r siarad ar led oedd mai fi, yn gymaint â neb, oedd yn gyfrifol am fethiant etholiad y Cynulliad.

Yn ôl pob hanes, mi enillais i dir sylweddol yn yr hystings ddechrau Medi. Ond yn y cyfrif yng Nghaerdydd, fe ddaeth yn amlwg nad oeddwn i ddim mewn gwirionedd am wlychu traed Dafydd. Wrth annerch, mi ddywedais, yn gwbl ddiffuant, fod y Blaid wedi ethol dyn o gymeriad cwbl eithriadol yn Llywydd. Ond ddywedais i ddim 'mod i'n credu mai fe oedd y dewis gorau i'r swydd.

Wrth gerdded ar hyd y stryd yn y Borth nos drannoeth, ar ôl y daith trên yn ôl o Gaerdydd, dyma ffarmwr cyfeillgar yn 'y nghyfarch i. "Roeddwn i'n clywed eich bod chi wedi cael gollyngdod mawr neithiwr," meddai fe. Gwir oedd y gair. A dyma Llinos yn dod yn y car i fynd â fi adref.

Pennod 9

ÔL-DDRYCHYD: EBRILL 2005

ASG 2001 fe ymadawon ni â Thalgarreg. Ar ôl buddsoddi ym mywyd pentrefol cefn gwlad godre Ceredigion, a thynnu arno, am 38 o flynyddau, roedden ni wedi penderfynu nad oedd i ni yna ddinas barhaus. Doedd dim un o'r plant am ymrwymo i'r ffordd o fyw yr oedd Llinos a fi wedi'i gwneud, i ryw raddau, yn bwrpas bywyd. Mewn gwirionedd, roedd yr ymadawiad yn llai o rwyg nag y byddwn i wedi dychmygu. Ond roedd cyfnewid cymdeithas wreiddiedig, real ar y naw, am swbwrbia Llandre, lle nad oedd ond gweddill cymuned bentrefol, yn dipyn o altrad. Beth bynnag, roedd Talgarreg, a'r cefn gwlad yn gyfan, yn profi trawsnewidiad a fyddai'n sigo'r hen rwydweithiau, y strwythurau cynhaliol a'r gymdogaeth gref yr oedden ni wedi mynd yna i'w ceisio, ac i raddau helaeth eu cael hefyd. A siarad yn wrthrychol oer, fe ellid dadlau mai camgymeriad oedd ymsefydlu yn y math o gymdeithas yr oedd holl gerrynt yr oes yn llifo yn ei erbyn. A siarad yn ddynol, doedd dim modd peidio â llawenhau yn y cyfoeth mawr a brofon ni.

Rwy'n sylweddoli 'mod i'n perthyn i'r genhedlaeth fwyaf ffodus, fwyaf maldodus yn wir, a fuodd efallai erioed. Fuodd dim rhaid i fi fynd i ryfel, ac roeddwn i'n tyfu i oedoliaeth ar adeg o ddiogelwch cyflogaeth a gwasanaethau cyhoeddus na fuodd eu tebyg. Ac er mai ar gyflog grintach gweinidog yr efengyl y buodd rhaid i Nhad a Mam ein magu ni, cocŵn gynnes-ddiogel oedd y mans yn nhref fach gysglyd Aberaeron, tra oedd gwrhydri ac ysgelerderau rhyfel yn cael eu cyflawni mewn tiroedd pell. Y diogelwch yma rhag bygythiad na chyni mae'n debyg oedd yr hinsawdd a alluogodd cynifer o 'nghenhedlaeth i dreulio'u hamser yn ymgyrchu, yn arbrofi ac yn gwau breuddwydion am gymdeithas well ac am Gymru Rydd.

Drwy ryw gyfuniad o ffawd ac ymdrechion glew, mi ges fyw i weld sefydlu egin-wladwriaeth Gymreig, a rhyw fath o flodeuo gwladgarol poblogaidd a chreadigol na allai dyn ddim ond treial ei ddychmygu yn y blynyddau wedi'r rhyfel. Heddiw rwy'n gweld cyflawni rhai o'r rhybuddion y byddwn i mor ddiamynedd wrth eu clywed ddyddiau a fu, ac yn arbennig am dra-arglwyddiaeth Llafur ar fywyd gwleidyddol Cymru. Mewn araith yn y Cynulliad ddechrau 2003, mi dynnais ar gerdd gan Philip Larkin i gymharu Llafur â llyffant yn cwtsio ar fywyd y genedl, gan fogi ei gobeithion a'i photensial. Welaf i ddim modd i Gymru gamu ymlaen heb ymryddhau o afael y llyffant, ac nes i hwnnw, efallai, fynd drwy'r math o fetamorffosis sy'n digwydd yn y storiau tylwyth-teg.

Gwefr ryfeddol fuodd gweld y blaid yr ymaelodais i â hi ganol y pumdegau yn symud o'r cyrion i fod yn rym gwirioneddol ym mywyd y genedl, a chwarae rhan yn yr ymdrech fawr yna. Heddiw, mae hi fel petai hi'n troi mewn merddwr. Tan iddi ailddiffinio'i chenhadaeth a gweddnewid ei delwedd, a derbyn mai ei phennaf dyletswydd, er 1997, yw arwain y genedl yn ei blaen drwy ei llywodraethu, mewn clymblaid ag eraill os oes raid, mae perygl mai'r merddwr fydd ei thynged.

Heb drawsnewidiad gwleidyddol o fewn Cymru, mae'n gwestiwn a ellir creu'r twf deinamig yn hanes yr Iaith Gymraeg sy'n angenrheidiol er mwyn diogelu'i dyfodol hi. Wedi treulio rhan fawr o 'mywyd yn pwysleisio'r angen i ddiogelu ac adeiladu ar y 'cadarnleoedd' a'r cefn gwlad, a byw hynny yn 'y mywyd personol a theuluol, mae'n gynyddol eglur i fi bod seilio strategaeth adfywiad ar greu gwarchodfuriau o amgylch 'broydd Cymraeg' yn rhwym o ffaelu. Tristwch yw gweld methiant mudiadau ymgyrchol yr iaith i newid cyfeiriad yn ôl realiti'r oes. Ar y llaw arall mae gweld yr hoen rhyfeddol sy'n nodweddu'r iaith, y creadigedd cyffrous ym myd llenyddiaeth, er enghraifft, a'r ffordd y mae cenhedlaeth arall eto yn trosglwyddo'r iaith i'w phlant hi, yn destun gobaith nid bychan.

Er mwyn cyfansoddi hyn o lyfr, rwyf wedi gorfod ailddarllen rhai o bregethau'r gorffennol. Ganol y nawdegau roeddwn i'n pedlera'r syniad y byddai'r gymdeithas fyd-eang yn cael ei gorfodi i ddysgu ffordd newydd, gyfrifol o fyw er mwyn osgoi trychineb ecologol. Ers hynny, fe dreiddiodd elfennau o'r weledigaeth werdd i brif ffrwd polisi. Er enghraifft, fe ddaeth trin gwastraff yn ddiwydiant o bwys, ac fe gyflwynwyd trethi gwyrdd mewn meysydd megis chwarelu ac i ryw raddau allyriadau nwyon tŷ gwydr. Gwelwyd peth symud a llawer o ymdrech ym maes ynni adnewyddol. Fe ddaeth cynnal yr amgylchedd yn elfen o bwys mewn polisi amaethyddol.

Ond mae'r math o drawsnewidiad gwyrdd yr oeddwn i (ac eraill hefyd i fod yn deg) yn sôn amdano ganol y nawdegau i'w weld ymhellach o realiti nag erioed. Lleihau traffig heolydd yn wir! Datrys problem diweithdra a thlodi drwy gynyddu gwario cyhoeddus, codi budd-daliadau ac ailddosbarthu radical ar gyfoeth yn ôl syniadau *Real World*? Cefnu ar dwf economaidd fel yr ateb i bob dolur? Go brin. Yn hytrach fe lwyddodd Gordon Brown i gynnal economi hynod o lwyddiannus a chael gostyngiad mawr mewn diweithdra ar sail chwyddiant aruthrol yng ngwerth eiddo, lefel uchel o ddyled bersonol, a phrynwriaeth lamsachus. Rwy'n gwrido braidd wrth ailymweld â'r syniadau roeddwn i'n eu hyrwyddo gwta ddeg mlynedd yn ôl.

Ond, wrth gwrs, mae'r rheithgor allan o hyd. Mae byd natur a'r hinsawdd dan bwysau gwaeth nag erioed. Mi gawn ni weld.

Yn y cyfamser, rwy'n gweld cymdeithas yn mynd yn fwyfwy unigolyddol-hunanol wrth i glymau cymunedol, y bues i mor llafar yn canu'u clodydd, yn ymddatod ar bob tu, yn wyneb symudoledd anhygoel nwyddau a phobl.

Fe barodd ymroi i ymgyrch ar ôl ymgyrch ar hyd y blynyddau i fi esgeuluso 'mywyd teuluol i raddau pechadurus. Ond mi welais fagu tri o blant y mae cyfanrwydd gwâr eu cymeriadau, eu hawddgarwch a'u craffter, eu hymddygiad cariadus a'u hanhunanoldeb, yn codi cywilydd arna i. I Llinos y mae'r diolch wrth gwrs, yn ogystal â rhieni-cu cadarn-ofalgar a chymdogion caredig. Maen nhw hefyd yn blant yr Ysgol Sul a'r capel. Mae gen i chwech o wyrion bendigedig, a disgwyl am seithfed.

Er 1964 rwyf wedi cael cyd-fyw gydag un o'r menywod mwyaf araul a gerddodd daear. Wnaf i ddim peri embaras iddi drwy dreial disgrifio hyd-a-lled ei rhin a'i rhinweddau, dim ond dweud iddi roi i fi sbardun parhaus i'r meddwl, *reality-checks* cyson, cadernid, dedwyddwch dwfn ac adegau o hapusrwydd ecstatig.

Llinos yn fwy na neb a'n llusgodd i'n rhydd o hualau uniongrededd crefyddol. Does dim lol yn agos iddi. Yr hyn sy'n rhyfedd, serch hynny, yw i ni'n dau, hithau lawn cymaint â fi, ddod yn gynyddol dan gyfaredd yr hyn y mynnen ni heddiw yw hanfodion dwfn y ffydd Gristnogol, nad oes modd i'r meddwl modern (neu ôl-fodern?) eu gwerthfawrogi ond yn symbolaidd-drosiadol. Cwestiwn plentyn, nid dyn yn ei oed a'i amser, am storïau'r ddau Destament, yw "Ydi-e'n wir?" mewn ystyr ffeithiol-wrthrychol.

Ar ôl ymadael ag Undodiaeth rwyf i wedi'n synnu'n hunan drwy droi'n eglwyswr. Goresgyn rhagfarnau oes, a chefnu ar ddwy ganrif o draddodiad teuluol. Fe argyhoeddodd methiant y Cynllun Uno fi fod oes anghydffurfiaeth Gymraeg yn dirwyn i ben, ond pwysicach na hynny oedd yr angen i ddianc rhag gormes y bregeth. Rwy'n sugno cysur a maeth o wasanaethau'r eglwys, a mae dwyster y profiad o gerdded i'r allor i dderbyn y cymun bendigaid yn fwy nag y gallaf i ei fynegi.

Rwy'n sicr y byddai Nhad yn dweud, "Byddai'n well gyda fi dy fod ti'n mynd i'r eglwys na dy fod ti heb oedfa". Pa mor anuniongred bynnag y byddai llawer yn barnu 'mod i, chaiff neb 'yn rhwystro i rhag tynnu maeth o eiriau megis y rhai cyfarwydd a ddarllenwyd yn eglwys Llanbadarn ddydd Sul diwethaf: "Pwy a'n gwahana ni oddi wrth gariad Crist... Canys y mae yn ddiogel gennyf, na all nac angau, nac einioes, nac angylion, na thywysogaethau, na meddiannau, na phethau presennol, na phethau i ddyfod, nac uchder, na dyfnder, nac un creadur arall, ein gwahanu ni oddi wrth gariad Duw, yr hwn sydd yng Nghrist Iesu ein Harglwydd."

Amen i hwnna. Ond mae p'un a fyddaf i'n gallu profi grym y geiriau pan ddaw hi'n ddydd o brysur bwyso yn fater arall oltwgedder.

Mynegai

Edward, Tywysog Cymru 15
Edwards, Alun R 88, 122
Edwards, Gareth (Aberystwyth) 124–5, 141, 143
Edwards, Gareth (chwaraewr rygbi) 75
Edwards, Huw T 68, 72–3
Edwards, Hywel Teifi 163
Edwards, Lewis 12, 13
Edwards, Richard, AC 253
Eirug, Aled 147
Eisteddfod Genedlaethol 57, 65, 71, 82, 86, 122, 132, 139, 143, 149, 172, 196, 203, 237, 253
Elis, Islwyn Ffowc 54, 67, 114, 137
Elis Thomas, Dafydd 145, 154, 163, 172, 257
Ellis, Tom 29
Epynt 9, 12, 47
Evans, Delyth, AC 262
Evans, Gareth 73, 112, 114
Evans, y Parch. Gwyn 25
Evans, Gwynfor 46–7, 54, 68–9, 71, 73–4, 109, 114, 116, 121, 126–8, 148–9, 153–4, 172, 242, 267
Evans, Gwynfryn 159, 166
Evans, Jill, ASE 210, 223, 247, 266
Evans, Meredydd 148, 172
Felin-fach 84, 88, 159, 165, 166, 238
Foster, Tim 176
Francis, Hywel, AS 105

Ffransis, Ffred 132–4
Garel-Jones, Trystan 194, 199
Gee, Thomas 12
German, Mike, AC 227, 247, 250–1
GLOBE UK 220–2, 239
Glowyr, y 15–6, 51, 90, 154–6, 162, 163–4, 248
Glyn, Seimon 251–2, 255, 257
Goleuad, Y 21

Grŵp Cathays 109
Gregory, Millicent 148
Griffith, y Parch. Huw Wynne 57, 61
Griffiths, Dr Gwyn 74
Griffiths, John, AC 236, 238
Griffiths, Kate Bosse 74
Griffiths, Peter Hughes 122, 127
Grigg, Gwenllian (née Dafis) 2, 91, 93, 192
Gruffudd, Heini 105, 262
Gwenallt 58–9
Gwilym, Arfon 133
Gwilym, Eurfyl ap 126, 265
Gwyn, Aled 64
Gwyther, Christine, AC 231

Hain, Peter, AS 213, 235
Haines, Lila 218, 249, 260, 265
Hancock, Brian, AC 210
Harris, Hag 155
Harris, Howell 11
Harris, Jac 74
Hart, Edwina, AC 229–30, 245, 247, 253, 257
Henllan Amgoed 13
Herbert, Tomos Glyn 80
Higginson, Paul 163
Howell, JM 29, 30, 33
Howells, Geraint, AS 125, 128, 159, 166, 168, 172, 179, 181, 222
Howells, Gerald 153
Howells, John 162–3, 180
Howells, Kim 155, 173
Hughes, y Parch. Curry 37
Hughes, Dr John 123
Hughes, Garfield 60
Hughes-Parry, David 112
Humphreys, Gwilym 124, 138, 139
Hunt, David, AS 172, 198
Huws, Dafydd 158, 161, 172
Huxley, Aldous 66, 73, 111

Major, John 185, 193
Marek, John, AC 257
Maritime Heritage of Southern Ceredigion 31
Marles, Gwilym 94
Matthews, Ron 102
Methodistiaeth 11
mewnlifiad 123, 133, 140, 142, 173, 251, 143
Michael, Alun, AS AC 222–4, 226–9, 232–3, 239–43, 247–8, 250
Middlehurst, Tom, AC 233–5, 237, 247, 254, 262
Midmore, Peter 178, 204
Miles, Gareth 69, 107, 110, 119–20, 134, 151
Morgan, Derec Llwyd 65, 125, 257
Morgan, Deulwyn 97, 109, 124, 181
Morgan, Elystan 46, 73, 109, 113, 118, 124–5, 128, 182
Morgan, Gwerfyl (née Jones) 97
Morgan, Iwan 46
Morgan, Jonathan, AC 257
Morgan, Kevin 214, 241, 257
Morgan, Rhodri AS AC 184, 219, 222, 228, 231, 240–4, 247, 248, 250–1, 257–8, 269
Morgan, Syd 175
Morgan, Trefor 74
Mynydd-y-Garreg 13

New Nation 114–5, 126, 157

Okey, Robin 147, 151, 158
Osmond, John 217, 257
Owen, Euros 148
Parkin, Sara 185, 203, 208
Parry, Thomas 55
Pen-hydd Fawr 50
Penfro, De 223
Penfro, Gogledd 150, 158, 161, 165, 170, 176–7, 180, 182, 198, 203, 211

Penodau yn Hanes Aberaeron 29
Phillips, John 139, 143
Plaid Cymru 44, 48, 54, 57, 59, 63, 69, 70–4, 84, 109, 111–6, 122, 126–31, 147–8, 150–73, 175–82, 184, 191, 198–200, 202–6, 208–17, 222, 224–32, 235–6, 239, 241–2, 244–9, 252–4, 259–61, 263–7, 269–1, 273
    Cyngor Cenedlaethol 157, 172, 215, 217–8, 252, 266
    Pwyllgor Gwaith 109, 113, 159, 175–7, 203–4, 207, 210–1, 215, 226, 239, 242, 252, 267–9
    Ysgol Haf 69–71, 109, 151
Plaid Geidwadol, (y) 12, 30, 73, 91, 150, 176, 185, 192, 209, 211, 220, 222, 248, 257
Plaid Lafur, (y) 46–47 68, 71–73, 104. 106, 109, 113, 116, 124, 126, 137–38, 143. 50–51, 155, 159, 160, 164–5, 168–9, 170, 182, 186–7, 195–6, 201, 208–10, 212–6, 218, 222–3, 226–33, 235–36, 239, 241–3, 247, 249, 251, 253–8, 260, 262–4, 268–9, 271, 275
Plaid Ryddfrydol, (y) 12, 128, 159, 175–77, 178, 179, 181–82, 211, 214, 220, 226–8, 230, 239, 241–2, 247, 251, 261, 263, 264
Plaid Werdd, (y) 162, 169–171, 174–5, 176–7, 180, 184–5, 188, 191–2, 203–5, 207–8, 214
Pont-faen, Brycheiniog 9
Pont-rhyd-y-fen 50
Pont-siân, Eirwyn *gweler* Jones, Eirwyn
Pontardawe 75, 98, 110
Porritt, Jonathon 180, 204–7
Porteous, Jean (née Davies) 16, 22, 25, 28, 37, 43, 44, 57, 59, 61, 78
Price, Adam, AS 241, 261
Price, Roger 12
Pugh, Alun, AC 235–6, 254, 257

Pwll-y-glaw, Cwmafan 52

Am restr gyflawn o gofiannau a llyfrau
gwleidyddol Y Lolfa, a'n holl lyfrau eraill,
mynnwch gopi o'n Catalog newydd, rhad
– neu hwyliwch i mewn i'n gwefan

www.ylolfa.com

i chwilio ac archebu ar-lein.

y**L**olfa

TALYBONT CEREDIGION CYMRU SY24 5AP
e-bost ylolfa@ylolfa.com
gwefan www.ylolfa.com
ffôn (01970) 832 304
ffacs 832 782